Ann RULE

UN TUEUR
SI PROCHE

Traduit de l'anglais (États-Unis)
par Xavier Perret

DU MÊME AUTEUR, CHEZ LE MÊME ÉDITEUR

Si tu m'aimais vraiment
Et ne jamais la laisser partir
Sans nouvelles de toi

© Ann Rule, 1980, 1986, 1989, 2000.
© Éditions Michel Lafon, pour la traduction française, 2002.
7-13, boulevard Paul-Émile-Victor - Île de la Jatte
92521 Neuilly-sur-Seine Cedex

PRÉFACE

À l'origine, ce livre, commencé voici vingt-cinq ans environ, était censé rapporter le fruit des observations d'une chroniqueuse judiciaire – moi-même – sur une série de meurtres inexpliqués touchant de ravissantes jeunes femmes. De par sa nature même, il devait s'agir d'un ouvrage détaché, neutre et fouillé. Au lieu de quoi, ce récit est devenu éminemment personnel. Et pour cause : l'individu que traquaient toutes les forces de police n'était pas pour moi un inconnu. Nous étions amis.

Relater les funestes exploits d'un anonyme ou d'un étranger est une chose ; raconter ceux d'un homme que l'on a connu et estimé pendant dix ans en est une autre. C'est pourtant ce que j'ai dû faire. Un éditeur m'avait commandé une enquête sur une dizaine des homicides en question bien avant que la police le tienne pour son principal suspect. Sur le million d'habitants que comptent Seattle et sa périphérie, le destin choisit de me mettre en présence de mon ami, Ted Bundy.

Nous n'aurions jamais dû nous rencontrer. En toute logique, au vu des statistiques et de nos âges respectifs, les chances que nos routes se croisent et que nous nous liions si vite étaient trop minces pour qu'on s'y attarde. Quand ce jour arriva cependant, j'étais âgée de trente-cinq ans, mère de quatre enfants, et en instance de divorce. À vingt-quatre ans, Ted terminait de brillantes études de psychologie à l'université de Washington. Le hasard a voulu que nous formions un tandem au centre d'aide d'urgence de la ville de Seattle. Au premier abord, nous sommes devenus complices, puis amis.

7

Entre les appels de détresse auxquels nous répondions tour à tour, nous discutions beaucoup. Lui rêvait de devenir avocat, moi j'espérais que ma carrière de journaliste décollerait et me permettrait de subvenir aux besoins de ma famille. Mon créneau, c'étaient les affaires criminelles. Un domaine qui me convenait d'autant mieux que j'avais été contrainte de quitter la police pour raison de santé ; j'avais ensuite suivi des études de psychologie et des formations techniques de la police scientifique pour maîtriser tout à fait le sujet. En 1980, j'avais déjà couvert plus de huit cents affaires, essentiellement des homicides, m'attirant ainsi la confiance et le respect de centaines d'inspecteurs chevronnés.

Je suis convaincue que notre intérêt commun pour le droit et la psychologie nous a grandement rapprochés, Ted et moi. Mais à dire vrai, autre chose encore nous unissait. Un lien intangible, puissant, inexplicable. Dans l'une de ses dernières lettres écrites en détention, il formula le vœu que les forces surnaturelles qui président à nos destinées nous réunissent en des temps moins troublés. Nous ne devions pas nous revoir hors d'un tribunal ou d'une prison, mais ce lien singulier demeurait.

Un quart de siècle s'est écoulé depuis que Ted Bundy m'a appelée à l'aide en m'annonçant qu'on le croyait responsable de la disparition d'une dizaine de jeunes filles. Le souvenir de cet appel me glace encore aujourd'hui.

À l'automne 1999, je séjournai à Pensacola pour animer un congrès d'enquêteurs et de médecins légistes. Je ne m'étais jamais rendue dans cette ville, théâtre de l'ultime arrestation de Ted, à l'aube, le 15 février 1978. Comme les cyclones qui ravagent régulièrement la région, Ted Bundy n'avait fait que passer, indifférent à l'atmosphère paisible qui règne d'ordinaire dans les environs. Entre deux conférences, les inspecteurs de la criminelle m'emmenèrent à son repaire, sis dans une zone résidentielle, à un jet de pierres de l'autoroute : un quartier de bâtisses à charpentes en bois, aux porches grillagés donnant sur des carcasses de voitures qui gisaient dans des terrains crasseux parsemés d'arbres pétrifiés. De tous les lieux où ses pulsions meurtrières avaient conduit Ted, celui-ci était sans doute le plus désolé. Ensuite, nous sommes allés au poste de police, d'où Ted m'avait téléphoné pour me demander du secours. Étrange vision : un logiciel informatique conçu pour la police recelait désormais des photographies de son corps après électrocution...

Dans mon esprit, je me représente toujours Ted sous les traits d'un garçon de vingt ans. Il en aurait aujourd'hui cinquante-six, mais il est mort sur la chaise électrique de la prison de Raiford, à Starke, en Floride. Son physique avantageux et son charme ont contribué à lui conférer une dimension mythique, celle d'un antihéros qui continue d'intriguer les lecteurs, dont beaucoup n'étaient pourtant pas nés à l'époque où il sévissait. Ted Bundy est devenu l'archétype du tueur en série. De prison, John Hinckley, l'homme qui avait tiré sur le président Ronald Reagan, et David Berkowitz, le « Fils de Sam », se sont vantés d'entretenir une correspondance régulière avec lui.

À l'instar des crimes perpétrés par d'autres assassins bien connus du grand public, l'atrocité des meurtres de Ted s'est estompée au fil du temps, au profit d'une figure quasi romanesque. Je le déplore vivement, d'autant que l'on se doit de savoir que Ted n'était pas un être d'exception : ses semblables existent bel et bien et sont extrêmement dangereux.

Je me suis plu à croire, naïvement peut-être, que la fascination qu'il exerçait irait diminuant et que je pourrais enfin le chasser de ma mémoire. J'ai fini par me résoudre à l'idée que, jusqu'à mon dernier souffle, il viendrait me hanter. Dernièrement encore, allongée sur une table d'opération, tandis que j'attendais qu'on m'administre une anesthésie, je vis une infirmière se pencher vers moi et me demander d'une voix douce, teintée de sollicitude :

– Ann ?

– Oui ? répondis-je, croyant qu'elle se souciait de mon confort.

– Dites-moi, qui était réellement Ted Bundy ?

Je sombrai dans la torpeur avant de pouvoir formuler une réponse cohérente. Tant mieux. Nul ne détient la clé de la personnalité de Ted, même pas les experts. À mon sens, je doute que Ted lui-même ait pu l'éclairer. En revanche, mon opinion à son propos s'est noircie. Lorsque je relis les notes que j'ai prises sur lui dans les années 1970, je m'aperçois que j'étais à mille lieues de la réalité. En l'espace de vingt-cinq ans, il m'a fallu admettre sur son compte des vérités toujours plus macabres. L'inconscient humain – y compris le mien – a de curieuses manières de s'accommoder de l'horreur.

Mes souvenirs de Ted sont limpides mais duels : je me rappelle en effet deux Ted. Le premier est le garçon que je côtoyais deux soirs par semaine au centre d'aide d'urgence de Seattle. Le second est le voyeur, le violeur, l'assassin, le nécrophile. En dépit de tous mes efforts, je ne parviens pas à faire coïncider l'image du tueur avec celle du brillant étudiant qu'il était. Et je ne suis pas la seule : la plupart des gens qui le connaissaient se heurtent à cette difficulté.

Alors je vis avec ces deux Ted. Au vu des diapositives de ses victimes – celles qu'on a trouvées avant qu'elles soient réduites à l'état de squelettes –, il apparaît qu'il retournait sur les lieux de ses crimes pour grimer les lèvres et les yeux, et rehausser de fard les joues livides des pauvres femmes. J'en suis venue à accepter que c'était là l'œuvre du second Ted. J'en suis venue à accepter qu'il s'était rendu coupable de meurtres de la pire espèce mais aussi de nécrophilie. Sur le plan intellectuel, je pense l'avoir intégré, mais je m'efforce autant que possible de ne jamais considérer cela d'un point de vue émotionnel. Néanmoins, je tressaille en écrivant ces phrases.

Ted Bundy est l'unique sujet que je n'ai jamais pu envisager avec détachement. C'est l'unique sujet que j'ai connu avant, pendant, et après ses crimes, et j'espère que le cas ne se représentera plus jamais.

Grâce à l'Internet, j'ai été contactée par quantité de femmes qui avaient croisé la route de Ted et en avaient réchappé. Lorsque je donne des conférences sur cette affaire, je reconnais le regard tourmenté de celles qui témoignent de la terreur qu'elles éprouvaient alors. Vu leur nombre, il n'est guère plausible qu'elles aient toutes rencontré Ted Bundy, mais c'est bel et bien le cas de certaines. À cinquante ans passés, elles ne ressemblent plus guère aux adolescentes qui avaient cru, dans l'insouciance des années 1970, que l'on pouvait se fier à des inconnus et faire de l'auto-stop sans risque.

L'une m'a parlé d'un bel homme au volant d'une Volkswagen dans laquelle elle était montée à l'ouest de Spokane. Il avait subitement quitté l'autoroute pour s'engager sur un chemin désert et avait sorti une paire de menottes.

– Je me suis débattue et j'ai couru me réfugier dans les broussailles. Il a commencé par remettre le contact et s'éloigner, mais ensuite je l'ai entendu s'arrêter. Je savais qu'il attendait que j'émerge des buissons. Je suis restée prostrée des heures dans la végétation, jusqu'à ce que j'entende le moteur vrombir. Il s'agissait peut-être d'une feinte, mais je grelottais et j'avais des crampes dans les membres, aussi j'ai couru et j'ai frappé à la porte d'une maison où l'on m'a recueillie.

Plus tard, elle reconnut Ted Bundy sur une photographie. Vingt-cinq ans avaient passé mais elle tremblait encore en songeant qu'elle avait frôlé la mort.

Ted était constamment à l'affût de nouvelles proies ; il passait l'essentiel de son temps à les suivre, les traquer, les épier. Pour chaque infortunée jeune fille qu'il réussit à attirer dans ses griffes, des dizaines ont pu lui échapper. Ce qui me frappe le plus, c'est la frayeur qui se dégage d'elles quand elles en parlent, près de quinze ans après l'exécution de Ted. Les unes se fustigent pour avoir eu la candeur de suivre un inconnu, les autres se culpabilisent d'être vivantes tandis que de malheureuses étudiantes ont succombé à ses assauts.

Je sais que ces rescapées continueront de m'écrire et de chercher à me contacter. Deux courriers de ce genre me sont parvenus ce matin.

On a dit de Ted qu'il était un fils modèle, un étudiant idéal, un génie au physique de star du grand écran, l'étoile montante du parti républicain, un être attentionné et sensible, un futur ténor du barreau, un ami sincère, un jeune homme dont l'avenir ne recelait que des promesses de réussite.

Ce portrait est à la fois très fidèle et fort peu ressemblant.

Ted ne correspond à aucun schéma préétabli. Nul ne peut s'intéresser à son histoire et décréter que ce qui s'est produit était inéluctable.

En fait, c'était incompréhensible.

ANN RULE

1

Personne ne fit attention à l'homme qui quitta la gare routière de Tallahassee, à l'aube de ce dimanche 8 janvier 1978. Il avait l'air d'un étudiant – à peine un peu trop vieux, peut-être – et il se fondit aisément parmi les trente mille jeunes qui étaient arrivés cette semaine-là dans la capitale de la Floride. Ainsi qu'il l'avait prévu. Il se sentait à l'aise sur un campus, comme chez lui.

En fait, il était aussi loin de son domicile qu'il pouvait l'être sans quitter les États-Unis. Cela aussi, il l'avait prévu, comme le reste. Il avait réalisé l'impossible et s'apprêtait à commencer une nouvelle vie avec un nouveau nom, un passé imaginaire « emprunté » à quelqu'un d'autre, et un comportement différent. Il était persuadé que cette violente sensation de liberté qu'il éprouvait durerait éternellement.

Dans l'État de Washington, dans l'Utah ou dans le Colorado, il aurait été immédiatement reconnu, même par les personnes les moins au fait de l'actualité. Mais ici, à Tallahassee, il était un citoyen anonyme, rien qu'un beau garçon souriant parmi d'autres.

Il avait été Theodore Robert Bundy. Mais Ted Bundy n'existait plus. Il était Chris Hagen, désormais. Cette identité ferait l'affaire en attendant qu'il décide d'en changer.

Il avait eu froid pendant si longtemps. Froid dans la nuit glacée de Glenwood Springs, Colorado, quand il s'était faufilé hors de la prison du comté de Garfield ; froid en ce jour du nouvel an, quand il s'était mêlé à la foule dans cette taverne d'Ann Arbor, Michigan ; froid quand il avait pris la décision

13

de se diriger vers le sud. Peu lui importait où, pourvu que le soleil y fût chaud, le temps doux, et qu'il y eût un campus universitaire.

Pourquoi avait-il choisi Tallahassee ? Par hasard, sans doute. Quand on regarde en arrière, on s'aperçoit que les pires tragédies découlent souvent des choix les plus anodins. Il avait été fasciné par la vie sur le campus de l'université du Michigan. Il aurait pu y rester. Grâce au magot constitué en prison, il pouvait encore se payer une chambre à douze dollars dans une YMCA, mais les nuits de janvier peuvent être terriblement glaciales dans le Michigan, et il n'avait aucun vêtement chaud.

Il était déjà venu en Floride. À l'époque où il était un jeune militant actif du parti républicain, on l'avait envoyé à Miami pour la convention de 1968, en récompense de ses efforts. Mais là, penché sur les livrets de l'étudiant dans la bibliothèque de l'université du Michigan, il n'avait pas pensé à Miami.

Il avait aussi écarté l'université de Floride, à Gainesville. Il n'y avait pas d'eau autour de Gainesville, et comme il devait le déclarer plus tard : « C'était sans doute de la superstition, mais là, sur la carte, ça ne me disait rien du tout. »

Tallahassee, en revanche, *avait l'air idéale*. Ted avait passé la plus grande partie de sa vie à Puget Sound, dans l'État de Washington, et il ne pouvait se passer de la vue ni de l'odeur de l'eau. Tallahassee est située sur la rivière Ochlockonee, qui se jette dans la baie d'Apalachie, dans le golfe du Mexique.

Il savait qu'il ne pourrait jamais revenir chez lui. Il irait donc à Tallahassee.

Il avait confortablement voyagé jusqu'au nouvel an. Sa première nuit dehors n'avait pas été facile, mais être libre était suffisant en soi. Quand il avait volé la caisse dans les rues de Glenwood Springs, il savait qu'elle ne tiendrait pas jusqu'à Aspen sur les routes enneigées, mais il n'avait guère eu le choix. La voiture avait rendu l'âme à quarante-huit kilomètres de Vail – soixante-quatre d'Aspen –, mais un bon Samaritain l'avait aidé à la pousser sur le bas-côté avant de le conduire à Vail.

De là, il avait pris le bus jusqu'à Denver, un taxi jusqu'à

14

l'aéroport et l'avion jusqu'à Chicago. Tout cela avant même que l'on ait découvert qu'il avait pris le large. Il avait rejoint Ann Arbor en train et bu son premier verre depuis deux ans dans la voiture-bar en songeant à ses gardiens qui devaient fouiller les congères de plus en plus loin derrière lui.

À Ann Arbor, il avait compté son argent et compris qu'il allait devoir économiser. Autant subtiliser de nouveau une voiture. Il avait ensuite abandonné le véhicule au cœur d'un ghetto noir d'Atlanta, clés dessus. Personne ne pourrait jamais faire le rapport avec Ted Bundy, pas même le FBI (une organisation dont il considérait sincèrement la réputation comme très surfaite), qui venait d'inscrire son nom sur la liste des dix personnes les plus recherchées du pays.

Le bus l'avait déposé en plein centre-ville de Tallahassee. Un instant, il avait eu peur en descendant du car, croyant reconnaître un type qu'il avait connu en prison dans l'Utah. Mais l'homme était passé sans le voir. Ce n'était qu'un léger accès de paranoïa. De toute façon, il n'avait plus assez d'argent pour pousser plus loin.

Tallahassee l'emballa. L'endroit était idéal, sans vie, paisible : un bled le dimanche matin. Ted sortit sur Duval Street ; il faisait chaud, l'air sentait bon et c'était bel et bien l'aube d'un jour nouveau. Comme un oiseau qui regagne son nid, il se dirigea vers le campus de l'université. De là où il se trouvait, il distinguait les immeubles de l'ancien et du nouveau Capitole et derrière, le campus.

Les emplacements de stationnement étaient bordés de cornouillers, comme chez lui, mais le reste de la végétation lui était étranger. Chênes verts, pins lacinifoliés, dattiers, gommiers géants. Toute la ville semblait abritée sous des arbres. Les branches des gommiers étaient entièrement dénudées en janvier, ce qui donnait au décor une allure d'hiver nordique, mais la température avoisinait déjà les vingt et un degrés. L'originalité même du paysage le rassurait, comme si tous les mauvais moments étaient loin derrière lui, comme s'il ne s'était rien passé du tout. Il était très fort à ce jeu-là ; il pouvait se réfugier dans un coin de son esprit et oublier, oublier vraiment.

En approchant du campus, son sentiment d'euphorie

diminua un peu ; peut-être avait-il fait une erreur, après tout. Il s'était attendu à quelque chose de beaucoup plus vaste, où il serait passé inaperçu, avec une multitude de pancartes annonçant *Chambres à louer*. Mais il y en avait peu et il savait que les petites annonces ne lui seraient pas d'un grand secours, car elles n'indiquaient pas si les appartements à louer se trouvaient à proximité de l'université ou non.

Ses vêtements, légers pour le climat du Michigan et du Colorado, commençaient à lui peser. Il se dirigea vers la librairie du campus et déposa son pull et son chapeau dans une consigne.

Il lui restait cent soixante dollars, ce qui n'était pas beaucoup pour louer une chambre, verser une caution, et se nourrir jusqu'à ce qu'il ait trouvé un boulot. La plupart des étudiants vivaient dans des résidences universitaires, des maisons communautaires et toutes sortes de vieux appartements, immeubles de rapport et meublés qui bordaient le campus. Mais il arrivait tard ; le trimestre était déjà entamé et presque tout avait été loué.

Ted Bundy avait vécu dans de beaux appartements aux pièces spacieuses, aménagés dans de vieilles demeures confortables, près des campus des universités des États de Washington et de l'Utah. Il était loin d'être attiré par la façade d'une bâtisse faussement sudiste appelée « Le Chêne » sur West College Avenue. Elle tirait son nom de l'arbre unique du jardin, un arbre aussi échevelé que la vieille maison qui se dressait derrière. La peinture s'écaillait, le balcon penchait un peu, mais il y avait une pancarte *Chambre à louer* derrière la fenêtre.

Ted Bundy servit son sourire charmeur au propriétaire et obtint la chambre en ne versant que cent dollars de caution. Il déclara s'appeler Chris Hagen et promit de payer deux mois de loyer – trois cent vingt dollars – avant la fin du mois. La chambre avait aussi peu de caractère que la maison mais, au moins, il n'était plus à la rue. Il avait un endroit où vivre, un endroit d'où il allait pouvoir s'attaquer à ses projets.

Ted Bundy est un homme qui tire profit de son expérience et de celle des autres. Au cours des quatre années passées, sa vie avait radicalement changé. Ce jeune homme brillant sur le

16

chemin de la réussite, qui aurait pu devenir gouverneur de l'État de Washington, n'était plus qu'un détenu en cavale. En prison, il avait appris toutes sortes de ficelles, glané des tas d'informations auprès des prisonniers qui occupaient le même bloc que lui. Il était bien plus malin que n'importe lequel d'entre eux, bien plus rusé que la plupart des surveillants. Cette force qui l'avait propulsé vers la réussite sociale dans le monde libre s'était progressivement réorientée vers un seul but : s'échapper, recouvrer une liberté totale, même en sachant qu'il serait probablement l'homme le plus recherché des États-Unis.

Première chose dont il aurait besoin : des papiers d'identité. Non pas un jeu, mais plusieurs. Il avait observé les évadés que l'on ramenait à la prison et il savait que leur plus grosse erreur avait été de se faire prendre au cours d'un contrôle d'identité sans papiers en règle. Lui ne commettrait pas cette bêtise ; il lui fallait donc accéder au fichier des étudiants et sélectionner les dossiers de plusieurs élèves du second cycle, des dossiers sans la moindre tache. Âgé de trente et un ans, il décida que dans ses nouvelles vies il n'en aurait que vingt-trois. Dès qu'il serait couvert de ce côté-là, il se trouverait deux autres identités qu'il pourrait endosser s'il se sentait observé de trop près.

Il lui faudrait aussi trouver un travail ; pas le genre de boulot pour lequel il était qualifié, à savoir : psychologue, conseiller politique ou juridique, mais un job qui ne demanderait aucune compétence particulière. Il lui faudrait un numéro de Sécurité sociale, un permis de conduire et un domicile fixe. L'adresse, il l'avait, le reste viendrait. La caution payée, il ne lui resta que soixante dollars. Les dégâts causés par l'inflation à l'économie nationale depuis son incarcération étaient énormes : il avait cru que les quelques centaines de dollars qu'il possédait lors de son évasion dureraient un mois ou deux, mais il n'en restait déjà presque plus rien.

Il allait arranger ça. Son programme était simple : il allait être le citoyen le plus respectueux des lois de toute la Floride. Il se jura de ne jamais rien faire qui pût attirer sur lui l'attention d'un policier, pas même traverser la rue en dehors des clous.

Désormais il n'avait plus de passé. Ted Bundy était mort.

S'il avait été capable de suivre son plan à la lettre, je doute qu'on l'eût arrêté un jour.

La plupart des jeunes gens, loin de chez eux, sans travail, avec seulement soixante dollars en poche, et ayant besoin de trois cent vingt dollars avant la fin du mois, éprouvent une certaine angoisse devant l'incertitude de leur avenir. « Chris Hagen » ne ressentait aucune angoisse. Il n'éprouvait qu'une bouillonnante sensation de légèreté et un énorme soulagement. Il avait réussi. Il était libre et pouvait enfin s'arrêter de fuir. Rien de ce que l'avenir lui réservait ne pouvait ternir ce matin du 9 janvier 1978. Dans son petit lit du « Chêne », à Tallahassee, il s'endormit décontracté et heureux.

Et il avait de bonnes raisons de l'être. Car Theodore Robert Bundy, l'homme qui n'existait plus, devait être jugé pour assassinat à Colorado Springs, Colorado, à 9 heures du matin ce 9 janvier. Mais le tribunal serait vide.

Le prévenu s'était envolé.

2

Le Ted Bundy « décédé » puis ressuscité sous le nom de Chris Hagen à Tallahassee le 8 janvier 1978 n'était pas un homme ordinaire.

Sa naissance même avait fait de lui un être différent. Les mœurs américaines en 1946 étaient bien loin de celles de la fin du siècle. Aujourd'hui, les filles mères ne sont plus montrées du doigt et la plupart gardent leur bébé et s'intègrent dans la société. Ce n'était pas le cas en 1946. L'amour avant le mariage existait – comme il a toujours existé –, mais les femmes concernées n'en parlaient pas, même à leur meilleure amie.

Eleanor Louise Cowell, vingt-deux ans, était une « honnête fille », élevée au sein d'une famille profondément religieuse du nord-ouest de Philadelphie. On imagine très bien la panique qu'elle dut ressentir quand elle découvrit qu'elle était enceinte d'un homme dont elle parle maintenant comme d'un « marin ». Il la quitta et la laissa affronter, seule et terrifiée, le jugement sévère de sa famille.

L'avortement était hors de question. L'IVG était alors illégale et pratiquée dans des arrière-boutiques par des vieilles femmes et des médecins radiés de l'Ordre. De plus, son éducation religieuse le lui interdisait. Et puis, elle aimait déjà ce bébé qui grandissait en elle. Elle ne pouvait pas supporter l'idée de faire adopter l'enfant. Elle fit la seule chose possible : enceinte de sept mois, elle quitta la maison familiale et entra dans la clinique pour filles mères de Burlington, dans le Ver-

19

mont. Soixante-trois jours plus tard, le 24 novembre 1946, Theodore Robert Cowell venait au monde.

En grandissant, le bébé entendit parler d'Eleanor comme de sa grande sœur et dut appeler ses grands-parents « père » et « mère ». Le petit garçon aux cheveux bruns bouclés donnait déjà des signes d'une grande intelligence, et déjà, il avait l'impression de vivre un mensonge.

Ted adorait son grand-père Cowell. Il s'identifiait à lui, le respectait et s'accrochait à ses basques quand les choses tournaient mal. Mais en grandissant, il devenait évident qu'il ne pouvait pas rester à Philadelphie : ses camarades de classe l'auraient traité de bâtard, et ça, Eleanor s'y refusait.

Des cousins installés dans l'État de Washington se proposèrent de recueillir Eleanor et son petit garçon. Pour s'assurer que Ted n'aurait pas à souffrir de préjugés, Eleanor fit légalement changer le nom de Ted en Theodore Robert Nelson, elle-même se faisant appeler Louise. C'était un nom assez répandu, qui lui assurerait un certain degré d'anonymat et n'attirerait pas l'attention sur lui quand il irait à l'école.

Louise Cowell et son fils âgé de quatre ans, Ted Nelson, quittèrent donc Philadelphie pour Tacoma, Washington. Quitter son grand-père fut pour Ted un déchirement terrible. Mais il s'adapta vite à sa nouvelle vie. Ses cousins, Jane et Alan, avaient à peu près son âge et ils devinrent amis.

À Tacoma, troisième ville de l'État, Louise et Ted redémarraient à zéro. La beauté des collines environnantes et du port disparaissait souvent sous le smog répandu par les usines, et les rues du centre-ville étaient envahies par les bouis-bouis, les boutiques érotiques et les spectacles pornographiques destinés aux soldats de Fort Lewis.

Louise rejoignit les rangs de l'Église méthodiste et y rencontra Johnnie Culpepper Bundy. Cuisinier de son état, Bundy était aussi petit que Louise : un mètre cinquante-cinq. Il était timide, avait l'air gentil et semblait sérieux. Ils se marièrent le 19 mai 1951. Ted était présent à la cérémonie. Il n'avait pas encore cinq ans quand il reçut son troisième nom : Theodore Robert Bundy.

Louise garda son travail de secrétaire et la famille déménagea plusieurs fois avant d'acheter une maison près du pont gigantesque de Narrows.

Ted eut bientôt quatre demi-frères et sœurs : deux filles et deux garçons. Le plus jeune, né quand Ted avait quinze ans, était son chouchou. Ted était souvent de corvée pour garder les enfants et ses copains de l'époque se souviennent que cela l'empêchait de participer à de nombreuses activités. Il s'en plaignait rarement.

Malgré son nouveau nom, Ted se considérait toujours comme un Cowell. Il ressemblait à un Cowell et ne fréquentait que la branche Cowell de sa famille. Ses traits étaient la réplique masculine de ceux de Louise, jusqu'à la couleur des cheveux et des yeux. Apparemment, le seul apport génétique de son père naturel était sa taille. Bien qu'un peu plus petit que ses camarades de lycée, Ted dépassait déjà Louise et Johnnie. Un jour, il mesurerait un mètre quatre-vingts.

Ted ne passait du temps avec son beau-père qu'à contre-cœur. Johnnie fit des efforts. Il avait accepté l'enfant de Louise sans la moindre difficulté ; il était même plutôt content d'avoir un fils. Il mit le désintérêt de Ted à son égard sur le compte de l'adolescence. En matière de discipline, Louise avait le dernier mot, même si Johnnie usait quelquefois du ceinturon.

Ted et Johnnie allaient souvent faire la cueillette des haricots dans les vallées autour de Tacoma. À eux deux, ils parvenaient à gagner cinq ou six dollars dans la journée. Quand Bundy travaillait le matin – de 5 heures à 14 heures – à l'hôpital militaire de Madigan, ils se dépêchaient d'aller faire la cueillette dans la chaleur de l'après-midi ; et s'il était de service le soir, il se levait quand même tôt pour aider Ted à distribuer ses journaux.

Johnnie Bundy devint chef scout et organisa souvent des camps. Mais Ted semblait toujours avoir une bonne raison pour se défiler et ne pas participer à ces sorties de groupe.

Curieusement, Louise n'avait jamais confirmé clairement à Ted qu'elle était bien sa mère et non pas sa grande sœur. Il l'appelait parfois « maman », parfois juste « Louise ».

Pourtant, elle sentait qu'il était, de tous ses enfants, le plus brillant. Il n'était pas comme les autres : il était capable d'entrer à l'université. Il avait seulement treize ou quatorze

21

ans quand elle le poussa à économiser pour se payer des études supérieures.

Ted grandissait vite, mais il restait mince. Trop léger pour l'équipe de football américain de son école, il se tourna vers la course à pied. Mais ses prouesses, il les accomplissait en cours, non sur le terrain de sport.

Au lycée, Ted dut supporter les moqueries de ses camarades : certains d'entre eux se souviennent qu'il s'enfermait toujours dans une cabine pour se doucher, évitant les douches communes où sa classe de gymnastique chahutait. Sans pitié pour sa timidité, les autres prenaient un malin plaisir à se hisser au-dessus des parois pour lui verser de l'eau froide sur la tête.

Inutile de rechercher les dossiers scolaires de Ted Bundy au lycée Woodrow Wilson : ils ont tous disparu. Mais plusieurs de ses camarades se souviennent de lui.

Une jeune femme, aujourd'hui avocate, se rappelle Ted à dix-sept ans :

– Tout le monde le connaissait et l'aimait bien. Il avait du charme, était toujours bien habillé et était très bien élevé. Je sais qu'il devait sortir avec des filles, mais je ne me souviens pas de l'avoir jamais vu avec une seule. Je crois bien l'avoir entr'aperçu lors de soirées dansantes – en particulier durant le quart d'heure américain –, mais je n'en suis pas sûre. Il était du genre timide... presque introverti.

Au lycée, les meilleurs amis de Ted étaient Jim Paulus, un garçon de petite taille, solidement bâti, cheveux noirs, portant des lunettes à monture d'écaille, très actif dans le milieu politique étudiant, et Kent Michaels, vice-président du comité des délégués de classe, remplaçant dans l'équipe de football américain, et aujourd'hui avocat à Tacoma.

Seul détail susceptible de ternir son impeccable image de jeune bachelier du printemps 1965, Ted avait été fiché deux fois par la brigade des mineurs du comté de Pierce sur présomption de vol de voiture et de cambriolage. Rien ne prouve qu'il ait été arrêté ; les dossiers relatifs à ces incidents ont été détruits depuis longtemps – procédure habituelle quand un mineur atteint l'âge de dix-huit ans. Ne reste qu'une petite fiche avec son nom et la liste des délits.

Ted travailla tout l'été 1965 à Tacoma et entra à l'université de Puget Sound pour l'année scolaire 1965-1966. L'année suivante, Ted fit transférer son dossier à l'université de l'État de Washington, où il commença à apprendre le chinois en formation accélérée, persuadé que la Chine était un pays avec lequel il faudrait un jour compter.

Quand Ted rencontra Stephanie Brooks au cours de l'été 1967, il vit en elle l'incarnation de tous ses rêves. Stephanie ne ressemblait à aucune autre ; elle était la fille la plus belle, la plus élégante qu'il ait jamais vue. Il l'observa, comprit qu'elle semblait préférer les joueurs de football et hésita à l'aborder.

Ted et Stephanie n'avaient rien en commun, hormis leur engouement pour le ski. Stephanie avait une voiture et Ted se débrouilla un jour pour se faire emmener à la montagne, à l'est de Seattle. Pendant le trajet de retour, après une journée sur les pentes, il examina la belle jeune femme assise derrière le volant. Elle lui avait tourné la tête. Il fut à la fois surpris et exalté quand elle accepta de passer de plus en plus de temps avec lui. Son intérêt pour le chinois était temporairement relégué au second plan.

— C'était sublime et suffocant en même temps, se souvint-il un jour. La première fois que nos mains se sont touchées, le premier baiser, la première nuit que nous avons passée ensemble...

Ted était tombé amoureux. D'un an son aînée, Stephanie était issue d'une riche famille californienne et elle fut probablement la première femme à l'initier à l'amour. Il avait vingt ans et bien peu à offrir à une jeune femme élevée dans un milieu où l'argent et le prestige coulaient de source. Pourtant, elle resta avec lui pendant un an, une année qui pourrait bien avoir été la plus importante de sa vie.

Ted payait ses études en effectuant toutes sortes de petits boulots : serveur dans un élégant club de voile ou à l'hôtel *Olympic* de Seattle, employé dans un supermarché, magasinier chez un fournisseur d'instruments chirurgicaux, coursier, cireur de chaussures... Il quitta la plupart de ces emplois de son propre chef, généralement au bout de quelques mois seulement.

Ted se lia d'amitié en août 1967 avec Beatrice Sloan, une veuve de soixante ans qui travaillait au cercle nautique. Mme Sloan trouvait qu'il était un adorable fripon ; au cours des six mois où ils travaillèrent ensemble au club, et pendant des années après, elle fit tout ce que Ted lui demandait. C'est d'ailleurs elle qui lui avait trouvé un emploi à l'hôtel *Olympic*, où il ne devait rester qu'un mois : les autres employés le soupçonnaient de fouiner dans leurs casiers. Mme Sloan fut un peu choquée quand Ted lui montra l'uniforme qu'il avait volé à l'hôtel, mais ce n'était pour elle qu'une frasque de jeunesse. Son indulgence ne devait jamais se démentir.

Beatrice Sloan savait que Ted voulait impressionner Stephanie et lui prêtait souvent sa voiture, qu'il ramenait au petit matin. Une fois, Ted lui annonça qu'il allait cuisiner un repas gastronomique pour sa bien-aimée et la veuve lui prêta ses verres en cristal et son argenterie pour que la table soit parfaite.

Ted lui donnait le sentiment qu'il avait besoin d'elle. Il lui avait expliqué que sa famille avait été très stricte et qu'il se trouvait seul à présent. Elle lui permit de donner son adresse à ses employeurs ; il lui arrivait de n'avoir aucun endroit pour dormir en dehors de la résidence universitaire, pour laquelle il disposait encore d'une clé. Elle savait qu'il était « magouilleur », mais elle croyait aussi pouvoir comprendre pourquoi : il essayait de survivre.

Ted la distrayait. Un jour, il enfila une perruque noire et eut l'air d'adopter une tout autre personnalité. Plus tard, elle devait l'apercevoir à la télévision durant la campagne électorale du gouverneur Rosellini, portant le même postiche.

Mme Sloan soupçonnait Ted d'emmener des filles en cachette dans le nid-de-pie du club de voile pour ce qu'elle appelait des « coquineries ». Et même s'il soutirait de l'argent aux habitués quand ils étaient ivres et devaient être reconduits chez eux, elle ne pouvait s'empêcher de l'apprécier. Il prenait le temps de lui parler et prétendait que son père était un célèbre maître queux et que, s'il avait l'intention d'aller à Philadelphie, c'était pour rendre visite à un oncle très haut placé dans le milieu politique. Elle lui prêta même de l'argent une fois, et le regretta par la suite. Comme il ne la remboursait pas, elle appela Louise Bundy pour lui demander d'intervenir auprès de Ted. Selon Mme Sloan, Louise rit et lui répondit :

– Vous êtes folle de lui avoir prêté de l'argent. Vous ne le récupérerez jamais.

Stephanie Brooks était en troisième année de fac quand elle rencontra Ted au printemps 1967 ; leur idylle dura tout l'été et jusqu'en 1968. Mais elle n'était pas aussi éprise que lui. Ils sortaient souvent ensemble ; des sorties qui ne coûtaient pas cher : balades, cinéma, dîners de hamburgers, ski de temps à autre. Il lui faisait tendrement l'amour et à certains moments, elle se disait que cela pourrait vraiment marcher entre eux.

Mais Stephanie avait l'esprit pragmatique. C'était très beau d'être amoureuse, de se promener main dans la main avec son amant le long des chemins ombragés du campus, sous les cerisiers du Japon en fleur et au milieu des rhododendrons. Les journées de ski sur les monts des Cascades étaient agréables aussi, mais elle sentait que Ted s'enlisait, qu'il n'avait pas de véritables projets d'avenir. Consciemment ou inconsciemment, Stephanie voulait que la vie qu'elle avait toujours menée continue : elle voulait un mari qui ne détonne pas dans son milieu, en Californie. Et Ted ne cadrait pas du tout avec l'idée qu'elle s'en faisait.

Stephanie trouvait Ted très émotif, manquant d'assurance. Il semblait incapable de décider quelle voie il allait choisir. Le pire, c'est qu'elle le soupçonnait vaguement d'utiliser les autres, de se lier avec des gens susceptibles de l'aider, et de se servir d'eux. Elle était certaine qu'il lui avait menti, qu'il lui avait servi des réponses de pure forme à certaines des questions qu'elle lui avait posées. Et cela la tracassait encore plus que tout le reste.

Stephanie décrocha son diplôme en juin 1968 ; prétexte idéal pour mettre un terme à leur histoire d'amour. Ted avait encore quelques années d'études devant lui, tandis qu'elle allait revenir parmi les siens, à San Francisco, et trouver un emploi. Le temps et l'éloignement étoufferaient les flammes de leur passion.

Mais Ted reçut une bourse pour suivre des cours accélérés de chinois à Stanford au cours de l'été 1968. Il n'était qu'à quelques minutes en voiture des parents de Stephanie, aussi continuèrent-ils à se voir tout l'été. Cependant, quand Ted dut retourner à l'université de l'État de Washington, Stephanie lui dit que tout était terminé entre eux. Ted fut anéanti. Il n'arrivait pas à le croire. Elle était son premier amour, la personnification même de son idéal féminin. Et voilà qu'elle voulait s'éloigner de lui. Il avait donc eu raison au départ : elle était trop belle, trop riche pour lui. Il n'aurait jamais dû croire qu'elle pouvait être sienne.

Ted rentra à Seattle. Le chinois ne l'intéressait plus. En fait, plus rien ne l'intéressait. Pourtant, il avait toujours un pied dans la politique. En avril 1968, il avait été élu président du parti de la Nouvelle Majorité pour Rockefeller à Seattle, vice-président du même parti pour l'État, et avait obtenu un billet d'avion pour la convention de Miami. L'esprit préoccupé par sa rupture avec Stephanie Brooks, Ted se rendit en Floride pour voir son candidat balayé.

De retour à l'université, il s'inscrivit en urbanisme et en sociologie. Déçu par ses résultats médiocres, il abandonna ses études.

Durant l'automne 1968, Ted travailla comme chauffeur d'Art Fletcher, un candidat noir au poste de lieutenant-gouverneur qui jouissait d'une grande popularité. Quand Fletcher reçut des menaces de mort et installa son quartier général dans une retraite secrète, Ted devint aussi son garde du corps ; il coucha désormais dans une chambre contiguë à celle de Fletcher. Il voulut porter une arme, mais Fletcher s'y opposa.

Fletcher fut battu aux élections.

Il semblait que tout ce à quoi Ted touchait s'effondrait. Début 1969, il entreprit de retrouver ses racines. Il rendit visite à sa famille en Arkansas et à Philadelphie, où il suivit quelques cours à l'université de Temple. Mais il n'oubliait pas l'objectif véritable de ce voyage. Ses cousins de Tacoma, Alan et Jane Scott, avec qui il avait grandi, en avaient parlé à mots couverts ; lui-même avait toujours pressenti cette vérité cachée au milieu des souvenirs de son enfance enfouis au fin fond de sa mémoire ; il devait savoir qui il était réellement.

Après avoir consulté des dossiers à Philadelphie, Ted se rendit à Burlington, Vermont. Son certificat de naissance se trouvait là, marqué du sceau archaïque et cruel : « Illégitime. »

Il était le fils d'Eleanor Louise Cowell. Le nom de son père était Lloyd Marshall, un représentant de commerce né en 1916, vétéran de l'armée de l'air et diplômé de l'université de Pennsylvanie.

Ainsi, son père avait trente ans quand il était né. Pourquoi les avait-il abandonnés ? Était-il marié ? Qu'était-il devenu ? On ignore si Ted entreprit de retrouver l'homme qui était sorti de sa vie avant même qu'il soit né. Mais Ted savait désormais ce qu'il avait toujours pressenti : Louise était sa mère. Johnnie Bundy n'était pas son père et son grand-père adoré n'était pas son père non plus. Il n'avait pas de père. Que sa mère lui ait menti n'était pas une surprise pour lui, même s'il en ressentait de la peine. Pendant toutes ces années !

Ted avait continué à écrire à Stephanie, ne recevant que des réponses sporadiques. Il savait qu'elle travaillait pour une entreprise de courtage à San Francisco. Il allait donc la retrouver.

Stephanie sortit de l'immeuble qui abritait les bureaux de la société qui l'employait par un beau jour du printemps 1969. Soudain, elle sentit quelqu'un derrière elle, quelqu'un qui posait ses mains sur ses épaules... Elle se retourna d'un bloc ; il était là...

Il s'attendait à ce qu'elle bondisse de joie en le voyant, à ce que leur histoire d'amour reprenne de plus belle, mais il en fut cruellement pour ses frais. Elle était vaguement contente de le voir, sans plus. Ted semblait toujours être le même jeune homme à la dérive qu'elle avait connu. Il n'allait même plus en fac.

Elle lui demanda comment il était venu à San Francisco. Il lui répondit évasivement, marmonnant quelques mots à propos d'auto-stop. Ils bavardèrent un moment, puis elle le renvoya, pour la seconde fois.

Elle pensait ne plus jamais le revoir.

3

Curieusement, au lieu de l'anéantir, cette nouvelle rebuffade de la part de Stephanie, conjuguée à la récente confirmation de ses véritables origines, produisit sur Ted l'effet inverse : une espèce de détermination irréductible. Cela lui coûterait ce que cela lui coûterait mais, par tous les diables, il allait changer ! De par la seule force de sa volonté, il deviendrait ce genre d'homme que la société – et surtout Stephanie – considère comme des gagnants. Dans les années à venir, une extraordinaire métamorphose allait s'opérer en Ted Bundy.

Il ne voulait pas retourner à la cité U ; celle-ci était trop pleine du souvenir de Stephanie. Il se mit à arpenter le quartier de l'université, à l'ouest du campus, frappant aux portes des vieilles demeures qui bordaient les rues. Devant chaque porte qui s'ouvrait, il souriait, expliquait qu'il était étudiant en psychologie et qu'il cherchait une chambre à louer.

Freda Rogers, une femme d'un certain âge, propriétaire, avec son mari Ernst, d'une maison proprette de deux étages à charpente de bois au numéro 4143 sur la 12ᵉ Rue Nord-Est, fut plutôt séduite par Ted. Elle lui loua une grande chambre dans l'angle sud-ouest de la maison. Il allait y passer cinq ans et devenir plus un fils qu'un simple locataire aux yeux du couple. Ernst Rogers était loin d'être en bonne santé et Ted promit de l'aider en réalisant les gros travaux d'entretien de la maison et du jardin – une promesse tenue.

Ted reprit aussi contact avec Beatrice Sloan, sa vieille amie du cercle nautique. Elle le trouva inchangé, toujours plein de projets et d'histoires à raconter. Il lui rapporta qu'il s'était rendu à Philadelphie, où il avait vu son oncle très riche, et qu'il était en chemin pour Aspen, Colorado, où il comptait devenir moniteur de ski.

– Je vais vous tricoter un bonnet de ski, dans ce cas, lui dit-elle alors.

– Pas la peine, j'ai déjà un cache-nez. Mais je veux bien que vous me conduisiez à l'aéroport.

Mme Sloan l'y accompagna et le vit embarquer pour le Colorado. À la vue du coûteux matériel de ski qu'il emportait avec lui, elle s'étonna un peu. Elle savait qu'il était toujours sans le sou, mais son équipement était manifestement du dernier cri.

La raison de son voyage dans le Colorado à ce moment-là reste un mystère. Il n'avait pas d'engagement, ni même de promesse de contrat de travail comme moniteur de ski. Peut-être voulait-il simplement voir cette petite station de sports d'hiver que Stephanie avait tant adorée ? Il fut de retour pour le début du trimestre d'automne à l'université de Washington.

Avec un cursus de psychologie, Ted semblait avoir trouvé sa voie. Ses professeurs l'appréciaient beaucoup. L'un d'eux écrira trois ans plus tard une chaude lettre de recommandation pour Ted à la faculté de droit de l'université de l'Utah :

M. Bundy est sans aucun doute l'un de nos meilleurs étudiants. Il fait preuve d'une grande intelligence, a beaucoup de prestance, et se montre très motivé et très consciencieux. Il a d'énormes capacités de travail et grâce à sa curiosité naturelle, ses interventions sont toujours les bienvenues. (...) Son cursus en psychologie a conduit M. Bundy à s'intéresser de près à l'étude des variables psychologiques entrant en ligne de compte dans la formation de l'opinion d'un jury. Il travaille actuellement avec moi sur un mémoire visant à une étude expérimentale de quelques-unes de ces variables pouvant influencer la décision d'un jury.

J'avoue regretter la décision qu'a prise M. Bundy de poursuivre une carrière juridique plutôt que de pousser plus avant ses études de psychologie. Votre gain est notre perte. Je suis persuadé que M. Bundy saura se montrer à la hau-

*teur, en tant qu'étudiant, puis en tant qu'avocat, et je vous
le recommande sans restriction.*

Ted n'avait besoin de rien d'autre que de ses excellents
résultats pour se faire apprécier de ses professeurs. Il est donc
plutôt curieux qu'il soit allé un jour raconter au professeur
Scott Fraser qu'il avait été un enfant abandonné, élevé dans
plusieurs foyers successifs. Fraser prit l'information pour ce
qu'elle était et fut surpris par la suite d'apprendre que ce n'était
pas vrai.

Ted fréquentait souvent les tavernes du quartier universitaire. C'est à la *Taverne du Bécasseau* qu'il rencontra, le
26 septembre 1969, la femme qui devait jouer un rôle prépon-
dérant dans sa vie au cours des sept années suivantes.

Tout comme Stephanie, Meg Anders était l'aînée de Ted de
quelques années. Elle venait de divorcer et avait une fillette
de trois ans prénommée Liane. Meg était un petit bout de
femme avec de longs cheveux bruns – pas particulièrement
jolie, mais dotée d'un charme qui la faisait paraître infiniment
plus jeune. Fille d'un éminent médecin de l'Utah, elle se
remettait d'un mariage désastreux et était venue refaire sa vie
à Seattle avec sa fille. Elle travaillait comme secrétaire dans
un collège et ne connaissait personne à Seattle en dehors de
ses collègues de bureau et de Lynn Banks, une amie d'enfance.

Après avoir hésité un peu, elle avait permis à Ted de lui
offrir une bière et s'était laissé fasciner par ce jeune homme
séduisant qui lui parlait de psychologie et de ses projets
d'avenir. Quand elle lui donna son numéro de téléphone, elle
ne s'attendait vraiment pas à ce qu'il l'appelle. Mais c'était
lui à l'autre bout du fil et elle se sentit tout exaltée.

Ils devinrent amis, puis amants. Ted habitait toujours chez
les Rogers, Meg conservait son appartement, mais ils passaient
de nombreuses nuits ensemble. Elle tomba amoureuse de lui.
Elle avait une confiance aveugle dans ses capacités de réussite
– ce qui n'avait pas été le cas de Stephanie – et elle lui prêta
souvent de l'argent pour l'aider à payer sa scolarité. Presque
dès le début, elle voulut l'épouser, mais elle admit avec lui

que cela ne pourrait se faire dans un futur proche : il avait trop de choses à accomplir auparavant.

Ted continua à travailler à mi-temps, comme vendeur de chaussures dans un grand magasin et aussi comme magasinier chez le même fournisseur de matériel chirurgical. Quand il ne parvenait pas à joindre les deux bouts, Meg l'aidait.

Mais elle s'inquiétait parfois à l'idée que l'argent et la position sociale de sa famille intéressaient Ted, et non elle-même. Meg avait remarqué son regard calculateur quand elle l'avait emmené chez ses parents pour Noël, en 1969. Mais il devait y avoir plus que cela entre eux. Il était gentil avec elle et se comportait comme un père avec Liane. Il offrait toujours des fleurs à la fillette pour son anniversaire et envoyait à Meg une rose rouge le 26 septembre pour commémorer le jour de leur première rencontre.

Elle sentait qu'il voyait parfois d'autres femmes ; elle savait que ses amis et lui levaient parfois des filles dans les bars. Elle essayait de ne pas y songer. Le temps aplanirait tout cela.

En revanche, elle ignorait totalement l'existence de Stephanie, qui était toujours aussi vivante dans l'esprit de Ted. Stephanie avait bien éprouvé un certain soulagement en envoyant promener Ted ce jour de printemps 1969, mais elle n'avait pas coupé tous les ponts avec lui. La jeune Californienne qui avait été à la source d'un changement si radical dans la vie de Ted Bundy avait de la famille à Vancouver, en Colombie-Britannique (Canada). Elle avait pris l'habitude de lui passer un petit coup de fil, juste pour « dire bonjour », quand ses déplacements l'amenaient de temps à autre à Seattle.

1969 et 1970 furent d'excellentes années pour Ted Bundy : il réussissait tout ce qu'il entreprenait, se révélait un modèle de courtoisie, d'éducation, d'homme du monde. Il était le citoyen idéal. Il obtint même une citation de la police de Seattle pour avoir rattrapé un voyou qui avait volé le sac à main d'une femme. Ted avait rendu l'objet à sa propriétaire. Pendant l'été 1970, il sauva un bambin de trois ans et demi de la noyade au lac Green, dans la banlieue nord de Seattle.

Ted conserva ses liens avec le parti républicain. Il était membre d'un sous-comité et allait s'impliquer de plus en plus à mesure que les années passaient.

31

Pour les plus proches amis de Ted, Meg était sa petite amie. Il la présenta à Louise et Johnnie Bundy, qui l'apprécièrent. Louise fut soulagée de voir qu'il avait apparemment surmonté sa déception consécutive à sa rupture avec Stephanie.

Dès 1969, Meg fut accueillie à bras ouverts chez les Bundy, dans leur maison de Tacoma et leur chalet du lac Crescent, près de Gig Harbor. Meg, Ted et Liane s'y rendaient fréquemment pour camper, faire de la voile et du canoë. Ils allaient très souvent dans l'Utah et à Ellensburg, Washington, chez Jim Paulus, le copain d'école de Ted.

Tous les gens chez lesquels ils se rendaient trouvaient Meg gentille, intelligente et entièrement dévouée à Ted ; leur mariage semblait n'être qu'une question de temps.

4

En 1971, les bureaux du Centre d'aide d'urgence de Seattle étaient situés dans une vieille demeure victorienne de Capitol Hill. Autrefois l'un des coins les plus huppés de Seattle, Capitol Hill déplore aujourd'hui le deuxième taux de criminalité de la ville. Beaucoup de ces vieilles demeures existent cncore, éparpillées au petit bonheur au milieu des immeubles et des bâtiments de l'hôpital principal. Quand j'entrai comme bénévole au CAU, j'éprouvai une certaine inquiétude à l'idée de m'y rendre la nuit mais, avec quatre enfants sur les bras, c'était à peu près mon seul moment de libre.

Ted Bundy y travailla d'abord comme étudiant stagiaire rémunéré environ à la même époque que moi. Alors que je n'y consacrais que quatre heures, une nuit par semaine, de 22 heures à 2 heures, Ted était à pied d'œuvre de 21 heures à 9 heures, plusieurs nuits par semaine. Il y avait cinquante et un bénévoles et une douzaine d'étudiants stagiaires assurant la permanence du standard vingt-quatre heures sur vingt-quatre. La plupart d'entre nous ne se connaissaient pas réellement à cause de l'échelonnement des heures de travail, et ce fut tout à fait par hasard si Ted et moi devînmes coéquipiers.

Aucun d'entre nous n'avait reçu de formation en aide sociale, mais nous étions tous des gens ouverts, sincèrement désireux d'aider les personnes qui appelaient en désespoir de cause. Tous les bénévoles et les stagiaires devaient au préalable passer un entretien avec Bob Vaughn, le pasteur qui dirigeait le CAU, et Bruce Cummings, titulaire d'une maîtrise en psychologie appliquée à l'aide sociale. Au cours de trois heures d'entretien, nous devions « prouver » que nous étions parfaitement équilibrés, motivés, et que nous n'étions pas du genre à paniquer en cas d'urgence. La blague favorite du groupe consistait à dire que si nous n'avions pas nous-mêmes la tête sur les épaules, nous ne serions pas là à nous occuper des problèmes des autres.

Après avoir suivi une formation accélérée de quarante heures, où les candidats participaient à des psychodrames au cours desquels ils devaient répondre à une série d'appels simulés, représentatifs des problèmes les plus communs auxquels ils auraient à faire face, nous passions au standard, pour écouter de véritables conversations avec des appelants en détresse. Ted et moi avions été pris en charge par le Dr John Eshelman, un homme doux et brillant qui dirige aujourd'hui le département des sciences économiques de l'université de Seattle.

Une nuit, John esquissa un geste en direction d'un jeune homme assis dans l'isoloir contigu au nôtre :

– Voici Ted Bundy, il travaillera avec vous.

Ted leva les yeux et me sourit. Il avait alors vingt-quatre ans, mais il paraissait plus jeune. Contrairement à la plupart des étudiants de cette époque, qui portaient les cheveux longs et souvent une barbe, Ted était rasé de près, avait les cheveux coupés court, les oreilles bien dégagées, exactement comme les étudiants de mon époque, quinze ans plus tôt. Il portait T-shirt, jeans et baskets, et son bureau était encombré de livres de cours. Il me fut tout de suite sympathique. Et pour cause. Il m'apporta une tasse de café et me demanda, englobant d'un geste l'impressionnante rangée de téléphones :

– Vous croyez qu'on va pouvoir s'occuper de tout ça ? John nous lâche dès demain.

– Je l'espère.

Et je l'espérais vraiment, de toute mon âme. Les candidats au suicide ne constituaient que dix pour cent des appels, mais l'éventail des cas était formidable. Allais-je dire ce qu'il fallait ? Réagir comme il le fallait ?

Nous formions une bonne équipe, finalement, travaillant au coude à coude au milieu du désordre qui régnait dans ces deux pièces au dernier étage de l'immeuble. Nous semblions capables de communiquer en cas d'urgence sans même avoir à ouvrir la bouche. Si l'un de nous avait quelqu'un en ligne qui menaçait de se suicider, il faisait signe à l'autre d'appeler la Compagnie du téléphone pour tenter de localiser l'appel.

L'attente paraissait toujours interminable. En 1971, il fallait presque une heure pour localiser un appel quand on ne savait pas de quelle partie de la ville il provenait. Celui qui se trouvait en ligne avec le correspondant devait continuer à lui parler sur un ton calme et concerné tandis que l'autre se démenait comme un beau diable pour obtenir de l'aide au plus vite.

Beaucoup de gens croient aujourd'hui que Ted Bundy a pris des vies humaines, mais il en a aussi sauvé. Je le sais, parce que j'étais là.

Je m'en souviens comme si c'était hier : je le revois penché sur le téléphone, parlant d'une voix contrôlée, sur un ton rassurant – je le revois lever les yeux vers moi, hausser les épaules et grimacer un sourire. Je l'entends encore approuver une vieille femme qui lui racontait comme la ville était belle quand l'éclairage public était au gaz, j'entends encore la patience infinie et la sympathie qui perçaient dans sa voix. Je le revois soupirer et rouler ses yeux dans leurs orbites tout en écoutant la confession d'un alcoolique repenti. Il n'était jamais brutal, prenait toujours le temps d'écouter.

Toutes portes verrouillées pour nous protéger de l'irruption toujours possible d'un forcené, nous éprouvions, dans nos deux bureaux, un vague sentiment d'insularité. Nous étions les seuls êtres vivants de l'immeuble, reliés au monde extérieur uniquement par les lignes téléphoniques. Au-delà des murs, nous entendions les voitures de police et les fourgonnettes de Medic 1[1] dévaler la rue Piney toutes sirènes hurlantes en direction de l'hôpital du comté, à une rue de là. Au milieu des ténèbres trouées par les seules lumières du port, environnées par le bruit omniprésent de la pluie contre les vitres, ces sirènes semblaient les seuls rappels de la vie juste là, au-dehors. Nous étions bouclés dans une chaufferie alimentée par les drames des autres.

_____
1. L'équivalent du Samu.

Je ne sais pas pourquoi nous sommes devenus si bons amis rapidement. Peut-être parce que nous avons affronté ensemble des situations de crise qui ont transformé nos mardis soir en des moments intenses. Des instants où se sont noués entre nous des liens semblables à ceux qui se créent entre des soldats pendant une bataille. Peut-être est-ce à cause de notre isolement, ou parce que nous parlions constamment avec d'autres personnes de leurs problèmes les plus intimes...

Aussi, pendant les nuits calmes, les nuits où la lune n'était plus pleine, quand l'argent des prestations sociales était entièrement dépensé, qu'il ne restait pas un sou pour acheter de l'alcool, les nuits où les gens et les téléphones semblaient traverser une période de tranquillité, Ted et moi parlions durant des heures.

En surface, tout du moins, il me semblait avoir plus de problèmes que lui. Il était de ces gens, ô combien rares, qui vous écoutent de toute leur attention, dont l'empathie transparaît dans leur attitude même. On pouvait confier à Ted des choses que l'on n'aurait jamais avouées à quiconque.

La plupart des volontaires du CAU donnaient un peu de leur temps parce qu'ils avaient eux-mêmes traversé des passes difficiles, ou survécu à des tragédies qui les avaient rendus plus aptes à comprendre les autres. Je n'étais pas une exception. Mon frère s'était suicidé à vingt et un ans ; diplômé de Stanford, il était sur le point d'entrer à l'école de médecine de Harvard. J'avais vainement tenté de le convaincre que la vie était précieuse et valait d'être vécue, mais j'avais échoué parce que j'étais trop proche de lui et que je comprenais trop bien sa souffrance. Je crois que j'avais le sentiment que si je pouvais sauver quelqu'un d'autre, cela m'aiderait à me sentir un peu moins coupable.

Ted m'écouta patiemment tandis que je lui parlais de mon frère, lui racontais cette interminable nuit d'attente tandis que les hommes du shérif recherchaient Don... Ils avaient fini par le retrouver, trop tard, dans un parc de stationnement désert au nord de Palo Alto, asphyxié au monoxyde de carbone.

En 1971, ma vie n'était pas simple. Mon mariage était en plein naufrage et j'étais une fois de plus aux prises avec un sentiment de culpabilité. Bill et moi avions décidé d'un commun accord de divorcer quelques semaines seulement avant qu'on ne lui ait découvert un mélanoblastome : le plus fatal des cancers de la peau.

— Que puis-je faire ? avais-je demandé à Ted. Comment quitter un homme sur le point de mourir ?

— Êtes-vous bien sûre que c'est inéluctable ?

— Non. Ils semblent avoir réussi à éliminer toute la tumeur maligne dès la première opération, et la greffe de peau a l'air d'avoir été bien acceptée. Il veut mettre un terme à ce mariage. C'est ce qu'il dit, mais j'ai vraiment le sentiment d'abandonner un homme malade qui a besoin de moi.

— Mais c'est sa propre décision, non ? S'il est en bonne santé et que vous n'êtes pas heureux ensemble, alors vous n'avez pas à vous sentir coupable. Il a pris sa décision. C'est sa vie, après tout, surtout s'il ne lui reste plus beaucoup d'années devant lui ; c'est son droit de décider comment il veut les passer.

— Me parlez-vous comme si j'appelais pour demander de l'aide ? avais-je dit en souriant.

— Peut-être. Sans doute, oui. Mais mes sentiments seraient les mêmes. Chacun mérite de continuer sa vie comme il l'entend.

Ted s'était révélé de bon conseil. Un an plus tard, j'étais divorcée et Bill était remarié et avait quatre bonnes années devant lui pour faire ce qu'il souhaitait.

Les événements relatifs à ma vie privée en 1971 n'ont rien à voir avec l'histoire de Ted Bundy ; le point de vue objectif de Ted sur mes problèmes personnels, son soutien moral continu et le fait qu'il croyait sincèrement que j'étais capable de gagner ma vie comme écrivain-reporter ne sont rapportés ici que pour montrer quel genre d'homme il était. Et c'est en cet homme que je devais continuer de croire pendant tant d'années.

Parce que je m'étais ouverte à lui, Ted avait paru plus en confiance pour parler de ses propres points faibles – même s'il attendit plusieurs semaines après notre première rencontre pour le faire.

Une nuit, il approcha sa chaise et vint s'asseoir près de moi. Une des affiches qui couvraient les murs de nos bureaux se trouvait directement dans l'axe de mon regard, juste derrière lui. Elle représentait un chaton accroché à une corde épaisse et disait : *Quand vous êtes au bout du rouleau, faites un nœud et accrochez-vous.*

Ted resta silencieux pendant un moment ; nous dégustions un café. Puis il baissa les yeux et se lança :

– Vous savez, je n'ai découvert qui j'étais réellement qu'il y a à peu près un an. Je l'avais toujours su, mais il fallait que je me le prouve.

Je le regardai, un peu surprise, et j'attendis la suite de l'histoire.

– Je suis un enfant illégitime. Quand je suis venu au monde, ma mère ne pouvait pas dire que j'étais son bébé. Je suis né dans une clinique pour filles mères. Quand elle m'a ramené chez elle, ils ont décidé avec mes grands-parents de dire à tout le monde que j'étais son petit frère et qu'ils étaient mes parents. Alors j'ai grandi en croyant qu'elle était ma sœur et que j'étais un enfant né sur le tard.

« Je le savais. Ne me demandez pas comment, mais je le savais. Peut-être avais-je entendu des conversations... Peut-être ai-je simplement deviné qu'il ne pouvait pas y avoir vingt ans d'écart entre un frère et une sœur... Et Louise s'occupait toujours de moi. J'ai grandi en sachant au fond de moi qu'elle était ma mère.

– N'avez-vous jamais rien dit ?

Il secoua la tête.

– Non. Cela leur aurait fait de la peine. On ne dit pas ces choses-là. Louise et moi avons déménagé quand j'étais petit ; nous avons quitté mes grands-parents. On n'aurait jamais fait ça s'ils avaient été mon père et ma mère. Je suis retourné dans l'Est en 1969. Je devais me le prouver, je devais en être certain. J'ai retrouvé la trace de ma naissance dans le Vermont ; je me suis rendu à la mairie et j'ai consulté les registres. Ce n'était pas difficile : j'ai demandé mon certificat de naissance sous le nom de ma mère – et il était là.

– Qu'avez-vous ressenti ? Avez-vous été choqué ? peiné ?

– Non. Je crois que j'ai été soulagé. Ce n'était pas une surprise. C'était un peu comme s'il fallait que je sache la vérité avant de pouvoir entreprendre autre chose. Alors, quand je l'ai

38

vu là, noir sur blanc, j'ai su que j'avais trouvé. Je n'étais plus un gamin. J'avais vingt-deux ans.

– Ils vous avaient menti. Avez-vous le sentiment d'avoir été trompé ?

– Non... Je ne sais pas...

– Les gens mentent par excès d'amour aussi, vous savez... Votre mère aurait pu vous abandonner ; elle ne l'a pas fait. Elle a agi au mieux. Ça a dû être la seule chose qu'elle pouvait faire pour vous garder auprès d'elle. Elle a dû vous aimer énormément.

Il hocha la tête et dit doucement :

– Je sais... je sais.

– Et regardez-vous, maintenant. Vous avez plutôt bien tourné. En fait, vous avez même très bien tourné.

Il leva les yeux et me sourit.

– Je l'espère bien.

– J'en suis certaine.

Nous n'en avons jamais reparlé. C'était étrange. Au moment où la mère de Ted avait découvert qu'elle était enceinte, en 1946, à Philadelphie, j'allais au lycée à près de cinquante kilomètres de là, à Coatesville. Je me rappelle très bien que quand ma voisine de classe était tombée enceinte, toute l'école en avait parlé. Ted pouvait-il seulement imaginer ce que sa mère avait dû endurer pour pouvoir le garder ?

Il semblait en tout cas avoir exploité au mieux ses capacités. Ses résultats universitaires étaient brillants, en dépit du fait qu'il faisait presque tout son travail entre deux appels au cours des nuits qu'il passait au CAU. Je n'ai jamais pu soulever un point de psychologie que Ted ne connaisse pas sur le bout des doigts.

Il était beau, même si les années d'adversité qui allaient suivre devaient, d'une certaine manière, accentuer encore cette caractéristique, comme si le temps devait acérer ses traits.

Ted était aussi physiquement très fort, beaucoup plus fort que je ne l'avais estimé la première fois que je l'avais vu. Il m'avait paru mince, presque frêle, et j'avais pris l'habitude d'apporter des biscuits et des sandwiches que je partageais avec lui chaque mardi ; je pensais qu'il ne se nourrissait peut-être pas assez. Je fus surprise, un soir, alors qu'il portait un

jean taillé en bermuda : ses jambes étaient puissamment mus-
clées, comme celles d'un athlète. Il était effectivement mince,
mais robuste comme un chêne.

Quant à l'attirance qu'il exerçait sur les femmes, je me rappelle avoir pensé que si j'avais été plus jeune et célibataire
– ou si mes filles avaient été plus âgées –, il aurait pratiquement été l'homme idéal.

Ted parlait beaucoup de Meg et de Liane ; je supposais qu'il
vivait avec elles, même s'il ne me l'avait jamais vraiment
avoué.

– Le travail que vous faites intéresse beaucoup Meg, me
dit-il un soir. Pourriez-vous m'apporter quelques-uns de ces
magazines pour lesquels vous écrivez ?

Je lui en prêtai plusieurs, qu'il emporta. Il ne m'en reparla
jamais et j'en conclus qu'il ne les avait pas lus.

Un soir, nous bavardions sur son projet d'étudier le droit.
Le printemps approchait et, pour la première fois, il me parla
de Stephanie :

– J'aime Meg et elle m'aime vraiment. Elle m'a aidé à
payer mes études. Je lui dois beaucoup. Je ne veux pas lui
faire de peine, mais il y a quelqu'un d'autre et je ne peux
m'empêcher d'y penser.

Il ne m'avait jamais parlé d'une autre femme en dehors de
Meg. Cela me surprit.

– Elle s'appelle Stephanie et je ne l'ai pas revue depuis
longtemps. Elle vit près de San Francisco et elle est très, très
belle. Elle est grande, presque aussi grande que moi, et ses
parents sont riches. Je ne cadrais pas avec son milieu.

– Êtes-vous en contact avec elle ? lui demandai-je.

– De temps à autre. Au téléphone. Chaque fois que j'entends sa voix, tout me revient. Je ne veux prendre aucune
décision avant d'avoir essayé encore une fois. Je vais tâcher
de trouver une place dans une fac de droit près de San Francisco. Je pense que notre problème actuel est lié à la distance.
Je crois que si nous étions tous les deux en Californie, nous
pourrions nous remettre ensemble.

Je lui demandai depuis combien de temps ils étaient séparés.
Il me dit qu'ils avaient rompu en 1968 mais que Stephanie
était toujours célibataire.

– Croyez-vous qu'elle m'aimera encore si je lui envoie une douzaine de roses rouges ?

La question était si naïve que je levai les yeux vers lui pour voir s'il était vraiment sérieux. Et il l'était. Quand il me parla de Stephanie, au printemps 1972, c'était comme si les années précédentes n'avaient jamais existé.

– Je ne sais pas, Ted. Si elle éprouve les mêmes sentiments que vous, les roses pourraient jouer en votre faveur – mais elles ne serviront à rien si ses sentiments ont changé.

– Elle est la seule et unique femme que j'aie vraiment aimée. C'est très différent de ce que j'éprouve pour Meg. C'est difficile à expliquer. Je ne sais pas quoi faire.

En voyant cette lueur briller au fond de ses yeux quand il parlait de Stephanie, je vis aussi un immense chagrin en perspective pour Meg. Je le suppliai de ne pas faire à Meg de promesses qu'il ne pourrait tenir.

– À un moment donné, il vous faudra faire un choix. Meg vous aime. Elle vous a soutenu dans les temps difficiles, quand vous n'aviez pas d'argent. Vous dites que la famille de Stephanie vous donne l'impression que vous êtes pauvre, que vous n'y avez pas votre place. Alors, peut-être que Meg est réelle et que Stephanie n'est qu'un rêve... Je suppose que la meilleure façon de le savoir est de vous demander ce que vous ressentiriez si Meg n'était pas à vos côtés. Que feriez-vous si vous saviez qu'il y a quelqu'un dans sa vie ? Si vous la trouviez avec un autre homme ?

– Ça m'est arrivé. C'est curieux que vous en parliez, parce que ça m'a rendu fou. Nous nous étions disputés et j'ai vu la voiture d'un autre type garée devant chez elle. J'ai couru dans l'allée et suis monté sur une poubelle pour regarder par la fenêtre. J'étais dégoulinant de sueur et j'avais l'air d'un fou. Je ne pouvais pas supporter l'idée de savoir Meg avec un autre homme. Je n'arrivais pas non plus à croire ce que je ressentais...

Il secoua la tête, déconcerté par la violence de sa jalousie.

– Peut-être aimez-vous plus Meg que vous ne le croyez...

– C'est ça, le problème. Un jour je me dis que je veux rester ici, épouser Meg, l'aider à élever Liane, avoir d'autres enfants – c'est ce que Meg souhaite. Parfois je ne désire rien

41

d'autre. Mais je n'ai pas d'argent. Je n'aurai pas d'argent avant longtemps. Et je n'arrive pas à m'imaginer prisonnier d'une vie comme celle-là alors que je commence à réussir. Quand je pense à Stephanie, à la vie que je pourrais avoir avec elle... Je veux ça aussi. Je n'ai jamais été riche et je veux l'être. Mais comment puis-je dire au revoir et merci à Meg ?

Les téléphones se mirent à sonner à ce moment-là et la question resta en suspens. Le problème qui tracassait Ted n'avait rien de bizarre ni de désespéré pour un jeune homme de vingt-quatre ans ; c'était même plutôt normal. Il n'était pas encore tout à fait mature. Le moment venu, il prendrait la bonne décision.

Quelques semaines plus tard, Ted m'annonça qu'il avait posé sa candidature à Stanford et à Berkeley. Ted avait tout du parfait étudiant en droit : il en avait l'esprit incisif, la ténacité. Ses positions le démarquaient des autres étudiants stagiaires du CAU, tous à moitié hippies tant du point de vue vestimentaire que de leurs convictions politiques. Lui était un républicain conservateur. Je voyais bien que les autres le considéraient comme un drôle d'oiseau quand ils discutaient des émeutes qui avaient constamment lieu sur les campus.

– T'as tort, mec, lui avait dit un jour un étudiant barbu. C'est pas en léchant les bottes des vieilles badernes du Congrès que tu vas changer ce qui se passe au Vietnam. Tout ce qui les intéresse, c'est de décrocher un autre contrat pour Bœing. Tu crois qu'ils s'inquiètent de connaître le nombre de tués ?

– L'anarchie ne résoudra rien. Vous dispersez vos forces et vous prenez des coups de matraque, c'est tout, lui avait répondu Ted.

Les émeutes étudiantes et les marches de protestation faisaient enrager Ted. Plus d'une fois, il se mit en travers de la route des manifestants, agitant une matraque dans leur direction en leur disant de rentrer chez eux. Il croyait qu'il existait d'autres moyens de se faire entendre mais, étrangement, sa colère était aussi violente que celle des autres en face.

Je n'avais jamais vu Ted en colère. J'ai beau essayer, je ne me souviens pas d'un sujet sur lequel nous nous soyons disputés. Ted me traitait toujours gentiment, avec cette espèce de galanterie un peu vieux jeu dont il faisait invariablement preuve envers toutes les femmes. Je trouvais cela très attirant. Il tenait toujours à m'escorter jusqu'à ma voiture, quand je quittais le CAU au petit matin. Il restait là, sur le trottoir, jusqu'à ce que je sois en sécurité à l'intérieur, portières verrouillées et moteur en marche, et agitait la main tandis que je m'éloignais sur la route. J'habitais à une trentaine de kilomètres de là. Souvent, il me disait :

– Soyez prudente. Je ne voudrais pas qu'il vous arrive quelque chose.

Comparé à mes vieux amis de la brigade criminelle de Seattle, qui me laissaient quitter leurs burcaux du centre-ville au milieu de la nuit, Ted était un véritable chevalier servant !

5

J'ai dû abandonner mon poste au CAU au printemps 1972. J'écrivais six jours par semaine et, de plus, j'avais perdu mon enthousiasme premier. Je commençais à être un peu blasée. Au bout d'un an et demi, j'avais trop souvent entendu ressasser les mêmes problèmes. J'avais d'abord les miens à résoudre. Mon mari était parti, la procédure de divorce enclenchée et j'avais à la maison deux adolescents et deux préadolescents qui me causaient suffisamment de tracas. Ted obtint son diplôme en juin. Nous ne nous étions jamais vus en dehors des bureaux du CAU et nous étions restés sporadiquement en contact par téléphone. Je ne le revis pas avant le mois de décembre suivant.

Mon divorce fut prononcé le 14 décembre. Le 16, tous les membres anciens et nouveaux du personnel du CAU étaient conviés à fêter Noël chez Bruce Cummings, près du lac Washington. J'avais une voiture, mais pas de cavalier, et je savais que Ted n'avait pas d'auto ; je l'appelai donc pour lui proposer d'y aller ensemble. L'idée lui plut et je passai le prendre chez les Rogers, sur la 12ᵉ Rue Nord-Est.

Pendant le long trajet du quartier de l'université à la banlieue sud, nous rattrapâmes le temps perdu. Ted avait travaillé comme interne au service d'assistance psychiatrique de Harborview, l'hôpital du comté. Quand j'étais dans la police, j'avais emmené un certain nombre de personnes atteintes de troubles mentaux au cinquième étage de l'établissement, aussi je connaissais bien l'endroit. Mais Ted ne s'étendit pas beaucoup sur son boulot d'été. Il se montra beaucoup plus volubile en ce qui concernait ses activités durant la campagne électorale du gouverneur à l'automne 1972. Il avait en effet été engagé par le comité pour la réélection de Dan Evans, le gouverneur républicain de l'État de Washington. L'ex-gouverneur Albert Rosellini avait effectué un retour en force et le travail de Ted avait consisté à sillonner le pays avec lui pour enregistrer tous ses discours, qui étaient ensuite décortiqués par l'équipe d'Evans.

– Je me mêlais à la foule et personne n'avait la moindre idée de qui j'étais, m'expliqua-t-il.

Il avait beaucoup aimé cette mascarade, se déguiser et porter des postiches. Et la façon dont Rosellini modifiait ses discours, suivant qu'il s'adressait aux fermiers qui cultivaient du blé ou aux exploitants de vergers de Wenatchee, l'avait beaucoup amusé. Rosellini était un vieux renard, tout à fait le contraire d'Evans, qui était direct et patriotard.

Tout cela avait été grisant pour Ted : se trouver au cœur même d'une campagne électorale à l'échelle d'un État, faire ses rapports sur les discours de Rosellini directement au gouverneur Evans ou à ses bras droits.

La campagne pour la réélection d'Evans avait été un succès et Ted était à présent un homme bien considéré de l'administration au pouvoir. Au moment de cette réunion de Noël, il travaillait à la Commission consultative pour la prévention des crimes et délits (CCPCD) de la ville de Seattle. Il réexaminait une nouvelle loi visant à relégaliser l'auto-stop dans l'État.

– Vous pouvez me compter parmi ceux qui sont farouchement contre, lui dis-je. J'ai beaucoup écrit sur des meurtres de femmes où les victimes ont rencontré leur assassin en faisant du stop.

En dépit de son impatience à entrer en fac de droit, Ted avait des vues sur le poste de directeur de la CCPCD ; il faisait même partie des quelques candidats retenus et était certain d'obtenir la place.

Pendant la fête, nous allâmes chacun de notre côté ; je dansai avec lui une fois ou deux, le vis parler avec plusieurs femmes et remarquai qu'il avait l'air de bien s'amuser. Il semblait absolument fasciné par une jeune femme, étudiante de premier cycle et bénévole du CAU, que nous n'avions jamais vue auparavant. Comme certains horaires ne se chevauchaient jamais, ce n'était pas étonnant. Elle était mariée à un jeune avocat plein d'avenir, aujourd'hui l'un des meilleurs juristes de Seattle.

Ted ne lui adressa pas la parole tant elle l'impressionnait, et il me la désigna en me demandant qui elle était. C'était un beau brin de fille, avec de longs cheveux sombres, raides, séparés par une raie au milieu, et vêtue d'une manière qui révélait qu'elle avait à la fois du goût et des moyens.

Je ne pense pas qu'elle ait eu conscience de la fascination qu'elle exerçait sur Ted, mais je surpris plusieurs fois ce dernier à l'épier pendant la soirée.

Ted but beaucoup et il était passablement ivre quand, vers 2 heures du matin, nous prîmes congé. Dans la voiture, il se mit à discourir à n'en plus finir, d'un ton amical et décontracté, sur la femme qui l'avait tant marqué chez Cummings.

– Elle est exactement ce que j'ai toujours désiré. Elle est parfaite – mais elle ne m'a même pas remarqué...

Puis il s'endormit.

Quand nous arrivâmes chez les Rogers, Ted était dans un état semi-comateux ; je dus crier et le secouer pendant plus de dix minutes pour le réveiller. Je l'accompagnai jusqu'à la porte et lui souhaitai bonne nuit en souriant pendant qu'il essayait de trouver son chemin.

Une semaine plus tard, je recevais une carte de vœux signée Ted. *Ce sera une excellente nouvelle année pour une femme délicieuse de mes amies, pleine de talent et riche d'une liberté toute neuve. Merci pour la soirée. Amitiés, Ted.*

Son geste me toucha. C'était typique de Ted Bundy : il savait que j'avais besoin de soutien moral. Apparemment, il n'y avait rien au monde que je puisse faire pour lui. Je ne l'intéressais pas sentimentalement, nous étions presque aussi pauvres l'un que l'autre et je ne connaissais personne d'influent. Il m'avait envoyé cette carte simplement parce que nous étions amis.

Quand je la relis aujourd'hui et que j'en compare la signature avec celle des dizaines de lettres que j'allais recevoir par la suite, je suis frappée par la différence qui existe entre elles.

Jamais plus il ne signerait de cette écriture désinvolte et pleine de fioritures.

Ted n'obtint pas le poste de directeur de la CCPCD et démissionna en janvier 1973. Nous nous revîmes en mars, un jour de pluie. Je sortais de l'immeuble de la Protection civile en compagnie d'une vieille amie, Joyce Johnson. Je l'avais connue à l'époque où je travaillais dans la police – elle était inspecteur depuis onze ans à la section d'enquêtes sur les agressions sexuelles. Ted était là. Il portait une barbe et avait l'air tellement différent que, sur l'instant, je ne le reconnus pas. Il m'appela par mon nom et m'attrapa par le coude. Je le présentai à Joyce et il m'annonça avec entrain qu'il travaillait pour le bureau d'études juridiques et judiciaires du comté de King.

– Je fais une étude sur les victimes de viol, m'expliqua-t-il. Si tu pouvais me passer quelques anciens numéros de ce magazine où tu as écrit des articles sur ce genre d'affaires, ça pourrait m'aider dans mes recherches.

Je lui promis de consulter mes dossiers, de lui sélectionner quelques cas – dont l'enquête avait été menée par Joyce Johnson – et de les lui faire parvenir. Mais, curieusement, cela ne s'est jamais fait et j'ai fini par oublier.

Meg l'y poussant, Ted posa pour la seconde fois sa candidature à la faculté de droit de l'université d'Utah. Le père de Meg était un riche médecin, ses frères et sœurs exerçaient dans l'Utah et elle espérait bien aller un jour ou l'autre s'installer avec son amant dans l'État mormon.

Ted avait une excellente moyenne, que bien des étudiants lui auraient enviée, mais les résultats de ses tests d'aptitude en droit avaient été jugés insuffisants pour entrer à l'université d'Utah. En 1973, il bombarda le bureau des admissions de lettres de recommandation de ses professeurs et du gouverneur Dan Evans. Au dossier d'inscription fourni par l'université il joignit un CV résumant toutes ses activités depuis qu'il avait quitté l'université de Washington ainsi qu'une lettre de six pages où il exposait sa philosophie et sa conception personnelle du droit.

Sa position vis-à-vis des émeutes, des soulèvements étudiants et de l'anarchie était restée la même. La loi représentait le droit ; le reste n'était que violence.

Ted mentionnait sa récente participation à une série d'études sur les jurés et parlait d'un travail d'analyse qu'il avait entrepris. Il cherchait à mettre en relation la composition raciale d'un jury et ses conséquences pour l'accusé.

L'impressionnant dossier de candidature de Ted eut l'effet escompté en reléguant au second plan les médiocres résultats qu'il avait obtenus aux tests d'aptitude. Curieusement, il décida de ne pas se présenter lors de la rentrée universitaire à l'automne 1973. Il écrivit au directeur du département, une semaine avant le début des cours, qu'il *regrettait sincèrement* de ne pouvoir être là, mais qu'ayant été gravement blessé dans un accident de voiture, il était cloué dans un lit d'hôpital ; même s'il avait espéré être suffisamment remis pour être présent à la rentrée, il n'en avait pas la force. Il s'excusait d'avoir attendu si longtemps pour les prévenir et espérait qu'ils trouveraient quelqu'un pour le remplacer.

Rien de tout cela n'était vrai. En réalité, Ted avait été victime d'un accident banal. Il s'était simplement foulé la cheville, n'avait pas été hospitalisé et sa forme était excellente. Il avait néanmoins démoli la voiture de Meg. Les raisons de son désistement de l'université d'Utah restent un mystère.

Son superbe dossier recelait aussi quelques inconsistances : son étude sur les jurys et les répercussions de leur composition raciale sur un accusé n'était qu'une idée ; il n'avait pas encore vraiment commencé ses recherches.

Malgré cela, Ted s'inscrivit à des cours à l'automne 1973. C'était à l'université de Puget Sound, chez lui, à Tacoma. Il y assistait les lundis, mercredis et vendredis soir, et s'y rendait en voiture en compagnie de trois autres étudiants avec qui il partageait les frais d'essence.

Il est probable que Ted ait décidé de rester dans l'État de Washington parce qu'il venait de décrocher un boulot en or : en avril 1973, il avait été nommé adjoint de Ross Davis, le secrétaire du parti républicain de l'État. Les mille dollars de salaire mensuel représentaient plus d'argent qu'il n'en avait jamais eu. Les « petits avantages » qui allaient avec cet emploi n'étaient pas négligeables, surtout pour un homme qui avait toujours lutté pour gagner de l'argent et se faire reconnaître. Il avait l'usage d'une carte de crédit au nom du parti, assistait aux réunions avec les « huiles » et pouvait emprunter à l'occasion une belle voiture. Il se déplaçait aussi dans tout l'État tous frais payés.

Ted était bien vu de Ross Davis et de sa femme. Il dînait en famille avec eux au moins une fois par semaine et venait souvent garder leurs enfants. Dans le souvenir de Davis, Ted était « particulièrement intelligent et batailleur » et il « croyait fermement au système ».

Plusieurs bouleversements avaient affecté la vie de Ted en 1973, et je ne l'ai vu qu'une fois au cours de l'année, lors d'une brève rencontre devant le bâtiment de la Protection civile, au mois de mars. Notre amitié était égale ; nous étions toujours contents de nous revoir et de retrouver en l'autre – en apparence tout au moins – celui, ou celle, que nous avions toujours connu.

Je le revis encore en décembre 1973, à une autre fête de Noël du CAU. Elle eut lieu chez l'un des membres du conseil d'administration, dans le quartier de Laurelhurst, dans le nord-est de Seattle. Cette fois-ci, Ted vint avec Meg et je pus faire sa connaissance.

Ted ne m'avait jamais décrit Meg. J'avais eu droit à une description détaillée de Stephanie Brooks et j'avais vu comment il avait réagi face à cette grande brune chez Cummings l'année précédente. Meg n'avait rien de commun avec elle. Elle paraissait petite, très vulnérable, et sa longue chevelure châtaine dissimulait un peu ses traits. Il était évident qu'elle adorait Ted ; elle s'accrochait à lui, trop timide pour aller se mêler aux autres.

Quand je racontai à Meg que Ted et moi nous étions rendus ensemble à la réception de l'année précédente, son visage s'illumina.

Vraiment ? Alors, c'était vous ?

Je hochai la tête.

– Je n'avais pas de cavalier et Ted n'avait pas d'auto, aussi avons-nous décidé de mettre nos ressources en commun.

Meg parut très soulagée ; une gentille petite femme d'âge mûr comme moi, avec une ribambelle de gamins, ne pouvait pas constituer une menace pour elle. Je me suis demandé à ce moment-là pourquoi il l'avait laissée se ronger les sangs toute l'année alors qu'il aurait fort bien pu lui expliquer notre amitié...

Meg paraissait très intimidée par tous ces gens qu'elle ne connaissait pas et qui évoluaient autour de nous. Aussi je passai presque toute la soirée à bavarder avec elle. C'était une femme très douce et très intelligente. Elle n'avait d'yeux que pour Ted. Quand il s'enfonçait au milieu des invités, elle le suivait du regard ; elle essayait de toutes ses forces d'avoir l'air désinvolte, mais personne d'autre que lui n'existait à ses yeux.

Je comprenais parfaitement ses sentiments : trois mois plus tôt, j'étais tombée amoureuse d'un homme qui n'était pas libre et ne le serait jamais. Pourtant, Ted était avec elle depuis quatre ans et lui paraissait tout dévoué, ainsi qu'à Liane. Il était très possible qu'ils se marient un jour ou l'autre.

À voir Ted et Meg ensemble, j'imaginais qu'il avait oublié ses fantasmes concernant Stephanie. Je ne pouvais pas être plus loin de la vérité. Ni Meg ni moi ne savions alors que Ted venait justement de passer plusieurs jours en compagnie de Stephanie Brooks. En fait ils s'étaient fiancés et il était impatient de la revoir dans la semaine.

La vie de Ted était soigneusement compartimentée. Il était capable de se comporter d'une certaine manière avec une femme et d'être un homme totalement différent avec une autre. Il évoluait dans plusieurs sphères et la plupart de ses amis et associés ne connaissaient rien des autres aspects de sa vie.

Quand je dis adieu à Ted et à Meg ce soir de décembre 1973, je ne m'attendais sincèrement pas à le revoir un jour ; nous avions été réunis par le CAU mais nous prenions tous deux nos distances vis-à-vis du groupe, ce qui semblait devoir nous séparer inéluctablement. J'étais loin d'imaginer que Ted Bundy bouleverserait un jour ma vie dans ses grandes profondeurs.

Près de deux années devaient s'écouler avant que j'entende encore parler de Ted Bundy mais, quand cela se produisit, ce fut dans des circonstances qui me causèrent le choc le plus violent de toute ma vie.

6

À un moment ou un autre de leur existence, la plupart des gens nourrissent le fantasme de retrouver leur premier amour, dans l'espoir que, plus beaux, plus riches, plus minces, ils séduiront sans mal ce premier amour perdu. Cela arrive rarement dans la réalité, mais ce fantasme aide à soulager la souffrance provoquée par le rejet.

Ted avait déjà essayé, en 1969, de reconquérir Stephanie Brooks, de rallumer la flamme éteinte, et il avait échoué. Mais, à la fin de l'été 1973, Ted commençait à être quelqu'un. Il avait travaillé dur pour devenir le genre d'homme que Stephanie apprécierait. Bien que sa relation amoureuse avec Meg Anders fût stable depuis quatre ans, Ted n'avait personne d'autre à l'esprit que Stephanie quand il se rendit à Sacramento en voyage d'affaires pour le compte du parti républicain. Il appela la jeune femme à San Francisco et elle fut sidérée par les changements qui s'étaient opérés en lui. Le garçon hésitant et fébrile, sans avenir précis, était devenu un homme courtois, d'humeur égale, sûr de lui. Il approchait les vingt-sept ans et paraissait être un personnage important dans les milieux politiques de l'État de Washington.

Quand ils sortirent dîner, elle fut impressionnée par la nouvelle maturité dont il faisait preuve, l'aisance avec laquelle il se comportait vis-à-vis du serveur. Ce fut une soirée mémorable au terme de laquelle Stephanie accepta volontiers de venir rapidement lui rendre visite à Seattle pour envisager leur avenir. Ted ne lui parla pas de Meg ; il paraissait aussi libre que Stephanie l'était.

Pendant sa semaine de vacances en septembre, Stephanie s'envola donc pour Seattle ; Ted vint la chercher à l'aéroport dans la voiture de Ross Davis et la conduisit immédiatement à l'hôtel University Towers. Il l'emmena dîner chez les Davis. Ceux-ci la trouvèrent très bien et elle ne broncha pas quand Ted la présenta comme sa fiancée.

Ted avait organisé un week-end à Alpental, près du col de Snoqualmie. Utilisant toujours la voiture de Davis, ils passèrent le col de la Cascade et longèrent les premiers contreforts de ces montagnes qu'ils traversaient quand ils allaient skier, à l'époque où ils étaient étudiants. En voyant le luxueux logement qu'il avait réservé pour le week-end, Stephanie se demanda comment il avait pu se l'offrir. Ted lui expliqua que l'appartement appartenait à l'ami d'un ami.

Ils y passèrent des moments idylliques. Ted parlait mariage sérieusement et Stephanie écoutait. Elle était tombée amoureuse de lui, bien plus profondément que du temps de leur liaison universitaire. Elle était certaine qu'ils convoleraient dans l'année. Et elle travaillerait dur pour l'aider à payer ses études de droit.

De retour chez les Davis, Ted et Stephanie posèrent ensemble pour une photo, le sourire aux lèvres ; bras dessus, bras dessous. Puis, Ted devant se rendre à une importante réunion politique, Mme Davis reconduisit Stephanie à l'aéroport.

Stephanie revint à Seattle en décembre 1973. Elle passa quelques jours avec Ted dans l'appartement d'une connaissance. Puis elle se rendit à Vancouver pour fêter Noël chez des amis. Elle nageait dans le bonheur.

Autrement dit, alors même qu'il me présentait Meg à cette fête de Noël du CAU en 1973, Ted comptait les jours qui le séparaient du retour de Stephanie.

Peu après, Stephanie perçut un changement chez Ted : il se montrait évasif concernant le mariage. Il finit par lui dire qu'il avait rencontré une autre femme – une femme qui avait dû subir une IVG à cause de lui.

Stephanie tombait des nues. Ted lui raconta qu'il essayait de « se libérer » de cette fille – dont il ne mentionna jamais le nom –, mais que les choses étaient vraiment très compliquées. Alors qu'il s'était montré si tendre jusque-là, il devint froid et distant. Ils n'avaient que très peu de temps à passer ensemble, mais il la délaissa quand même toute une journée pour aller travailler sur un « projet » universitaire qui, elle en était sûre, aurait fort bien pu attendre. Il ne lui avait rien offert pour Noël, alors qu'il lui avait montré un superbe échiquier acheté pour son ami juriste. Elle avait dépensé beaucoup d'argent pour lui offrir une estampe indienne et un nœud papillon, mais il n'avait pas paru outre mesure enthousiasmé par ses cadeaux.

Alors qu'il lui faisait l'amour avec beaucoup d'ardeur auparavant, ses gestes étaient devenus mécaniques ; l'amant passionné et spontané s'était transformé en ce qu'elle appelait un « abonné absent ».

Stephanie voulut en parler, mais Ted se livra à une amère diatribe contre sa propre famille. Il lui raconta qu'il était un enfant illégitime, insistant lourdement sur le fait que Johnnie Bundy n'était pas son père, n'était pas particulièrement intelligent et ne gagnait pas beaucoup d'argent. Il paraissait en vouloir à sa mère de ne jamais lui avoir parlé de son véritable géniteur. Il se montra méprisant envers toute la famille Bundy et leur « manque de Q.I. ». Le seul membre de sa famille pour lequel il semblait avoir de l'affection était son grand-père Cowell, mais le vieil homme était mort.

Quelque chose s'était passé qui avait radicalement modifié l'attitude de Ted envers Stephanie. Quand elle reprit l'avion pour la Californie le 2 janvier 1974, Stephanie était désorientée et très perturbée. Ted ne lui avait même pas fait l'amour au cours de leur dernière nuit ensemble. Il lui avait couru après pendant six ans et voilà qu'elle ne semblait plus l'intéresser !

De retour chez elle, elle attendit une lettre, un coup de téléphone, quelque chose qui lui expliquerait ce revirement brutal. Mais rien ne vint. Elle eut finalement recours à un psychothérapeute pour débrouiller ses propres émotions.

— Je crois qu'il ne m'aime pas. C'est comme s'il venait de cesser de m'aimer.

Le thérapeute lui suggéra d'écrire à Ted, ce qu'elle fit, lui disant qu'il fallait qu'elle trouve des réponses aux questions qu'elle se posait. Ted ne répondit pas à sa lettre.

À la mi-février, Stephanie appela Ted. Elle était furieuse et blessée et lui reprocha violemment de l'avoir laissée tomber sans même un mot d'explication. Il lui répondit d'un ton calme et neutre :

– Stephanie, je ne vois pas du tout de quoi tu veux parler...

Elle l'entendit raccrocher ; la communication était coupée. Elle parvint à la conclusion que la cour assidue de Ted, à la fin de l'année 1973, faisait partie d'un plan qu'il avait élaboré pour qu'elle tombe amoureuse de lui, dans le seul but de la repousser, tout comme elle l'avait fait elle-même.

Stephanie n'obtint jamais d'explication. Elle n'entendit plus parler de Ted et épousa un autre homme au Noël de l'année 1974.

7

Le mardi 13 décembre, le shérif Don Redmond m'appela pour me demander si je voulais assister à une réunion au sujet d'une affaire de meurtre sur laquelle la police du comté de Thurston enquêtait.

– Nous allons vous fournir toutes les informations dont nous disposons sur l'affaire Devine, et vous nous direz ce que vous en pensez. Nous avons besoin d'un récit complet et suivi de tout ce que nous avons appris jusqu'ici. Le délai va peut-être vous paraître un peu court, mais nous voulons fournir une trentaine de feuillets au pros dès lundi matin. Vous pouvez faire ça ?

Je me rendis le lendemain à Olympia en voiture, où je rencontrai le shérif Redmond, l'adjoint Dwight Caron et le sergent Paul Barclift. Nous passâmes la journée à feuilleter des rapports, visionner des diapositives et lire les comptes rendus d'autopsie concernant le meurtre de Katherine Merry Devine, quinze ans.

Kathy Devine avait disparu au coin d'une rue dans le nord de Seattle le 25 novembre. La dernière fois que la jolie adolescente avait été aperçue en vie, elle faisait de l'auto-stop. Elle avait dit à ses amis qu'elle se rendait dans l'Oregon. Ils l'avaient vue monter à bord d'une camionnette découverte conduite par un homme. Elle n'était jamais arrivée à destination.

Un couple engagé pour nettoyer le parc McKenny, près d'Olympia, avait découvert le corps de Kathy le 6 décembre. Elle gisait sur le ventre, dans la forêt. Elle était entièrement vêtue, mais son jean avait été découpé à l'aide d'un instrument tranchant tout le long de la couture qui passe entre les fesses, de la taille à l'entrejambe. Il faisait anormalement chaud pour l'hiver, et la décomposition du corps était très avancée. Toutes sortes de carnassiers avaient emporté son cœur, ses poumons et son foie.

Conclusions provisoires de l'anatomopathologiste : elle avait été étranglée et peut-être égorgée. Les blessures principales avaient été causées à la nuque. L'état de ses vêtements laissait penser qu'elle avait aussi été sodomisée. Elle était morte peu après le moment où on l'avait aperçue pour la dernière fois.

Le shérif Redmond et les enquêteurs avaient récupéré le corps et les vêtements de la jeune fille. Le laps de temps écoulé entre sa disparition et la découverte de son cadavre rendait pratiquement impossible l'arrestation de l'homme qui l'avait tuée.

– C'est cette foutue nouvelle loi sur l'auto-stop, déclara Redmond. Les mômes peuvent lever le pouce et grimper en voiture avec n'importe qui, maintenant !

Il n'y avait pas grand-chose à se mettre sous la dent, mais je pris quand même beaucoup de notes et passai le week-end à établir l'ordre chronologique des événements. Cela ressemblait à un cas isolé ; je n'avais rencontré aucune affaire semblable depuis des années.

Deux adjoints du shérif d'Olympia vinrent chercher le rapport le dimanche soir. En tant qu'agent mandaté par plusieurs États, je touchai cent dollars. J'étais plus un franc-tireur qu'un véritable agent de l'ordre mais cette mission me rappelait le temps où je servais dans la police. Je n'oubliai pas l'affaire Devine et j'en fis, quelques mois plus tard, un article pour la revue *True Detective*, la présentant comme un cas non résolu et demandant à quiconque détenant des informations de s'adresser au bureau du shérif du comté de Thurston. Personne ne se présenta et l'affaire resta inexpliquée.

Avec la nouvelle année 1974, je compris que, si je voulais faire vivre mes quatre enfants, j'allais devoir vendre un peu plus d'articles. Bien que le cancer de leur père ait été enrayé, je me souvenais très bien du pronostic du premier chirurgien :

l'espérance de vie de Bill pouvait se situer entre six mois et cinq ans.

La plupart des affaires sur lesquelles j'écrivais m'étaient confiées par les brigades criminelles de Seattle et du comté de King. Leurs inspecteurs étaient particulièrement aimables avec moi et me permettaient de les interroger entre deux vagues de crimes. Pas des durs à cuire comme on en voit à la télévision ou dans les romans, mais des hommes extrêmement sensibles. J'ai noué avec ces gens quelques-unes des plus solides amitiés de ma vie. En ce qui me concerne, je ne les ai jamais « grillés », je n'ai jamais utilisé dans mes articles des informations officieuses. J'ai toujours attendu la fin des procès, ou que l'accusé ait plaidé coupable, prenant garde à ce que mes articles n'influencent en aucun cas des jurés potentiels.

Ils me faisaient confiance et c'était réciproque. Comme ils savaient que j'essayais d'en apprendre le plus possible dans le domaine de l'investigation criminelle, ils m'invitèrent souvent à assister à des conférences données par des experts. Après un séminaire de deux semaines d'enquête sur le terrain organisé par l'école de police du comté de King, j'ai effectué des patrouilles avec les polices de l'État de Washington, de Seattle, du comté de King, les équipes de Medic 1, et j'ai passé deux cent cinquante heures avec le Marshal 5 – le service des sapeurs-pompiers de Seattle chargé des enquêtes sur les incendies criminels.

C'était un parcours peu ordinaire pour une femme à l'époque, mais j'y pris beaucoup de plaisir. La moitié du temps, j'étais une maman comme les autres ; l'autre moitié, j'apprenais les techniques d'investigation ou comment détecter un incendie criminel. Mon grand-père et mon oncle avaient été shérifs dans le Michigan et mes années passées comme simple agent de police n'avaient fait que renforcer mon idée que les représentants de l'ordre étaient les « bons ». Rien de tout ce que je voyais en tant que journaliste spécialisée ne ternissait cette image, même si les policiers se faisaient souvent insulter dans les années 1970.

Comme j'étais, d'une certaine manière, redevenue l'une des leurs, j'avais la primeur des informations – comme dans le cas de l'affaire Devine. Je ne discutais de ces informations avec personne d'autre en dehors du milieu policier, mais j'étais parfaitement au courant de ce qui se passait.

L'année avait à peine commencé quand survint l'agression d'une jeune femme. Elle vivait dans une chambre en demi-sous-sol dans une grande maison ancienne, au 4325 de la 8ᵉ Rue Nord-Est, non loin de l'université de Washington. Cela se passa dans la nuit du 4 janvier et l'affaire fut jugée assez bizarre pour que la détective Joyce Johnson m'en fasse part. Johnson était depuis vingt-deux ans dans le service.

Joni Lenz, dix-huit ans, était allée se coucher comme d'habitude dans sa chambre, située en demi-sous-sol. On pouvait aussi y accéder de l'extérieur par une porte qui restait habituellement verrouillée. Quand elle n'apparut pas pour le petit déjeuner le lendemain matin, ses colocataires supposèrent qu'elle ne s'était pas réveillée. Vers le milieu de l'après-midi, elles descendirent quand même vérifier si tout était normal. Joni ne répondit pas à leurs appels. En s'approchant de son lit, elles virent avec horreur que son visage et ses cheveux étaient croûtés de sang séché. Elle était inconsciente. Joni Lenz avait été frappée à l'aide d'une barre de métal arrachée à l'un des montants du lit. Elles soulevèrent alors la couverture et découvrirent que la barre de métal avait été enfoncée dans le vagin de la jeune fille, provoquant vraisemblablement de terribles lésions.

– Elle n'a toujours pas repris connaissance, me dit Joyce Johnson une semaine plus tard. Ça me brise le cœur de voir ses parents rester assis à son chevet, à prier pour qu'elle reprenne connaissance. Même si elle s'en tire, les médecins pensent qu'elle gardera des lésions cérébrales permanentes.

Contre toute attente, Joni finit par sortir de son coma ; mais ses souvenirs remontaient à plus de dix jours avant le drame et elle souffrait de lésions cérébrales irréversibles.

Son agresseur ne l'avait pas violée – à moins que l'on ne considère le viol symbolique avec la barre de métal. Pris de folie furieuse, il l'avait trouvée là, endormie, et s'était défoulé sur elle. Les détectives n'avaient pu trouver aucun mobile : la victime était une jeune fille timide et gentille, sans ennemi. Elle devait avoir été désignée par le hasard. Quelqu'un qui savait qu'elle dormait seule dans cette chambre l'avait peut-être aperçue par la fenêtre et avait trouvé la porte extérieure non verrouillée.

Joni Lenz a eu de la chance : elle a survécu.

— Bonjour ! Ici Lynda, pour le bulletin météo des Cascades : la température est de moins un degré au col de Snoqualmie, avec par endroits des plaques de neige et de verglas ; moins huit sur le col de Stevens, ciel couvert, avec des congères sur la route...

Des milliers d'auditeurs dans l'ouest de l'État de Washington avaient déjà entendu la voix de la jeune Lynda Ann Healy, vingt et un ans, sans vraiment la connaître. Une voix douce et caressante, de celles qu'on apprécie quand on se rend à son travail en voiture à 7 heures du matin. Par principe, le nom des filles qui lisaient le bulletin météorologique et faisaient le point sur l'état des routes n'était jamais révélé, quelle que soit l'insistance de leurs admirateurs.

Lynda était aussi belle que sa voix le laissait présager : grande, svelte, avec des cheveux châtains qui tombaient presque jusqu'à sa taille et des yeux bleu clair ornés de longs cils noirs. Étudiante en psychologie à l'université de l'État de Washington, elle logeait dans une vieille bâtisse à charpente de bois peinte en vert, au 5517 de la 12ᵉ Rue Nord-Est. Elle partageait le loyer avec quatre étudiantes : Marti Sands, Jill Hodges, Lorna Moss et Barbara Little.

Lynda avait grandi à l'abri des vicissitudes du monde dans une famille de la grande bourgeoisie, à Newport Hills, sur la rive est du lac Washington. Douée pour le chant, elle avait tenu à l'école le rôle de Fiona dans la comédie musicale *Brigadoon*. Mais c'était la psychologie qui l'intéressait le plus, et particulièrement le travail avec des enfants souffrant de retard mental. À l'université, elle avait eu l'occasion d'étudier divers aspects des troubles caractériels. Les étudier, pas les connaître.

Des cinq colocataires de cette grande maison, aucune n'était particulièrement naïve et elles se montraient toutes très prudentes. Le père de Jill était procureur dans un comté de l'est de l'État, et en tant que fille de pénaliste, elle avait conscience de l'existence de crimes de sang ; mais aucune des cinq camarades n'avait jusqu'ici été personnellement exposée à des actes de violence. Elles avaient lu dans les journaux des articles sur l'agression qui s'était déroulée le 4 janvier à quelques rues de chez elles et avaient entendu dire qu'un rôdeur traînait dans le voisinage. Elles prenaient les précautions qui s'imposaient, fermaient leurs portes à clé, sortaient toujours à deux après la tombée de la nuit et décourageaient tous les hommes qui leur paraissaient bizarres.

Son travail pour le bulletin météo des sports d'hiver obligeait Lynda à se lever à 5 h 30 du matin, aussi se couchait-elle rarement après minuit. Le jeudi 31 janvier commença pour elle comme un jour ordinaire. Elle se rendit à son bureau à quelques rues de là, à bicyclette. Elle avait enregistré son bulletin, s'était rendue à ses cours, puis était rentrée à son domicile. Elle n'avait pas le moindre problème au monde – excepté de vagues douleurs d'estomac et un petit copain qu'elle aurait aimé voir davantage. Elle rédigea un mot pour une amie, la dernière lettre qu'elle devait écrire.

À 14 h 30 cet après-midi-là, Jill Hodges conduisit Lynda à l'université, puis revint la chercher à 17 heures avec Lorna Moss. Elles dînèrent et Lynda emprunta la voiture de Marti Sands pour aller chez l'épicier ; elle était de retour à 20 h 30.

Lynda, Lorna, Marti et un ami se rendirent alors à pied chez *Dante*, une taverne très en vogue auprès des étudiants située au coin de la 53e Rue et de Roosevelt Way.

Une heure plus tard, elles étaient de retour chez elles et Lynda reçut un coup de fil d'un ex-petit ami d'Olympia. Ses camarades se souviennent qu'elle est restée près d'une heure au téléphone avec lui. Ensuite, elles regardèrent un feuilleton à la télévision avant d'aller se coucher.

Quand Lynda les quitta pour regagner sa chambre en demi-sous-sol, elle portait un blue-jean, un chemisier blanc et des bottes.

Barbara Little avait passé toute la soirée à la bibliothèque. Elle ne rejoignit sa chambre – au même niveau que celle de Lynda et juste séparée par une mince cloison de contre-plaqué – qu'à 1 heure moins le quart. La lumière dans la chambre de Lynda était éteinte.

À 5 h 30, Barbara entendit le radio-réveil de Lynda se déclencher comme tous les matins et se rendormit. À 6 heures, son propre réveil se mit en marche et elle fut surprise d'entendre que le réveil de Lynda bourdonnait toujours avec insistance.

Le téléphone sonna : le patron de Lynda voulait savoir pourquoi celle-ci n'était toujours pas arrivée. Barbara se rendit dans la chambre de Lynda et alluma une lampe : la chambre était impeccable, le lit parfaitement bordé, sans un pli. La chose n'était pas normale, car Lynda avait l'habitude de faire son lit en revenant de ses cours, mais Barbara ne s'inquiéta pas outre mesure. Elle éteignit le réveil et supposa que Lynda était en route pour son travail.

La bicyclette à dix vitesses qu'elle utilisait tous les jours pour se déplacer était toujours au sous-sol de la maison, mais ses camarades remarquèrent un détail inquiétant. La porte du sous-sol donnant sur l'extérieur était entrebâillée. Or elles ne la laissaient jamais ouverte ! D'ailleurs, cette porte était particulièrement difficile – presque impossible, même – à ouvrir de l'extérieur. C'est pourquoi elles l'ouvraient toujours de l'intérieur quand elles voulaient sortir leurs vélos, puis la refermaient de même avant de faire le tour de la maison pour aller chercher leurs bicyclettes. Les carreaux de l'unique fenêtre creusée près de l'escalier qui menait à la cave avaient été peints depuis longtemps pour qu'on ne puisse rien voir au travers.

Les filles se retrouvèrent sur le campus cet après-midi-là pour faire le point. Chacune supposa que l'une des autres avait vu Lynda en classe dans la journée – pourtant, aucune ne l'avait vue. Quand la famille de Lynda arriva ce soir-là pour le dîner qu'elle avait organisé, ses amies prirent peur. Lynda n'était pas le genre de fille à ne pas se présenter à son travail, sécher des cours et, surtout, oublier un dîner auquel elle avait convié ses proches.

Elles se décidèrent enfin à appeler la police de Seattle pour signaler sa disparition.

Les inspecteurs Wayne Dorman et Ted Fonis, de la brigade

criminelle, vinrent interroger les parents de Lynda et ses camarades avant de jeter un coup d'œil à sa chambre. C'était une pièce gaie, aux murs peints en jaune vif et brillant, couverts d'affiches et de photographies. Le lit était disposé le long de la cloison en contre-plaqué ; celui de Barbara se trouvait juste de l'autre côté.

Les détectives retirèrent le couvre-lit. L'oreiller sans taie était couvert de sang séché et une large tache avait traversé les draps et imbibé le matelas. La personne qui avait perdu tout ce sang avait dû être gravement blessée, peut-être même inconsciente – mais la quantité de sang présente n'était pas suffisante pour savoir si elle avait saigné à mort.

Lorna et Marti firent remarquer aux enquêteurs que le lit n'était pas fait comme d'habitude.

– Elle tirait toujours les draps par-dessus l'oreiller et là ils sont glissés en dessous.

Lynda avait une taie d'oreiller en satin rose sur son lit. Elle avait disparu ; sa jumelle se trouvait dans le tiroir de sa commode. Sa chemise de nuit était cachée au fond de la penderie, le col raide de sang séché.

Quelqu'un s'était introduit dans la chambre de Lynda pendant qu'elle dormait, l'avait assommée avant qu'elle ait eu le temps de se réveiller et de crier, puis l'avait enlevée.

Ses camarades passèrent la penderie en revue pour constater que les seuls vêtements manquants étaient le jean, le chemisier et les bottes qu'elle portait la veille de sa disparition.

– Son sac à dos a aussi disparu, remarqua Marti. Il est rouge, avec des raies grises. Elle y mettait des bouquins, ses gants et son bonnet de ski jaunes et, peut-être... Ah ! il y avait aussi tout un lot de billets pour le concert de l'orchestre symphonique amateur et quelques chèques.

Le sang qui maculait la chemise de nuit de Lynda indiquait clairement qu'elle la portait au moment où elle avait été attaquée. Les enquêteurs en déduisirent que son ravisseur avait pris le temps de la rhabiller avant de l'enlever. Pourtant, ses manteaux étaient restés dans le placard ; cela voulait-il dire qu'elle n'avait déjà plus besoin de manteau à ce moment-là ? Et pourquoi avoir emporté le sac à dos ? La taie d'oreiller ?

Le propriétaire de la maison déclara à Fonis et Dorman qu'il changeait systématiquement toutes les serrures des portes extérieures chaque fois que de nouveaux locataires s'installaient. Un geste de prudence qui aurait été efficace si les cinq filles ne laissaient en permanence un double de la clé dans la boîte aux lettres devant la maison. Qui plus est, Lynda et Marti avaient toutes deux déjà perdu leur clé et en avaient fait faire des doubles.

Sachant que cinq femmes vivaient dans cette maison, n'importe qui aurait pu épier leurs mouvements et les voir retirer la clé de secours cachée dans la boîte aux lettres.

Terrifiées, les quatre locataires survivantes quittèrent la maison verte. Quelques amis vinrent s'installer à leur place pour surveiller tout mouvement suspect. Mais le drame avait eu lieu et il n'y avait plus rien à faire. Les quatre filles se souvenaient d'un incident curieux : le téléphone avait sonné trois fois dans l'après-midi qui avait suivi la disparition de Lynda. Chaque fois qu'elles décrochaient, elles n'entendaient rien d'autre qu'un bruit de respiration à l'autre bout du fil, avant que la communication soit coupée.

Des équipes de policiers avec des chiens ratissèrent chaque pouce de terrain des environs. Lynda Ann Healy restait introuvable. L'homme qui l'avait enlevée n'avait pas laissé la moindre trace derrière lui. Pas même un cheveu, un poil, une tache de sang ou de sperme. Il avait été extrêmement habile, ou bien extrêmement chanceux. Ce genre d'affaire était le cauchemar de la brigade criminelle.

Le 4 février, une voix d'homme appela le 911 – le numéro de police secours :

– Écoutez et écoutez bien. La personne qui a attaqué cette fille le 8 du mois dernier est la même que celle qui a enlevé Lynda Healy. Il était devant les deux maisons. On l'a vu.

– Comment vous appelez-vous ? demanda alors l'opérateur.

– Il est hors de question que je vous le dise.

Et l'homme raccrocha.

Le petit ami de Lynda et son ancien flirt acceptèrent de se soumettre volontairement au détecteur de mensonges – sans résultat.

À mesure que les jours et les semaines passaient, il devint

évident que Lynda Ann Healy était morte et que son corps avait été si soigneusement dissimulé que seul son assassin savait où il se trouvait.

Pour résoudre un assassinat – et la disparition de Lynda Healy en était sûrement un –, les enquêteurs devaient trouver des points communs entre la victime et son assassin, une similitude de méthodes dans la série de meurtres, des preuves matérielles, des liens entre les victimes elles-mêmes...

Mais là, c'était l'impasse. Il n'y avait pas le moindre lien entre Lynda Healy et Joni Lenz, sinon qu'elles avaient été attaquées pendant leur sommeil dans leur chambre en demi-sous-sol dans une maison, à environ un kilomètre d'écart l'une de l'autre. Joni avait été blessée à la tête et, d'après les traces de sang relevées sur l'oreiller et la chemise de nuit de Lynda, il semblait probable qu'elle ait été, elle aussi, violemment frappée à la tête. Mais aucune des colocataires d'une maison ne connaissait celles de l'autre ; elles n'avaient jamais suivi les mêmes cours.

Le mois de février s'écoula, mars vint, et Lynda n'avait pas reparu.

Tandis que les détectives de Seattle pataugeaient dans l'inexplicable disparition de Lynda Healy, Don Redmond et ses hommes avaient leurs propres ennuis à résoudre dans le comté de Thurston. Une jeune étudiante avait disparu du campus de l'institut universitaire d'Evergreen, au sud-ouest d'Olympia.

Evergreen était une université relativement récente et ses grands bâtiments préfabriqués en béton jurent au milieu de l'épaisse forêt de sapins où ils ont été dressés. Cet établissement était très contesté par les éléments conservateurs du corps enseignant, car il n'y avait ni cursus obligatoire ni grille de notation et la politique de l'enseignement y était assez laxiste. Les étudiants choisissaient eux-mêmes les matières qu'ils souhaitaient étudier – du dessin animé à l'écologie. Ses détracteurs prétendent que les étudiants diplômés d'Evergreen n'ont aucune compétence réelle à offrir à un employeur et l'appellent la « faculté ludique ». Quoi qu'il en soit, Evergreen attirait aussi des élèves intelligents.

À dix-neuf ans, Donna Gail Manson était une étudiante typique d'Evergreen, une fille extrêmement brillante qui avançait hors des sentiers battus. Son père enseignait la musique dans un lycée de Seattle et Donna avait hérité de son goût et de son talent. Elle pratiquait assez bien la flûte pour en jouer dans un orchestre symphonique.

En apprenant qu'une deuxième jeune femme avait certainement été victime d'une agression dans le comté de Thurston, je me rendis de nouveau à Olympia, où je m'entretins avec Don Redmond et Paul Barclift. Ce dernier m'exposa les circonstances de la disparition de Donna.

Le mardi 12 mars 1974, jour de pluie, Donna devait assister à un concert de jazz sur le campus. Ses camarades de chambrée se sont rappelé qu'elle s'était changée plusieurs fois avant de se décider pour un haut rayé rouge, orange et vert, un pantalon bleu et un ample manteau noir. Elle portait une agate brune et ovale montée en bague et une montre au poignet. Elle était sortie – seule et à pied – peu après 19 heures, pour se rendre au concert.

– Personne ne l'a vue au concert, me dit Redmond. Elle n'est probablement pas parvenue jusque-là.

Lynda Ann Healy et Katherine Merry Devine étaient grandes et minces ; Donna Manson ne mesurait qu'un mètre cinquante-deux et pesait quarante-cinq kilos.

La police du comté de Thurston et le chef de la sécurité de l'institut d'Evergreen, Rod Marem, n'avaient été prévenus de la disparition de Donna que six jours après. Son mode de vie était tel qu'il lui arrivait de partir sur un coup de tête et de réapparaître après des trajets en auto-stop, parfois jusqu'en des lieux aussi éloignés que l'Oregon. Une autre étudiante était venue signaler son absence, pour la forme. Mais les jours avaient passé sans qu'elle donne signe de vie et sa disparition avait commencé à devenir inquiétante.

Barclift avait alors entrepris de contacter toutes les personnes qui connaissaient Donna. Il suivait toutes les pistes imaginables. Il avait parlé avec sa meilleure amie, Teresa Olsen, à son ancienne camarade de chambrée, Celia Dryden,

65

et à plusieurs autres filles qui avaient vécu dans la même résidence qu'elle.

Malgré son Q.I. élevé, Donna Manson n'était pas une bonne élève. Elle avait choisi à Evergreen une formation plutôt généraliste, ce qui ne l'avait pas empêchée d'accumuler du retard. En raison de sorties nocturnes continuelles, dont elle ne rentrait qu'à l'aube, elle demandait à Celia de la couvrir en cours pendant qu'elle passait la plus grande partie de sa journée au lit. Tout cela avait ennuyé Celia, tout comme la fascination de Donna pour la mort, la magie et l'alchimie. Donna paraissait minée par la dépression et ses frasques continuelles troublaient aussi sa camarade.

Celia avait demandé à être transférée dans une autre chambre peu avant la disparition de Donna.

— Nous avons pensé qu'elle avait pu se suicider, dit Barclift. Mais nous avons fait analyser ce qu'elle écrivait par un psychiatre et il n'a rien trouvé de particulièrement significatif pour une fille de son âge. Si elle avait eu peur de quoi que ce soit de précis, il pense qu'elle l'aurait écrit – et nous n'avons rien trouvé de tel dans ses cahiers.

Les enquêteurs avaient récupéré de nombreux bouts de papier dans la chambre de Donna. Sur l'un d'eux on lisait : *Pouvoir mental S.A.* Une rapide vérification avait démontré qu'il s'agissait d'une petite société basée dans une vieille bâtisse coquette d'Olympia. On y tenait des séminaires de pensée constructive et de contrôle mental.

Donna Manson fumait quotidiennement de l'herbe et ses amis pensaient qu'elle avait sans doute essayé d'autres drogues. Elle était sortie avec quatre hommes. Tous avaient été interrogés et mis hors de cause.

Donna s'était rendue en Oregon en stop au mois de novembre. La plupart des fois où elle avait quitté le campus, c'était pour aller rendre visite à des amis à Selleck, un petit hameau de mineurs sur la route qui relie Issaquah à North Bend.

— Nous nous sommes renseignés auprès des gens qui vivent là et ils ne l'ont pas vue depuis le 10 février, me précisa encore Barclift.

Restée très proche de ses parents, elle avait passé le

week-end des 23 et 24 février en leur compagnie, les avait appelés le 9 mars et leur avait écrit une lettre le 10. Elle paraissait de bonne humeur et envisageait d'aller sur la côte avec sa mère.

Barclift me fit faire le tour du campus d'Evergreen. Il me montra le système d'éclairage tout le long des allées ; malgré cela, le campus semblait avoir gardé beaucoup de l'authenticité de son décor naturel. En certains endroits, les allées tortueuses se transformaient en tunnels formés par les branches entremêlées des sapins. La forêt vierge.

– La plupart des filles ne sortent qu'à deux ou en groupe après la tombée de la nuit, précisa-t-il.

Le sol du campus était détrempé par les pluies de printemps. Il avait été quadrillé et fouillé par des hommes et des chiens. Si Donna avait été là – si son corps s'était trouvé caché dans un marécage, au milieu des fougères des marais, des sapins abattus et des mahonias – ils l'auraient trouvée. Mais Donna avait disparu, tout comme Lynda Healy. Les affaires qu'elle avait laissées dans sa chambre – son sac à dos, sa flûte, ses valises, tous ses vêtements, même l'appareil photo dont elle ne se séparait jamais – furent rendues à ses parents.

Au bout du compte, les enquêteurs du comté de Thurston se retrouvèrent avec les écrits de Donna sur la mort et la magie ainsi que les radiographies de sa colonne vertébrale, de sa cheville et de son poignet gauches qu'ils s'étaient procurées auprès de son médecin traitant. Ils redoutaient que ce ne soit le seul moyen de l'identifier – s'ils la retrouvaient un jour...

8

Au cours du printemps 1974, j'ai loué à Seattle une péniche aménagée pour m'en servir de bureau. J'étais au courant que deux étudiantes avaient disparu, que Kathy Devine avait été assassinée et que la police commençait à distinguer un schéma général ; mais l'opinion publique n'en savait rien. En moyenne, Seattle totalise une soixantaine d'homicides par an, le comté de King oscille entre deux et trois douzaines, et le comté de Thurston en compte rarement plus de trois. Ce n'est pas si mal pour des régions à forte densité de population. La situation était donc normale. Tragique, mais normale.

Mon ex-mari avait subi une brusque rechute : son cancer s'était propagé au cerveau. Il entra en chirurgie et fut hospitalisé pendant plusieurs semaines. Leslie, ma plus jeune fille, âgée de seize ans, prenait chaque jour le bus pour aller voir son père à Seattle après l'école : elle pensait que les infirmières ne s'occupaient pas assez bien de lui. J'étais inquiète. Elle était si jolie et ressemblait tant aux filles qui disparaissaient que j'avais peur de la laisser s'éloigner, même de quelques pas. Mais elle ne voulait pas en démordre et prétendait que c'était son devoir ; mon cœur ne battait plus tant qu'elle n'était pas rentrée à la maison. J'éprouvais alors cette terreur sournoise que tous les parents de la région allaient bientôt ressentir. En tant que reporter chargé d'affaires criminelles, j'avais côtoyé trop de violence, trop de tragédies, et je voyais des « hommes suspects » partout où j'allais. Je n'ai jamais eu peur pour moi-même. Mais je tremblais pour mes filles, ça oui ! Je les mettais si souvent en garde qu'elles finirent par m'accuser de paranoïa !

Je quittai finalement la péniche ; je ne voulais pas me trouver loin de mes filles, même dans la journée.

Cela se reproduisit le 17 avril. Cette fois-ci, la disparition eut lieu à deux cents kilomètres de Seattle, de l'autre côté des monts des Cascades qui séparent la côte verdoyante de l'État de Washington des champs de blé arides de la moitié est de cet État.

Issue d'une famille très unie de six enfants, Susan Elaine Rancourt venait d'entrer à la faculté d'État d'Ellensburg, une de ces villes au parfum de vieil Ouest où se déroulent régulièrement des rodéos.

Avec ses longs cheveux blonds et ses yeux bleus, elle avait ces traits frappants dont rêvent toutes les adolescentes – sans parler des garçons. Peut-être sa maturité avait-elle accentué sa timidité naturelle. En tout cas, Susan était dotée d'une intelligence supérieure et scientifique...

Elle avait su dès le départ qu'elle devrait se débrouiller par elle-même ; avec cinq autres enfants à élever, sa famille n'avait pas les moyens de payer ses études.

Durant l'été qui préséda son entrée à l'université, Susan occupa deux emplois à plein temps – sept jours par semaine – amassant l'argent nécessaire pour ses frais de scolarité. Elle avait toujours su qu'elle travaillerait un jour dans le domaine médical, et ses notes à l'école et les résultats de ses tests d'admission à l'université prouvaient qu'elle était douée. À Ellensburg, Susan étudiait la biologie et obtenait toujours d'excellents résultats tout en travaillant à temps complet dans une maison de retraite. Sa famille pouvait être fière d'elle.

Lynda Healy avait été une fille prudente, Donna Manson, une écervelée, Susan Rancourt avait peur du noir et de se retrouver seule. Elle ne sortait absolument jamais sans être accompagnée après la tombée de la nuit.

Jamais, jusqu'au soir de ce 17 avril. Elle avait eu une semaine chargée. La session d'examens d'avril était en cours, mais elle avait entendu parler d'un poste vacant de délégué de résidence. Ce boulot lui permettrait de réduire considérablement ses dépenses. Il serait aussi l'occasion pour elle de rencontrer d'autres étudiants et de sortir de sa coquille.

Elle en prit le risque.

Susan ne mesurait qu'un mètre cinquante-sept pour cinquante-quatre kilos, mais elle était forte. Elle courait chaque matin et avait suivi des cours de karaté. Peut-être avait-elle tort de se croire incapable de se défendre, toute seule au milieu d'un campus animé.

À 20 heures ce soir-là, elle emporta des vêtements jusqu'à la laverie de l'une des résidences, puis se rendit à la réunion des délégués. À 21 heures, l'assemblée était terminée et elle projeta d'aller voir un film allemand avec une amie. Elle voulait retourner au Lavomatic à 22 heures pour mettre ses vêtements dans le séchoir.

Personne ne revit Susan après qu'elle eut quitté la réunion. Ses amies l'attendirent en vain et finirent par aller voir le film sans elle, non sans se retourner de temps à autre en espérant l'apercevoir.

Ses vêtements étaient restés dans la machine à laver. Un autre étudiant, qui voulait l'utiliser, les enleva et les posa sur la table, où on les retrouva un jour plus tard.

Comme Susan Rancourt n'était pas rentrée à la résidence, son absence fut immédiatement signalée. Susan avait un petit ami, mais celui-ci était loin, à l'université de Seattle, et elle ne sortait avec personne d'autre. Elle n'était pas du genre à découcher et n'aurait sûrement pas manqué un examen final. Elle n'avait même jamais séché un cours.

Les agents affectés à la sécurité sur le campus prirent note des vêtements qu'elle portait lorsqu'elle avait été vue pour la dernière fois : un pantalon de velours côtelé gris, un pull-over jaune à manches courtes, un manteau jaune et de confortables chaussures marron. Puis ils essayèrent de déterminer le chemin qu'elle avait pu prendre du lieu de la réunion à sa résidence, distants d'environ quatre cents mètres.

Le chemin le plus rapide et le plus direct passait par le centre commercial, un terrain en construction, une passerelle au-dessus d'un étang, puis sous un pont de chemin de fer près d'un parc de stationnement réservé aux étudiants.

— Si quelqu'un l'a épiée, puis suivie pour l'attaquer, déclara l'un des policiers, ce ne peut être que là : sous le pont ; il y fait noir comme dans un four sur près de six mètres.

Mais il aurait dû rester une trace du passage de Susan. Elle portait un classeur rempli de feuilles volantes qui auraient été dispersées aux quatre vents si elle s'était débattue. Et même si elle était timide, Susan se défendait au karaté et n'était pas du genre à se laisser faire. Toutes ses amies étaient d'accord sur ce point : elle n'aurait jamais renoncé sans lutter.

À côté de cela, l'allée qui conduisait à la salle Barto, où le film était projeté, était très fréquentée par les étudiants. À 21 heures, le va-et-vient était continuel. Quelqu'un aurait dû s'apercevoir de quelque chose d'anormal – mais personne n'avait rien remarqué.

Susan n'avait qu'un seul défaut physique : elle était très myope. La nuit du 17 avril, elle ne portait ni ses lunettes ni ses lentilles de contact. Elle y voyait assez bien pour retrouver son chemin sur le campus, mais il lui aurait fallu s'approcher très près de quelqu'un pour le reconnaître. Elle aurait donc pu ne pas remarquer un mouvement furtif dans l'ombre du pont de chemin de fer.

À la suite de la disparition de Susan Rancourt, plusieurs étudiantes relatèrent des incidents qui leur avaient paru vaguement louches. Une fille se rappela avoir parlé à un bel homme de grande taille et âgé d'une vingtaine d'années. C'était devant la bibliothèque du campus, le 12 avril. Il avait un bras en écharpe et un doigt maintenu dans une armature orthopédique. Il avait des difficultés à tenir une pile de bouquins et en avait fait tomber plusieurs par terre.

– Il a fini par me demander si je pouvais l'aider à les porter jusqu'à sa voiture, se souvint-elle.

La voiture, une coccinelle Volkswagen, était garée à trois cents mètres du pont de la voie ferrée. Elle avait remarqué alors que le siège du passager manquait. Quelque chose – elle ne put préciser quoi – mais quelque chose en rapport avec l'absence de ce siège lui avait fait dresser les cheveux sur la tête. L'homme avait l'air assez gentil et lui avait raconté qu'il s'était blessé en skiant, mais elle n'avait plus qu'une seule idée : s'éloigner.

– J'ai posé les bouquins sur le capot de sa voiture et je me suis sauvée en courant...

Une autre fille raconta une histoire assez semblable. Elle avait rencontré l'homme au bras en écharpe le 17 du mois et l'avait aidé à porter quelques paquets enveloppés dans du papier de boucherie jusqu'à sa voiture.

– Puis il m'a dit qu'il avait des difficultés à la faire démarrer et m'a demandé de monter et d'essayer tandis qu'il trafiquerait le moteur. Je ne le connaissais pas. Je ne voulais pas monter dans sa voiture, je lui ai dit que j'étais pressée et je suis partie.

Le fils d'un magistrat de l'Oregon se trouvait sur le campus ce jour-là. Il se souvint d'avoir remarqué un homme de grande taille avec un bras en écharpe devant la salle Barto vers 20 h 30 le 17 avril.

Tous ces témoignages n'étaient pas trop alarmants ; chaque fois qu'un crime est commis ou que quelqu'un disparaît, des tas d'incidents anodins prennent une ampleur particulière aux yeux de « témoins » désireux d'aider les enquêteurs. Ces témoignages furent enregistrés, archivés, et les recherches se poursuivirent.

Comme souvent dans ce genre de cas, un détail minuscule allait fournir une première piste quant au sort de la jeune fille disparue. Avec Donna Manson, ç'avait été son appareil photo ; avec Susan, ce furent ses lentilles de contact, ses lunettes, qu'elle avait probablement eu l'intention d'emporter avec elle au cinéma le soir de sa disparition, et son fil dentaire. Quand sa mère regarda dans son armoire à pharmacie et y vit son fil dentaire, elle eut un coup au cœur :

– Elle avait des habitudes auxquelles elle ne dérogeait jamais ; et elle ne s'absentait jamais sans son fil dentaire...

Le capitaine Herb Swindler, un vieux de la vieille dans le métier, bâti comme un bouledogue, dirigeait la brigade des homicides de Seattle au printemps 1974. Je le connaissais depuis vingt ans ; en 1954, il s'était chargé d'une plainte pour attentat à la pudeur déposée par la mère d'une petite fille dans l'ouest de Seattle. J'étais la plus novice des femmes agents de police et on avait fait appel à moi pour interroger la fillette.

Je n'avais alors que vingt et un ans, et j'avais été plutôt embarrassée par les questions que je devais poser à la fillette à propos du « gentil vieux monsieur » qui louait une chambre dans la maison.

Je me souviens comme Herb me taquinait parce que j'avais rougi – rien de plus que la mise en boîte habituelle réservée à toutes les nouvelles venues dans la police –, mais il s'était montré très gentil avec l'enfant et sa mère. C'était un bon flic et un enquêteur consciencieux ; il était rapidement monté en grade. À présent, c'était Herb qui prenait les décisions ; la plupart des cas de disparition semblaient trouver leur origine à Seattle et il se débattait nuit et jour avec des mystères sans le moindre début de réponse. C'était comme si le coupable se moquait de la police, s'amusait de la facilité avec laquelle il enlevait des femmes sans laisser de trace derrière lui.

Swindler était du genre loquace. Il avait besoin de tester ses idées et il m'utilisait à cet effet. Il savait que je n'en parlerais à personne en dehors du service et que je suivrais l'affaire aussi attentivement que n'importe quel inspecteur. Bien sûr, j'étais un écrivain à la recherche du gros coup ; mais j'étais aussi la mère de quatre adolescents, et toute l'horreur de l'affaire et l'angoisse de ces parents m'empêchaient de dormir des nuits entières.

Pendant tous ces mois de 1974, je m'entretins presque quotidiennement avec lui. J'écoutais, essayant de trouver un dénominateur commun à toutes les disparitions. Le territoire que je couvrais comme reporter me faisait parcourir la côte de haut en bas. J'étais souvent au courant d'affaires qui s'étaient produites dans d'autres villes, à trois cents kilomètres de là, dans l'Oregon, et je lui faisais part de tous les cas de disparition pouvant concorder avec ceux dont s'occupait la police de Seattle.

La disparition suivante eut lieu dans l'Oregon.

Le 6 mai, Roberta Kathleen Parks, Kathy pour les intimes, passait une triste journée, rongée par le remords. Elle se trouvait dans sa chambre de la résidence Sackett, sur le campus de l'université d'État de l'Oregon, à Corvallis, à quatre cents kilomètres au sud de Seattle. Je connaissais bien la résidence Sackett car j'y avais moi-même vécu dans les années 50.

C'était une énorme cité U, implantée sur un campus alors considéré comme une « fac de bouseux ». Même à cette époque, quand le monde n'était pas aussi dangereux, aucune d'entre nous ne serait allée toute seule après la tombée de la nuit aux distributeurs automatiques qui se trouvaient dans les couloirs immenses et caverneux du sous-sol.

Kathy Parks n'était pas très heureuse. Sa famille, restée à Lafayette, en Californie, lui manquait, et elle avait rompu avec son petit ami, parti en Louisiane. Le 4 mai, elle s'était disputée au téléphone avec son père, et le 6, elle avait appris qu'il venait de subir une grave crise cardiaque. Sa sœur l'avait appelée d'abord pour la prévenir, puis lui avait annoncé quelques heures plus tard qu'il allait probablement s'en sortir.

Kathy, qui étudiait l'histoire des religions, s'était sentie vaguement soulagée après le second coup de fil. Elle avait accepté d'aller faire un peu d'exercice avec ses camarades.

Peu avant 11 heures, la grande jeune fille aux longs cheveux blond cendré quitta la résidence Sackett pour aller boire un café avec des amis au foyer des étudiants. Elle promit à ses camarades de chambrée de revenir dans l'heure. Elle portait un pantalon bleu, un haut bleu marine, un blouson léger vert et des sandales à talons. Elle ne devait jamais arriver au foyer, pas plus qu'elle ne revint à la résidence. Comme dans les autres cas, toutes ses affaires étaient restées chez elle : vélo, vêtements, produits cosmétiques.

Cette fois-ci, personne n'avait rien remarqué de suspect. Pas d'homme avec un bras en écharpe ni de coccinelle. Kathy n'avait jamais parlé de craintes particulières et n'avait pas reçu de coups de téléphone obscènes. Elle était sujette à de si brusques sautes d'humeur que la question du suicide se posa. Avait-elle pensé que la dispute avec son père était à l'origine de sa crise cardiaque ? S'était-elle sentie coupable au point de se donner la mort ? On fouilla la rivière Willamette, qui déroule ses méandres près de Corvallis. En vain. Si elle avait choisi un autre moyen de se suicider, son corps aurait été vite découvert – mais il n'en fut rien.

Le lieutenant Bill Harris, du bureau des affaires criminelles de la police d'État de l'Oregon, était en poste sur le campus de l'OSU et prit la direction de l'enquête. Un tragique assassinat avait déjà eu lieu quelques années auparavant dans la résidence Sackett : une étudiante avait été poignardée dans sa chambre. Au terme de son enquête, Bill Harris avait arrêté le coupable, un jeune homme qui habitait au-dessus de chez elle.

Au bout d'une semaine de recherches, Harris fut convaincu que Kathy Parks avait été enlevée ; probablement capturée alors qu'elle marchait entre les énormes bosquets de lilas en fleur qui s'épanouissaient tout au long de l'allée entre la résidence Sackett et le foyer des étudiants. Disparue sans un cri, comme les autres.

Des avis de recherche avec les photos des quatre filles disparues étaient épinglés côte à côte dans tous les postes de police du Nord-Ouest. Quatre visages souriants qui auraient pu être ceux de quatre sœurs. Pourtant, seul Herb Swindler était certain que Kathy Parks cadrait dans le schéma général ; pour les autres enquêteurs, Corvallis était trop éloigné des campus de l'État de Washington et il leur semblait difficile de relier cette affaire aux autres.

Puis il y eut une courte période de répit. Vingt-six jours plus tard, une vague connaissance de mon aînée, Brenda Carol Ball, disparut à son tour. Elle vivait avec deux camarades dans la banlieue de Burien, dans le sud du comté de King. Deux semaines plus tôt, Brenda était encore étudiante au Highline Community College. Elle mesurait un mètre soixante pour cinquante kilos et ses yeux bruns pétillaient de vie.

Dans la nuit du 31 mai au 1er juin, Brenda se rendit seule à la *Taverne de la Flamme*, au coin de la 128e Rue Sud et d'Ambaum Road. Ses camarades l'avaient vue pour la dernière fois à 14 heures, ce vendredi après-midi. Elle avait parlé de son programme de la soirée, ajoutant qu'elle les rejoindrait peut-être par la suite en stop au parc de Sun Lakes, dans l'est de l'État de Washington.

Elle se rendit effectivement à la *Taverne de la Flamme*, où elle fut identifiée par plusieurs personnes qui la connaissaient. Personne ne se souvient exactement des vêtements qu'elle portait, mais sa tenue habituelle était constituée d'un blue-jeans délavé et d'un polo à manches longues et col roulé. Elle avait l'air de bien s'amuser et resta jusqu'à la fermeture, à 2 heures du matin.

Brenda demanda à l'un des musiciens du groupe de la raccompagner, mais il lui expliqua qu'il n'allait pas dans la même direction. La dernière fois qu'on la vit, elle parlait sur le parc de stationnement avec un bel homme aux cheveux bruns, qui avait un bras en écharpe...

Brenda, tout comme Donna Manson, était du genre plutôt désinvolte, susceptible de partir à l'aventure sur un coup de tête. Un certain temps s'écoula donc avant que sa disparition ne soit officiellement signalée. Dix-neuf jours passèrent avant que ses camarades n'acquièrent la certitude que quelque chose était arrivé. Elles s'étaient renseignées auprès de sa banque et l'inquiétude les avait gagnées en apprenant que ses économies étaient intactes. Tous ses vêtements se trouvaient encore dans leur appartement et ses parents n'avaient pas eu la moindre nouvelle non plus.

À vingt-deux ans, Brenda était la plus âgée des jeunes femmes manquantes. Une adulte, en fait, qui avait déjà su faire preuve de prudence dans le passé. Mais pas cette fois-ci. Il semblait que Brenda avait aussi rencontré quelqu'un à qui elle n'aurait pas dû faire confiance.

L'appétit du prédateur était encore loin d'être apaisé. Avant même que la disparition de Brenda Ball ne fût signalée à la police du comté de King, l'homme que tout le monde recherchait s'apprêtait à frapper une nouvelle fois. Un coup audacieux, au su et au vu de dizaines de témoins – mais qui n'allait pas l'empêcher de rester un personnage fantomatique. Il allait faire un pied de nez à la police, la tenir en échec comme elle ne l'avait encore jamais été depuis le début de cette vague de crimes. Les enquêteurs étaient horrifiés. Beaucoup de détectives chargés d'enquêter sur ces disparitions avaient eux-mêmes des filles de l'âge des victimes.

C'était presque comme si l'auteur des rapts jouait à une sorte de jeu pervers, se découvrant un peu plus à chaque fois, prenant plus de risques, pour prouver qu'il était le maître du jeu.

À dix-huit ans, Georgeann Hawkins était une de ces filles à qui tout souriait dans la vie. Jusqu'à cette nuit inexplicable du 10 juin. Élevée à Summer, dans la banlieue de Tacoma, elle était vive et enjouée, avec de longs cheveux châtains brillants et des yeux marron pétillants d'intelligence. Elle était la plus jeune de deux sœurs, petite – un mètre cinquante-sept pour cinquante-deux kilos – et éclatante de santé.

Certains bons élèves ont tendance à trouver les études à l'université de l'État de Washington très difficiles et voient leur moyenne tomber. Georgeann, elle, maintenait sa moyenne de « A ». Sa plus grande inquiétude, au cours de cette semaine d'examens de juin 1974, concernait son épreuve d'espagnol. Elle envisageait de laisser tomber le cours mais, le matin du 10 juin, elle avait appelé sa mère pour lui dire qu'elle allait mettre les bouchées doubles pour l'examen du lendemain. Elle se sentait capable de réussir.

Elle avait déjà trouvé un boulot pour l'été et en discutait avec ses parents au téléphone au moins une fois par semaine.

Au mois de septembre 1973, Georgeann avait été admise dans l'une des principales sororités, ces clubs d'étudiantes regroupant les élèves les plus brillantes du campus, Kappa Alpha Thêta. Elle vivait dans une grande maison communautaire sur la 17e Avenue Nord-Est.

Les membres des fraternités et des sororités installées le long de cette avenue se rendaient mutuellement visite. Bien plus librement que dans les années 50, quand il était strictement interdit aux membres du sexe opposé de s'aventurer plus loin que dans les tristes salons du rez-de-chaussée. Georgeann allait souvent voir son petit ami qui vivait dans la maison Bêta Thêta Pi, à six bâtiments de distance de la maison Thêta.

En cette fin d'après-midi du 10 juin, Georgeann et une camarade s'étaient rendues à une petite fête où elles avaient bu un ou deux cocktails. Georgeann devait rentrer pour réviser ses cours d'espagnol en vue de l'examen, mais elle annonça qu'elle ferait d'abord un saut à la maison Bêta pour dire bonsoir à son petit ami.

Prudente, Georgeann sortait rarement seule sur le campus à la nuit tombée. Elle connaissait par cœur cette portion de la 17e Avenue, très bien éclairée, et il y avait toujours une silhouette familière dans les parages. Les arbres, très grands et

77

très feuillus au mois de juin, atténuent un peu la lumière de l'éclairage public.

L'allée qui longe l'arrière des maisons communautaires, de la 45e à la 47e Rue Nord-Est, est éclairée par des lampadaires dressés tous les trois mètres environ. Il faisait chaud, ce soir du 10 juin, et toutes les fenêtres donnant sur cette allée étaient ouvertes. Il est peu probable que tous les étudiants du coin aient été endormis, même à minuit ; soutenus par le café noir et les amphés, la plupart révisaient leurs examens.

Un peu avant 0 h 30 le 11 juin, Georgeann entra dans la maison Bêta. Elle passa une demi-heure avec son petit ami, lui emprunta quelques notes, lui souhaita bonne nuit et sortit par la porte de derrière. Vingt-sept mètres la séparaient de la porte de la maison Thêta, où elle habitait.

Un autre résident de la maison Bêta entendit la porte claquer et se pencha par la fenêtre. Il reconnut Georgeann :

– Hé ! George ! Quoi de neuf ?

La jolie jeune fille bronzée tourna la tête. Elle portait un pantalon bleu, un T-shirt blanc et un cardigan bleu, blanc et rouge vif. Elle sourit, agita la main, échangea quelques mots à propos de l'examen d'espagnol du lendemain, puis dit en riant :

– *Adios !*

Elle se détourna et partit en direction de sa résidence. Le garçon la regarda s'éloigner sur une dizaine de mètres. Deux autres étudiants qui la connaissaient se souviennent de l'avoir vue parcourir les six mètres suivants.

Elle avait encore une douzaine de mètres à couvrir – douze mètres d'un chemin éclairé comme en plein jour. Il y avait bien quelques poches d'ombre entre les grandes maisons, près des haies de laurier et des rhododendrons en fleur, mais Georgeann marchait au milieu de l'allée.

Dee Nichols, sa camarade de chambre, attendait que Georgeann lance quelques petits cailloux contre leur fenêtre : Georgeann avait perdu sa clé et Dee serait descendue lui ouvrir dès qu'elle aurait entendu ce signal.

Aucun caillou ne vint heurter la vitre. Elle n'entendit pas le moindre bruit, pas un cri, rien.

Une heure passa. Puis deux. Inquiète, Dee appela la maison

Bêta et apprit que Georgeann en était sortie peu après 1 heure du matin. Elle réveilla la responsable de la résidence et lui dit doucement :

– Georgeann a disparu. Elle n'est pas rentrée.

Pour ne pas inquiéter ses parents à 3 heures du matin, elles attendirent toute la nuit, essayant de trouver une explication rationnelle à son absence.

Le lendemain matin, elles appelèrent la police de Seattle. L'inspecteur Bud Jelberg prit l'affaire en main. Après avoir interrogé les étudiants de la fraternité, il appela les parents de Georgeann. En temps ordinaire, les enquêteurs laissent s'écouler vingt-quatre heures avant de déclencher les opérations de recherches quand il s'agit d'un adulte. Mais, en raison des événements qui avaient déjà marqué la première moitié de l'année 1974, le cas de Georgeann Hawkins fut immédiatement pris très au sérieux.

À 8 h 45, le sergent Ivan Beeson et les détectives Ted Fonis et George Cuthill arrivèrent à la maison Thêta, au 4521 de la 17ᵉ Avenue Nord-Est. Ils étaient accompagnés de George Ishii, l'un des plus grands criminalistes du Nord-Ouest. qui dirige le laboratoire de criminalistique de l'ouest de l'État de Washington. C'est un homme brillant, qui en sait probablement plus sur la détection, la conservation et l'analyse des traces matérielles que n'importe quel autre criminaliste de tout l'ouest des États-Unis. Il a été mon premier professeur en la matière.

Ishii adhérait aux théories du Dr Edmond Locard, un criminaliste français, ancien directeur du laboratoire de police technique de Lyon, selon lequel : « Tout criminel laisse une trace de son passage sur le lieu du crime et emporte avec lui quelque chose appartenant à ce même lieu. » Tout bon détective le sait ; c'est pour cela qu'on examine si minutieusement les lieux où un crime a été commis, pour trouver cette trace infime que le criminel a laissée derrière lui : un cheveu, une goutte de sang, un fil de vêtement, un bouton, une empreinte de pied, une trace papillaire, une tache de sperme, des traces d'outils, des douilles... Et, dans la plupart des cas, ils la trouvent.

Le criminaliste et les trois détectives de la Criminelle parcoururent les vingt-sept mètres de l'allée à quatre pattes. Pour ne rien trouver du tout.

Ils bouclèrent le périmètre en mettant en place un cordon de police et allèrent s'entretenir avec les membres de la sororité de Georgeann et la responsable de la maison Thêta.

Georgeann partageait la chambre numéro huit avec Dee Nichols. Tous ses effets personnels étaient encore là, à l'exception des vêtements qu'elle portait la veille et de son sac à main en cuir qui contenait ses papiers d'identité, quelques dollars, un flacon de parfum et une petite brosse à cheveux.

– Georgeann n'allait jamais nulle part sans me laisser un numéro de téléphone où la joindre, déclara Dee. Je sais qu'elle avait l'intention de rentrer ici hier soir. Elle avait encore un examen à passer avant de repartir chez ses parents le 13. Le pantalon bleu qu'elle portait avait trois boutons en moins ; il n'en restait qu'un. Je peux vous en donner un exemplaire, ils sont dans notre chambre.

Tout comme Susan Rancourt, Georgeann était très myope.

– Elle ne portait ni ses lunettes ni ses lentilles de contact la nuit dernière, se souvint Dee. Elle avait porté ses lentilles toute la journée pour travailler et, quand on a mis des verres de contact pendant très longtemps, tout paraît un peu brouillé quand on remet des lunettes, alors elle ne les portait pas non plus.

La jeune fille disparue voyait assez bien pour suivre l'allée, mais elle n'aurait rien distingué de plus que de vagues contours si une silhouette s'était dressée à trois mètres d'elle. Si quelqu'un avait été dissimulé dans l'ombre, quelqu'un qui aurait appris son nom en l'entendant se faire interpeller par l'étudiant à la fenêtre de la maison Bêta, cette personne aurait fort bien pu l'attirer près d'elle en lançant un léger appel : « George ! » Et elle aurait dû s'approcher très près pour la reconnaître.

Assez près même pour qu'il puisse l'attraper, la bâillonner et l'entraîner avant qu'elle ait eu le temps de pousser un cri.

Les étudiants sont farceurs et se livrent à toutes sortes de facéties. Pendant la semaine des examens de fin d'année, c'est une manière de faire baisser la tension, et il n'est pas rare que de robustes jeunes gens enlèvent des jeunes filles gloussantes en jouant à « l'homme des cavernes ». Si quelqu'un avait été repéré alors qu'il enlevait Georgeann, la scène aurait-elle attiré l'attention ?

Mais personne n'avait rien vu. Georgeann Hawkins avait pu être assommée d'un seul coup, chloroformée, endormie à l'aide d'une piqûre ou tout simplement saisie par deux bras particulièrement puissants et bâillonnée sur-le-champ.

— Elle avait peur du noir, expliqua Dee sur un ton calme. Il nous arrivait de faire le tour de la maison rien que pour éviter une zone d'ombre sur le trottoir. Il ne lui a sûrement pas laissé la moindre chance.

La camarade avec qui Georgeann s'était rendue à la fête un peu plus tôt dans la soirée se rappela qu'elles s'étaient séparées au coin de la 47e et de la 17e Nord-Est.

— Elle a attendu que j'arrive à la maison ; là, je lui ai crié que j'étais arrivée et elle m'a répondu que ça allait aussi. On fait tous un peu ça : vérifier que l'autre arrive à bon port. Elle est entrée dans la maison Bêta ; c'est la dernière fois que je l'ai vue.

Les détectives de Seattle n'y comprenaient rien. Comment Georgeann Hawkins avait-elle pu s'évanouir dans la nature en l'espace de douze mètres ? De tous les cas de disparition, celui-ci était le plus intrigant. Cela n'aurait jamais dû arriver, et pourtant...

Quand la nouvelle de la disparition de Georgeann fut relatée par les médias, deux témoins se présentèrent pour raconter des incidents étrangement similaires survenus le 11 juin. Une jolie étudiante raconta qu'elle marchait sur la 17e Avenue vers 12 h 30 quand elle avait aperçu un jeune homme se déplaçant à l'aide de béquilles juste devant elle. L'une de ses jambes était entièrement plâtrée.

— Il portait une sacoche qu'il n'arrêtait pas de faire tomber. Je lui ai proposé de l'aider, mais je lui ai dit que je devais d'abord faire un saut dans une des maisons. J'en avais pour quelques minutes, et si ça ne l'ennuyait pas d'attendre, je pouvais revenir après pour l'aider à porter ses affaires jusque chez lui.

— Et l'avez-vous fait ?

– Non. Je suis restée à l'intérieur plus longtemps que prévu et, quand je suis ressortie, il était parti.

Un autre étudiant avait aussi vu cet homme de grande taille et de belle allure avec sacoche et béquilles.

– Une fille lui portait sa sacoche. Plus tard, après avoir raccompagné ma copine chez elle, j'ai revu la même fille ; cette fois, elle était seule.

On lui montra une photographie de Georgeann Hawkins et il affirma que ce n'était pas la fille qu'il avait vue.

À ce stade de l'enquête, peu de gens connaissaient l'élément de l'homme avec un bras en écharpe dans le dossier de Susan Rancourt, à Ellensburg. Ce n'est qu'après, quand l'histoire de l'homme avec la jambe dans le plâtre fut connue, que l'on effectua un rapprochement entre ces deux détails.

Était-ce une coïncidence ou cela faisait-il partie d'un plan machiavélique destiné à mettre les jeunes femmes en confiance ?

Les détectives interrogèrent les occupants de toutes les maisons de chaque côté de la 17e Avenue. La responsable de la fraternité Phi Sigma Sigma, au numéro 4520 – juste en face de la maison Thêta –, se souvint d'avoir été réveillée entre 1 et 2 heures du matin dans la nuit du 10 au 11 juin :

– C'est un cri qui m'a réveillée. Un cri très aigu... un cri de terreur. Et puis il s'est arrêté et tout est redevenu calme. Je me suis dit qu'il s'agissait de jeunes qui se défoulaient, mais maintenant... ah ! si seulement je m'étais doutée...

Personne d'autre n'avait entendu ce cri.

Lynda, Donna, Susan, Kathy, Brenda, Georgeann. Toutes disparues sans laisser la moindre trace, comme si une brèche s'était ouverte dans le décor et les avait aspirées, avant de se refermer sans une ride, sans un pli.

Les filles avaient disparu et chaque famille tenta de s'y résigner, apportant toutes sortes de documents qui pourraient peut-être un jour servir à l'identification d'un corps décomposé. Des dossiers médicaux, avec la trace de toutes les séances chez le dentiste ; les radiographies des os cassés de Donna Manson, parfaitement ressoudés depuis ; celles du genou de Georgeann, réalisées lorsque la jeune fille avait souffert de la maladie d'Osgood-Schlatter dans son adolescence. Après des mois d'inquiétude, sa jambe avait fini par se développer normalement ; il n'était resté que quelques petites bosses au-dessous du genou.

Tous ceux d'entre nous qui ont élevé des enfants le savent ; comme l'a dit un jour John F. Kennedy, « avoir des enfants, c'est donner des otages au destin ». La perte d'un enfant à la suite d'une maladie ou d'un accident provoque une blessure que le temps peut guérir. Perdre un enfant à cause d'un prédateur, d'un assassin génial et dément est différent : nul ne peut le supporter.

9

Je me trouvais dans le bureau d'Herb Swindler, un après-midi de la fin juin 1974, quand Joni Lenz et son père entrèrent dans les locaux. Herb avait accroché les photographies de toutes les victimes au mur, comme pour se rappeler que l'enquête devait se poursuivre sans relâche. Joni était venue de son plein gré et regarda les photos des autres jeunes filles, au cas où elle en reconnaîtrait une, bien que leurs noms n'évoquent absolument rien pour elle.

— Joni, dit doucement Herb, regarde ces photos. As-tu déjà vu l'une d'entre elles ? Peut-être en boîte, ou avez-vous travaillé ensemble, ou bien avez-vous suivi des cours communs ?...

Son père se tenait à ses côtés dans une attitude protectrice. La victime des violences du 4 janvier examina les photographies. Elle se remettait doucement des lésions qu'elle avait subies et, malgré ses efforts, elle ne parlait qu'avec hésitation. Elle s'approcha du mur, étudia longuement chacune des photos, puis secoua la tête.

— N-n-n-on, bégaya-t-elle. Je ne les ai jamais vues. Je ne les connaissais pas. Je ne m'en souviens pas... Il y a un tas de choses dont je ne me souviens pas, mais je sais que je ne connaissais pas ces filles.

— Merci, Joni, dit Herb. Nous te sommes reconnaissants d'être venue.

Il fallait essayer, ne pas écarter la possibilité que la seule victime encore en vie puisse établir un lien avec les autres cas. Herb leva les yeux et secoua la tête tandis que Joni quittait la pièce en claudiquant. Un pan très large de sa mémoire avait été effacé, alors comment savoir si elle n'avait pas connu l'une des autres victimes ?

En ce début d'été 1974, les gens qui lisaient la presse étaient désormais au courant du schéma commun à toutes les disparitions. La police et les personnes directement concernées n'étaient plus seules en cause. Les gens étaient effrayés. Le nombre d'auto-stoppeuses diminua considérablement et toutes les femmes âgées de quinze à soixante-cinq ans avaient peur de leur ombre.

Des rumeurs couraient, de celles dont on ne peut remonter jusqu'à la source. J'entendis des dizaines de variations sur le même thème. Mais elles venaient toutes de l'ami de l'ami de l'ami de quelqu'un dont le cousin, ou la sœur, ou la femme...

Tantôt l'agression avait eu lieu dans un centre commercial, tantôt dans un restaurant, tantôt au cinéma. C'était toujours le même scénario : « Un tel et sa femme (ou sa sœur, sa fille, etc.) sont allés faire des courses au centre commercial. Sa femme est retournée prendre quelque chose dans la voiture. Comme le temps passait et qu'elle ne revenait pas, le mari s'est inquiété et est allé la chercher. Il est arrivé juste au moment où un type essayait de l'enlever. Le mari s'est mis à crier et le type l'a lâchée. Il lui avait injecté quelque chose qui lui avait fait perdre connaissance. C'était vraiment un coup de chance que son mari arrive à ce moment-là, parce que vous savez, avec tout ce qui se passe, c'était probablement ce meurtrier dont parlent les journaux. »

Les premières fois que j'ai entendu cette version d'un récit « véridique », j'ai essayé de remonter à la source de l'histoire, mais je me suis vite rendu compte que c'était impossible. Ce que les gens racontaient dans ces histoires n'est jamais arrivé ; simple réaction d'hystérie collective. Si les victimes avaient pu disparaître comme cela, alors cela pouvait arriver à n'importe qui, et il n'y aurait eu aucun moyen de l'empêcher.

La pression de l'opinion publique sur la police était énorme. Le 3 juillet, plus d'une centaine de délégués des services de police de l'Oregon et de l'État de Washington se réunirent à l'institut universitaire Evergreen, à Olympia, pour une journée de brainstorming. En mettant toutes leurs informations en commun, ils pourraient peut-être trouver l'élément qui leur fournirait la clé du mystère...

Je fus invitée à y participer et j'éprouvai une sinistre sensation d'étouffement en longeant ces allées qui étaient comme des tunnels creusés sous les branches des sapins. Quatre mois plus tôt, Donna Manson avait emprunté ce même chemin pour se rendre dans le même bâtiment. À présent, un soleil radieux avait remplacé la pluie et les oiseaux pépiaient dans les branches au-dessus de moi, mais la peur était toujours là.

J'étais assise en compagnie de tous ces policiers, représentant des dizaines de branches et de départements de la police. Je n'arrivais pas à croire que ces hommes, qui traînaient derrière eux des années et des années d'entraînement et d'expérience, ne puissent pas en découvrir un peu plus sur l'individu qu'ils recherchaient. Ce n'était pourtant pas faute d'essayer ; tous les services impliqués sans exception voulaient sa peau et ils étaient prêts à écouter n'importe quelle suggestion – même la plus saugrenue – si cela pouvait les conduire à l'arrestation du coupable.

Le shérif Don Redmond résuma le sentiment général dans son discours préliminaire :

– Nous voulons montrer aux parents que nous sommes vraiment impliqués. Nous voulons retrouver leurs enfants. La population de l'État de Washington va devoir nous donner un coup de main. Nous aurons besoin de leurs yeux et de leurs oreilles.

Les hommes de Redmond, basés dans la capitale de l'État de Washington, étaient toujours à la recherche de Donna Manson et de l'assassin de Katherine Merry Devine. À l'heure de la conférence, ils avaient le meurtre d'une autre adolescente sur les bras. Brenda Baker avait quinze ans, faisait souvent du stop comme Kathy et Donna, et elle avait fugué le 25 mai. Le 17 juin, son corps avait été retrouvé à un stade avancé de décomposition, en bordure du parc de Millersylvania. Impossible de déterminer les causes de la mort, ni même d'effectuer une rapide identification. On avait d'abord songé qu'il pouvait s'agir du corps de Georgeann Hawkins. Ses empreintes dentaires avaient cependant révélé qu'il s'agissait de Brenda Baker. Le corps de la jeune fille avait été découvert à plusieurs kilomètres du parc McKenny où l'on avait précédemment retrouvé celui de Kathy Devine. Les deux endroits se trouvent à égale distance de l'autoroute I-5, qui relie Seattle à Olympia.

En examinant les affaires cas par cas, certaines similitudes sautaient aux yeux. L'homme qui avait enlevé les jeunes filles avait choisi ses proies avec soin. Chacune :

 – *avait les cheveux longs, séparés par une raie au milieu ;*
 – *était blanche ;*
 – *était d'une intelligence supérieure à la moyenne ;*
 – *était mince, jolie et avait des dons ;*
 – *avait disparu pendant une semaine d'examens ;*
 – *venait d'une famille stable et unie ;*
 – *était célibataire ;*
 – *portait un pantalon ou un jean au moment de sa disparition.*

Et, dans chaque cas :

 – *l'enlèvement avait eu lieu après la tombée de la nuit ;*
 – *les enquêteurs n'avaient pas trouvé le moindre indice susceptible de les mener au coupable ;*
 – *des travaux de construction étaient en cours sur chacun des campus d'où les filles avaient disparu.*

Et par deux fois – dans les cas de Susan Rancourt à Ellensburg et de Georgeann Hawkins à Seattle – un homme avec un bras ou une jambe dans le plâtre avait été aperçu non loin de l'endroit où elles avaient été vues pour la dernière fois.

Toutes étaient des jeunes filles ; aucune ne pouvait être considérée comme ayant atteint sa maturité de femme.

C'était dingue, hallucinant, rageant ! Pour les enquêteurs qui essayaient de mettre la main sur cet homme, c'était comme travailler dans un labyrinthe, où chaque nouvelle piste qu'ils suivaient se révélait très vite sans issue. Les victimes n'avaient pas l'air d'avoir été vraiment choisies au hasard ; cela était intrigant.

Ils se demandaient même s'il n'y avait pas plus d'un homme

impliqué dans les disparitions – si elles ne pouvaient être le fait d'une secte qui sacrifiait des vierges au cours de rituels sanglants ? Au printemps 1974, une avalanche d'affaires concernant du bétail mutilé retrouvé avec les organes génitaux sectionnés s'était abattue sur les États du Nord-Ouest. Ça puait le culte satanique à plein nez ; l'évolution logique (ou illo-gique) de telles pratiques allait dans le sens de sacrifices humains.

Pour tous les policiers rassemblés à l'institut Evergreen, tous ces hommes dont le travail et la vie exigeaient des méthodes de pensée rationnelles et concrètes, l'occulte était une notion tout à fait étrangère. Je crois en la perception extrasensorielle, mais mes rapports avec l'astrologie se limitent à la lecture des horoscopes quotidiens dans les journaux. Néanmoins, quel-ques jours avant cette conférence, j'avais reçu un appel d'une astrologue, que j'avais rencontrée par la suite.

R. L. avait travaillé au CAU à la même époque que moi. Proche de la quarantaine, elle terminait des études d'histoire à l'université de l'État de Washington. Je n'avais pas entendu parler d'elle depuis un certain temps quand elle m'appela fin juin :

– Ann, vous êtes en contact étroit avec la police, com-mença-t-elle. J'ai découvert quelque chose qui pourrait vous intéresser. Pouvons-nous nous voir ?

Je rencontrai R. L. dans son appartement de la proche ban-lieue nord. Elle m'introduisit dans son bureau où la table, les meubles et le plancher étaient couverts de diagrammes pleins de symboles étranges. Elle avait essayé de trouver un schéma astrologique commun aux affaires de disparition.

– J'ai découvert quelque chose. Regardez.

J'étais complètement perdue. Pour moi, c'était du chinois.

– Bon, je vais vous expliquer rapidement. Vous avez cer-tainement entendu parler des signes solaires. Il y en a douze, qui durent à peu près un mois chacun. C'est ce dont les gens parlent quand ils disent qu'ils sont Verseau, Scorpion ou autre chose. Mais, chaque mois, la lune traverse chacun de ces signes.

Elle me montra des éphémérides et je vis par moi-même

que la phase mensuelle des signes lunaires durait environ quarante-huit heures.

– Bien, ça, je comprends, dis-je. Mais je ne vois pas le
rapport avec les enlèvements.

– Il y a une constante. Lynda Healy a été enlevée quand la
lune traversait le Taureau. À partir de là, les filles ont disparu
alternativement quand la lune traversait les Poissons et le Scorpion. Les possibilités qu'une telle chose arrive sont pratiquement nulles.

– Vous voulez dire que quelqu'un enlève et tue peut-être
ces filles parce qu'il sait que la lune traverse certains signes
à ce moment-là ? Ça me dépasse !

– Je ne sais pas s'il connaît quoi que ce soit à l'astrologie.
Il n'a peut-être même pas conscience de l'influence lunaire.

Elle me présenta une enveloppe scellée.

– Je voudrais que vous remettiez ceci à quelqu'un qui dirige
une des enquêtes. Elle ne doit pas être ouverte avant le
week-end du 13 au 15 juillet.

– Voyons, ils vont m'envoyer paître en rigolant !

– Quelles autres pistes ont-ils ? J'ai vu ce schéma. Je l'ai
refait plusieurs fois, et c'est toujours le même. Si je pouvais
vous dire comment, où, et quand cela va se reproduire, je vous
le dirais – mais j'en suis incapable. C'est arrivé quand la lune
traversait le Taureau, puis une demi-douzaine de fois quand
elle a traversé alternativement les Poissons et le Scorpion. Je
pense qu'il va revenir au Taureau et commencer un nouveau
cycle.

– D'accord, finis-je par accepter. Je prends l'enveloppe,
mais je ne vous promets pas de la donner à quelqu'un. Je ne
vois pas trop à qui la donner, d'ailleurs.

– Vous trouverez quelqu'un, me dit-elle alors d'une voix
assurée.

J'avais cette enveloppe dans mon sac quand j'assistai à la
conférence d'Evergreen. Je ne m'étais toujours pas décidée à
en parler, pas plus que de la prédiction de R. L.

Après la pause-déjeuner, Herb Swindler prit la parole. La
question qu'il lança était étonnante et déclencha même un peu
d'hilarité :

– Quelqu'un a-t-il une idée ? À quoi n'avons-nous pas

pensé ? Quelqu'un ici s'y connaît en numérologie ? Quelqu'un est médium ?

Je crus qu'il blaguait ; mais non. Il écrivit sur le tableau noir, dressant la liste des dates auxquelles les filles avaient disparu pour chercher à y déceler une suite logique.

Mais cela ne semblait rien vouloir donner. De la disparition de Lynda à celle de Donna, quarante-deux jours s'étaient écoulés ; de celle de Donna à celle de Susan, trente-six jours ; entre celle de Susan et celle de Kathy Park, dix-neuf jours ; de celle de Kathy à celle de Brenda, vingt-cinq jours ; et de celle de Brenda à celle de Georgeann, onze jours. Le seul détail qui en ressortait était que les enlèvements étaient de plus en plus rapprochés.

— Bon, dit Herb. D'autres suggestions ? Je me fous que ce soit l'idée la plus saugrenue qui vous soit jamais venue à l'esprit. On l'examinera.

La lettre me brûlait les doigts au fond de mon sac. Je levai une main.

— Je n'y connais rien en numérologie, mais j'ai une amie astrologue qui prétend avoir trouvé un schéma astrologique commun.

Certains levèrent les yeux au ciel, d'autres ricanèrent, mais je me jetai à l'eau et répétai ce que R. L. m'avait dit :

— Il n'enlève des filles que lorsque la lune traverse le Taureau, les Poissons ou le Scorpion.

Swindler sourit.

— Et votre amie trouve ça inhabituel...

— Elle dit que ça défie toutes les lois de la probabilité.

— Alors elle peut nous dire quand ça va se reproduire ?

— Je n'en suis pas sûre. Elle m'a confié une enveloppe scellée. Elle est à vous si vous la voulez. Vous ne devez pas l'ouvrir avant le 15 juillet.

Je sentais que les participants commençaient à se fatiguer de tout cela, qu'ils avaient l'impression de perdre leur temps. Je passai l'enveloppe à Herb ; il la soupesa.

— Alors elle pense que c'est à cette date qu'aura lieu la prochaine disparition, c'est ça ?

— Je ne sais pas. J'ignore ce que contient cette enveloppe. Elle veut sans doute mettre sa théorie à l'épreuve.

La discussion se déplaça vers d'autres sujets. Je soupçonnais la plupart des enquêteurs présents de me prendre pour une journaliste farfelue. Moi-même, je n'étais pas trop sûre de ne pas aller chercher midi à quatorze heures.

De l'avis général, le coupable des enlèvements était un homme seul et nous essayions d'imaginer quel pouvait être son stratagème. Que faisait-il pour mettre les femmes suffisamment à l'aise pour qu'elles en oublient leur prudence naturelle ?

À quel genre d'homme les femmes feraient-elles instinctivement confiance ? Quel déguisement pouvait-il porter pour leur donner ce sentiment de n'avoir rien à craindre ? Dès l'enfance, nous sommes habitués à faire confiance au pasteur, au prêtre, au pompier, au médecin, et au policier. Cette dernière hypothèse, si odieuse qu'elle soit pour des policiers, ne pouvait être écartée. Un flic dévoyé, peut-être ? Ou quelqu'un arborant un uniforme de la police ?

Autre éventualité sans grands risques d'erreur : la plupart des jeunes femmes aideraient certainement un handicapé – un aveugle, quelqu'un qui se trouverait soudainement mal, ou une personne marchant avec des béquilles ou avec un plâtre !

Mais que faire ? Infiltrer tous les campus des hommes en civil, avec mission d'arrêter tout homme déguisé en policier, en pompier, en ambulancier, en prêtre, ou équipé d'un plâtre ? Les polices de l'Oregon et de l'État de Washington réunies n'avaient même pas assez d'effectifs pour cela !

En fin de compte, la seule chose à faire était d'alerter l'opinion publique, d'assurer à l'opération la plus large couverture médiatique possible, de faire appel à chaque citoyen pour obtenir un maximum d'informations et de continuer à travailler sur le moindre détail. Le ou les hommes qui enlevaient ces filles finiraient nécessairement par commettre un impair, par laisser un indice qui conduirait la police jusqu'à lui, ou eux. À la fin de cette conférence du 3 juillet, tous les policiers priaient pour que ce qui était arrivé ne se reproduise plus.

L'homme observait et attendait dans l'ombre. Celui qui se croyait au-dessus des lois, trop malin pour être pris, quelle que fût son audace, sembla prendre cette conférence et l'écho qu'en fit la presse comme un défi personnel lancé par la police.

Le parc du lac Sammamish s'étend à l'est de la rive du lac dont il tire son nom. À vingt kilomètres à l'est de Seattle, non loin de l'autoroute 90 qui monte vers le col de Snoqualmie, ce parc attire en été des foules venant de Seattle, mais aussi des environs de Bellevue, la plus grande banlieue de la ville. Bellevue est une cité-dortoir en pleine expansion d'environ soixante-quinze mille âmes. Les hameaux d'Issaquah et de North Bend se trouvent aussi à proximité du parc.

Le parc Sammamish est une grande étendue herbeuse, cloutée de boutons-d'or au printemps et de pâquerettes en été. On y trouve des arbres, mais pas de taillis touffus et ombreux, et un garde forestier habite dans les environs. Des sauveteurs surveillent les baigneurs et la navigation de plaisance, et les pique-niqueurs peuvent admirer les parachutistes qui sautent de petits avions toute la journée.

Quand mes enfants étaient petits et que nous vivions à Bellevue, nous allions au parc pratiquement tous les soirs d'été. C'est là qu'ils ont appris à nager. On s'y sentait parfaitement en sécurité.

Le 14 juillet 1974 fut une de ces journées superbes que les habitants de Washington attendent avec impatience, pour se venger des interminables mois de pluie de l'hiver et du printemps. Le ciel était d'un bleu céruléen et la température monta au-dessus de vingt-six degrés avant midi. Elle menaçait d'atteindre trente-deux degrés d'ici le soir. Il fait rarement aussi beau, même en été, et le parc Sammamish était bourré à craquer ce dimanche-là : quarante mille personnes à la recherche d'un coin d'herbe où déplier sa couverture pour profiter du soleil.

La Brasserie Rainier y organisait sa fête annuelle de la bière et l'Association d'athlétisme de la police de Seattle était venue pique-niquer ; les parcs de stationnement étaient déjà saturés dès le début de la matinée.

Une jolie jeune femme arriva dans le parc vers 11 h 30 ce matin-là et se laissa aborder par un jeune homme qui portait un T-shirt blanc et un jean.

– Dites, vous pourriez pas m'aider un instant ? lui demanda-t-il en souriant.

Elle vit qu'il avait un bras en écharpe et lui répondit :

– Bien sûr. Qu'est-ce que vous voulez ?

Il lui expliqua qu'il voulait mettre son voilier sur le toit de sa voiture et qu'il n'y arrivait pas avec son bras immobilisé. Elle accepta de l'aider et l'accompagna jusqu'à une coccinelle VW brun métallisé garée sur le parking.

Il n'y avait aucun voilier à proximité.

La femme regarda alors le beau jeune homme – un homme qu'elle décrirait plus tard avec des cheveux couleur de sable, mesurant près d'un mètre quatre-vingts pour environ soixante-douze kilos – puis elle lui demanda où se trouvait son bateau.

– Ah ! j'aurais dû vous le dire ! Il est là-haut, chez mes vieux... C'est à deux pas d'ici, derrière la colline.

Il se dirigea vers la portière côté passager. Elle s'immobilisa, inquiète, et lui dit que ses parents l'attendaient et qu'elle allait être vraiment en retard. Il prit son refus du bon côté :

– C'est pas grave ; j'aurais dû vous dire qu'il n'était pas sur le parking. Merci quand même de vous être déplacée.

Plus tard, à 12 h 30, elle leva les yeux un instant et vit le même homme se diriger vers le parc de stationnement en compagnie d'une jolie jeune femme qui poussait une bicyclette. Ils discutaient d'une manière animée. Puis elle n'y songea plus – avant de lire le journal le lendemain.

Janice Ott, vingt-trois ans, fonctionnaire au service d'éducation surveillée du comté de King, à Seattle, avait passé la journée du 14 juillet en solitaire. Jim, son mari, suivait des cours de design prothétique à deux mille deux cent cinquante kilomètres de là, à Riverside, en Californie. Le travail de Janice l'avait empêchée de l'accompagner. Cela représentait plusieurs mois de séparation et ils n'étaient mariés que depuis un an et demi. Ils devaient se retrouver en septembre mais, pour l'heure, ils se contentaient de s'écrire et de se téléphoner.

Janice Anne Ott était une toute petite femme d'à peine un mètre cinquante-deux pour quarante-cinq kilos. Elle avait de longs cheveux blonds, séparés au milieu par une raie, et des yeux gris-vert étonnants. Elle ressemblait plus à une étudiante qu'à une adulte diplômée avec mention de l'Institut universitaire de Cheney. Son père était proviseur de lycée à Spokane, Washington, et avait siégé dans le passé à la Commission d'application des peines de cet État ; servir la communauté était décidément une vocation familiale !

À l'image de Lynda Healy, Janice avait une bonne expérience théorique des méthodes d'approche des individus présentant des troubles mentaux ou ayant un comportement antisocial. Comme Lynda, elle était idéaliste. Son père dira plus tard : « Elle pensait que certaines personnes étaient malades ou engagées sur la mauvaise voie et elle croyait pouvoir les aider grâce à ses études et à sa personnalité. »

Il était un peu plus de midi quand Janice arriva au parc Sammamish sur son vélo à dix vitesses. Elle avait laissé un mot à la fille avec qui elle partageait une petite maison, lui disant qu'elle serait de retour vers 16 heures.

À trois mètres d'un groupe de gens, elle trouva un coin d'herbe libre où étendre sa couverture. Elle portait un jean coupé en short et un T-shirt blanc noué sur le devant pardessus un bikini noir ; elle se déshabilla et s'allongea pour bronzer un peu.

Quelques minutes plus tard, elle sentit une ombre la recouvrir et ouvrit les yeux. Un homme de belle allure la regardait. Vêtu d'un T-shirt blanc, d'un short et de chaussures de tennis blancs, il avait le bras droit en écharpe.

Les pique-niqueurs autour d'eux entendirent leur conversation tandis que Janice s'asseyait en clignant des yeux au soleil. Ils se souviendraient que l'homme s'exprimait avec un léger accent – peut-être canadien, ou britannique – quand il demanda à Janice :

– Excusez-moi... Pourriez-vous m'aider à hisser mon bateau sur ma voiture ? J'ai le bras cassé et je n'y arrive pas.

Janice Ott dit à l'homme de s'asseoir et ils bavardèrent un peu. Elle lui dit son nom et les personnes qui étaient assez près entendirent l'homme lui répondre qu'il s'appelait Ted.

– Vous voyez, mon bateau est chez mes parents, à Issaquah...

– Vraiment ? C'est là que j'habite aussi ! s'exclama-t-elle en souriant.

– Vous croyez que vous pourriez m'accompagner pour me donner un coup de main ?

– Ça doit être super de faire du bateau, dit-elle. Je n'en ai jamais fait.

– Je vous apprendrai, vous verrez, c'est facile.

Janice lui avait expliqué qu'elle avait sa bicyclette et qu'elle ne voulait pas la laisser sur la plage de peur qu'on ne la lui vole ; il lui avait répondu avec désinvolture qu'il y avait de la place dans le coffre de sa voiture.

– Eh bien, d'accord... Je viens vous aider.

Ils avaient encore bavardé pendant dix minutes avant que Janice se lève pour enfiler son short et son T-shirt ; puis ils s'étaient éloignés ensemble, elle poussant sa bicyclette, en direction du parc de stationnement.

Personne ne revit jamais Janice Ott vivante.

Ce même dimanche de juillet, Denise Naslund se rendit aussi au parc de Sammamish, mais elle n'était pas seule. Elle était accompagnée de son petit ami et d'un autre couple. Ils étaient venus dans la Chevrolet modèle 1963 de Denise. Une très jolie fille, aux cheveux et aux yeux sombres, étonnamment séduisante. Elle avait exactement deux jours de plus que Susan Rancourt, disparue depuis trois mois déjà.

Denise faisait des études d'analyste-programmeur, travaillait à mi-temps dans une administration pour payer ses cours du soir, et ce pique-nique du 14 juillet constituait une agréable récréation dans un emploi du temps chargé. L'après-midi avait bien commencé, puis avait failli être gâché par une dispute avec son petit ami, mais la question avait été rapidement réglée. Les quatre jeunes gens s'étaient allongés sur leurs couvertures, au soleil. Ils avaient fermé les yeux ; les voix mêlées des nageurs et des autres badauds tissaient une agréable toile de fond sonore.

Un peu avant 16 heures – des heures après que Janice Ott eut disparu – une jeune fille de seize ans rejoignant ses amis après être allée aux toilettes publiques du parc se fit aborder par un homme avec un bras en écharpe :

– Excusez-moi, jeune fille, voudriez-vous m'aider à pousser mon bateau à l'eau ?

Elle fit « non » de la tête, mais l'homme insistait. Il la tira par le coude.

– Allez, quoi !

Elle se sauva à toutes jambes.

À 16 h 15, une autre femme rencontra l'homme avec le bras en écharpe.

– J'ai un gros service à vous demander, commença-t-il.

Il avait besoin qu'on l'aide à pousser son bateau à l'eau. La femme répondit qu'elle était pressée, que des amis l'attendaient pour rentrer.

– Tant pis, avait-il répondu avec le sourire.

Mais il était resté planté là, à la regarder fixement pendant un moment avant qu'elle s'éloigne. Il portait une tenue de tennis et avait l'air d'un chic type, mais elle était vraiment pressée !

Denise et ses amis avaient fait griller quelques hot dogs vers 16 heures, puis les deux garçons s'étaient rapidement endormis. Vers 16 h 30, Denise se leva et se dirigea d'un pas nonchalant vers les toilettes des femmes.

L'une des dernières personnes à l'avoir aperçue vivante est une femme qui la vit bavarder avec une autre fille à l'intérieur du bâtiment en parpaing d'où elles ressortirent ensemble.

Sur leurs couvertures, les amis de Denise commençaient à s'impatienter ; elle ne devait s'absenter que quelques minutes et cela faisait maintenant un bon moment qu'elle était partie. Son sac à main, les clés de sa voiture et ses sandales de cuir étaient toujours là, sur la couverture. Il était vraiment peu probable qu'elle ait subitement décidé de quitter le parc avec seulement son short et son débardeur bleu sur le dos. Elle n'avait pas non plus parlé d'aller nager.

Ils attendirent et attendirent encore, jusqu'à ce que le soleil baisse sur l'horizon ; les ombres s'étiraient et s'épaississaient avec la tombée du jour.

Ils ne savaient pas que l'homme avec le bras en écharpe avait abordé une autre femme encore un peu avant 17 heures et lui avait demandé de lui rendre le même service :

– Est-ce que vous ne pourriez pas m'aider à hisser mon bateau sur le toit de ma voiture, par hasard ?

Cette jeune femme de vingt ans venait d'arriver au parc en vélo et avait remarqué l'homme qui la fixait du regard. Elle ne voulait pas l'accompagner ; elle lui expliqua qu'elle n'était pas vraiment costaud et que, par ailleurs, elle attendait quelqu'un. Il s'était rapidement désintéressé d'elle et avait tourné les talons.

Denise était tout à fait le genre de fille à aider autrui, particulièrement un handicapé – même si ce handicap n'était que temporaire.

L'après-midi tirait à sa fin, le parc se vidait, et il n'y eut bientôt plus que la voiture de Denise garée sur le parc de stationnement. Ses trois amis avaient parcouru le parc en tous sens sans trouver la moindre trace d'elle. Ils avaient espéré qu'elle était peut-être partie à la recherche de son chien qui avait filé, mais ils retrouvèrent le chien... seul.

Le petit ami de Denise ne parvenait pas à croire ce qui leur arrivait. Ils sortaient ensemble depuis neuf mois. Ils étaient très épris l'un de l'autre ; jamais elle ne l'aurait laissé tomber comme cela.

Ils signalèrent sa disparition au garde forestier à 20 h 30 le soir même. Il était trop tard pour draguer le fond du lac ou même pour effectuer une fouille approfondie du parc. Le lendemain, une des plus importantes opérations de recherches jamais entreprises par la police du comté de King allait commencer.

Pendant ce temps, dans l'appartement en demi-sous-sol qu'occupait Janice Ott dans une petite maison d'Issaquah, le téléphone avait commencé à sonner à partir de 16 heures. Jim Ott avait attendu un appel de sa femme – un coup de fil qu'elle lui avait promis la veille au soir, un coup de téléphone qui ne viendrait jamais. Jim essaya de la joindre toute la soirée, mais le téléphone sonna inutilement dans la maison vide.

Jim Ott passa aussi la soirée du lundi à attendre près du téléphone. Il ignorait que sa femme n'était jamais rentrée chez elle.

Je lui parlai quelques jours après qu'il eut sauté dans un avion pour Seattle. Il me confia avoir reçu une étrange série de messages, presque extrasensoriels, au cours des journées qui avaient suivi ce 14 juillet.

– Je me souviens, quand elle m'a appelé samedi soir – le 13 –, elle s'est plainte du temps que mettait le courrier pour être acheminé de l'État de Washington jusqu'en Californie. Elle disait qu'elle venait juste de m'envoyer une lettre, mais qu'elle avait préféré m'appeler aussi parce que je ne la recevrais pas avant cinq jours. Dans cette lettre, elle avait écrit : *Cinq jours ! C'est énorme ! Quelqu'un pourrait mourir et on n'en saurait rien !*

Quand Jim Ott reçut cette lettre, tout indiquait déjà que Janice avait effectivement cessé de vivre.

Il s'interrompit pour mieux formuler ses sentiments :

– Je ne savais pas qu'elle avait disparu, lundi soir, et j'ai attendu près du téléphone jusqu'à ce que je m'endorme. Puis je me suis réveillé en sursaut et j'ai regardé l'heure ; il était 22 h 45. J'ai entendu sa voix. Je l'ai entendue aussi clairement que si elle avait été dans la même pièce que moi. Elle me disait : « Jim... Jim... au secours... »

Le lendemain matin, Jim Ott apprenait que sa femme avait disparu.

– C'est bizarre. Je lui avais envoyé une carte postale, qui a dû croiser sa lettre à la poste. C'était une de ces cartes sentimentales avec un type et une fille marchant bras dessus, bras dessous vers le soleil couchant. Il était écrit : « Tu me manques... Loin de toi le temps s'est arrêté. » Au bas de la carte, j'avais écrit – je ne sais pas pourquoi j'avais choisi ces mots-là : « Fais bien attention à toi. Sois prudente au volant, méfie-toi des gens que tu ne connais pas. Je ne veux pas qu'il t'arrive quelque chose ; tu es mon oasis, ma source de paix. »

Ott m'a dit qu'avec sa femme ils avaient toujours été très proches, avaient souvent eu les mêmes pensées en même temps. Il attendait maintenant d'autres messages d'elle, un signe quelconque qui lui indiquerait où elle se trouvait, mais il n'avait plus rien entendu depuis ces mots très clairs perçus dans la quiétude de sa chambre le 15 juillet : « Jim... Jim... au secours... »

Dans son bureau au siège de la police de Seattle, le capitaine Herb Swindler ouvrit l'enveloppe scellée de l'astrologue que je lui avais remise. Sur un bout de papier était écrite la phrase suivante : « Si le schéma se reproduit, la prochaine disparition aura lieu pendant le week-end du 13 au 15 juillet. »

Un frisson glacial le parcourut. La prédiction s'était réalisée – par deux fois.

10

Ted s'était découvert. Des tas de gens avaient pu voir ses traits en plein jour et il avait abordé une demi-douzaine de jeunes femmes au moins, en plus des deux qui avaient disparu. Il avait donné son nom. Probablement pas son vrai nom mais, pour les médias qui s'étaient jetés sur ces incroyables disparitions, c'était matière à gros titres.

De fait, la chasse acharnée aux informations à laquelle les journalistes allaient se livrer pour étoffer leurs papiers devait considérablement entraver le cours de l'enquête policière. Les familles affolées des disparues du lac Sammamish étaient assiégées par des journalistes qui employaient les méthodes les plus coercitives pour forcer leur porte. Quand les familles refusaient de se laisser interroger, certains reporters laissaient entendre qu'ils allaient devoir imprimer quelques rumeurs particulièrement odieuses qui couraient au sujet de Janice et de Denise. À moins, bien sûr, qu'ils n'obtiennent des réponses à leurs questions. Pire encore, ils ajoutaient que si les familles refusaient de donner tous les détails de leur souffrance en pâture au public, cela conduirait à une réduction de la publicité nécessaire pour retrouver leurs enfants.

Le chantage était odieux et cruel, mais il fonctionna. Les parents dans la douleur se laissèrent photographier et répondirent aux questions des journalistes. Leurs filles étaient sérieuses et ils voulaient que cela se sache. Ils voulaient aussi que les photos de leurs enfants soient dans tous les journaux, diffusées sur toutes les chaînes de télévision ; peut-être cela aiderait-il à les retrouver...

Les enquêteurs, eux, n'avaient guère de temps à perdre à accorder des entretiens.

Les enquêtes liées à des cas de disparition tombaient sous plusieurs juridictions : les enquêtes autour de Lynda Healy et de Georgeann Hawkins relevaient de la police de Seattle ; celles sur Janice Ott, Denise Naslund et Brenda Ball revenaient à la police du comté de King. Le comté de Thurston, avec le service de sécurité du campus de l'institut Evergreen, s'occupait du cas de Donna Manson. L'enquête sur la disparition de Susan Rancourt était menée conjointement par la police du comté de Kittitas et celle du campus de l'université de la région centre de l'État de Washington, tandis que celle sur Roberta Kathleen Parks échéait aux polices de l'Oregon et de Corvallis.

Les clameurs de l'opinion publique demandant des résultats rapides devenaient chaque jour un peu plus fortes et la pression exercée sur les enquêteurs était énorme. Aucune arrestation n'était possible pour l'instant. Du coup, l'homme de la rue – assailli jour et nuit par des flashes d'informations télévisées et par des récits publiés en première page des journaux – ne parvenait toujours pas à comprendre pourquoi on n'avait pas encore – au moins – retrouvé les corps des jeunes filles disparues.

Pour la police du comté de King, le rapt et le meurtre probable de trois jeunes filles sur le territoire équivalaient à trente-cinq pour cent de leur travail annuel ramenés sur un mois : il n'y avait eu que onze affaires de meurtre dans le comté en 1972 – dont neuf avaient été résolues avant la fin de l'année ; il y en avait eu cinq en 1973 – toutes classées. En 1974, en plus des affaires de meurtre, la brigade criminelle devait aussi se charger des attaques à main armée. Les disparitions successives de Brenda Ball puis, six semaines plus tard, de Janice Ott et de Denise Naslund imposaient des mesures radicales de restructuration du service.

Le capitaine J. N. Nick Mackie était un administrateur extrêmement compétent. Il n'avait pas encore atteint la quarantaine quand il avait pris la tête de la section d'enquêtes sur les homicides. Il avait, entre autres, réorganisé toute l'administration pénitentiaire du comté. Les enquêteurs étaient placés sous les ordres du sergent Len Randall, qui se faisait une règle d'accompagner ses hommes sur le terrain dans les affaires importantes.

Dans l'ensemble, l'équipe d'inspecteurs du comté de King était assez jeune. Le seul à avoir plus de trente-cinq ans était Ted Forrester, que tout le monde appelait « grand-père » ; la plus jeune recrue était Bob Keppel, un garçon long et mince avec un air presque gamin. Les disparitions du lac Sammamish avaient eu lieu dans son secteur, qui couvrait tout le territoire à l'est du lac Washington. Avant ce 14 juillet 1974, Keppel n'avait enquêté que sur un seul meurtre.

Au fil des années, l'affaire « Ted » allait peser extrêmement lourd sur les épaules de Bob Keppel. Il finirait par en savoir plus long sur Ted et sur ses victimes que n'importe quel autre enquêteur du comté, à l'exception peut-être de Nick Mackie.

En 1979, les cheveux de Bob Keppel étaient striés de gris, Mackie allait être mis en retraite anticipée à cause de deux infarctus et Herb Swindler devait subir une opération à cœur ouvert. Il est impossible de donner une idée précise de la tension nerveuse qui s'accumule au fil du temps chez des policiers pris dans l'engrenage d'une enquête d'une telle ampleur. Mais quiconque est en rapport constant avec ces gens-là peut mesurer cette tension et l'incroyable pression qui s'exerce sur eux. Si un directeur général de société porte la responsabilité des pertes et profits de son entreprise, les flics de la Criminelle – notamment dans des cas comme l'affaire « Ted » – travaillent contre la montre, avec un minimum d'atouts de leur côté, sur des questions de vie ou de mort. C'est un métier qui traîne derrière lui un cortège d'affections physiologiques : ulcères, hypertension artérielle, infarctus et, parfois, alcoolisme. L'opinion publique, les familles des victimes, la presse, leurs supérieurs – tous – exigent de l'action et des résultats immédiats.

L'ampleur des recherches organisées autour de Denise Naslund et Janice Ott mobilisa l'ensemble des effectifs de la section homicides du comté de King, aidés par des renforts venus de la police de Seattle et les hommes des services de police locaux d'Issaquah et de North Bend.

En un certain sens, ils avaient maintenant un point de départ pour leur enquête, et ils étaient désormais absolument persuadés que toutes ces disparitions s'intégraient dans un schéma unique. Ted avait été vu ; une douzaine de personnes au moins se présentèrent quand la nouvelle explosa dans les journaux le 15 juillet : les autres filles qui avaient été abordées, et qui tremblaient rétrospectivement à l'idée d'avoir frôlé la mort d'aussi près, ainsi que les gens dans le parc qui avaient vu Ted parler avec Janice Ott avant qu'elle s'éloigne avec lui.

Ben Smith, un dessinateur de la police, écouta leurs descriptions et brossa un tableau composite de l'homme en tenue de tennis. Il gomma et redessina laborieusement jusqu'à ce qu'il arrive à capter sur le papier l'image qui se trouvait dans la mémoire des témoins. Ce n'était pas une tâche facile.

Dès que le portrait-robot apparut à la télévision, la police reçut des centaines d'appels téléphoniques. Mais Ted ne semblait avoir aucun signe particulier distinctif. C'était un beau garçon, âgé d'une vingtaine d'années, avec des cheveux châtain clair, légèrement ondulés, des traits lisses, pas de cicatrice, aucun détail flagrant qui puisse le différencier de centaines, de milliers d'autres jeunes gens sur une plage. Il y avait ce bras cassé, bien sûr, mais les enquêteurs doutaient qu'il le soit réellement. Ils étaient même sûrs que l'homme s'était déjà débarrassé de son écharpe, maintenant qu'elle avait rempli son rôle.

Ted ressemblait en fait tellement à un Américain moyen qu'il avait sans doute joué sur cette apparence commune. Il se montrait à visage découvert et prenait maintenant un plaisir pervers à la publicité qu'on lui faisait.

Pendant ce temps, les enquêteurs cherchaient, inlassablement.

– Réfléchissez. Essayez de penser à un détail particulier, à quelque chose qui vous a frappé.

Les témoins faisaient de leur mieux ; certains se soumettaient même à des séances d'hypnose dans l'espoir d'améliorer leurs souvenirs. Il y avait son accent : légèrement anglais. Il avait aussi mentionné qu'il jouait au racket-ball quand il parlait avec Janice Ott. Son sourire avait quelque chose de spécial. Quand il s'exprimait, sa grammaire était impeccable ; il paraissait avoir reçu une excellente éducation. Bien. Quoi d'autre ? Il était bronzé. Bien. Quoi encore ?

102

C'était tout. À part la façon bizarre dont il avait regardé quelques-unes des quasi-victimes.

Il y avait aussi sa voiture, une coccinelle VW brune à la peinture écaillée dont on ne connaissait pas l'année : toutes les coccinelles se ressemblent ! D'ailleurs, le seul témoin qui l'avait accompagné jusqu'au parc de stationnement ne l'avait pas vu monter dans la voiture. Il s'était appuyé contre la carrosserie en expliquant que son bateau ne se trouvait pas dans le parc même ; ce pouvait être la voiture de n'importe qui. Non, pas si vite, il avait fait un geste en direction de la portière du côté passager, pour l'inviter à monter. C'était sûrement sa voiture !

Personne n'avait vu Janice Ott monter dans une voiture sur le parking.

Il y avait aussi la bicyclette jaune de Janice, à dix vitesses. Ce n'était pas du tout le genre de vélo que l'on démonte aisément pour le transporter. De plus, il n'aurait pas tenu dans le coffre d'une coccinelle et, même dans ce cas, quelqu'un aurait sûrement remarqué la voiture avec le vélo dépassant du coffre ou fixé sur le toit. Mais personne n'avait rien vu.

L'accès aux rives du lac Sammamish fut interdit au public tandis que les plongeurs de la police en fouillaient inlassablement le fond, remontant régulièrement à la surface pour délivrer systématiquement d'un mouvement de tête le même message négatif. Il faisait très chaud et, si les corps des filles s'étaient trouvés dans le lac, ils auraient gonflé et seraient remontés à la surface.

Tous les agents du comté, la police d'Issaquah et quatre-vingts volontaires des équipes de sauvetage, à pied et à cheval, ratissèrent sans succès les cent soixante hectares du parc. Des hélicoptères de la police de Seattle survolèrent les environs sans plus de résultat.

Des voitures de patrouille parcouraient au ralenti toutes les petites routes de la région, s'arrêtant pour fouiller chaque vieille grange, chaque cahute effondrée, chaque maison abandonnée. En vain.

Il n'y eut pas non plus de demande de rançon ; l'homme qui avait enlevé ces femmes ne l'avait pas fait pour de l'argent. À mesure que les jours passaient, il devenait de plus en plus vraisemblable que l'homme en question était un psychopathe sexuel. De nombreux policiers croient que l'homme agit aussi en fonction de cycles pseudo-mensuels. Il y aurait donc des moments où les tendances perverses de certains individus aux limites de la normalité prennent une ampleur obsessionnelle et les poussent au viol ou au meurtre.

Mais deux femmes le même après-midi ? L'homme qu'ils recherchaient avait-il été pris d'une frénésie sexuelle telle qu'il aurait éprouvé le besoin de faire deux victimes à quatre heures d'intervalle ? Janice avait disparu à 12 h 30 ; Denise vers 16 h 30. On pourrait pourtant penser que même le plus viril des maniaques sexuels aurait été épuisé et rassasié après le premier viol. Pourquoi alors serait-il revenu dans le même parc quatre heures après pour en enlever une autre ?

Des intervalles de plus en plus courts séparaient les enlèvements, comme si la terrible obsession du suspect demandait à être de plus en plus fréquemment stimulée. Peut-être l'insaisissable Ted avait-il eu besoin de plus d'une victime pour satisfaire ses envies ? Peut-être Janice avait-elle été retenue captive quelque part, liée et bâillonnée, pendant qu'il repartait à la recherche d'une autre victime ? Peut-être avait-il éprouvé le macabre besoin d'un double crime sexuel, l'une des victimes assistant au viol et au meurtre de l'autre ? C'était une hypothèse que certains d'entre nous osaient à peine envisager.

Tout policier chevronné sait que, si un crime n'est pas résolu dans les vingt-quatre heures, les chances de retrouver l'assassin diminuent. Or là, des jours et des semaines passèrent sans que l'enquête apporte d'éléments nouveaux. Les flics ne disposaient même pas des corps des victimes. Denise et Janice pouvaient être n'importe où, à cent, voire deux cents kilomètres de là. La petite coccinelle brune n'avait eu que quatre cents mètres à parcourir pour rejoindre l'autoroute I-90 qui franchissait les montagnes à l'est et s'enfonçait dans la région très peuplée de Seattle à l'ouest. Cela revenait à chercher deux aiguilles dans un million de bottes de foin.

Les jeunes femmes avaient pu être tuées et enterrées quelque part sur le vaste territoire à demi sauvage autour du parc. On effectua donc une série de clichés aériens du terrain aux infrarouges. Cette méthode avait donné des résultats positifs à

Houston, Texas, en 1973, quand la police de l'État était à la recherche des corps des jeunes adolescents assassinés par l'équarrisseur Dean Coril. Si la terre avait été récemment remuée, la végétation mourante apparaîtrait en rouge vif sur les épreuves bien avant que l'on puisse s'en apercevoir à l'œil nu. Ils repérèrent quelques zones douteuses qui furent soigneusement explorées. On n'y trouva que des arbres morts.

Un film tourné par les participants d'un pique-nique de groupe organisé en ce 14 juillet fut rapidement développé. Les enquêteurs étudièrent de près les silhouettes qui apparaissaient, particulièrement en arrière-plan, espérant y apercevoir l'homme avec le bras en écharpe – rien.

Le Dr Richard B. Jarvis, un psychiatre de Seattle spécialiste des comportements criminels, établit un profil de l'homme connu sous le nom de Ted. Il pensait que, si les huit disparitions étaient liées et si les huit jeunes filles avaient été blessées, l'agresseur devait avoir entre vingt-cinq et trente-cinq ans. Il devait être mentalement malade, mais pas au point de se faire remarquer comme un criminel en puissance. Selon lui, Ted avait peur des femmes et de leur emprise sur lui et il était susceptible d'adopter à l'occasion un comportement d'« isolement social ».

Jarvis trouvait de nombreux parallèles entre l'homme du parc Sammamish et un habitant de Seattle âgé de vingt-quatre ans qui avait été reconnu coupable de meurtre sur la personne de deux jeunes femmes et de viol et tentative de viol sur d'autres jeunes filles. Cet homme, décrit comme un psychopathe sexuel, purgeait une peine d'emprisonnement à perpétuité.

Ce détenu, ancien champion d'athlétisme durant toutes ses études, apprécié, considéré, respectueux envers les femmes, avait radicalement changé quand sa petite amie de longue date l'avait plaqué. Plus tard, il s'était marié ; mais il avait commencé ses agressions sexuelles quand sa femme avait demandé le divorce.

Selon le Dr Jarvis, un psychopathe sexuel est reconnu responsable aux yeux de la loi et sait faire la différence entre le bien et le mal. Une impulsion le pousse à agresser des femmes, mais aucun handicap mental, aucune lésion cérébrale ni psychose déclarée ne peut venir justifier ses actes criminels.

Ce témoignage constituait un avis intéressant sur le cas. Beaucoup plus tard, je devais relire cet article et m'apercevoir à quel point Jarvis était proche de la vérité.

Pendant les quelques moments de liberté laissés aux enquêteurs, nous échangions toutes sortes d'idées quant à l'éventuelle personnalité de Ted. Il devait être intelligent et séduisant. Aucune des huit filles n'aurait accompagné un homme en qui elle n'aurait pas eu confiance, et dont les manières n'auraient pas été assez bonnes pour endormir leur méfiance naturelle. Même s'il avait utilisé la force par la suite, il avait certainement dû – la plupart du temps – gagner leur adhésion au départ. Étant donné l'aisance évidente avec laquelle il évoluait sur les camps, il était aussi vraisemblable qu'il était ou avait été étudiant.

Le stratagème qu'il employait pour gagner la confiance des filles – en dehors de son apparence et de sa personnalité propres – était certainement lié à l'illusion de son apparente vulnérabilité. Un homme avec un bras cassé ou une jambe dans le plâtre ne pouvait pas représenter une menace.

Qui pouvait avoir accès à des plâtres, des écharpes et des béquilles ? N'importe qui, sans doute, s'il se donnait le moyen de chercher ; un étudiant en médecine, un garçon de salle d'hôpital, un ambulancier, un employé d'une société de fournitures médicales étaient particulièrement bien placés.

« Ce doit être quelqu'un au-dessus de tout soupçon, me dis-je. Un homme insoupçonnable, même par ses amis ou ses proches. »

C'était une bonne théorie, une théorie qui rendait la capture de cet homme encore plus improbable.

Malgré la justesse de sa prévision, le schéma astrologique était trop incertain pour être poursuivi. Peut-être l'homme ignorait-il qu'il était influencé par les signes lunaires, s'il l'était seulement.

Les polices de Seattle et du comté de King croulaient sous

un déluge d'appels de médiums prétendant avoir eu une vision des lieux où se trouvaient les jeunes filles – mais aucune ne se révéla exacte. Les informations fournies par les voyants semblaient à peu près aussi utiles que celles des citoyens ordinaires : Ted avait été vu ici, là, partout... et nulle part.

Selon les schémas astrologiques, la prochaine disparition devait avoir lieu entre 19 h 25 le 4 août et 19 h 12 le 7 août, quand la lune traverserait à nouveau les Poissons.

Rien ne se produisit.

En fait, les disparitions dans l'État de Washington cessèrent aussi brusquement qu'elles avaient commencé. En un sens, tout était terminé. Mais rien ne le serait jamais.

11

Je me revois encore, en août 1974, dans les locaux de la police de Seattle. J'étais plantée devant un listing informatique que les détectives avaient scotché au plafond de leur bureau. Cette liste détaillait les noms des personnes dénoncées par des gens pensant qu'il pouvait s'agir du mystérieux Ted ; elle faisait plus de trois mètres cinquante de long ! Pour localiser et interroger chacun de ces « suspects », il aurait fallu des années, et la condition expresse que la police dispose de suffisamment d'effectifs, ce qui n'était pas le cas. L'unique solution consistait à sélectionner un certain nombre de cas vraisemblables et à les contrôler.

Le 10 août, un témoignage sinistrement habituel parvint aux détectives ; une jeune femme leur fit le récit d'une rencontre qu'elle avait faite dans le quartier de l'université, à quelques rues à peine de l'endroit où Georgeann avait disparu :

– Le 26 juillet, vers 11 h 30, je marchais du côté de la 16e Nord-Est et de la 50e Rue. Il y avait un homme – un mètre quatre-vingts, bien bâti, avec les cheveux bruns qui lui tombaient un peu dans le cou... Il portait un jean et avait une jambe plâtrée jusqu'en haut. Il marchait avec des béquilles et portait une espèce de sacoche démodée. Elle était noire, arrondie, avec une poignée, et il n'arrêtait pas de la faire tomber.

La jeune femme raconta qu'elle l'avait dépassé, puis s'était retournée en entendant la sacoche tomber encore par terre.

– Il m'a souri. Il avait l'air de vouloir que je l'aide, et j'ai bien failli le faire... Puis j'ai vu ses yeux... ils étaient très bizarres, ils m'ont fait froid dans le dos. Alors, j'ai accéléré le pas pour me sauver. Il était bien mis de sa personne et son plâtre était tout blanc et très propre, comme s'il venait d'être posé.

Elle ne l'avait jamais vu auparavant et ne le revit jamais par la suite.

Les voitures en patrouille dans le quartier Wallingford, au nord de la ville, étaient constamment à l'affût d'individus avec un bras ou une jambe dans le plâtre. Quelques-uns furent repérés mais tous ceux qu'ils interrogèrent avaient été véritablement accidentés.

Le mois d'août tirait à sa fin et, depuis deux semaines, quelque chose me tracassait. Je revenais sans cesse à ce portrait-robot du « Ted » qui avait été vu au parc Sammamish et à la description physique qui l'accompagnait, avec cette allusion à un « léger accent anglais britannique ». J'y voyais une ressemblance avec quelqu'un que je connaissais. Je repoussai cependant cette idée dans un recoin de mon esprit, persuadée que j'étais, moi aussi, victime du vent d'hystérie qui avait soufflé sur le pays durant ce long et terrible été.

Je connaissais beaucoup de gens qui s'appelaient Ted – y compris deux détectives de la Criminelle –, mais le seul à qui pouvait s'appliquer la description était Ted Bundy. Nous ne nous étions pas vus ni parlé depuis huit mois et, pour ce que j'en savais, il avait quitté Seattle. La dernière fois que je l'avais vu, il vivait au 4123, 12ᵉ Avenue Nord-Est, à quelques rues seulement de chez toutes ces filles disparues.

J'eus honte d'une telle pensée à propos d'un homme que je connaissais bien depuis trois ans. On ne court pas dénoncer un ami à la police, surtout quand il semble être tout à fait le contraire de l'homme qu'elle recherche. Non, c'était impossible. Ridicule. Ted Bundy n'aurait jamais fait de mal à une femme ; il n'aurait même jamais fait une remarque déplacée devant une femme. Un homme dont les actes et la vie étaient gouvernés par des sentiments philanthropiques ne pouvait pas être impliqué dans cette affaire, quel que soit le degré de ressemblance qu'il y eût entre le portrait-robot et lui.

Je traversai des périodes où je n'y pensais plus du tout mais souvent, le soir, au moment de m'endormir, le visage de Ted

Bundy me traversait l'esprit. Beaucoup plus tard, j'apprendrais que je n'avais pas été la seule en butte à une telle indécision en ce mois d'août. D'autres personnes, qui connaissaient bien mieux Ted Bundy que moi, avaient été déchirées par leurs sentiments.

Je décidai finalement d'en avoir le cœur net. Autant que je sache, Ted n'avait pas de voiture, à plus forte raison de coccinelle. Je voulais m'assurer que c'était bien toujours le cas, pour être tranquille. Et si, par le plus grand des hasards, Ted avait quelque chose à voir avec les enlèvements, il était de mon devoir d'agir en conséquence.

Je pris contact avec Dick Reed, de la brigade criminelle de Seattle. Grand et maigre, doté du sens de l'humour irrésistible d'un farceur-né, Reed appartenait à la brigade depuis plus longtemps que tous les autres. Nous étions devenus très bons amis. Je pouvais compter sur lui pour vérifier discrètement, dans les fichiers du service d'immatriculation, si aucun véhicule n'était enregistré au nom de Ted Bundy.

Je l'appelai et m'expliquai d'une manière un peu hésitante :

– ... Je ne crois pas que ce soit important mais ça me tracasse. J'ai un ami, un bon ami, qui s'appelle Ted ; il a dans les vingt-sept ans, correspond parfaitement à la description physique de l'homme recherché et je sais qu'il habitait dans le quartier de l'université, mais j'ignore où il se trouve actuellement. Écoutez, je ne pense même pas qu'il ait une voiture, parce que je l'emmenais toujours dans la mienne. Et je ne veux pas non plus avoir l'air de le dénoncer ou quoi que ce soit... Je voudrais juste savoir s'il a une voiture, à présent. Pourriez-vous faire ça pour moi ?

– Pas de problème. Comment s'appelle-t-il ? J'entre son nom dans l'ordinateur et nous saurons tout de suite s'il y a une voiture enregistrée à son nom.

– Il s'appelle Ted Bundy. B-u-n-d-y. Rappelez-moi, d'accord ?

Vingt minutes plus tard, le téléphone sonnait. C'était Dick Reed.

– Theodore Robert Bundy. 4123, 12e Avenue Nord-Est. Le croirez-vous si je vous dis que c'est une coccinelle VW de 1968 couleur bronze ?

Je crus qu'il me taquinait.

– Allez, Reed. Qu'est-ce qu'il a vraiment comme voiture ? Il n'en a pas, c'est ça ?

– Je ne blague pas, Ann. C'est bien son adresse actuelle et il a une coccinelle couleur bronze. Je vais aller faire un tour dans le coin pour voir si je peux la repérer.

Reed me rappela plus tard dans l'après-midi pour me dire qu'il n'avait pas trouvé l'auto dans les parages de la maison. Mais il allait faire mieux :

– Je vais me procurer la photo qu'il a donnée pour son permis de conduire et la passer aux gars du comté, à Olympia.

– Mon nom ne sera pas mentionné, n'est-ce pas ?

– Pas de problème. Je dirai qu'il s'agit d'un appel anonyme.

Reed introduisit effectivement la photographie de Ted Bundy parmi celles des quelque deux mille quatre cents autres Ted – sans résultat. Les inspecteurs du comté de King ne pouvaient pas matériellement montrer à chaque témoin du parc Sammamish quelque deux mille quatre cents clichés signalétiques. La multitude de visages suffirait à les embrouiller, et rien encore à cette époque ne désignait Ted Bundy comme un suspect éventuel. La vérification informatique dont il fit l'objet ne donna aucun « détail » particulier qui le rendît suspect aux yeux de la loi.

Je n'attribuai pas beaucoup d'importance au fait qu'il ait acheté une Volkswagen et j'oubliai bientôt cette histoire. Beaucoup de gens conduisaient des VW et rien d'autre ne venait indiquer que Ted Bundy pouvait être l'homme recherché.

Je n'avais pas vu Ted depuis la fête de Noël du CAU en 1973. J'avais essayé de l'appeler une fois ou deux pour l'inviter quand je vivais sur ma péniche, mais je n'avais jamais réussi à le joindre.

Ted avait progressivement cessé ses activités au sein du parti républicain, mais ses cours à la faculté de droit de Puget Sound l'avaient occupé durant presque toute l'année universitaire 1973-1974. Il avait commencé à toucher des allocations de chômage au début du printemps 1974 et n'avait plus suivi que très sporadiquement ses cours à l'UPS. Le 10 avril, il n'y allait plus du tout. Il avait reçu une seconde lettre d'accord pour son inscription à la faculté de droit de l'université de l'Utah, à la rentrée d'automne. Il ne s'était pas présenté aux examens de fin d'année, même s'il ne voulut jamais l'admettre. Quand ses camarades de fac lui avaient posé la question, il s'était défilé en répondant :

– Je ne m'en souviens pas.

Peut-être pensait-il que l'UPS n'était pas assez bonne pour lui, que la faculté de l'Utah avait beaucoup plus à lui offrir... Dans son dernier dossier de candidature, il avait mentionné le fait qu'il serait marié à une femme originaire de l'Utah, Meg Anders, quand débuterait le trimestre d'automne.

Parmi les documents que Ted avait joints à son dossier de candidature, il y avait une lettre de motivation qui montrait bien à quel point il était sûr de lui, de ses ambitions et de ses recommandations. La signature était un chef-d'œuvre de fioritures, et il avait joint une lettre du gouverneur Dan Evans, écrite en 1973 et qui se terminait par ces mots : « Je le crois parfaitement qualifié pour faire une carrière juridique et bien déterminé en ce sens. Ted Bundy est un étudiant exceptionnel, je vous le recommande chaudement. »

L'université de l'Utah avait accepté Ted en 1973 ; en 1974, il était remis de ce « grave accident » qui l'avait empêché de s'y rendre l'année précédente.

Ses cours à l'UPS derrière lui et la fac de droit de l'Utah en perspective pour septembre, Ted trouva un autre emploi au mois de mai. Le 23 mai, il fut engagé par l'État de Washington pour travailler au budget de la direction des plans d'urgence, un organisme plurifonctionnel visant à réagir promptement en cas de catastrophe naturelle, de feu de forêt, d'attaque ennemie et même d'épidémie de peste. En 1974, la pénurie d'essence consécutive au premier choc pétrolier était d'une gravité extrême ; la distribution et la répartition des réserves faisaient partie des tâches de la DPU.

Ted travaillait au quartier général de la DPU à Olympia, cinq jours par semaine, de 8 heures à 17 heures, et faisait des heures supplémentaires quand le besoin s'en faisait sentir. Il parcourait chaque jour les quatre-vingt-dix kilomètres qui séparaient la maison des Rogers de son lieu de travail. Et il lui arrivait, à l'occasion, de passer la nuit à Olympia chez des amis ou de s'arrêter à Tacoma pour dormir chez ses parents.

C'était pour lui un excellent poste intérimaire en attendant son départ pour Salt Lake City. Le travail en lui-même n'avait rien de prestigieux, mais cela lui permit de mettre un peu d'argent de côté pour payer sa scolarité et d'observer de l'intérieur le fonctionnement administratif d'un service gouvernemental dans un État.

Autour de la maison des Rogers, les nouveaux habitants du quartier voyaient si rarement Ted qu'ils l'avaient surnommé « le Fantôme ». Il lui arrivait de s'absenter pendant plusieurs jours d'affilée.

Le comportement de Ted à la DPU lui valut une considération mitigée de la part de ses collègues de travail : certains l'appréciaient, d'autres le prenaient pour un tire-au-flanc. Son travail était désordonné. S'il lui arrivait de travailler toute la nuit sur les projets de répartition des réserves d'essence, il lui arrivait aussi de ne se présenter au bureau que fort tard dans la matinée. Quand il ne venait pas travailler du tout, il ne prenait pas la peine de prévenir son supérieur et se contentait d'apparaître le lendemain en disant qu'il avait été malade.

Carole Ann Boone Anderson, Alice Thissen et Joe McLean aimaient beaucoup Ted. D'autres parmi ses collègues le considéraient comme une espèce d'aigrefin, de manipulateur, qui faisait juste semblant de travailler.

Selon Neil Miller, directeur administratif des bureaux de la DPU, la plus longue absence de Ted eut lieu entre le jeudi 11 et le mercredi 17 juillet. Il avait effectivement téléphone cette fois-ci pour prévenir qu'il était malade, mais Miller ne se souvient pas de quoi il souffrait.

Ses collègues le taquinèrent beaucoup à la suite de la double disparition du lac Sammamish le 14 juillet et de l'énorme battage médiatique qui avait été fait autour du mystérieux Ted. Malgré leur grande amitié, Carole Ann Boone Anderson le mit impitoyablement en boîte à ce propos.

Le chef des équipes de sauveteurs-secouristes de l'État de Washington le taquina aussi sur sa « ressemblance » avec le Ted recherché par la police.

Mais personne ne parlait de cela sérieusement.

12

Quatre personnes en tout allaient fournir le nom de Ted Bundy aux enquêteurs de police. À l'époque où je demandai à Dick Reed de vérifier si Ted possédait une voiture, un professeur à l'université de l'État de Washington et une femme employée à la DPU d'Olympia contactaient la police du comté de King pour leur signaler que Ted Bundy ressemblait au portrait de l'homme vu au parc Sammamish le 14 juillet. Tout comme moi, ils précisèrent que rien dans la personnalité de Ted ni dans ses activités ne pouvait faire de lui un suspect ; il s'agissait d'une simple ressemblance physique et nominale.

Meg Anders avait examiné le portrait diffusé dans la presse écrite et par les journaux télévisés du soir. Elle avait aussi remarqué la ressemblance mais elle repoussa d'abord l'idée dans un coin de son esprit. Je n'avais été que moyennement perturbée par cette question ; pour Meg, cela pouvait signifier l'écroulement de tous ses rêves.

En dehors de Ted, Meg n'avait qu'une amie proche : Lynn Banks, une femme qui avait grandi comme elle dans l'Utah avant de venir s'installer à Seattle. Malgré tous les efforts de Meg pour ne plus y penser, Lynn l'empêchait d'oublier ce portrait de l'homme recherché par la police. Elle lui brandissait le journal sous le nez et lui demandait :

– À qui est-ce qu'il ressemble ? À quelqu'un que nous connaissons bien, non ?

Meg détournait les yeux.

– Ça lui ressemble bien, non ? Et plus qu'un peu...

Lynn n'aimait pas Ted. Elle trouvait cavalière son attitude

114

envers Meg, et estimait qu'on ne pouvait pas lui faire confiance. Mieux encore : elle se méfiait de lui. Elle l'avait surpris une fois, tard le soir, alors qu'il se glissait dans l'arrière-cour de la maison où elle vivait ; il ne lui avait fourni aucune explication satisfaisante de sa présence sur ces lieux. À présent, elle insistait pour que Meg dise à la police à quel point Ted ressemblait au portrait-robot.

– Non ! avait fermement répondu Meg. Je ne peux pas faire ça et je ne veux plus en entendre parler !

Meg Anders ne pouvait vraiment pas imaginer que son Ted puisse être l'homme que la police recherchait. Il avait beaucoup changé pendant l'été 1974, mais elle était toujours aussi amoureuse de lui. Elle coupa court à toute discussion avec Lynn : elle ne voulait rien entendre.

Meg ne savait toujours rien des « fiançailles » de Ted avec Stephanie Brooks l'hiver précédent et était loin de se douter qu'elle avait bien failli le perdre à ce moment-là. Elle ne s'inquiétait que pour l'avenir. Ted et elle-même allaient être séparés – physiquement, sinon sentimentalement – quand il quitterait Seattle pour Salt Lake City. Il envisageait de partir le premier lundi de septembre, le jour de la fête du Travail. Elle voulait qu'il aille faire son droit dans l'Utah mais, en même temps, ces années de séparation en perspective la terrifiaient. Ils se rendraient mutuellement visite, bien sûr, mais ce ne serait plus comme avant.

Ted avait commencé à emballer ses affaires, à vider la chambre dans laquelle il avait vécu pendant presque cinq ans. Il replia le canot pneumatique suspendu au-dessus de son lit, ce canot qui avait souvent étonné les femmes qu'il avait amenées chez lui. Puis il emballa ses plantes, la roue de bicyclette et le crochet de boucher qui pendaient au plafond, ses disques, ses livres, ses vêtements... Il possédait une vieille fourgonnette blanche « pick-up » qu'il utiliserait pour transporter ses affaires et tracter sa coccinelle VW.

La passion amoureuse de Ted s'était refroidie pendant l'été ; il avait mis ce manque d'entrain sur le compte des pressions de sa vie professionnelle et de ce qu'il appelait « un degré trop élevé de frustration ». Meg avait été peinée et troublée ; elle était persuadée qu'il voyait d'autres femmes qui le libéraient de ses pulsions sexuelles, remplissant ainsi un rôle qu'elle-même ne jouait plus.

Med organisa une petite fête d'adieux pour le départ de Ted ; elle espérait bien qu'ils feraient l'amour après. Mais Ted la quitta seulement avec un baiser.

Le départ ne fut pas très gai. Meg prit la décision de dire à Ted qu'elle souhaitait rompre. Elle le ferait à son prochain retour à Seattle quelques semaines plus tard. Leur mariage lui paraissait de plus en plus improbable ; elle avait même l'impression que plus rien ne les unissait. Elle traversait la même période de conflit émotionnel que Stephanie Brooks avait connue au mois de janvier. Pourtant, Meg était toujours amoureuse de lui.

Au volant de sa camionnette, la coccinelle en remorque, Ted prit la route de Salt Lake City le week-end de la fête du Travail, à la fin du mois d'août. Je ne pensai à lui qu'une seule fois durant l'automne 1974. En triant de vieux dossiers, je tombai par hasard sur la carte de Noël qu'il m'avait envoyée deux ans auparavant. Je la relus et, brusquement, un détail me frappa. La police et les médias avaient lourdement insisté sur le fait que toutes les femmes disparues avaient de beaux cheveux longs. Et la carte que je tenais en main disait : *Elle a coupé ses longs cheveux pour acheter une chaîne de montre à son amant ; il a vendu sa montre pour lui acheter des peignes à cheveux.*

Non, c'était trop d'imagination ! Ce n'était qu'une gentille carte, que Ted avait très certainement achetée au hasard. L'allusion aux cheveux longs était une simple coïncidence.

Ma dénonciation de Ted auprès de Dick Reed n'avait eu aucun effet. Si Ted était devenu suspect, je l'aurais su. Mes craintes avaient été sans fondement. Je faillis jeter la carte, puis la rangeai finalement dans un paquet de vieilles lettres. Je ne croyais pas le revoir un jour.

L'été 1974 avait été inhabituellement torride. Au début du mois d'août, un cantonnier s'était arrêté sur une voie de service à quatre kilomètres à l'est du parc du lac Sammamish pour casser la croûte. Alors qu'il déballait son sandwich, son

116

appétit s'était envolé quand une odeur de charogne avait assailli ses narines. Il avait alors longé le bas-côté de la route envahi par les broussailles, recherchant d'où pouvait provenir cette odeur. Il avait vu ce qu'il pensait être une carcasse de cerf abandonnée par un braconnier.

L'homme était reparti dans sa camionnette à la recherche d'un coin plus accueillant. Il avait rapidement oublié l'incident, mais un article paru dans le journal le 8 septembre le lui remit brusquement en mémoire.

Cela aurait-il aidé les enquêteurs si le cantonnier avait rapporté plus tôt cette histoire à la police ? On ne peut que se perdre en conjectures. L'information aurait bien pu être vitale, car ce témoin n'avait pas vu la carcasse d'un cerf, mais une dépouille humaine entière. Un mois plus tard, les chasseurs de coqs de bruyère qui envahirent la région ne trouvèrent que des os.

Elzie Hammons, un ouvrier du bâtiment de Seattle, tomba sur les restes éparpillés le 6 septembre : une mâchoire inférieure, une cage thoracique et une colonne vertébrale.

Huit mois après l'enlèvement de Lynda Healy, on venait de trouver les premières traces concrètes des huit filles disparues. Hammons sut immédiatement de quoi il s'agissait et se rendit le plus vite possible à Issaquah pour téléphoner.

La police du comté de King réagit immédiatement et boucla le secteur. Les journalistes étaient irrités de ne pouvoir franchir le cordon de sécurité et les cameramen de la télévision essayaient de filmer quelques images pour les journaux du soir. L'opinion publique réclamait des informations sur la découverte, mais très peu filtrèrent.

Revêtus de combinaisons intégrales, Nick Mackie, le sergent Len Randall et six autres hommes effectuaient de fréquents allers-retours des deux côtés du cordon de police. Ils transportaient les os découverts au milieu des fougères et des broussailles en plus de trente points différents. Pendant quatre jours, ils travaillèrent du lever au coucher du soleil et même après sous l'éclairage très puissant de lampes à arc.

Les coyotes avaient bien travaillé ; les inspecteurs, aidés de deux cents hommes et chiens, passèrent au crible un cercle de quatre-vingt-dix mètres de diamètre pour de bien maigres résultats. Les chaleurs des mois de juillet et août avaient accéléré les processus de décomposition et toutes sortes de petits rongeurs avaient réduit les cadavres à l'état de squelettes.

On retrouva huit touffes de cheveux, certaines provenant de longs cheveux brun sombre, d'autres d'un blond-roux, un crâne, une cage thoracique, une colonne vertébrale, une mâchoire inférieure provenant d'un autre crâne, de nombreux petits os, et cinq fémurs !

Il n'y avait ni vêtements, ni bijoux, ni morceaux de bicyclette, ni sac à dos ; les cadavres avaient été jetés là entièrement nus. On ne retrouva absolument aucun des effets personnels des victimes.

Il fallait maintenant commencer le travail macabre d'identification des restes à une époque où l'on ne pratiquait pas encore les tests ADN. Le Dr Daris Swindler, du laboratoire d'anthropologie physique de l'université de l'État de Washington, étudia les fémurs. Le crâne et la mâchoire inférieure furent comparés avec les empreintes dentaires des disparues. Un échantillonnage de cheveux des victimes, relevés sur les brosses qu'elles avaient laissées, fut comparé au microscope avec les touffes de cheveux découvertes près d'Issaquah.

Le capitaine Nick Macide organisa une conférence de presse ; il avait des valises sous les yeux et un timbre de voix fatigué.

– Le pire s'est réalisé, annonça-t-il. Nous avons identifié les restes de Janice Ott et de Denise Naslund. Ils ont été découverts approximativement à quatre kilomètres du parc du lac Sammamish, d'où elles avaient disparu le 14 juillet.

Il ne mentionna pas les autres découvertes du Dr Swindler. Pour le légiste, les fémurs ne provenaient pas de deux, mais de trois ou quatre corps différents. S'il y avait eu d'autres crânes au milieu des fougères et des pousses d'aulne, les animaux les avaient emportés.

Qui étaient les deux autres filles qui avaient été amenées là ?

C'était impossible à déterminer. On ne pouvait même pas dire à quel sexe appartenaient les fémurs trouvés sur les lieux. Seule estimation du Dr Swindler : c'était ceux de personnes âgées de moins de trente ans et mesurant probablement entre un mètre cinquante et un mètre soixante.

Les recherches sur la colline furent arrêtées en raison du nombre important de galeries et de puits de mine, abandonnés en 1949. Beaucoup de ces puits étaient inondés et bien trop dangereux pour qu'on y entreprît des recherches. Les galeries au sommet de la colline furent explorées sans résultat.

L'hiver arrive tôt au pied des monts des Cascades et, à la fin octobre, la région était ensevelie sous un manteau neigeux. Si la terre avait conservé quelques secrets, il n'y avait rien d'autre à faire que d'attendre le printemps.

Entre-temps, un groupe de travail réunissait les meilleurs enquêteurs des polices de Seattle et du comté de King. Ils installèrent leur quartier général dans une pièce sans fenêtres située à l'entresol du palais de justice du comté. Les murs étaient couverts de cartes du parc Sammamish et du quartier de l'université, de fiches volantes portant les photographies des filles disparues, et de portraits-robots de Ted. Le téléphone sonnait sans cesse. Des milliers de noms ; des milliers de tuyaux ; et, quelque part au milieu de ce fleuve d'informations, peut-être une piste qui les mènerait au véritable Ted... Mais laquelle ?

Nick Mackie prit deux jours de vacances pour aller chasser. Alors qu'il escaladait une colline dans l'est de l'État de Washington, il eut sa première crise cardiaque. Pour ceux qui l'avaient vu s'échiner sur ces affaires de disparition, travaillant dix heures par jour, il ne faisait aucun doute que la tension accumulée fût à l'origine de son mal. Il n'avait que quarante-deux ans. Mackie récupéra et, quelques semaines plus tard, reprit l'enquête ; les recherches se poursuivaient sans relâche.

Ted Bundy était revenu à Seattle à la mi-septembre, puis était retourné dans l'Utah quelques jours après, à temps pour démarrer ses cours à la faculté de droit. Il avait trouvé un appartement dans une grande et vieille maison au 565, First Avenue, à Salt Lake City. Une maison assez semblable à celle des Rogers à Seattle. Il emménagea au numéro deux et la décora à son goût. Il trouva un emploi de responsable de nuit dans une résidence du campus et sa nouvelle vie commença. Pour joindre les deux bouts, il prit en main la gérance de l'immeuble où il habitait, ce qui lui permit d'obtenir un abattement sur son loyer. Il ne tarda pas à trouver un emploi mieux payé et devint agent de la sécurité sur le campus de l'université.

Il téléphonait souvent à Meg, mais il connut beaucoup d'autres femmes dans l'Utah. Il y eut Callie More, une espèce de médium qui vivait dans une maison sur la First Avenue ; Sharon Auer, une étudiante en droit ; une autre jolie fille qui vivait à Bountiful, juste à la sortie de Salt Lake City, au nord de la ville. Beaucoup plus tard, quand je le revis, alors qu'il était devenu le suspect numéro un dans tant d'affaires d'enlèvement et de meurtre, il me dirait :

– Pourquoi voudrais-je violer des femmes ? J'avais autant de compagnie féminine que je voulais. J'ai dû coucher avec au moins une douzaine de femmes, cette année-là, dans l'Utah, et toutes sont entrées dans mon lit de leur propre volonté.

C'était très certainement vrai. Les femmes avaient toujours aimé Ted Bundy. Oui, pourquoi aurait-il dû prendre une femme de force ?

Pendant cet automne 1974, je ne sus absolument rien des crimes qui furent commis dans l'Utah. C'était à des centaines de kilomètres de mon « territoire » et j'étais bien trop occupée par les affaires du Nord-Ouest. J'allais devoir subir une importante opération chirurgicale qui m'empêcherait de travailler pendant un mois. Aussi il me fallait mettre les bouchées doubles et engranger suffisamment d'argent pour vivre pendant cette période.

Si j'avais eu l'occasion, l'envie, ou le temps d'aller enquêter sur les événements qui s'étaient déroulés autour de Salt Lake City à l'automne, j'aurais eu connaissance d'affaires qui ressemblaient étrangement à celles qui avaient apparemment cessé dans l'État de Washington. En octobre, aucune disparition de femme n'ayant été signalée depuis trois mois, il semblait effectivement que la vague de crimes et d'horreur était passée. Les policiers doutaient que le tueur ait surmonté ses impulsions, exorcisé ses démons. Ils pensaient plutôt qu'il était soit mort, soit incarcéré quelque part, ou bien qu'il avait changé d'air.

13

Le 18 octobre 1974, un vendredi soir, Melissa Smith, dix-sept ans, fille de Louis Smith, chef de la police de Midvale, se préparait à aller passer la nuit chez une amie. Melissa était de petite taille – un mètre cinquante-neuf pour quarante-sept kilos –, très mignonne. Elle avait de longs cheveux châtain clair séparés par une raie au milieu. Melissa était d'un naturel très prudent, à plus forte raison à cause du métier de son père, qui l'avait souvent mise en garde. Louis Smith avait vu trop de violence et de tragédies et il redoutait que quelque chose n'arrivât à ses deux filles.

Melissa avait prévu de se rendre chez son amie tôt dans la soirée. Elle se trouvait toujours chez ses parents quand une autre amie l'avait appelée en larmes à la suite d'une dispute amoureuse. Cette dernière travaillait dans une pizzeria et Melissa promit de venir la voir pour bavarder un peu avec elle. Vêtue d'un blue-jean, d'un corsage blanc à motifs bleus et d'une chemise bleu marine, Melissa quitta le domicile familial – seule.

Midvale, une petite bourgade de cinq mille habitants située non loin au sud de Salt Lake City, est une paisible communauté mormone. Le lieu idéal pour élever des enfants. Bien qu'avertie des dangers de ce monde, Melissa m'avait jamais eu la moindre raison d'avoir peur.

Pour rejoindre la pizzeria, elle devait prendre des raccourcis : descendre un chemin de terre, franchir une passerelle qui enjambait une autoroute et un pont de chemin de fer, puis traverser le terrain de jeux d'une école.

Melissa réussit à réconforter son amie et lui tint compagnie jusqu'à un peu plus de 22 heures. Elle avait prévu de repasser par chez elle pour prendre des affaires avant de se rendre chez son autre amie. Elle rentrerait chez elle par le même chemin que celui qu'elle avait emprunté à l'aller.

Melissa n'arriva jamais chez elle. Personne ne la revit après qu'elle eut quitté la zone éclairée du parc de stationnement de la pizzeria. Neuf jours devaient s'écouler avant que son corps ne soit retrouvé près du parc Summit, à plusieurs kilomètres à l'est de Salt Lake City, dans les monts Wasatch.

Le médecin légiste Serge Moore pratiqua l'autopsie du corps découvert nu dans la montagne. Melissa avait été sauvagement frappée à la tête, peut-être avec un pied-de-biche. L'arrière et le côté gauche de sa boîte crânienne présentaient de multiples fractures et avaient entraîné une importante hémorragie sous la pachyméninge. Son corps était couvert de bleus antérieurs à sa mort.

Elle avait aussi été étranglée à l'aide d'un garrot. On avait cruellement serré l'un de ses bas bleus autour de son cou si violemment que l'hyoïde avait été brisé. Melissa avait été violée et sodomisée.

L'inspecteur Jerry Thompson fut chargé de l'enquête. L'affaire n'était pas facile : personne n'avait vu Melissa s'enfoncer dans l'ombre à l'orée du parc de stationnement et personne n'avait été aperçu avec elle. L'assassin pouvait déjà être aux antipodes. En ce qui concernait les indices matériels, la police ne disposait que du corps de la fille. On avait trouvé très peu de sang sous elle ; il était probable qu'elle avait été tuée ailleurs – mais où ?

L'enquête sur le meurtre de Melissa Smith était toujours au même point quatre jours après la découverte du corps. Ce même 31 octobre, à quarante kilomètres de là, à Lehi, Utah, Laura Aime, dix-sept ans, déçue par le manque d'animation en cette veille de Toussaint, quitta le snack-bar où elle se trouvait et se dirigea vers un jardin public à proximité. Il était un peu plus de minuit.

Laura Aime mesurait près d'un mètre quatre-vingts et ne pesait que cinquante-deux kilos. Mince comme un top-model, elle se comparait plutôt à un sac d'os. Elle avait laissé tomber l'école et s'était installée avec quelques amis à American Fork, où elle sautait d'un petit boulot à l'autre. Elle gardait néanmoins un contact quasi quotidien avec sa famille, qui vivait à Salem, dans l'Utah.

Quand Laura disparut pendant la nuit d'Halloween, ses parents ne se doutèrent de rien. Au bout de quatre jours, ils appelèrent chez les amis de Laura pour savoir pourquoi elle ne les avait pas contactés.

– Laura n'est pas là, s'entendirent-ils répondre. Nous ne l'avons pas revue depuis qu'elle nous a quittés le soir d'Halloween.

La famille Aime prit peur. La mère de Laura lui avait bien demandé d'être prudente et de ne plus faire d'auto-stop quand la nouvelle de l'assassinat de Melissa Smith avait fait la une des journaux ; Laura l'avait rassurée : elle était parfaitement capable de prendre soin d'elle-même. Et maintenant, Laura avait disparu.

Si l'hiver avait été aussi froid que d'habitude, on aurait dû découvrir le corps de Laura recouvert d'une couche de neige. Mais le temps était exceptionnellement doux, en ce 27 novembre, quand un groupe de marcheurs traversa l'American Fork Canyon. Ils tombèrent sur son corps au bord d'un torrent, dans les monts Wasatch, juste en contrebas d'un parc de stationnement. Elle était nue et avait été défigurée. Son père l'identifia à la morgue. Il reconnut quelques vieilles cicatrices qu'elle portait sur l'avant-bras, souvenirs d'un jour où son cheval l'avait désarçonnée et projetée dans des fils de fer barbelés. Elle n'avait alors que onze ans.

L'autopsie pratiquée par le Dr Moore sur le corps de Laura Aime aboutit à des conclusions très similaires à celles du cas de Melissa Smith. Laura Aime avait de multiples fractures à l'arrière et sur le côté gauche du crâne et elle avait été étranglée. Elle portait un collier quand elle avait disparu. Il avait été enserré dans le bas qui avait servi de garrot et était resté autour de son cou. Elle avait d'innombrables contusions faciales et de profondes écorchures marquaient son corps aux endroits où elle avait été traînée par terre. L'arme qui avait causé les fractures du crâne pouvait être un pied-de-biche.

Laura Aime avait été également violée ; des prélèvements

effectués dans son vagin et son anus révélèrent la présence de sperme. Il était bien trop tard pour déterminer par une analyse des résidus le groupe sanguin de l'homme qui l'avait tuée.

Ses analyses de sang révélèrent cependant, à défaut de drogue, un faible taux d'alcoolémie, de l'ordre de 0,1 mg/l. Elle avait donc pu être légèrement sous l'influence de l'alcool au moment de sa mort, mais pas suffisamment pour ne pas se défendre, courir ou appeler au secours.

Mais qui aurait prêté attention à un cri le soir d'Halloween ? Si Laura Aime avait appelé à l'aide, personne ne l'avait entendue.

Meg Anders et son amie Lynn Banks avaient toutes deux été élevées à Ogden, dans l'Utah. Lynn était venue rendre visite à sa famille durant cet automne 1974. Elle avait appris le meurtre des deux jeunes filles en lisant les journaux. Leurs photographies montraient une évidente ressemblance physique avec les filles disparues dans l'État de Washington. Dès son retour à Seattle, elle fit part de ses soupçons à Meg.

Meg parcourut les coupures de journaux que Lynn avait rapportées avec elle et poussa un soupir de soulagement quand elle lut que Melissa Smith avait disparu le soir du 18 octobre.

– Le 18, tu vois ? J'ai parlé à Ted ce soir-là, vers 11 heures. Il était impatient d'aller chasser avec mon père le lendemain. Il était de bonne humeur.

Lynn – une toute petite femme qui mesurait moins d'un mètre cinquante – était beaucoup plus persuasive que sa taille ne pouvait le laisser supposer. De plus, elle était trop effrayée pour abandonner aussi vite.

– Mais tu dois absolument appeler la police ! Trop de détails concordent. Tu ne peux pas continuer à te voiler comme ça la face éternellement !

Meg Anders finit par contacter la police du comté de King à l'automne 1974. Pour la quatrième fois, le nom de Ted Bundy s'ajouta à une liste déjà longue de plusieurs milliers de noms. Meg garda la plupart de ses doutes pour elle. Tout comme mon appel et ceux des autres, le sien n'incita pas la police à s'intéresser à Ted de plus près.

Meg avait dénoncé son amant sur l'insistance de Lynn, et l'amitié qui liait les deux femmes se rompit à cause de l'animosité de Lynn envers Ted. De son côté, Ted ne soupçonnait pas que Meg pût l'avoir dénoncé à la police.

Le vendredi 8 novembre 1974 au soir, le corps de Melissa Smith avait été retrouvé, mais pas celui de Laura Aime. Il pleuvait sur la région de Salt Lake City : une fine bruine qui menaçait de se transformer en déluge. Ce n'était vraiment pas un soir à sortir faire des courses. Cela n'empêcha pas la jeune Carol DaRonch, âgée de dix-huit ans, de se rendre au centre commercial de Murray. Elle quitta sa maison peu après 18 h 30 au volant de sa nouvelle Camaro.

Carol avait passé son baccalauréat cette année-là, au printemps, et travaillait depuis à la compagnie du téléphone Mountain Bell ; elle vivait toujours chez ses parents. Habituée du centre commercial, elle y gara tranquillement sa voiture sur le parc de stationnement. Elle voulait faire des courses et un peu de lèche-vitrines.

Elle rencontra des cousins, bavarda un moment avec eux, puis fit ses emplettes. Elle feuilletait un bouquin dans la librairie Walden quand elle leva les yeux et remarqua un bel homme qui se tenait à ses côtés. Il était bien habillé, vêtu d'un veston sport, d'un pantalon vert et de souliers en cuir verni. Il avait des cheveux châtains ondulés et portait une moustache.

Il lui demanda si elle avait garé sa voiture sur le parc de stationnement près du magasin Sears ; elle acquiesça. Ensuite, il lui demanda le numéro de sa plaque minéralogique ; elle le lui donna. Il parut le connaître et ajouta qu'un client avait signalé qu'on avait essayé de forcer la portière de sa voiture à l'aide d'un portemanteau en métal.

– Voulez-vous m'accompagner jusqu'à votre voiture pour que l'on vérifie que rien n'a été volé ?

La question la prit de court. Il ne lui vint pas à l'idée de se demander comment l'homme à la moustache l'avait retrouvée ni comment il avait pu savoir qu'elle était la propriétaire de la Camaro. Ses manières étaient telles qu'elle le prit pour un agent de la sécurité ou un policier en civil. Elle lui emboîta le pas comme un agneau et le suivit le long de l'allée centrale bien éclairée du centre commercial, puis dehors dans la nuit pluvieuse. Un vague sentiment d'appréhension s'empara d'elle comme ils traversaient le parking. Mais l'homme semblait maîtriser parfaitement la situation, lui expliquant que son collègue avait probablement déjà épinglé le voleur.

— Peut-être le reconnaîtrez-vous si vous le voyez, ajouta-t-il d'un ton anodin.

Elle demanda à voir sa plaque et il se contenta de ricaner. Carol DaRonch avait appris à faire confiance aux agents de police et elle se sentit un peu idiote de lui avoir demandé cela. Elle ouvrit la portière de sa voiture et jeta un coup d'œil à l'intérieur.

— Tout y est. Je ne crois pas qu'il ait réussi à entrer, dit-elle.

L'homme voulut qu'elle ouvre aussi la portière du côté passager. Elle refusa, rien ne manquait et elle n'en voyait pas la nécessité. Elle fut surprise de le voir manipuler quand même la poignée de la portière. Il haussa les épaules et la reconduisit en direction du centre commercial, disant qu'il allait éclaircir la question avec son collègue.

Il jeta un coup d'œil alentour et dit :

— Il a dû le conduire au poste. Nous l'identifierons là-bas.

— Pourquoi le connaîtrais-je ? voulut discuter Carol. Je n'étais même pas là. J'étais à l'intérieur, en train de faire des courses.

L'homme balaya ses objections, accéléra le pas et passa devant plusieurs magasins en direction de la zone d'ombre du parc. Elle lui demanda son nom ; l'impatience et l'inquiétude commençaient à la gagner. On ne lui avait rien volé et elle avait mieux à faire que de suivre cet homme à la poursuite d'un fantôme.

— Je suis l'agent Roseland, de la police de Murray, répondit-il un peu sèchement. On y est presque.

Ils se tenaient devant une porte avec le numéro 139. Il frappa, attendit, mais personne ne répondit. Il essaya la poignée : la porte était verrouillée. (Il s'agissait en fait de la porte de derrière d'une laverie automatique et non pas d'une annexe de la police, mais Carol n'en savait rien.)

L'homme insistait à présent pour qu'elle l'accompagnât au poste central afin de porter plainte. Il voulait l'y conduire dans sa voiture. Elle s'attendait à ce que ce fût une voiture de police. Au lieu de cela, elle vit une coccinelle VW toute cabossée. Elle avait évidemment entendu parler des voitures banalisées, mais elle n'avait jamais vu une voiture de police comme celle-ci. Elle redemanda à voir sa plaque d'identification.

Tout en la regardant comme si elle était une femelle hystérique, l'homme ouvrit et referma rapidement son portefeuille sous ses yeux. Elle ne fit qu'entr'apercevoir dans un éclair un petit insigne doré. Il le rempocha si vite qu'elle n'eut pas le temps de lire le nom du service ni même un numéro.

Il ouvrit la portière du passager et attendit qu'elle monte. Elle hésitait, mais l'homme s'impatientait et elle prit place dans la voiture. Dès que les portières furent fermées, elle sentit son haleine chargée d'alcool. Elle croyait que les policiers n'avaient pas le droit de boire pendant le service. Quand il lui dit d'attacher sa ceinture de sécurité, elle refusa tout net. « Non ! » Elle était prête à se sauver, mais la voiture venait de quitter son stationnement et prenait déjà de la vitesse.

Ils prirent la direction opposée au poste de police de Murray. Carol regardait les voitures qui les dépassaient en se demandant si elle devait hurler ou essayer de sauter en marche, mais ils allaient trop vite et personne ne semblait leur prêter la moindre attention.

Puis la voiture s'arrêta brusquement, non loin de l'école primaire McMillan. Elle tourna son regard vers l'« agent Roseland » et vit qu'il ne souriait plus du tout. Ses mâchoires étaient soudées et il avait l'air à cent lieues de là. Elle lui demanda ce qu'il faisait, mais il ne lui répondit pas.

Carol DaRonch ouvrit sa portière pour sauter hors de la voiture, mais l'homme fut trop rapide pour elle. En une fraction de seconde, il lui avait passé une menotte au poignet droit. Elle se débattit, lui donna des coups de pied et de poing en hurlant tandis qu'il essayait de lui passer l'autre menotte. Il manqua son coup et la referma sur le même poignet. Elle se débattait toujours, le griffant de ses ongles et poussant des hurlements de bête, des hurlements que personne n'entendait dans ces paisibles environs. L'homme devenait de plus en plus mauvais.

Soudain, il brandit un petit pistolet noir et le tint près de sa tête.

– Si tu n'arrêtes pas de hurler comme ça, je te fais sauter la cervelle.

127

Carol bascula à la renverse hors de la voiture et tomba sur le sol détrempé de l'aire de stationnement. Elle vit le pistolet tomber sur le plancher de l'auto. L'homme tenait à présent une espèce de pied-de-biche à la main ; il releva Carol et la plaqua violemment contre la carrosserie. Elle leva un bras et, mue par la force du désespoir, réussit à tenir la barre de métal à l'écart de sa tête. Elle lui donna un coup de pied dans les testicules et prit la fuite. À toutes jambes. Elle courut à l'aveuglette ; elle voulait mettre le plus de distance possible entre eux deux.

Wilbur et Mary Walsh roulaient sur la 3ᵉ Avenue Est quand une silhouette apparut brusquement dans le faisceau de leurs phares. Walsh écrasa les freins et sa femme verrouilla frénétiquement toutes les portières. Ils ne distinguaient pas bien la personne qui essayait d'entrer dans leur voiture et s'attendaient à ce que ce fût un maniaque, dans le meilleur des cas. Puis ils virent qu'il ne s'agissait que d'une jeune fille sanglotante et complètement affolée.

Mme Walsh essaya de la réconforter en lui disant qu'elle était à présent en sécurité et qu'elle n'avait plus rien à craindre.

– Il allait me tuer ! Il a dit qu'il allait me tuer si je n'arrêtais pas de crier !

Les Walsh conduisirent Carol DaRonch au poste de police de Murray. Elle ne tenait pas sur ses jambes et Wilbur Walsh dut porter la mince jeune fille à l'intérieur. Tous les regards se braquèrent sur eux à leur arrivée.

Tandis que ses sanglots s'apaisaient un peu, Carol expliqua aux policiers qu'un des leurs – l'agent Roseland – l'avait attaquée. Bien entendu, il n'existait aucun agent Roseland et personne n'utilisait de vieille Volkswagen comme voiture de service. Ils enregistrèrent sa description de l'automobile, de l'homme et de la barre de fer qu'il avait brandie.

– Je ne l'ai pas vraiment vue. Je l'ai sentie dans ma main quand il essayait de me frapper avec. Elle avait plusieurs pans, au moins quatre, en tout cas.

Elle leva son bras droit ; les menottes étaient toujours fixées autour de son poignet. Les policiers les lui retirèrent avec soin, les saupoudrèrent au cas où elles porteraient encore quelques empreintes, mais ils ne virent rien d'autre que des traces brouillées et inutilisables. Les menottes n'étaient pas de la marque Smith & Wesson couramment employée par la police, mais d'une autre marque étrangère : Gerocal.

Une voiture de patrouille fut dépêchée sur les lieux de l'agression, près de l'école primaire. Ils trouvèrent une chaussure que Carol DaRonch avait perdue dans la bagarre, et rien de plus. La Volkswagen avait bien entendu disparu depuis belle lurette.

D'autres véhicules de patrouille sillonnèrent le centre commercial à la recherche d'une coccinelle de couleur pâle, cabossée, avec des taches de rouille et une déchirure dans la garniture du siège arrière. Ils ne trouvèrent rien. Quant au détective Joel Reed, il ne réussit même pas à relever une empreinte sur la poignée de la porte du numéro 139. La pluie, même la rosée, peut effacer rapidement des traces de doigts.

Carol DaRonch feuilleta plusieurs classeurs de clichés signalétiques et n'y reconnut pas son agresseur. Elle ne l'avait jamais vu auparavant et souhaitait ne jamais le revoir. Trois jours plus tard, elle découvrit deux petites gouttes de sang qui tachaient le col en fourrure synthétique de sa veste. Elle apporta le vêtement au laboratoire de la police pour les faire analyser. Le sang n'était pas le sien ; il était du groupe O, mais en quantité insuffisante pour qu'on pût en déterminer le facteur Rhésus.

La police de Murray disposait de descriptions de l'homme, de sa voiture, de sa méthode d'opérer et, grâce à Dieu, d'une victime en vie. Les similitudes entre le rapt presque réussi de Carol DaRonch et le meurtre de Melissa Smith étaient évidentes. Melissa avait disparu du parc de stationnement d'une pizzeria situé à seulement un kilomètre et demi du centre commercial. Cela dit personne ne savait quel stratagème son ravisseur avait pu employer pour l'attirer à l'écart. Le père de Melissa était policier. Aurait-elle suivi un policier ?

Probablement.

Mission ratée pour l'« agent Roseland » en cette nuit pluvieuse du 8 novembre. Il en était frustré. Carol DaRonch lui avait échappé. S'il avait eu l'intention de la violer – ou pire –, son appétit devait s'en trouver aiguisé. Pour lui, la nuit n'était pas terminée.

Situé à vingt-sept kilomètres de Murray, Bountiful, toujours dans l'Utah, est un faubourg paisible de la capitale mormone. Le soir du 8 novembre, la famille Kent se préparait à assister à une comédie musicale montée par les élèves du lycée de Viewmont. Dean Kent avait été malade, mais il était remis et, avec sa femme Belva et leur fille aînée Debby, âgée de dix-sept ans, il se rendit à la première de la pièce intitulée *Le Rouquin.*

Blair, le frère cadet de Debby Kent, se moquait bien de voir le spectacle ; la famille le déposa à l'entrée d'un bowling et sa mère lui promit de revenir le chercher à 22 heures. Ils arrivèrent à l'école peu avant 20 heures.

Tandis que les spectateurs attendaient le début de la pièce, le professeur d'art dramatique de l'école, Jean Graham, fut abordée par un inconnu dans les coulisses. Elle était très occupée à régler les détails de dernière minute mais elle s'interrompit quelques instants quand l'homme l'interpella. Il était grand, mince et moustachu. Elle se souvient aussi qu'il portait un veston sport, un pantalon très habillé, des chaussures de cuir verni, et qu'il était très beau.

Il se montra courtois et lui demanda presque en s'excusant de bien vouloir l'accompagner sur le parking pour identifier une auto. Elle refusa, sans même s'interroger sur l'étrangeté de sa requête. Elle était bien trop occupée.

– Mais ça ne prendra qu'une minute, dit-il.

– Non. Je n'ai pas le temps. Je m'occupe de la pièce, répliqua-t-elle sèchement avant de le planter là pour disparaître dans l'ombre d'un corridor.

Il traînait toujours dans le préau vingt minutes plus tard quand elle se dirigea vers l'avant de l'auditorium.

– Alors, l'interpella-t-elle, vous n'avez toujours trouvé personne pour vous aider ?

Il ne répondit pas, mais lui jeta un regard étrange et perçant. « Bizarre », pensa-t-elle. Mais elle était habituée aux regards des hommes.

Quelques minutes plus tard, on eut besoin d'elle dans les coulisses ; l'homme était encore là. Il s'approcha d'elle.

– Hé, vous êtes très jolie, la complimenta-t-il. Soyez sympa, venez me donner un coup de main pour cette voiture. Rien qu'une minute.

Il était doux, presque cajolant. Elle resta pourtant sur ses gardes. Elle essaya de le contourner et lui dit que son mari pourrait peut-être venir l'aider.

– Je vais le chercher.

Elle avait un peu peur. C'est ridicule, pensa-t-elle. Il y avait des centaines de personnes tout autour. L'homme fit un pas de côté pour lui barrer le passage. Ils exécutèrent une sorte de danse, oscillant d'un côté puis de l'autre avant qu'elle réussisse à se débarrasser de lui. Qui était-il ? Il ne travaillait pas à l'école, était trop âgé pour être un élève et trop jeune pour être un parent. Elle se dépêcha de regagner l'arrière de la scène.

Debby Kent s'éloigna durant l'entracte pour téléphoner à son frère et lui annoncer que la pièce ne serait pas terminée à 22 heures. Puis elle revint assister au deuxième acte. Une de ses amies, Jolynne Beck, remarqua un inconnu de belle allure qui marchait de long en large au fond de la salle. Jean Graham l'aperçut aussi et éprouva un curieux malaise quand elle l'aperçut pour la dernière fois avant la fin de la pièce.

Debby Kent proposa d'aller récupérer son frère à la patinoire.

– Je reviendrai vous chercher, promit-elle à ses parents.

Plusieurs habitants d'un lotissement voisin de l'école se souviennent d'avoir entendu deux cris perçants monter du côté ouest du parc de stationnement, entre 22 h 30 et 23 heures. Certains témoins avaient été si frappés par la terreur qu'ils dégageaient qu'ils étaient sortis de chez eux pour aller y voir de plus près. Mais le parking était plongé dans les ténèbres. Ils n'avaient rien vu.

Le frère de Debby l'attendit en vain dans l'allée menant au bowling. Ses parents tapaient du pied devant l'école pendant que la foule s'amenuisait. Il n'y eut bientôt plus personne ; leur voiture était encore stationnée sur le parking. Où était Debby ? Il était minuit et leur fille n'était nulle part. Il semblait même qu'elle n'ait jamais atteint l'automobile. Ils signalèrent sa disparition à la police de Bountiful et donnèrent sa description : dix-sept ans, les cheveux châtains, longs, avec une raie au milieu.

– Elle ne nous aurait jamais abandonnés comme ça, expliqua nerveusement sa mère. Son père se remet tout juste d'une crise cardiaque. Et la voiture est toujours sur le parking de l'école. C'est insensé, voyons !

La police de Bountiful était au courant de la tentative d'enlèvement de Murray ; elle avait aussi beaucoup entendu parler de l'affaire Melissa Smith et de la disparition de Laura Aime. Ils envoyèrent des patrouilles sillonner les environs de l'école, firent ouvrir le lycée pour fouiller chaque salle à tout hasard, au cas où Debby aurait été accidentellement enfermée dans l'une d'elles. Les parents affolés de la jeune fille appelèrent toutes ses amies. Personne n'avait vu Debby Kent.

Aux premières lueurs du jour le lendemain, une équipe d'enquêteurs passa le parc de stationnement du lycée au peigne fin. D'autres ratissaient le voisinage à la recherche d'indices pouvant expliquer la disparition de Debby Kent.

Ils apprirent que des cris avaient été entendus la veille, mais ne trouvèrent aucun témoin d'un enlèvement. Il y avait eu tant de voitures garées sur ce parking la nuit précédente que personne ne parvint à se souvenir d'un modèle particulier... d'une vieille coccinelle Volkswagen de couleur bronze, par exemple !

Les inspecteurs Ira Beal et Ron Ballantyne fouillèrent le parking de fond en comble et là, juste avant une porte de sortie de l'école, ils trouvèrent une petite clé : une clé de menottes.

Ils la portèrent immédiatement à la police de Murray où on l'essaya sur les menottes retirées à Carol DaRonch. Elle tournait parfaitement et les menottes s'ouvrirent. Les policiers étaient très conscients que certaines clés de menottes sont interchangeables. La clé n'ouvrait pas leurs menottes Smith & Wesson, mais elle marchait avec plusieurs modèles de marques moins prestigieuses. Cela ne pouvait constituer une preuve matérielle formelle que les deux affaires étaient liées, mais il s'agissait d'un indice inquiétant.

Tout comme c'était arrivé précédemment dans l'État de Washington, la police de l'Utah fut inondée d'appels. L'un d'eux, reçu à la mi-décembre, semblait avoir un rapport réel avec l'affaire : un homme était venu chercher sa fille au lycée Viewmont après la pièce. Il prétendait avoir aperçu une vieille Volkswagen cabossée – une coccinelle d'une couleur plutôt pâle – sortir à toute vitesse du parc de stationnement peu après 22 h 30 le soir du 8 novembre.

Aucun autre témoignage ne vint. Les parents de Debby Kent, comme ceux de Melissa Smith et de Laura Aime, durent affronter une très sombre période de Noël. De son côté, Carol DaRonch n'osait plus sortir seule, même de jour.

14

Les résultats de Ted Bundy à la faculté de droit de l'Utah étaient loin d'être aussi bons que ceux qu'il avait précédemment obtenus au cours de ses études. Il avait beaucoup de peine à maintenir une moyenne médiocre et dut abandonner deux UV avant la fin de l'année...

Bien sûr, il devait travailler pour payer sa scolarité et c'étaient autant d'heures en moins passées à étudier. Mais il buvait aussi beaucoup plus qu'avant. Il appelait souvent Meg et il était très perturbé lorsqu'il ne la trouvait pas chez elle. Curieusement, alors qu'il lui faisait constamment des infidélités, il exigeait d'elle qu'elle lui soit totalement fidèle. Lynn Banks prétend qu'il appelait chez elle quand il ne parvenait pas à joindre Meg et qu'il insistait pour qu'elle lui dise où son amie se trouvait.

Le 18 novembre 1974, je subis une intervention chirurgicale à l'hôpital Group Health de Seattle, où je restai sous sédatif pendant deux jours. Je me rappelle avoir appelé Joyce Johnson pour lui dire que l'opération s'était bien déroulée et je me souviens d'avoir vu ma mère – qui était venue de Salem, dans l'Oregon, pour s'occuper de mes enfants – assise à mon chevet.

Je me rappelle aussi le déluge de fleurs que j'ai reçues de différents services de police. Les inspecteurs de la Criminelle de Seattle m'envoyèrent une douzaine de roses rouges et Herb Swindler m'apporta des chrysanthèmes jaunes. Puis ce fut Ted Forrester qui se présenta avec un énorme pot de fleurs. Je ne sais pas ce que les infirmières pensaient de ce défilé incessant de policiers armés... Que j'étais la petite amie d'un mafioso sous surveillance, peut-être ?

Mais ce n'était qu'une bande de flics « durs à cuire » qui montraient leur gentillesse. Ils savaient que j'étais seule et qu'il était important pour moi de recommencer à travailler au plus tôt. En l'espace de quelques jours, je me sentis beaucoup mieux ; cette popularité soudaine dont je jouissais m'était très agréable.

Un jour, ma mère vint me voir avec un air très inquiet.

– Je suis bien contente d'être là avec les enfants. Tu as reçu un coup de téléphone vraiment bizarre, hier soir.

– Qui était-ce ?

– Je ne sais pas. Un homme t'a appelée un peu avant minuit et il a eu l'air terriblement ennuyé de ne pas te trouver. Je lui ai demandé si je pouvais prendre un message, mais il n'a pas voulu en laisser, ni même me dire son nom.

– Ennuyé ? Comment ça, ennuyé ?

– C'est difficile à expliquer. Il était peut-être ivre, mais il m'a paru complètement perdu, presque affolé, et il parlait très vite. Ça m'a troublée.

– C'était probablement une erreur.

– Non, il a demandé à parler à Ann. Je lui ai dit que tu étais à l'hôpital et que tu pourrais le rappeler d'ici un jour ou deux, mais il a raccroché.

Je n'avais pas la moindre idée de qui cela provenait. Je décidai de ne pas attacher d'importance à cet appel, jusqu'à ce qu'il me soit remémoré, presque un an plus tard.

La conférence criminelle Intermonts se tenait à Stateline, dans le Nevada, le 12 décembre 1974. Les policiers de l'État de Washington y exposèrent les cas de disparition et de meurtre auxquels ils étaient confrontés et ceux de l'Utah exposèrent les leurs. Certes, ils trouvèrent des similitudes entre toutes ces affaires, mais sans plus. Des centaines de jeunes femmes sont tuées chaque année aux États-Unis et beaucoup d'entre elles sont étranglées, matraquées et violées. La méthode des crimes n'était pas suffisante en soi pour permettre d'affirmer qu'un seul et même homme était responsable de toutes ces agressions.

Le nom de Ted figurait quatre fois sur la liste sans fin recrachée régulièrement par l'ordinateur du groupe de travail de l'État de Washington. Mais il n'était toujours qu'un nom parmi des milliers : un homme au casier judiciaire vierge, que son curriculum vitæ était loin de désigner comme le « criminel type ».

Il avait été dans l'État de Washington et se trouvait à présent dans l'Utah. Il s'appelait Ted et conduisait une Volkswagen. Sa petite amie, Meg, avait éprouvé assez de soupçons à son égard pour le dénoncer, mais Meg était une femme jalouse, à qui il avait menti. Des tas d'autres femmes jalouses avaient dénoncé leur petit ami en disant qu'il pouvait être le « Ted » en question.

Ce ne fut qu'après la conférence Intermonts, après que Lynn Banks l'eut encore poussée que Meg Anders se décida à faire un pas de plus. Elle appela le bureau du shérif du comté de Salt Lake pour faire part de ses soupçons. Sa voix semblait indiquer qu'elle était au bord de la crise de nerfs. Le capitaine Hayward pensa qu'elle exagérait et qu'elle se laissait impressionner par des détails insignifiants. Il nota le nom de Ted Bundy et le communiqua à Jerry Thompson pour que celui-ci l'ajoute à la liste des suspects de l'Utah.

La police ne peut pas se précipiter dehors et arrêter le premier venu sans preuves formelles ni informations fiables. Ce serait aller à l'encontre même de toute notre philosophie de la justice. Huit mois devaient encore s'écouler avant que Ted Bundy ne vienne, de son propre fait, se placer dans le collimateur de la loi, mettant la police pratiquement au défi de l'arrêter.

De la période de Noël 1974 je ne garde que peu de souvenirs ; elle n'a rien eu de mémorable. Deux semaines après mon opération, j'étais de nouveau à pied d'œuvre. Je ne pouvais toujours pas conduire, mais quelques détectives avaient consacré un peu de leur temps libre à constituer des dossiers sur certaines enquêtes dont ils s'étaient occupés. Ces affaires étaient déjà passées en jugement, et ils m'apportèrent les cassettes chez moi pour que je puisse en faire le récit pour des magazines.

Une violente tempête balaya Puget Sound au mois de janvier. Elle heurta notre maison avec tant de force que la grande fenêtre du salon, exposée au sud, fut soufflée, projetant des débris de verre, de plantes et de lampes dans toute la pièce. On aurait dit qu'une tornade était passée par là. Nous avons gelé jusqu'à ce que la fenêtre soit remplacée.

Le même mois, la cave a été inondée et des fuites sont apparues dans le toit en plusieurs endroits.

Ted revint à Seattle en janvier 1975 après avoir terminé ses examens de fin de trimestre. Il passa plus d'une semaine avec Meg, du 14 au 23. Meg ne lui dit pas qu'elle avait donné son nom à la police ; bien qu'aucun policier n'eût encore contacté Ted, elle éprouvait un sentiment de culpabilité écrasant. Il était si gentil avec elle ; il parlait de nouveau sérieusement mariage et les doutes qui l'avaient tourmentée à l'automne n'étaient plus maintenant qu'un lointain cauchemar. Il était redevenu le Ted d'avant, l'homme qu'elle avait aimé pendant tant d'années. Elle parvint à refouler ses craintes dans un coin de son esprit. La seule femme de l'Utah dont il lui parla était Callie Fiore, qu'il lui décrivit comme étant « bizarre ». Il lui raconta qu'ils avaient organisé une petite fête d'adieux pour Callie après Noël, avant qu'il l'accompagne à l'aéroport.

Il ne précisa pas que Callie n'était partie que provisoirement. Elle devait revenir à Salt Lake City.

Quand Ted retourna en Utah pour reprendre ses cours, Meg se sentait beaucoup mieux. Ils avaient fait des projets pour l'été : elle lui rendrait visite à Salt Lake City, et il lui avait promis de revenir à Seattle dès que possible.

Infirmière diplômée, Caryn Campbell passait, au mois de janvier 1975, quelques jours de vacances dans le Colorado. Elle était venue avec son fiancé, le Dr Raymond Gadowski, originaire du Michigan. Celui-ci devait participer à un congrès de cardiologie à Aspen, et il était aussi accompagné de ses deux enfants, issus d'un premier mariage.

Ils arrivèrent à l'hôtel *Wildwood* le 11 janvier et s'installèrent au premier étage. Âgée de vingt-trois ans, Caryn avait neuf ans de moins que Gadowski, mais elle l'aimait et s'entendait aussi très bien avec son fils de onze ans, Gregory, et sa fille Jenny, neuf ans. Elle voulait l'épouser – le plus tôt possible. Le couple se disputa ce jour-là parce que Gadowski n'était justement pas pressé de convoler en justes noces.

Caryn était légèrement grippée lors de leur arrivée, ce qui ne l'empêcha pas d'emmener les enfants skier et visiter les environs tandis que Gadowski participait à ses séminaires. Le 12 janvier, ils dînèrent avec des amis à l'enseigne du *Stew Pot* et Caryn commanda du bœuf en daube. Les autres commandèrent des apéritifs pour commencer, mais Caryn se sentait toujours légèrement indisposée, et elle ne but que du lait.

Puis Caryn, Gadowski et les enfants rentrèrent à l'hôtel dans un confortable salon où ils s'attardèrent un peu. Gadowski prit le journal du soir et Caryn, se rappelant qu'elle avait laissé un magazine dans leur chambre, se dirigea vers l'ascenseur pour monter le chercher. Elle emportait avec elle l'unique clé de la chambre 210 dont ils disposaient. Au plus, elle en avait pour dix minutes.

Caryn sortit de l'ascenseur au premier et échangea quelques mots avec plusieurs médecins qui attendaient là. Ils la regardèrent s'engager dans le couloir qui menait vers sa chambre.

En bas, Gadowski replia le journal et regarda autour de lui. Ses enfants jouaient tranquillement, mais Caryn n'était pas encore revenue. Il tourna son regard vers les ascenseurs, s'attendant à la voir surgir d'un moment à l'autre. Les minutes défilaient, elle n'apparaissait pas.

Après avoir ordonné à ses enfants de l'attendre bien sagement dans le salon, le jeune cardiologue monta jusqu'à leur chambre, puis se rappela que Caryn avait la seule clé. Il frappa et attendit qu'elle vienne lui ouvrir. Mais la porte ne s'ouvrit pas.

Il frappa de nouveau, se disant qu'elle était peut-être dans la salle de bains et qu'elle ne l'avait pas entendu. Il frappa plus fort. Toujours pas de réponse. L'inquiétude commença à le gagner : sa grippe avait peut-être soudainement empiré, elle s'était peut-être évanouie, avait pu se cogner la tête en tombant...

Il courut à la réception, obtint un double de la clé et remonta au pas de course à l'étage. Il ouvrit la porte à la volée : la chambre avait exactement la même apparence que lorsqu'ils l'avaient quittée pour aller dîner. Le sac de Caryn n'était nulle part et le magazine qu'elle était venue chercher était toujours là, posé à côté du lit. Elle n'était visiblement pas entrée dans la chambre.

Perplexe et indécis, le Dr Gadowski resta planté un moment au milieu de la pièce, la clé dans la main. Puis il sortit et referma la porte derrière lui. On donnait beaucoup de petites fêtes, en ce dimanche soir. Il supposa que sa fiancée avait probablement rencontré l'un de leurs amis, qui l'avait entraînée boire « juste un petit verre » quelque part. Agir aussi inconsidérément n'était pas dans ses habitudes. Elle devait savoir qu'il s'inquiéterait, mais l'ambiance qui régnait dans l'hôtel poussait un peu au laisser-aller. Il retourna dans le salon et vit que ses enfants étaient toujours seuls.

Gadowski sillonna tout le complexe hôtelier d'un pas de plus en plus rapide. Il passait d'un salon-bar à un autre, de bâtiment en bâtiment, l'oreille tendue à l'affût du rire de Caryn, scrutant les gens à la recherche de ce mouvement particulier qu'elle effectuait de la tête pour rejeter ses cheveux en arrière. Le vacarme de la foule exubérante qui l'entourait l'assaillait tel un éclat de rire moqueur. Caryn avait disparu, tout simplement, et il n'arrivait pas à comprendre pourquoi.

Il conduisit ses enfants dans leur chambre. Il était 22 heures et il régnait au-dehors un froid glacial. Quand elle s'était dirigée vers les ascenseurs, Caryn n'avait rien d'autre sur le dos que son blue-jean, un léger cardigan de laine marron et des bottes. C'était suffisant pour la journée, mais il était inconcevable qu'elle sorte aussi légèrement vêtue par une nuit de janvier du Colorado.

Gadowski appela la police d'Aspen peu après 22 heures. Deux policiers se présentèrent pour enregistrer sa demande de recherche, qui affirmèrent que la plupart des gens « portés disparus » réapparaissaient généralement dès la fermeture des bars et la fin des réceptions.

Gadowski les contredit impatiemment :

— Non, ce n'est pas son genre. Elle était malade. Elle a pu avoir un accident.

Une description de l'infirmière et de ses vêtements fut communiquée par radio à toutes les patrouilles en service sur Àspen : vingt-trois ans, sexe féminin, un mètre soixante-deux, cheveux châtains tombant aux épaules... La police interpella plus d'une jeune femme répondant à ce signalement au cours de la nuit, mais aucune n'était Caryn Campbell.

Le lendemain matin, après une nuit sans sommeil, Gadowski était totalement désorienté ; ses enfants pleuraient, très perturbés. La police fouilla toutes les pièces de l'hôtel : chambres, placards, cagibis, même les cuisines et les cages d'ascenseurs. La jolie infirmière restait introuvable.

Ils interrogèrent tous les clients, mais personne ne l'avait vue après qu'elle eut salué le groupe qui attendait près de l'ascenseur et l'avait regardée se diriger vers sa chambre. Gadowski finit par plier bagage et reprit un avion pour rentrer chez lui avec ses enfants. Il espérait, chaque fois que le téléphone sonnait, que ce serait Caryn avec une explication logique de la façon dont elle les avait laissés en plan. Mais ce coup de fil-là ne vint jamais.

Le 18 février, un ouvrier travaillant sur la route de Owl Creek, à quelques kilomètres de l'hôtel *Wildwood*, remarqua des oiseaux qui décrivaient des cercles au-dessus d'un banc de neige à sept ou huit mètres de la route. Il s'enfonça dans la neige qui fondait déjà puis se détourna, écœuré. Les restes du corps nu de Caryn Campbell gisaient là, dans la neige rougie de sang.

La dentition permit l'identification du corps. L'anatomopathologiste Donald Clark pratiqua l'autopsie et la docimasie (l'analyse des organes du cadavre). Elle avait succombé à des coups répétés portés sur l'arrière du crâne à l'aide d'un instrument contondant. De plus, le corps portait les marques de profondes entailles provoquées par un instrument tranchant. Un couteau ? Une hache ? Il ne restait pas assez de tissu cellulaire dans la région de la nuque pour déterminer si elle avait été étranglée, mais l'os hyoïde était fracturé.

Il était bien trop tard aussi pour dire si elle avait été agressée sexuellement, mais l'état dénudé de son corps semblait l'indiquer.

On identifia aisément des restes non digérés de viande de bœuf et de lait dans son estomac : Caryn Campbell avait été tuée quelques heures seulement après avoir dîné le soir du 12 janvier. Elle était donc morte peu après avoir quitté le salon de l'hôtel.

Elle n'était jamais arrivée jusqu'à sa chambre. Il était peu probable que quelqu'un l'y ait attendue, puisque la pièce n'avait pas révélé la moindre trace de lutte. Quelque part dans ce couloir bien éclairé du premier étage de l'hôtel, entre les ascenseurs et la chambre 210, Caryn avait rencontré son assassin et l'avait, semblait-il, suivi de son plein gré.

Cette affaire en rappelait une autre : la disparition de Georgeann Hawkins, en juin 1974. Un espace de douze mètres sans sécurité avait suffi pour qu'elle se fasse enlever.

Une touriste californienne se trouvait dans ce couloir de l'hôtel *Wildwood* le soir du 12 janvier. Elle avait vu un beau jeune homme qui lui avait souri, mais sans plus. Elle était rentrée chez elle avant que la disparition de Caryn Campbell ne soit portée à la connaissance des autres clients.

L'hiver tirait à sa fin. Dans l'État de Washington, la fonte des neiges avait commencé. Le samedi 1er mars 1975, deux étudiants de l'Institut universitaire Green River réalisaient un relevé forestier du mont Taylor, dans le massif des Cascades. Une petite montagne très boisée qui se dresse à l'est de la nationale 18, dont les deux voies traversent les forêts qui s'étendent entre Auburn et North Bend. Le site se trouve à peu près à seize kilomètres de l'endroit où les restes de Janice Ott, de Denise Naslund et d'une troisième (voire quatrième) personne non identifiée avaient été retrouvés en septembre 1974. La progression des jeunes gens au milieu des aulnes moussus, sur un sol tapissé de fougères et de feuilles mortes, était lente et malaisée.

L'un des étudiants regarda par terre. Un crâne humain gisait à ses pieds.

Brenda Ball venait enfin d'être retrouvée. Comme elle l'avait fait six mois auparavant, la police du comté boucla le secteur et Bob Keppel mena les recherches à la tête de deux cents personnes. Hommes et chiens progressaient difficilement à travers la forêt humide, retournant le tapis de feuilles mortes et les souches pourries sur leur passage.

Le crâne de Brenda avait été découvert à quarante-cinq kilomètres de la *Taverne de la Flamme*, où elle avait été vue pour la dernière fois. Peut-être avait-elle eu l'intention de gagner en stop le parc de Sun Lakes. La nationale 18 constituait un choix assez logique pour qui voulait franchir le col de Snoqualmie. Était-elle montée dans la voiture d'un homme avec un bras en écharpe, pleine de reconnaissance à l'idée qu'il l'emmenait juste où elle voulait aller ? Mais cet homme avait pu soudain s'arrêter dans cette région désolée et tourner vers elle son impitoyable regard de tueur.

On ne retrouva aucune autre trace de la jeune fille. Même en supposant que les animaux aient éparpillé les restes de son squelette, on aurait dû en retrouver des morceaux. Mais on ne trouva rien, ni os ni le moindre lambeau de vêtement.

Les causes de la mort furent impossibles à déterminer ; le crâne était fracturé sur le côté gauche.

Les recherches se poursuivirent durant deux jours.

Le 3 mars, Bob Keppel dérapa et dévala une pente glissante. Il avait trébuché – littéralement – sur un autre crâne à trente mètres de là où on avait trouvé celui de Brenda Ball.

L'analyse de la dentition allait révéler que Keppel venait de découvrir ce qu'il restait de Susan Rancourt, la timide étudiante blonde qui avait disparu d'Ellensburg, à cent quarante kilomètres de là ! Rien n'expliquait la présence des restes de Susan en ce lieu. Il semblait que l'assassin eût constitué son propre cimetière, apportant ici, mois après mois, les têtes coupées de ses victimes. C'était une supposition horrible, mais on ne pouvait l'écarter.

Le crâne de Susan était aussi fracturé.

Alors que les recherches se poursuivaient, les autres familles attendaient dans l'angoisse, craignant à chaque instant que quelqu'un ne vienne frapper à leur porte pour leur annoncer que l'on avait retrouvé les restes de leur fille sur le mont Taylor.

Les policiers ratissèrent de plus en plus de feuilles mortes au milieu des fougères ruisselantes qu'il fallait continuellement écarter. Ils découvrirent un autre crâne. L'analyse de la dentition allait confirmer qu'il s'agissait de celui d'une fille que les inspecteurs ne s'attendaient pas à découvrir aussi loin de chez elle : Roberta Kathleen Parks, disparue en mai dernier de Corvallis, Oregon – à quatre cent vingt kilomètres de là ! Tout comme les autres, ce crâne était fracturé.

La première à avoir disparu fut la dernière à être retrouvée. Lynda Ann Healy ne put être identifiée que grâce à sa mâchoire inférieure. Les obturations dentaires analysées correspondaient à celles enregistrées dans son dossier. Le crâne de Lynda avait donc été aussi transporté jusqu'au mont Taylor.

Les recherches se poursuivirent encore pendant une semaine complète, de l'aube au coucher du soleil, mais on ne trouva aucun autre crâne, ni vêtement, ni bijou.

Les enquêteurs avaient bien collecté quelques dizaines de petits os, mais ce n'était pas suffisant pour conclure que les corps avaient été transportés en entier dans la forêt. Seules les têtes des victimes avaient été portées là sur une période de plus de six mois. Cette nouvelle donna naissance à une vague de rumeurs concernant des cultes sacrificiels, sataniques et sorciers. La police de Seattle avait d'ailleurs un dossier sur les activités d'occultisme : le dossier 1004. Une publicité énorme avait été faite autour des récentes découvertes. Et les policiers étaient sûrs que cela allait encourager les délires d'un certain nombre de dingues. Toutes sortes de rumeurs infondées se mirent à circuler.

Le capitaine Herb Swindler était assiégé par tous ceux qui prétendaient être en contact avec « cet autre monde ». Mais Herb ne gobait pas ce genre de mouche et ses hommes trouvaient que tout l'aspect métapsychique de l'affaire était parfaitement ridicule.

Quant aux psychiatres, ils pensaient plutôt que l'homme était victime d'un déterminisme psychique qui le poussait à pourchasser et à tuer toujours le même type de femme. Des femmes qu'il devait mettre à mort sans jamais trouver de répit.

Au quartier général de la police du comté, Nick Mackie envisageait l'éventualité que ces crimes ne puissent jamais être résolus. Les enquêteurs savaient que Lynda, Susan, Kathy, Brenda, Denise et Janice étaient mortes. Quant au sort de Geor-

143

geann et de Donna, ils étaient toujours dans le brouillard. Il restait encore ces fémurs découverts avec les restes de Janice et de Denise... Ils appartenaient probablement aux autres disparues. Ils n'en sauraient jamais plus.

Donna Manson et Georgeann Hawkins pouvaient très bien ne jamais être retrouvées. Même chose dans l'Utah pour Debby Kent. Disparues totalement !

– Il faut être tenace, à ce jeu-là, dit un jour Mackie. On a déjà contrôlé deux mille deux cent quarante-sept sosies de Ted, neuf cent seize véhicules...

Mackie déclara qu'il leur était resté deux cents suspects éventuels après l'écrémage – mais il était impossible de tout savoir sur deux cents individus.

– Nous ne disposons d'aucun indice retrouvé sur les lieux des crimes, d'aucune certitude sur les causes des décès, dit encore Mackie. C'est la pire affaire dont je me sois occupé. Nous n'avons strictement aucun élément.

Il ajouta que le profil psychologique du tueur le désignait comme un individu ayant déjà eu un comportement criminel dans le passé, doublé d'un psychopathe sexuel.

– On mène l'enquête jusqu'à un certain point, dit-il sur un ton las, puis on se trouve bloqué et il faut recommencer à zéro.

Le nom de Ted Bundy resta sur la liste des deux cents suspects. Mais Ted Bundy n'avait aucun passé de criminel. D'après les informations que le groupe de travail avait réunies sur lui, il était l'antithèse de l'homme qu'ils recherchaient. Son casier de mineur avait été effacé et ils ignoraient tout de sa lointaine arrestation pour vol de voiture et cambriolage. Meg ne leur avait pas dit qu'elle savait que Ted avait volé des postes de télévision alors même qu'il comptait parmi les meilleurs étudiants de l'université. En réalité, il y avait beaucoup de choses qu'elle leur avait cachées.

Comme ils avaient cessé dans l'État de Washington, les crimes cessèrent dans l'Utah. Le meurtre de Caryn Campbell à Aspen avait eu lieu dans un autre État et apparut donc comme un cas isolé. L'inspecteur Mike Fisher, de la police locale, effectuait un travail de contrôle sur tous les suspects locaux, mettant progressivement hors de cause tous les hommes qui avaient connu la jolie infirmière. Il ne voyait aucun lien avec les crimes commis dans l'Utah, et l'État de Washington était bien loin du Colorado.

Mais les crimes n'allaient pas tarder à se multiplier dans le Colorado.

Vail était une station de sports d'hiver en plein essor, pas encore contaminée par le clinquant, l'argent, la drogue et l'attitude généralement laxiste qui caractérisent Aspen. Jerry Ford y était gérant d'un immeuble de logements saisonniers et l'acteur Cary Grant y venait de temps à autre skier avec sa fille Jennifer.

Jim Stovall, inspecteur-chef à Salem, Oregon, passait là ses congés d'hiver en travaillant comme moniteur de ski. Sa fille vivait sur place et exerçait la même activité.

Stovall poussa un profond soupir avant de me parler de Julie Cunningham, une amie de sa fille. Stovall avait résolu des tas d'affaires de meurtre dans l'Oregon, mais il n'avait pas la moindre idée de ce qui avait pu arriver à Julie dans la nuit du 15 mars.

Tout aurait dû sourire à Julie Cunningham. À vingt-six ans, elle était très séduisante, avec de longs cheveux sombres et soyeux, divisés par le milieu au sommet du crâne. Julie partageait avec une amie un agréable appartement à Vail. Elle était employée dans un magasin d'articles de sport et travaillait à temps partiel comme monitrice de ski. Mais Julie n'était pas heureuse ; elle était à la recherche du prince charmant. Elle avait accumulé quelques aventures, mais elle avait dépassé ce stade. À présent, elle rêvait mariage et enfants.

Peut-être Vail n'était-il pas l'endroit idéal pour trouver ce qu'elle cherchait ? Après tout, l'atmosphère d'une station de sports d'hiver ne se prêtait pas forcément à l'ébauche d'une relation suivie et durable...

Au début du mois de mars 1975, Julie vécut ce qui devait être sa dernière déception sentimentale. Elle croyait avoir enfin rencontré l'homme de sa vie et elle était tout exaltée à l'idée d'aller passer quelques jours avec lui à Sun Valley. Mais elle avait été larguée une fois de plus. L'homme n'avait jamais eu l'intention d'établir la moindre relation durable et elle rentra à Vair en larmes, déprimée.

Ce samedi 15 mars au soir, Julie était seule. Elle appela sa mère au téléphone, ce qui lui remonta un peu le moral. Elle raccrocha peu avant 21 heures et décida d'aller faire un tour. Vêtue d'un blue-jean, d'une veste de daim marron, de bottes et d'un bonnet de ski, elle se dirigea vers la taverne qui se trouvait à quelques rues de là. Sa colocataire s'y trouvait déjà ; elle boirait une bière ou deux avec elle. Demain serait un autre jour.

Mais il n'y eut pas de lendemain pour Julie Cunningham ; il n'y en aurait jamais plus. Elle ne devait jamais atteindre la taverne, et quand sa colocataire regagna leur appartement au petit matin, Julie ne s'y trouvait pas. Ses vêtements, ses livres, ses disques, ses produits de maquillage... tout était là, sauf les habits qu'elle avait sur le dos en sortant la veille.

Encore une fois, le même scénario se répétait, comme dans le Washington un an plus tôt : une victime en janvier, aucune en février, une en mars...

Denise Oliverson fêtait ses vingt-cinq ans ce printemps-là. Elle vivait à Grand Junction, Colorado, une ville située sur la nationale 70, juste à l'est de la frontière entre l'Utah et le Colorado. Le dimanche 6 avril, Denise se disputa avec son mari et quitta la maison sur sa bicyclette jaune pour aller chez ses parents. Peut-être sa colère diminuait-elle à mesure qu'augmentait la distance entre elle et son mari. C'était une très belle journée de printemps. Peut-être se disait-elle aussi que cette dispute était stupide. Peut-être avait-elle l'intention de rentrer le soir même et de se réconcilier...

Il faisait chaud. Denise portait un jean et un chemisier imprimé à manches longues. Personne ne se souvient d'avoir vu cette jolie brune pédaler sur son vélo à dix vitesses cet après-midi-là.

Denise n'arriva jamais chez ses parents. De toute façon, ceux-ci ne l'attendaient pas. Elle ne rentra pas non plus chez elle ce soir-là et son mari supposa qu'elle était toujours fâchée.

Il allait lui laisser le temps de se calmer et l'appellerait plus tard.

Il téléphona à ses parents le lundi et fut sidéré d'apprendre qu'elle n'était jamais arrivée chez eux. La police parcourut le chemin qu'elle avait probablement emprunté et retrouva sa bicyclette et ses sandales sous un viaduc près d'un pont de chemin de fer, non loin de la rivière Colorado. Le vélo était en parfait état de marche : il n'y avait aucune raison de l'abandonner là.

Comme Julie Cunningham, Denise Oliverson s'était évanouie dans la nature.

D'autres filles devaient disparaître dans le Colorado au cours de ce magnifique printemps 1975.

Le 15 avril, Melanie Cooley, dix-huit ans, qui ressemblait assez à Debby Kent pour pouvoir être sa jumelle, quitta son lycée de Nederland, une petite bourgade de montagnes quatre-vingts kilomètres à l'ouest de Denver. Huit jours plus tard, des cantonniers retrouvaient son corps meurtri sur la route de Coal Creek Canyon, à trente kilomètres de là. Elle avait l'arrière du crâne défoncé – probablement à l'aide d'un bout de rocher – et ses poignets étaient liés. Une taie d'oreiller crasseuse, ayant peut-être servi de garrot ou de bandeau, était toujours nouée autour de son cou.

Le 1er juillet, Shelley K. Robertson, vingt-quatre ans, ne se présenta pas à son travail à Golden, Colorado. Sa famille se renseigna et apprit que des amis l'avaient vue la veille. Un agent de police se souvint de l'avoir aperçue dans une station-service de Golden le 1er juillet en compagnie d'un homme aux cheveux ébouriffés au volant d'une vieille camionnette découverte. Personne ne l'avait revue par la suite.

Shelley pratiquait beaucoup l'auto-stop et sa famille essaya de se persuader qu'elle avait décidé sur un coup de tête d'aller visiter un autre État. Mais l'hypothèse perdait de sa vraisemblance à mesure qu'approchait la fin de l'été.

Son corps dénudé fut découvert par deux étudiants le 21 août, à cent cinquante mètres au fond d'une mine au pied du col de Berthoud. Le processus de décomposition étant très avancé, les causes de la mort furent impossibles à déterminer. Située à près de cent soixante kilomètres de Denver, la mine était assez proche de Vail. On la fouilla de fond en comble dans l'éventualité où le corps de Julie Cunningham s'y trouverait aussi, mais sans résultat.

Puis les disparitions cessèrent. Partout, dans chaque juridiction, les détectives avaient interrogé parents, amis, et psychopathes sexuels connus. Tous avaient été mis hors de cause sur présentation d'un alibi ou après un passage au détecteur de mensonges.

De toutes les victimes, aucune n'avait les cheveux courts, aucune ne pouvait être décrite autrement que comme étant jolie. Et aucune n'aurait volontairement suivi un inconnu ; même celles qui faisaient de l'auto-stop étaient prudentes. Pourtant, un dénominateur commun affectif les reliait toutes : quelque chose s'était mal passé dans la vie de chacune d'elles dans les jours qui avaient précédé leur disparition. Quelque chose qui pesait sur leur esprit, et qui avait pu faire d'elles des proies plus faciles pour un chasseur rusé.

Brenda Baker et Kathy Devine faisaient une fugue ; Lynda Ann Healy était malade ; Donna Manson était dépressive ; Susan Rancourt se trouvait dehors sur le campus à la nuit tombée pour la première fois de sa vie ; Roberta Kathleen Parks était déprimée et perturbée par la maladie de son père ; Georgeann Hawkins était angoissée par son examen du lendemain ; Janice Ott était déprimée et en voulait à son mari en ce dimanche de juillet ; Denise Naslund s'était disputée avec son petit ami. De toutes ces femmes disparues dans l'État de Washington, seule Brenda Ball avait sa bonne humeur habituelle la dernière fois que ses amis l'avaient vue. Pourtant les clients de la *Taverne de la Flamme* se souviennent qu'elle était ennuyée de ne pas avoir trouvé quelqu'un pour la raccompagner chez elle cette nuit-là.

Dans l'Utah, Carol DaRonch était une jeune fille naïve, trop confiante ; Laura Aime était un peu soûle, déçue que ses projets de soirée pour Halloween aient tourné en eau de boudin ; Debby Kent était inquiète à cause de la récente crise cardiaque de son père et voulait lui épargner à tout prix le moindre tracas ; Melissa Smith songeait probablement au chagrin d'amour de son amie quand elle avait quitté la pizzeria.

Les victimes du Colorado étaient préoccupées. Caryn Campbell s'était disputée avec son fiancé, qui repoussait leur mariage ; Julie Cunningham était déprimée à la suite d'un échec amoureux ; Denise Oliverson s'était querellée avec son mari ; et Shelley K. Robertson avait eu des mots avec son petit ami le week-end ayant précédé sa disparition. L'état d'âme de Melanie Cooley reste un mystère.

L'homme qui avait approché ces jeunes femmes avait-il senti d'une façon ou d'une autre qu'elles étaient particulièrement vulnérables à cet instant, qu'elles ne pensaient ni ne réagissaient plus aussi clairement que d'habitude ? C'était presque envisageable. Le prédateur entraîne le plus faible à l'écart du troupeau, puis tue tranquillement sa proie.

15

Au mois de mai 1975, Ted Bundy invita quelques-uns de ses amis de la DPU dans son appartement de la First Avenue, à Salt Lake City. Carole Ann Boone Anderson, Alice Thissen et Joe McLean passèrent près d'une semaine avec lui. Ted leur parut d'excellente humeur et prit plaisir à leur faire visiter la région. Il les emmena aussi nager à la piscine et monter à cheval. Un soir, avec Callie, il les entraîna dans une boîte pour homosexuels. Alice fut quelque peu surprise de l'attitude de Ted : il leur avait dit y être déjà venu plusieurs fois, mais il paraissait plutôt mal à l'aise.

Le trio trouva l'appartement de Ted très agréable ; il avait découpé des photographies dans des magazines et essayé d'y recréer le décor qu'il affectionnait. Le pneu de bicyclette pendait toujours au bout de son crochet de boucher dans la cuisine et il s'en servait pour y suspendre ses couteaux et autres ustensiles de cuisine. Il possédait un poste de télévision en couleurs et une bonne chaîne stéréo sur laquelle il mit du Mozart pour accompagner les repas gastronomiques qu'il leur prépara.

Au cours de la première semaine de juin, Ted revint à Seattle pour s'occuper du jardin des Rogers et passa le plus clair de son temps avec Meg. Elle ne lui avoua toujours pas qu'elle avait appelé la police des comtés de King et de Salt Lake à son sujet. Les cas de disparition avaient disparu de la une des journaux locaux.

Meg et Ted décidèrent de se marier après Noël. Même s'ils ne passaient que cinq jours ensemble en juin, ils s'organisèrent pour qu'elle vienne lui rendre visite dans l'Utah au mois d'août. Meg était pratiquement certaine de s'être trompée, d'avoir laissé Lynn Banks lui remplir la tête de soupçons infondés.

Mais le temps leur était compté, bien plus parcimonieusement que Ted ou Meg ne pouvaient l'imaginer.

Si Ted avait quelque chose sur la conscience pendant l'été 1975, il ne le montra pas. Il travaillait toujours comme agent de la sécurité, gérait l'immeuble où il logeait et, s'il buvait de plus en plus, il faut bien reconnaître que les beuveries faisaient partie intégrante de la vie universitaire. Mais sa moyenne avait continué de chuter et ses résultats étaient bien loin de ce que son potentiel de travail, son Q.I. et son ambition démesurée laissaient envisager.

Il était près de 2 h 30 du matin le 16 août quand le sergent Bob Hayward, un homme solidement bâti, appartenant depuis vingt-deux ans à la sécurité routière de l'Utah, gara sa voiture devant chez lui, à Granger. Bob Hayward était le frère du capitaine Pete Hayward, du bureau du shérif du comté de Salt Lake, mais ses fonctions étaient différentes. Comme son nom l'indique, la sécurité routière ne s'occupe que de la circulation. Mais Hayward possédait cette espèce de sixième sens qu'ont presque tous les flics de carrière, cette capacité à enregistrer des détails inhabituels et imperceptibles.

Dans l'aurore parfumée de cette matinée d'août, Hayward remarqua une coccinelle VW de couleur pâle qui passait devant chez lui. Le quartier était strictement résidentiel et il connaissait pratiquement tous les riverains de sa rue ainsi que leurs voitures. Il y avait très rarement de la circulation à cette heure de la journée et il se demanda ce que cette Volkswagen faisait là.

Hayward alluma ses phares afin de pouvoir lire la plaque minéralogique du véhicule. Les feux de la coccinelle s'éteignirent et elle accéléra brusquement. Hayward déboîta et la prit en chasse. Le véhicule poursuivi franchit deux stops sans s'arrêter et débaula sur l'avenue principale.

Hayward ne tarda pas à le rattraper. La Volkswagen, plus lente, se rangea alors sur le parc d'une station-service abandonnée. Le conducteur sortit de sa voiture, se dirigea vers l'arrière, le sourire aux lèvres et dit d'un air piteux :

151

– Je crois que je me suis perdu.

Bob Hayward était plutôt bourru. Il examina celui qui se tenait devant lui, un homme d'environ vingt-cinq ans, vêtu d'un blue-jean, d'un pull à col roulé et portant des chaussures de tennis et des cheveux mi-longs tout ébouriffés.

– Vous avez brûlé deux stops. Puis-je voir vos permis de conduire et carte grise ?

– Bien sûr.

L'homme présenta ses papiers.

Hayward vérifia le permis. Délivré à Theodore Robert Bundy, domicilié à Salt Lake City.

– Que faites-vous par ici à cette heure ?

Bundy répondit qu'il était allé voir *La Tour infernale* au cinéma en plein air Redwood. Il rentrait chez lui quand il s'était perdu.

Ce n'était pas la bonne réponse à donner. Le cinéma en question se trouvait dans le secteur de Hayward. Le policier était passé devant plus tôt dans la nuit. On n'y jouait pas *La Tour infernale.*

Tandis que Bundy et le sergent discutaient, deux autres agents de la sécurité routière immobilisèrent leur véhicule derrière celui de Hayward. Ils se contentèrent d'observer la situation de l'intérieur de leur habitacle. Hayward ne paraissait pas en danger.

Hayward jeta un coup d'œil à la Volkswagen et remarqua que le siège du passager avait été retiré et posé à l'envers sur le siège arrière.

Il se retourna vers Ted Bundy :

– Ça ne vous ennuie pas que je jette un coup d'œil dans votre voiture ?

– Allez-y.

Le sergent aperçut une petite pince à levier sur le plancher juste derrière le siège du conducteur et une sacoche ouverte à l'avant, contenant quelques objets : un passemontagne, un pied-de-biche, un pic à glace, de la corde, du fil de fer.

Aux yeux de Hayward, tout cela ressemblait fort à du matériel de cambrioleur.

Hayward mit Ted Bundy en état d'arrestation pour délit de fuite, le fouilla et lui passa les menottes. Puis il contacta le comté de Salt Lake pour obtenir l'appui d'un inspecteur de service. Darrell Ondrak était chargé du troisième quart cette nuit-là. Il prit donc l'appel et rejoignit Hayward, Fife et Twitchell sur place.

Longtemps, Bundy a maintenu qu'il n'a jamais donné l'autorisation de fouiller sa voiture ; Ondrak et Hayward affirment le contraire.

– Je n'ai jamais dit : « Oui, je vous permets de fouiller ma voiture », dit Ted, mais j'étais entouré d'hommes en uniforme : le sergent Hayward, deux représentants de la sécurité routière, deux adjoints... Je ne tremblais pas comme une feuille, mais... mais je sentais bien que je ne pouvais pas les en empêcher. Ils étaient déterminés, ils m'étaient hostiles et ils allaient faire exactement tout ce qui leur chanterait !

Ondrak regarda dans la sacoche de toile et y vit le pic à glace, une lampe torche, des gants, des bandes de drap déchirées et une autre cagoule confectionnée à partir d'un collant. Un objet grotesque : des trous avaient été découpés pour les yeux dans la partie culotte et les jambes étaient nouées au sommet. Il y avait aussi une paire de menottes.

Ondrak fouilla aussi le coffre, y trouva de grands sacs à ordures en plastique vert.

– Où avez-vous ramassé tout ça ? demanda-t-il à Ted.

– Ce ne sont que des cochonneries que j'ai sorties de chez moi.

– Ça ressemble drôlement à des outils de cambrioleur, dit Ondrak sur un ton neutre. Je confisque tout ça et je crois bien que le district attorney va vous inculper pour détention d'outils de cambriolage.

D'après Ondrak, Ted répondit simplement :

– Bien.

L'inspecteur Jerry Thompson croisa Ted Bundy tôt le matin du 16 août 1975. Grand, bien de sa personne, environ son aîné de cinq ans, Thompson allait devenir plus tard un adversaire acharné de Bundy. Thompson était très occupé et Bundy était déterminé à s'en sortir et à rentrer chez lui. Il fut relâché sous caution personnelle.

C'était la première fois depuis qu'il avait atteint sa majorité que Ted Bundy se faisait arrêter. Et c'était totalement par hasard ; s'il n'était pas passé devant la maison du sergent Hayward et n'avait pas essayé de prendre la fuite, il serait rentré tranquillement chez lui.

Pourquoi avait-il pris la fuite ?

Le 18 août, Thompson parcourut les procès-verbaux du week-end. Le nom de Bundy accrocha son regard. Ce nom lui était familier, mais il ne parvenait pas à le resituer. Il ne connaissait même pas celui de l'homme arrêté samedi matin. Puis cela lui revint. Ted Bundy était cet individu qu'une fille de Seattle avait dénoncé en décembre 1974.

Thompson relut scrupuleusement le rapport de l'arrestation de Bundy. Sa voiture était une coccinelle VW de couleur claire. La liste des objets découverts à l'intérieur lui paraissait tout à fait inhabituelle. Il sortit les dossiers de Carol DaRonch et Debby Kent.

Les menottes découvertes dans la voiture de Bundy étaient de marque Jana ; celles qu'on avait ôtées du poignet de Carol DaRonch étaient des Gerocal ; mais il se demanda simplement combien d'hommes trimbalaient avec eux une paire de menottes... Puis il y avait ce pied-de-biche, similaire à celui avec lequel Carol DaRonch avait été menacée...

Ted Bundy était décrit comme mesurant un mètre quatre-vingts et pesant soixante-dix-sept kilos. Étudiant en droit à l'université de l'Utah... Oui, c'était bien ce que sa petite amie de Seattle avait dit aussi. Il avait été arrêté à Granger, à quelques kilomètres seulement de Midvale, où Melissa Smith avait été aperçue en vie pour la dernière fois.

Thompson avait là, devant lui, plus de présomptions, plus de points communs qu'il n'en avait eu en dix mois, depuis qu'il essayait de retrouver l'homme à la Volkswagen : le fameux « agent Roseland ».

Le 21 août, Ted Bundy fut placé en détention préventive pour possession d'outils de cambriolage. Il n'eut pas l'air troublé outre mesure par son arrestation et fournit d'habiles explications à la présence des objets trouvés dans sa voiture. Les menottes ? Il les avait trouvées dans une décharge à ordures. Il portait le masque taillé dans un collant sous son passe-montagne uniquement pour se protéger des vents glacés qui soufflaient sur les pentes. Et après tout, tout le monde

154

possédait un pied-de-biche, un pic à glace et des sacs-poubelle, non ? Bundy avait l'air amusé de voir que les inspecteurs considéraient tout cela comme des outils de cambriolage.

L'arrestation effectuée par le sergent Hayward déclencha une intense activité au bureau du shérif du comté de Salt Lake. Le capitaine Pete Hayward et Jerry Thompson pressentaient qu'ils tenaient là l'homme qui avait tenté d'enlever Carol DaRonch. Ils le soupçonnaient d'être aussi le responsable des disparitions de Melissa, de Laura et de Debby.

Ted signa volontiers une autorisation de perquisition de son appartement de la First Avenue et y accompagna les détectives Thompson et John Bernardo. Il ne s'agissait pas d'une perquisition à domicile ordonnée par la justice ; il n'y avait donc pas de mandat ni de liste d'objets particuliers à relever. En bref, cela signifiait que les policiers n'avaient pas l'autorité requise pour confisquer quoi que ce soit dans l'appartement de Ted – même s'ils tombaient sur une pièce à conviction éventuelle. Si cela arrivait, ils devraient adresser au juge d'instruction une demande de mandat pour inventorier tous les objets en question.

Thompson leva les yeux vers le pneu de bicyclette pendu au crochet de boucher et auquel était accroché tout un assortiment de couteaux de cuisine. Puis il les posa sur la planche à découper. Ted suivit le regard de Thompson et dit sur un ton badin :

– J'aime cuisiner.

Les inspecteurs remarquèrent la bibliothèque pleine de livres de droit. Quelques mois plus tard, un policier du Washington me confierait que les enquêteurs de l'Utah étaient tombés sur un « ouvrage sexuel bizarre » parmi les livres de Ted. Quand j'interrogeai Ted par la suite à ce sujet, il me dit qu'il possédait un exemplaire de *Joy of Sex* d'Alex Comfort. Je ris. J'en possédais aussi un exemplaire, comme des milliers d'autres gens.

Il y avait aussi d'autres objets, inoffensifs à première vue, mais qui revêtaient beaucoup de sens à la lumière de l'enquête en cours : une carte touristique des stations de ski du Colorado, sur laquelle l'hôtel *Wildwood* d'Aspen était entouré d'un cercle, et une brochure de la base de loisirs de Bountiful.

155

Quand on lui posa la question, Ted répondit qu'il n'avait jamais mis les pieds dans le Colorado et qu'un de ses amis avait dû oublier la carte chez lui. Il était possible qu'il soit passé une fois par Bountiful, Utah, mais il pensait que quelqu'un d'autre avait dû laisser traîner cette brochure à son domicile.

Thompson affirme aujourd'hui qu'il a vu des souliers de cuir verni dans le placard de Ted Bundy lors de cette première visite. Ils avaient disparu quand il est revenu plus tard muni d'un mandat. Un poste de télévision et une chaîne stéréo qui s'étaient trouvés là s'étaient également volatilisés.

Si les deux hommes pensaient trouver assez d'indices pour inculper Ted des meurtres commis dans l'Utah, ils en furent pour leurs frais. Il n'y avait ni vêtement de femme, ni bijou, ni sac à main.

Quand ils eurent fouillé tout l'appartement, Ted leur permit de photographier sa Volkswagen, garée derrière l'immeuble. Elle était cabossée, rouillée par endroits et la garniture du siège arrière était déchirée.

Bernardo et Thompson s'en allèrent ; ils se sentaient tout près de découvrir la vérité. Tout de même, ils étaient déconcertés par l'attitude nonchalante de Ted Bundy. Il n'avait vraiment pas l'air concerné par ce qui lui arrivait.

L'une des amies de Ted à Salt Lake City s'appelait Sharon Auer. Elle le mit en contact avec John O'Connell, un homme de grande taille, barbu, qui portait toujours des bottes et un chapeau de cow-boy. Avocat d'assises réputé, O'Connell mit immédiatement le holà aux conversations entre Ted et les détectives. Il appela Thompson pour lui dire que Ted ne se rendrait pas à sa convocation du 22 août.

Cela n'empêcha pas les policiers de montrer, parmi plusieurs autres, une photographie métrique de Ted à Carol DaRonch et au professeur d'art dramatique Jean Graham, qui avait vu cet inconnu rôder dans l'école peu avant la disparition de Debby Kent.

Dix mois déjà s'étaient écoulés, mais Mme Graham choisit la photo de Bundy presque sans hésiter. Le cliché le montrait rasé de près ; elle dit que Ted Bundy était le sosie de l'homme qu'elle avait vu, qu'il ne lui manquait que la moustache.

Carol DaRonch ne fut pas aussi catégorique. La première fois qu'elle feuilleta le classeur de photographies, elle mit celle de Ted Bundy à l'écart, mais sans rien dire. Quand Thompson lui demanda pourquoi elle avait choisi cette photo en particulier, elle parut réticente :

– Je ne sais pas. Ça lui ressemble un peu, mais je ne peux vraiment rien affirmer.

Le lendemain, l'inspecteur Ira Beal, de Bountiful, lui montra une série de photographies de permis de conduire. Dans ce lot, celle de Ted Bundy tel qu'il était en décembre 1974, c'est-à-dire très différent de sa fiche anthropométrique établie en août 1975. Ted avait toujours tenu du caméléon et son apparence changeait radicalement d'une photographie à l'autre sans qu'il fasse le moindre effort pour cela.

Carol examina le second jeu de portraits et, cette fois, choisit presque immédiatement celui de Ted Bundy. Tout comme le professeur d'art dramatique, elle fit remarquer qu'il portait une moustache quand elle l'avait rencontré le 8 novembre 1974.

L'identification de la Volkswagen par la victime du rapt fut moins évidente. Elle en avait vu les photos à de nombreuses reprises, mais quand elle vit enfin la voiture, celle-ci avait été poncée, les taches de rouille repeintes et la déchirure dans le siège arrière recousue. Elle avait aussi été briquée et nettoyée de fond en comble.

À dater de ce jour, Ted Bundy n'échapperait plus au regard des forces de l'ordre. Il n'était pas en prison, mais c'était tout comme. Il se trouva sous surveillance constante dès septembre 1975, tandis que les rouages de la machine judiciaire tournaient en arrière-plan. Les relevés de sa carte de crédit-essence et ses dossiers universitaires avaient été réclamés. Mais ce qui était probablement le plus dramatique, concernant ses perspectives de liberté, c'est que la police de l'Utah avait pris contact avec sa fiancée, Meg Anders.

16

Un jour de septembre 1975, mon téléphone sonna. Ted appelait de Salt Lake City. Je fus étonnée mais néanmoins heureuse d'entendre le son de sa voix. Je ressentis un brin de culpabilité quand il me dit :

– Ann, tu es l'une des rares personnes en qui je puisse avoir confiance à Seattle.

Super ! Je me souvenais très bien d'avoir donné son nom à Dick Reed en août 1974. Jusqu'à quel point me trouverait-il digne de confiance s'il le savait ? Mais cela faisait déjà longtemps et il n'avait pas donné signe de vie depuis cette époque. Je voulais lui demander ce qu'il faisait à Salt Lake City, mais il avait une idée derrière la tête.

– Dis-moi, tu es en contact avec la police... Pourrais-tu essayer de savoir pourquoi ils requièrent mes dossiers universitaires à Salt Lake ?

Toutes sortes de pensées me traversaient l'esprit. Pourquoi maintenant ? Après treize mois ? L'avais-je impliqué dans quelque chose qui le touchait de près ? Je n'avais jamais entendu parler des crimes commis dans l'Utah...

Je pesai mes mots :

– Ce doit être possible, Ted, mais je ne le ferai pas dans leur dos. Il faudra que je leur dise pour qui est l'information.

– Sans problème ; c'est par pure curiosité. Vas-y, dis-leur que Ted Bundy voudrait le savoir. Rappelle-moi en PCV au 801-531-7733 si tu sais quelque chose.

Je contemplai le récepteur dans ma main sans arriver à croire que notre conversation s'arrêtait là. J'hésitai à appeler la police de King. Jamais encore je ne m'étais immiscée dans leurs enquêtes. Il était près de 16 heures ; la relève allait s'opérer d'ici quelques minutes.

J'appelai finalement la section d'enquêtes sur les crimes de sang et tombai sur Kathy McChesney. Je lui expliquai que Ted Bundy était un vieux copain, qu'il venait de m'appeler à l'instant et voulait savoir la raison de cette réquisition dont ses dossiers universitaires faisaient l'objet. Il y eut un long moment de silence pendant lequel elle couvrit le combiné tandis qu'elle s'entretenait avec quelqu'un d'autre dans le bureau, puis elle me répondit :

— Dites-lui qu'il est simplement une des mille deux cents personnes actuellement soumises à un contrôle ; qu'il ne s'agit que d'une enquête de routine.

Ils essayaient de gagner du temps. Je fréquentais la police judiciaire depuis assez longtemps pour savoir que jamais on ne requiert les dossiers d'un si grand nombre de suspects. Il y avait décidément anguille sous roche. Je n'insistai pas ; Kathy était manifestement mal à son aise.

Je rappelai Ted le soir même, laissant le téléphone sonner six ou sept coups. Il finit par répondre, tout essoufflé :

— J'ai dû monter l'escalier en courant. J'étais en bas, devant la porte.

— Je les ai appelés, commençai-je. Ils m'ont dit que tu étais sur une liste de mille deux cents personnes sur lesquelles ils effectuent des contrôles de routine.

— Oh... Ah, bon. Très bien.

Il n'avait pas l'air inquiet. Je me demandai quand même comment quelqu'un d'aussi intelligent que Ted pouvait avaler pareille couleuvre.

— Si tu veux savoir autre chose, ils m'ont dit de te dire de les appeler directement.

— Bien.

— Ted... que se passe-t-il de ton côté ?

— Oh, rien d'important. Je me suis fait arrêter pour une peccadille au mois d'août. La police prétend que j'avais des outils de cambriolage dans ma voiture, mais les charges ne tiendront pas. Et je crois qu'ils se sont fourré dans la tête l'idée folle que je pouvais être impliqué dans certaines affaires arrivées dans l'État de Washington. Tu te souviens de ces histoires de disparition ?

Évidemment, je m'en souvenais ! Elles ne m'avaient pas quittée depuis janvier 1974. Ted prétendait ne rien savoir de ces affaires et n'avait mentionné le fait qu'incidemment, comme s'il ne s'agissait que d'une banale infraction au code de la route. Je ne savais que dire. J'étais certaine que si quelque chose se préparait, cela ne pouvait en aucun cas être dû à mon seul geste de délation.

– Je vais prendre part à une séance d'identification demain, dit-il. Tout va bien se passer. Mais si jamais ça devait mal tourner, tu entendras parler de moi dans les journaux.

Il n'avait pas fait la moindre allusion au rapt de Carol DaRonch et je n'arrivais pas à comprendre quel rapport il pouvait y avoir entre une séance d'identification dans l'Utah et les affaires de l'État de Washington. Mais quelque chose me retenait de lui en demander plus.

– Et merci pour tout. Je te rappellerai, ajouta-t-il avant de me dire au revoir.

Le 2 octobre, par une superbe journée d'automne, j'assistai à un match de football américain interlycée dans lequel mon fils jouait. Sur le chemin du retour, j'allumai la radio dans la voiture et un bulletin spécial d'informations interrompit le programme musical :

« Theodore Robert Bundy, un ancien habitant de Tacoma, a été arrêté hier à Salt Lake City sous la double inculpation de rapt et de tentative d'homicide volontaire. »

Je dus avoir un hoquet de surprise, car mon fils se tourna vers moi.

– Maman ! Qu'est-ce qu'y t'arrive ?

– C'est Ted, parvins-je à articuler.

– Ton copain du CAU ?

– Oui. Il m'avait dit que j'entendrais peut-être parler de lui dans les journaux.

Cette fois-ci, il n'était pas question de le relâcher sous caution personnelle. Ted était sous les verrous et sa caution avait été fixée à cent mille dollars.

Dick Reed m'appela le soir même.

– Vous aviez raison ! me dit-il.

Mais je ne voulais pas avoir eu raison ! Je dormis peu cette nuit-là. Même quand je lui avais donné le nom de Ted, je n'avais jamais imaginé qu'il pût être réellement capable de violence : Je continuais à voir Ted comme je l'avais connu ; je le revoyais penché sur le téléphone au CAU, j'entendais sa voix chaude et amicale. J'essayais de l'imaginer en prison et je ne pouvais pas.

Tôt le lendemain matin, je reçus un appel de l'agence Associated Press.

— Nous avons un message pour Ann Rule, en provenance de Salt Lake City.

— C'est moi.

— Ted Bundy vous fait savoir qu'il va bien et que les choses vont s'arranger.

Je raccrochai et le téléphone resonna presque immédiatement. Ce fut d'abord un journaliste du *Seattle Times* qui voulait savoir quels étaient mes liens avec Ted Bundy. Je lui expliquai qui j'étais : une journaliste, comme lui. Puis ce fut un reporter du *Seattle Post-Intelligencer* qui avait aussi intercepté le message envoyé par l'AP. Je lui répétai ce que j'avais dit à l'autre.

C'était comme si quelqu'un venait brutalement de mourir. Les gens qui avaient connu Ted au CAU s'appelaient tous pour parler de lui. Aucun d'entre nous ne croyait Ted capable de faire ce dont il était accusé. Cela nous paraissait impensable.

J'ignorais à ce moment-là que Carol DaRonch, Jean Graham et Jolynne Beck, l'amie de Debby Kent qui avait aperçu l'homme dans l'auditorium de l'école le 8 novembre, étaient catégoriques. Toutes avaient formellement reconnu Ted Bundy au cours de la séance d'identification du 2 octobre. Ted avait été placé au milieu de sept autres policiers en civil, tous un peu plus âgés et un peu plus costauds qu'il ne l'était. Ce choix était-il judicieux ? La question devait être soulevée par la suite.

J'écrivis à Ted le 4 octobre pour lui faire part du soutien dont il bénéficiait à Seattle, des appels de ses amis, des témoignages en sa faveur que publiait la presse locale et je promis de continuer à lui écrire.

J'allais de nouveau entrer dans la vie de Ted Bundy. Aujourd'hui encore, je me demande ce qui a bien pu nous lier. C'était bien plus que mon intérêt d'auteur ; bien plus que cette tendance qu'il avait à manipuler les femmes susceptibles de lui apporter de l'aide. Il y avait, entre ces deux pôles, une étendue de motivations floues que je n'ai jamais pu définir clairement.

L'avocat de Ted, John O'Connell, m'appela au cours de la première semaine que Ted passa en prison. Il voulait obtenir des informations concernant les progrès des enquêtes en cours dans le Washington. Je ne pus rien lui dire : cela eût été trahir la confiance des détectives de Seattle. Tout ce que je pouvais faire, c'était continuer à écrire à Ted. Quels qu'aient pu être ses crimes, il paraissait avoir besoin de quelqu'un.

Je commençais à me sentir déchirée.

Et Ted commença à m'écrire de longues lettres griffonnées sur le papier jauni fourni par l'administration pénitentiaire. Sa première lettre était celle d'un jeune homme complètement désorienté – qui ne connaissait pas la prison. Il n'arrivait pas tout à fait à le réaliser ; il était à la fois étonné et outragé, mais il apprenait vite les méthodes de survie en milieu carcéral. Sa prose était ampoulée, tout y était dramatisé à l'extrême, mais il se trouvait dans une situation qui lui paraissait impensable et on pouvait donc lui pardonner une certaine tendance au pathétique.

Mon univers est une cage, m'écrivit-il le 8 octobre 1975. *Combien d'hommes avant moi ont écrit ces mêmes mots ? Combien ont lutté en vain pour décrire la cruelle métamorphose qui s'opère lorsque l'on se retrouve en captivité ? Combien sont parvenus à la conclusion qu'il n'existe pas de mots satisfaisants pour exprimer leurs sentiments, hormis pleurer : « Mon Dieu ! Rendez-moi la liberté ! »*

Le compagnon de cellule de Ted était un familier des lieux. Il avait une cinquantaine d'années et Ted le voyait comme un « alcoolique marqué par le sort ». L'homme se mit rapidement en devoir d'enseigner toutes les ficelles au jeunot. Ted apprit à cacher ses cigarettes ou à les rouler quand il n'en avait plus. Il apprit à fendre les allumettes dans le sens de la longueur – car elles étaient rares. Il comprit qu'il était absolument à la merci des caprices des gardiens, qui régnaient en maîtres pour

162

tout ce qui concernait les menus objets de la vie quotidienne. Alors il se mit à économiser les oranges, les gobelets en polystyrène, le papier hygiénique... Il apprit à dire « s'il vous plaît » et « monsieur » quand il voulait un savon, une couverture ou passer un coup de téléphone.

Il m'écrivit qu'il découvrait des choses sur lui-même et sur les autres en observant ses codétenus. Il louait la loyauté de ses amis et se plaignait du tort que la presse pouvait causer à ses proches. Mais il restait optimiste quant à l'issue des événements.

> *Les heures nocturnes sont les plus dures à supporter. Je les passe en songeant à tout ce qu'il faudra reconstruire une fois que la tempête sera passée. Je serai libre. Et, un jour, Ann, tu regarderas cette lettre comme si je te l'avais postée d'un cauchemar.*

Elle venait bien d'un cauchemar ! La banalité des phrases ne parvenait pas à dissimuler que Ted vivait une sorte d'enfer personnel. Je continuai de lui écrire et de lui envoyer des petits chèques, le peu que je pouvais, pour ses cigarettes et les petits extra de la cantine.

Je reçus une seconde lettre de la prison du comté de Salt Lake le 23 octobre. Une grande partie était constituée par un long poème sur la vie en prison. Ted y jouait toujours le rôle d'observateur plus que de participant. Le poème couvrait seize pages du papier jaune réglementaire. Il l'avait intitulé *Jours et Nuits* et commençait ainsi :

> *Je suis incarcéré*
> *Privé de ma liberté*
> *L'homme ne peut vivre*
> *Qu'en étant libre.*

La prosodie n'était pas au point, mais les rimes convenaient. Il rabâchait ses plaintes au sujet du manque d'intimité, de la cuisine de la prison, de l'omniprésence des jeux et des feuilletons interminables à la télévision – des émissions qu'il qualifiait de cancérigènes.

Il parlait aussi de sa foi en Dieu – un sujet qui reviendrait souvent sous sa plume. Nous n'avions jamais parlé de religion, mais il me semblait que Ted consacrait à présent une grande partie de son temps à la lecture de la Bible :

> *Le sommeil me gagne doucement*
> *À lire la parole du Tout-Puissant*
> *Les Écritures me parlent de sérénité*
> *Et m'apportent la tranquillité*
> *Elles me rapprochent de Dieu*
> *Ici, cela paraît curieux*
> *Mais si évident est Son don*
> *Que je Le sais proche de ma prison*
> *Miséricorde et rédemption*
> *Pour tous sans exception*
> *En moi Il répand la paix*
> *Geôlier, fais donc ce qui te plaît*
> *Rien ne peut m'arriver*
> *Quand par le Sauveur je suis appelé.*

Il abordait aussi un autre sujet dans son poème-fleuve : le sommeil. Il ne parvenait pas à oublier son cauchemar quotidien, les barreaux, les cris des autres prisonniers dans la nuit, aussi faisait-il autant de siestes que possible. Il était piégé dans une *marée humaine en cage*.

Sautant du coq à l'âne il passait facilement de la Bible au menu de la cantine et retrouvait un peu de son humour d'antan :

> *Ce soir, côte de porc*
> *Ils sont plutôt retors*
> *J'ai donné la mienne*
> *Au chien de la chienne*
> *Quant au dessert*
> *Le cuistot, ce vieux clerc*
> *A étonné notre nez*
> *Avec de la pêche en gelée.*

Jusqu'au bout, Ted se plaindrait de la pêche en gelée.

À cette époque, j'avais encore le sentiment d'être en partie responsable de son arrestation. Des années allaient s'écouler avant que j'apprenne que mon information avait été vérifiée puis classée bien avant que la partie de chasse ne fût véritablement engagée. Ce n'étaient pas mes doutes qui l'avaient épinglé au mur, mais ceux de Meg.

L'ambiguïté de cette amitié faillit me coûter cher. Je sus par la rumeur que la police du comté de King voulait les deux lettres que Ted m'avait écrites. Si je ne les leur procurais pas, je pouvais dire adieu à toutes les informations qu'ils me fournissaient. Cela représentait un quart de mes sources de renseignements – je ne pouvais évidemment pas me le permettre.

Je m'adressai directement à Nick Mackie. Je lui dis franchement ce que je pensais et lui expliquai quelle était ma vie à ce moment-là. Je lui dis que le père de mes enfants était mourant. Ce n'était plus qu'une question de semaines, de quelques mois au plus.

– J'ai dû expliquer ça à mes fils et ils refusent de le croire. Ils me détestent car, pour les préparer, j'ai dû formuler des mots qu'ils ne voulaient pas entendre. Il est tellement malade que je n'ai plus le moindre soutien financier de sa part, et j'essaie de me débrouiller toute seule. Si je ne peux plus relater les affaires du comté, je coule à pic.

Mackie était un homme juste. Plus que cela : il me comprenait. Il avait lui-même perdu sa femme quelques années auparavant et élevait ses deux fils tout seul. Mes paroles touchèrent une corde sensible. Sans compter que nous étions amis depuis des années.

– Personne n'a jamais dit que vous n'auriez plus accès à nos services. Je ne le permettrais pas. Vous pouvez me faire confiance, vous le savez ; vous avez toujours joué franc-jeu avec nous et je vous respecte ne serait-ce que pour cela. Bien sûr nous aimerions voir ces lettres mais, que vous nous les donniez ou non, les choses resteront entre nous telles qu'elles sont.

– Nick, lui dis-je en toute honnêteté, j'ai lu et relu ces lettres des dizaines de fois et je n'y ai absolument rien trouvé qui montre que Ted éprouve la moindre culpabilité, même par des dérapages inconscients. Si vous me laissez lui demander la permission de vous les montrer, et s'il est d'accord, alors

165

je vous les apporterai dans l'heure. C'est la seule manière honnête de procéder.

Nick Mackie me donna son accord. J'appelai Ted, lui expliquai le problème et il accepta volontiers que je fasse lire ses lettres aux détectives du comté. Il n'avait rien à redouter.

Je pris rendez-vous avec Mackie et le Dr John Berberich, psychologue de la police de Seattle. Ils étudièrent la première lettre et le poème. Rien dans leur contenu ne s'apparentait à des aveux, conscients ou inconscients.

Berberich, qui était bâti comme un joueur de basket, s'entretint avec Mackie et moi pendant le déjeuner. Me souvenais-je de quelque chose – un détail, n'importe quoi – dans la personnalité de Ted qui ait pu le rendre suspect à mes yeux ? Je me creusai la tête en vain. Je ne trouvai pas le moindre incident digne d'être mentionné.

– Je le trouvais même particulièrement charmant, répondis-je. Je voudrais vous aider. Je voudrais être utile à l'enquête, et je voudrais aider Ted aussi, mais il était tout à fait normal – je n'ai jamais rien remarqué de bizarre en lui. Ted est un enfant illégitime, mais il semble avoir surmonté ce problème.

Je pensais que Ted ne m'écrirait plus après que j'eus montré ses lettres à la police. Il savait que j'évoluais dans le cercle même des enquêteurs qui essayaient de le coincer. Mais il m'écrivit encore et l'ambiguïté de ma position ne fit que s'accentuer.

Afin de débrouiller un peu mes sentiments, j'allai consulter un psychiatre et lui remis les lettres.

– Je suis perdue. Je n'arrive même plus à savoir quelles sont mes motivations. Une partie de moi se demande si Ted Bundy est coupable, non seulement dans les cas instruits dans l'Utah mais aussi dans les affaires survenues ici, dans l'État de Washington. Si c'est le cas, alors je peux écrire un livre en bénéficiant d'un point de vue qui ferait envie à n'importe quel auteur. Égoïstement, c'est ce que je souhaite pour le bénéfice de ma propre carrière et parce que ça signifie pour moi l'indépendance financière. Je pourrais envoyer mes enfants en fac et nous irions habiter dans une maison qui ne s'effondre pas sur nos têtes.

Il me regarda.

– Et...

– Et, d'un autre côté, cet homme est mon ami. Mais est-ce que je lui écris et le soutiens moralement parce que je veux résoudre le mystère de ces meurtres, parce que j'ai aussi des dettes envers mes amis de la police ? Suis-je, en fait, en train d'essayer de le piéger ? Est-ce que je joue un double jeu avec lui ? Ai-je le droit de lui écrire alors que le sentiment qu'il puisse être coupable me ronge petit à petit ? Ma conduite est-elle honnête ?

– Laissez-moi vous poser une question. Si Ted Bundy se révélait être un meurtrier, s'il était envoyé en prison jusqu'à la fin de ses jours, que feriez-vous ? Cesseriez-vous de lui écrire ? Le laisseriez-vous tomber ?

La réponse était facile :

– Non ! Bien sûr que non. Je continuerais à lui écrire. Si ce que croient les policiers est vrai, s'il est coupable, alors il a besoin d'aide. Oui, je continuerais, je garderais le contact avec lui.

– Alors, vous avez votre réponse. Vous êtes juste, avec lui et avec vous-même.

– Il y a autre chose. Je n'arrive pas à comprendre pourquoi Ted se tourne vers moi aujourd'hui alors que je n'ai plus entendu parler de lui depuis près de deux ans. Je ne savais même pas qu'il avait quitté Seattle jusqu'au moment où il m'a appelée, juste avant d'être arrêté. Pourquoi moi ?

Le psychiatre tapota les lettres.

– D'après ceci, je devine qu'il vous considère comme une amie, peut-être même comme une espèce de figure maternelle. Il éprouve le besoin de communiquer avec quelqu'un qu'il juge intellectuellement à sa hauteur ; et il vous admire en tant qu'auteur. On peut aussi envisager une volonté de manipulation. Il sait que vous êtes proche de la police et il peut vouloir se servir de vous pour les atteindre. S'il a commis ces crimes, il est probablement exhibitionniste et il voudra un jour ou l'autre que son histoire soit racontée. Et il sent que vous pourriez faire de lui un portrait fidèle et complet, que vous sauriez cerner chaque trait de sa personnalité, intégralement.

Je me sentis un peu mieux après cela. Ted était au courant de mon contrat pour ce livre ; je ne lui avais rien caché. S'il décidait de rester en contact avec moi, c'est qu'il le souhaitait.

17

Si je me sentais coupable et un tantinet déloyale envers Ted au cours de ce printemps 1975, Meg Anders, elle, traversait un véritable enfer. Jusqu'à l'arrestation de Ted, le 16 août, la police du comté de Salt Lake n'avait accordé aucune importance à l'information que Meg leur avait fournie par téléphone. À présent, tous les détectives de l'Utah, du Colorado et de l'État de Washington étaient impatients d'apprendre ce dont elle pourrait se souvenir à propos de Ted. Tous les détails qui avaient fait qu'elle soupçonnait son amant. Ils étaient à la recherche du responsable de la plus horrible série de meurtres jamais commis et Ted Bundy semblait bel et bien être leur homme. Les vies privées de Ted et de Meg n'existaient plus.

Meg avait adoré Ted dès le moment où elle l'avait aperçu à la *Taverne du Bécasseau*. Elle n'avait jamais su pourquoi il était resté avec elle. Toute sa vie, elle avait éprouvé une écrasante sensation d'échec. Elle avait toujours considéré être le seul membre de sa famille qui ne soit pas à la hauteur de ses ambitions. Tous sauf Meg occupaient des postes prestigieux. Elle n'était qu'une « simple secrétaire ». L'amour d'un homme aussi brillant que Ted avait contribué à diminuer en partie ce complexe d'infériorité, et voilà que leur relation allait être impitoyablement disséquée !

Ni les enquêteurs de Salt Lake ni le groupe de travail de Seattle n'aimaient l'idée de ce qu'ils allaient devoir faire subir à Meg. Leurs questions creuseraient dans la chair même de sa vie la plus intime, déchireraient, lambeau par lambeau, tout ce qu'elle avait construit pendant les six dernières années. Mais une chose était certaine : Meg en savait plus que n'importe qui d'autre sur la face cachée de Ted, hormis – peut-être – Ted lui-même.

Le 16 septembre, Jerry Thompson et Dennis Couch, du bureau du shérif de Salt Lake, et Ira Beal, de la police de Bountiful, Utah, s'envolèrent pour Seattle afin de s'entretenir avec Meg. Thompson était absolument certain que les doutes de Meg remontaient à l'époque où Janice Ott et Denise Naslund avaient disparu, en juillet 1974. Bien avant la série de meurtres commis dans l'Utah.

Les trois inspecteurs rencontrèrent Meg dans les locaux de la police du comté de King. Ils remarquèrent combien elle était nerveuse et tendue. Mais ils virent aussi qu'elle était prête à leur fournir tous les détails qui l'avaient poussée à avertir la police.

Meg alluma la première cigarette d'un paquet qu'elle fumerait en entier au cours de cette longue entrevue. Elle s'opposa à ce que leur conversation fût enregistrée, puis commença :

– Ted sortait souvent au milieu de la nuit. Je ne sais pas où il allait. Puis il faisait la sieste dans la journée. Et j'ai découvert des objets, des objets que je trouvais bizarres.

– Quel genre d'objets ?

– Une clé plate entourée de sparadrap, sous le siège de ma voiture. Il a dit que c'était pour me protéger. Du plâtre dans sa chambre ; des béquilles. Il avait un couteau oriental dans un étui en bois qu'il laissait dans la boîte à gants de ma voiture. Parfois il y était, d'autres fois il n'y était plus. Il avait aussi un couperet ; je l'ai vu l'emballer quand il a fait ses paquets pour l'Utah.

Meg leur dit qu'il ne s'était jamais trouvé avec elle les nuits où les filles avaient disparu dans l'État de Washington.

– Quand j'ai vu le portrait-robot de Ted dans les journaux en juillet 1974, je suis allée consulter d'anciens exemplaires en bibliothèque pour vérifier toutes les dates des disparitions. J'ai comparé avec celles de mon agenda et de mes chéquiers et... eh bien, il n'était jamais avec moi.

Meg avait été encore plus effrayée quand son amie Lynn Banks était revenue d'Utah en novembre 1974.

– Elle m'a dit qu'il se passait dans l'Utah exactement les

mêmes choses qu'ici. Elle m'a dit : « Ted est dans l'Utah maintenant. » C'est à ce moment-là que j'ai appelé mon père et lui ai demandé de vous contacter.

– Allez-vous dire à Ted que je vous ai raconté tout ça ? demanda Meg en allumant une autre cigarette.

– Non, nous ne lui dirons rien, promit l'un des hommes. Et vous ? Le lui direz-vous ?

– Non, je ne pense pas. Je n'arrête pas de prier, de prier pour que vous trouviez le coupable. En même temps, j'espère toujours que vous découvrirez que ce n'est pas Ted, que c'est quelqu'un d'autre... mais, au fond de moi, je ne suis plus sûre de rien.

On lui demanda d'expliquer plus précisément l'origine de ses doutes et Meg mentionna le plâtre qu'elle avait vu dans la chambre de Ted chez les Rogers.

– Je l'ai interrogé à ce sujet ; il m'a dit qu'il l'avait volé dans le magasin de fournitures médicales où il travaillait encore. Il ne m'a pas dit pourquoi. « Pour le plaisir du geste », m'a-t-il répondu. Il m'a dit aussi qu'il devait donner les béquilles à son propriétaire.

Un jour, Meg avait encore trouvé, dans la chambre de Ted, un sac en papier bourré de vêtements féminins.

– Il y avait un soutien-gorge sur le dessus, une grande taille. Le reste, ce n'étaient que des vêtements, des vêtements de fille. Je ne lui en ai jamais parlé. J'avais peur... et ça me gênait.

Les policiers lui demandèrent si Ted avait changé d'une manière ou d'une autre au cours de l'année passée ; elle leur dit que ses envies sexuelles avaient très fortement diminué pendant l'été 1974. Il avait expliqué ce manque d'intérêt par les pressions qu'il subissait professionnellement.

– Il m'a dit qu'il n'y avait pas d'autre femme.

Les questions devenaient affreusement embarrassantes pour Meg.

– A-t-il changé autrement, dans son comportement sexuel, par exemple ?

Meg baissa les yeux.

– Il avait acheté ce livre intitulé *Joy of Sex*, en décembre 1973, je crois. Il avait lu quelque chose sur la pénétration anale et il voulait absolument essayer. Ça ne me plaisait pas du tout, mais j'ai accepté. Il y avait aussi un chapitre sur le bondage. Il s'est dirigé droit vers le tiroir où je range mes bas. Il avait l'air de le connaître parfaitement.

Meg lui avait permis de l'attacher aux quatre montants du lit avec des bas en nylon avant qu'ils fassent l'amour. Elle n'avait pas du tout apprécié. Elle s'était prêtée trois fois à ce jeu mais, à la troisième, Ted avait commencé à l'étrangler et elle s'était affolée.

— Je ne voulais plus recommencer. Il n'a pas dit grand-chose, mais il n'était pas content de mon refus.

— Autre chose ?

Mortifiée, Meg poursuivit :

— Parfois, au milieu de la nuit, alors que je dormais, je me réveillais d'un seul coup et il était au fond du lit. Il examinait mon... mon corps... avec une lampe de poche.

— Ted aime-t-il la façon dont vous êtes coiffée maintenant ? demanda Ira Beal.

Meg portait ses cheveux longs et droits, séparés par, une raie.

— Oui. Chaque fois que je parle de les couper, ça a l'air de le contrarier. Il adore les cheveux longs. Les seules filles avec qui je l'ai vu sortir étaient coiffées comme moi.

Les trois détectives échangèrent un regard.

— Ted vous dit-il toujours la vérité ? demanda Thompson.

Meg secoua la tête.

— Je l'ai surpris plusieurs fois à me raconter des mensonges. Par exemple, il m'a dit qu'il avait été arrêté dans l'Utah pour infraction au code de la route. Je lui ai répondu que je savais que ce n'était pas vrai, qu'on avait trouvé dans sa voiture des objets qui ressemblaient à du matériel de cambrioleur. Il a prétendu que ça ne voulait rien dire et que la fouille avait été illégale.

Meg ajouta qu'il avait déjà volé un poste de télévision à Seattle et d'autres choses aussi.

— Une fois, rien qu'une fois, il m'a dit que, si jamais j'en parlais à qui que ce soit, il... il briserait mon putain de cou !

Meg était toujours en contact avec Ted ; elle lui avait parlé la veille au soir et il avait été le même qu'avant, tendre et amoureux, évoquant leur mariage.

171

– Il a besoin d'argent : sept cents dollars pour son avocat, cinq cents pour ses cours, et il en doit toujours cinq cents à Freda Rogers, sa propriétaire.

Meg savait que le cousin de Ted lui avait dit, quand il avait dix-huit ou dix-neuf ans, qu'il était un enfant illégitime.

– Ça l'a vraiment perturbé. C'était la première fois qu'on lui en parlait.

– Ted porte-t-il parfois une moustache ? demanda brusquement Beal.

– Non. Une barbe, oui, des fois. Ah ! mais il avait une fausse moustache. Il la conservait dans un tiroir. Il la mettait parfois et me demandait de quoi il avait l'air.

L'entretien prit fin. Meg avait fumé tout son paquet de cigarettes. Elle avait supplié les enquêteurs de l'Utah de lui assurer que Ted n'était pour rien dans ces crimes, mais ils en avaient été incapables.

Le portrait de Ted Bundy qui commençait à émerger était bien différent de celui du fils parfait.

Meg Anders menait désormais une existence remplie d'ambiguïté, et ça lui était intolérable. Elle parlait souvent à Ted au téléphone, et il minimisait l'intérêt que la police lui portait – même s'il était, quand il bavardait avec elle, sous la surveillance constante de policiers. Parallèlement, elle continuait à répondre aux questions des enquêteurs qui tentaient de replacer Ted dans le contexte des disparitions.

Meg se souvint de ce dimanche de juillet, quand Janice Ott et Denise Naslund disparurent du parc du lac Sammamish.

– Nous nous étions disputés la veille et j'ai été surprise de le revoir le lendemain matin. Je lui ai dit que j'allais à l'église et qu'ensuite j'irais profiter un peu du soleil. Nous nous sommes encore querellés ce matin-là. Les choses ne collaient pas entre nous. J'ai vraiment été étonnée de le retrouver un peu plus tard.

Le soir même, Ted avait appelé Meg après 6 heures pour l'inviter à dîner.

– Y avait-il quelque chose d'inhabituel dans son comportement, ce soir-là ?

– Il avait l'air épuisé, complètement vanné. Il couvait un mauvais rhume. Je lui ai demandé ce qu'il avait fait de sa journée pour être si fatigué et il m'a répondu qu'il avait traîné sans rien faire.

Le soir, Ted avait ôté le porte-skis du toit de sa voiture pour le replacer sur celle de Meg. Ils avaient dîné en ville et, quand ils étaient revenus, il s'était endormi à même le plancher, puis était rentré chez lui à 21 h 15.

Beal et Thompson se demandèrent si c'était possible. Un homme pouvait-il quitter sa petite amie un dimanche matin, enlever, violer et tuer deux femmes, puis rentrer tranquillement le soir chez elle et l'emmener dîner en ville ? Ils questionnèrent Meg à nouveau à propos des pulsions sexuelles de Ted. Ils essayèrent de poser leur question avec tact : Ted avait-il habituellement plusieurs orgasmes quand ils faisaient l'amour ?

– Oh ! il y a longtemps, oui, au début, quand nous nous sommes rencontrés. Mais pas récemment ; il était simplement normal.

Thompson sortit des photographies de tous les objets découverts dans la voiture de Ted lors de son arrestation par le sergent Bob Hayward le 16 août. Meg les examina.

– Avez-vous déjà vu ces objets ?

– Je n'ai jamais vu ce pied-de-biche. Je connais les gants et le sac. Il est vide, d'habitude ; il y transporte ses affaires de sport.

– Lui avez-vous déjà parlé de cette clé plate que vous avez trouvée dans votre voiture ?

– Oh ! oui. Il m'a dit qu'on ne sait jamais quand on risque de se retrouver coincé au milieu d'une manifestation étudiante.

– Où la gardait-il ? demanda Thompson.

– Dans le coffre arrière de ma voiture, habituellement. Il empruntait souvent mon véhicule. C'était aussi une coccinelle VW, de couleur ocre. Un jour, j'ai trouvé la clé sous le siège avant.

Meg se rappela que Ted dormait souvent dans sa voiture devant chez elle.

– Il restait là. Je ne sais pas pourquoi. C'était il y a longtemps ; il avait laissé un pied-de-biche ou un démonte-pneu, ou quelque chose comme ça, chez moi, un soir. Je l'ai entendu revenir et j'ai ouvert la porte pour voir ce qu'il voulait. Il n'avait vraiment pas l'air bien, comme s'il cachait quelque chose, et je lui ai demandé : « Qu'est-ce que tu as dans ta poche ? » mais il n'a pas voulu me répondre. Alors j'ai plongé la main dans sa poche et j'en ai retiré une paire de gants de chirurgie. Vraiment bizarre ! Il n'a rien dit. Ça me paraît incroyable maintenant que je ne lui aie pas dit à l'époque : « Fiche le camp ! Sors de ma vie ! »

C'était effectivement bizarre. Mais jusqu'aux événements de 1974 et 1975, Meg n'avait jamais pu relier les habitudes nocturnes de Ted avec quelque chose de bien défini. Comme tant d'autres femmes amoureuses, elle avait simplement chassé ces idées de son esprit.

18

Dans une lettre qu'il m'écrivit en octobre 1975, Ted disait avoir l'impression d'être *dans l'œil d'un cyclone*. Il n'avait pas tout à fait tort.

Parfois, rarement, des miettes d'information filtraient jusqu'à la presse, mais personne ne connaîtrait vraiment toute l'histoire avant le procès de Miami, quatre ans plus tard.

À l'automne 1975, plus d'une douzaine d'enquêteurs des États de Washington, du Colorado et de l'Utah travaillaient uniquement sur Ted Bundy. Ted avait affirmé à Jerry Thompson et John Bernardo qu'il n'avait jamais mis les pieds dans le Colorado. Il avait expliqué la présence chez lui de cartes et de brochures des stations de sports d'hiver en disant : « Quelqu'un a dû les oublier dans mon appartement. » Mais en vérifiant les lieux d'émission des factures de cartes de crédit de Bundy, Mike Fisher parvint non seulement à prouver que Ted avait menti, mais en plus à reconstituer le parcours de sa voiture. La coccinelle VW, munie de deux jeux de plaques minéralogiques, se trouvait bien dans le Colorado aux lieux et jours où les victimes avaient disparu.

Les doubles des factures fournis par la société Chevron indiquaient que Ted avait acheté de l'essence comme suit : le 12 janvier 1975 (jour où Caryn Campbell disparut de l'hôtel *Wildwood*) à Glenwood Springs, Colorado ; le 15 mars (jour de la disparition de Julie Cunningham) à Golden, Dillon et Silverthorne, Colorado ; le 5 avril, à Silverthorne encore, et le 6 (jour où Denise Oliverson disparut) à Grand Junction, Colorado.

De son côté, la police du comté de King essayait de retracer aussi précisément que possible les moindres faits et gestes de Ted Bundy. C'était la raison de la réquisition de ses dossiers universitaires.

Et c'est bien parce qu'ils menaient leur enquête le plus discrètement possible que Kathy McChesney avait été sidérée par mon appel. Ils étaient loin de se douter que Ted savait qu'on le soupçonnait aussi dans l'État de Washington.

En même temps que ses dossiers scolaires, un relevé détaillé de ses communications téléphoniques remontant jusqu'en septembre 1974 (date à laquelle il s'était installé dans l'Utah), fut requis auprès de la compagnie Mountain Bell à Salt Lake City.

Kathy McChesney me convoqua pour une entrevue au début novembre 1975 ; elle devait interroger toutes les femmes que Ted avait connues à Seattle.

Je racontai une fois de plus où, quand et comment j'avais rencontré Ted, le travail que nous faisions au CAU, notre grande amitié, même si nous nous étions perdus de vue au cours des années suivantes...

— Pourquoi, à votre avis, vous a-t-il appelée juste avant son arrestation à Salt Lake City ?

— Je crois que c'est parce qu'il savait que j'étais en rapport constant avec vous et qu'il ne voulait pas s'adresser directement à la police.

Kathy feuilleta une liasse de papiers, sortit une feuille du lot et me demanda brusquement :

— Que vous a-t-il dit quand il vous a appelée le 20 novembre 1974 ?

Je la regardai d'un air ébahi.

— Quand ça ?

— L'année dernière, le 20 novembre.

— Il ne m'a pas appelée ce jour-là, répondis-je en toute sincérité. Je ne lui ai pas parlé depuis je ne sais plus quand en 1973.

— Si, c'est sur le relevé de ses communications téléphoniques. Il a composé votre numéro un peu avant minuit le mercredi 20 novembre. Que vous a-t-il dit ?

Je connaissais bien Kathy McChesney. Nous avions suivi ensemble des cours d'investigation criminelle à l'école de police du comté de King en 1971. De simple adjointe au shérif, elle avait été promue au rang d'inspecteur ; quant à moi, j'assistais aux cours en tant qu'« invitée ». Malgré son air de lycéenne, Kathy était très sagace. Je l'avais interviewée souvent quand elle travaillait dans la section d'enquête sur les agressions sexuelles. Je n'essayai donc pas de me défiler ; j'étais vraiment perplexe. Il est difficile de se souvenir de ce que l'on faisait un jour précis, un an auparavant...

... Et puis cela me revint.

– Je n'étais pas chez moi ce soir-là. J'avais été hospitalisée et je venais de me faire opérer. Mais ma mère m'a parlé d'un coup de téléphone bizarre. Un homme qui n'avait pas voulu laisser son nom... et... oui ! c'était le 20 novembre !

C'était un mystère résolu. Depuis, je me suis souvent demandé si les choses auraient été différentes si j'avais été là pour répondre à cet appel. Dans les années à venir, je devais recevoir des dizaines d'appels de Ted – de l'Utah, du Colorado, de Floride – et des quantités de lettres, et nous allions nous revoir encore à plusieurs reprises. Une fois de plus, je serais emportée dans la tourmente de sa vie, déchirée entre ma foi en lui et mes doutes qui grandissaient de jour en jour.

Kathy McChesney me crut ; je ne lui avais jamais menti et je ne l'aurais jamais fait.

Ted avait appelé deux autres personnes le soir du 20 novembre entre 23 heures et minuit. Bien qu'il ait rompu des fiançailles « secrètes » avec Stephanie Brooks en janvier de cette année-là, il avait téléphoné chez ses parents en Californie à 23 h 30. Stephanie n'était pas là. Une amie de la famille se souvient d'avoir parlé à un homme à la voix aimable qui demandait Stephanie.

– Je lui ai dit que Stephanie était fiancée et vivait à San Francisco... et il a raccroché.

Ensuite, Ted avait composé le numéro d'une résidence d'Oakland dont aucun des occupants n'avait jamais entendu parler de Ted Bundy ou de Stephanie Brooks. Le couple qui vivait là ne connaissait personne à Seattle ni dans l'Utah. L'homme qui avait pris l'appel avait supposé qu'il s'agissait d'un faux numéro.

Quand Ted avait fini par appeler chez moi à Seattle, il était, selon ma mère, très contrarié.

– Je voudrais bien avoir été chez moi ce soir-là ! dis-je à Kathy.

– Et moi, donc !

Continuant son enquête, Kathy se rendit chez les parents Bundy, à Tacoma. Ils ne croyaient pas un mot de ce dont on accusait leur fils. Ils ne permettraient pas que l'on fouille leur maison ni les alentours de leur cabane près du lac Crescent. Les Bundy ne contribueraient pas à faire progresser une enquête sur des faits impensables à leurs yeux. Il n'y avait aucune raison pour que la justice délivre une commission rogatoire permettant une perquisition.

Freda Rogers, la logeuse de Ted Bundy pendant cinq ans, se montra aussi extrêmement protectrice. Ted lui avait plu dès le jour où il avait frappé à sa porte en quête d'une chambre à louer. Il avait été un très bon locataire, toujours prêt à rendre service, et les Rogers le considéraient comme un fils. Sa chambre, située à l'angle sud-ouest de la vieille maison, était rarement fermée à clé et Freda la nettoyait tous les vendredis. D'après elle, s'il avait eu quelque chose à cacher, elle l'aurait sûrement deviné.

– Il n'a rien laissé ; il a tout emporté quand il a déménagé en septembre 1974. Allez jeter un coup d'œil, si vous voulez, mais vous ne trouverez rien.

Roger Dunn et Bob Keppel passèrent la maison au peigne fin, de la cave au grenier. Si Ted avait caché quelque chose là-haut, l'isolation thermique aurait été perturbée – ce qui n'était pas le cas. Ils passèrent le terrain au détecteur de métaux, cherchèrent les endroits où quelque chose aurait pu être enterré. Des vêtements ? Des bijoux ? Des pièces de bicyclette ? Ils rentrèrent bredouilles.

Kathy McChesney s'entretint aussi avec Meg Anders. Meg lui montra les talons des carnets de chèques de Ted en 1974. Ils n'étaient en rien compromettants : juste de petites sommes pour acheter de la nourriture.

La première fois que Meg avait vu, du plâtre dans la chambre de Ted remontait à quelques années, à 1970, peut-être.

– Pendant l'été 1974, j'ai trouvé une hachette dans un étui de cuir rouge, sous le siège avant de sa voiture... et des béquilles. Je les ai vues en mai ou juin 1974. Il m'a dit qu'elles appartenaient à Ernst Rogers.

« Un jour, nous sommes allés au lac Green. Je lui ai demandé pourquoi il avait cette hachette, parce que ça me tracassait. Je ne me souviens pas de l'explication qu'il m'a donnée, mais elle m'a paru sensée, à l'époque. C'était en août 1974 ; je revenais juste d'un voyage dans l'Utah. Il m'a dit qu'il voulait s'acheter une carabine, ce jour-là. Quant au couperet et à l'attendrisseur, je les ai vus quand il a fait ses paquets... avec le couteau oriental. Il m'a dit que c'était un cadeau.

– Vous souvenez-vous d'autre chose qui vous ait troublée ? demanda McChesney.

– En fait, je n'y ai pas prêté attention sur le moment, mais il avait toujours deux paires de bleus de travail et une boîte à outils dans le coffre de sa voiture.

– Ted avait-il des amis à l'institut Evergreen d'Olympia ?

– Seulement Rex Stark, son collègue de la CCPCD. Rex se trouvait sur le campus en 1973 et 1974 et Ted restait parfois coucher chez lui quand il travaillait à Olympia. Rex avait une maison près d'un lac, par là.

– Avait-il des amis à Ellensburg ?

– Jim Paulus, qu'il connaissait depuis le lycée. Et sa femme. Nous leur avons rendu visite ensemble.

Meg ne connaissait personne que Ted aurait pu connaître à l'OSU. Non, il n'y avait rien de pornographique dans sa chambre. Il n'avait pas non plus de bateau à voile, mais il en avait loué un une fois. Ted aimait beaucoup découvrir les petites routes désertes de campagne quand ils partaient en virée automobile.

– Allait-il seul dans les tavernes ?

– Seulement chez *O'Bannion* et chez *Dante*.

Meg consulta son agenda ; elle ne pouvait pas se souvenir de toutes les dates.

– Ted m'a appelée trois fois le 18 octobre, l'année dernière, de Salt Lake City. Il partait chasser avec mon père le lendemain matin. Il m'a appelée le 8 novembre après 11 heures.

179

Cela fait minuit sur place car Salt Lake ne se trouve pas dans le même fuseau horaire. Il y avait beaucoup de bruit de fond.

Melissa Smith avait disparu le 18 octobre. Carol DaRonch avait été enlevée le 8 novembre, à 19 h 30 et Debby Kent quatre heures plus tard, à 22 h 30.

En se remémorant ce mois de juillet 1974, Meg se souvint que Ted était allé au parc du lac Sammamish le 7 juillet – une semaine avant les disparitions de Denise et de Janice.

– Il m'a dit qu'il avait été invité à faire du ski nautique. Quand il est rentré, il a prétendu ne pas s'être amusé.

Les détectives du comté de King apprirent plus tard que deux couples que Ted avait connus aux réunions du parti républicain étaient allés faire du ski nautique ce jour-là sur le lac Sammamish. Ils avaient vu Ted déambuler seul sur la plage ; mais il ne les accompagnait pas et n'avait pas fait de ski nautique.

– On a été surpris de le voir là parce qu'il devait assister à une réunion politique à Tacoma ce week-end.

Quand ils lui avaient demandé ce qu'il faisait, Ted avait répondu :

– Je me promène.

Ils lui avaient proposé de faire du ski avec eux, mais il avait refusé parce qu'il n'avait pas de short sur lui. Ted avait un coupe-vent sur les épaules. Ils n'avaient remarqué aucun plâtre.

Le dimanche suivant, le 14 juillet, Meg avait bien entendu Ted le matin, puis après 18 heures. Il était rentré pour replacer le porte-skis sur le toit de sa voiture et l'emmener manger des hamburgers.

– Ma mère tient régulièrement son journal, dit Meg. Mes parents sont venus me rendre visite le 23 mai 1974. Et le 27, Ted nous a accompagnés pour un pique-nique au Dungeness Spit.

– Et le 31 mai ? demanda Kathy McChesney.

C'était le jour où Brenda Ball avait disparu de la *Taverne de la Flamme*.

– C'était la veille du baptême de ma fille. Mes parents étaient encore à Seattle ; Ted nous a tous emmenés manger une pizza, puis il nous a quittés juste avant 21 heures.

Brenda avait disparu peu après 2 heures du matin, soit cinq heures plus tard, à dix-neuf kilomètres au sud de l'appartement dc Meg.

Liane fut baptisée à 17 heures le lendemain et Ted était présent pour assister à la cérémonie. Il resta ensuite chez Meg jusqu'à 23 heures.

– Il était épuisé et il s'est endormi sur la carpette ce soir-là aussi.

Meg communiqua à Kathy le nom d'une femme que Ted avait fréquentée durant l'été 1972. À cause d'elle, Meg avait rompu avec son amant pendant une courte période. Claire Forest était mince, brune, avec des cheveux longs, droits et séparés par une raie au milieu. Elle se souvenait très bien de Ted, même si leur relation n'avait jamais été très sérieuse à ses yeux.

– Il ne se sentait pas à sa place dans mon... mon « milieu ». Je ne vois pas d'autre façon de le dire. Il ne voulait pas venir chez mes parents parce qu'il ne s'y trouvait tout simplement pas à son aise.

Claire se souvint être allée faire un tour en auto avec Ted sur les routes de campagne du côté du lac Sammamish.

– Il m'a dit que quelqu'un, une vieille femme – sa grand-mère, je crois –, vivait par là, mais il n'a pas pu retrouver la maison. À la fin, j'en ai eu marre et je lui ai demandé l'adresse, mais il ne la connaissait pas.

Ted n'avait, bien entendu, aucune grand-mère du côté du lac Sammamish.

Claire Forest affirma avoir eu un seul rapport sexuel avec Ted Bundy. Bien qu'il se soit toujours montré tendre et affectueux avec elle, l'acte en lui-même avait été brutal.

– Nous étions allés faire un pique-nique en avril près de la rivière Humptulips et j'avais bu un peu trop de vin. La tête me tournait un peu et il continuait à me faire boire. Il essayait de dénouer le haut de mon bikini, mais il n'y arrivait pas. Brusquement, il m'a arraché le bas et m'a prise. Il n'a rien dit ; il appuyait si fort son avant-bras sous mon menton que je ne pouvais plus respirer. Je le lui ai dit, mais il a maintenu la pression jusqu'à ce qu'il ait fini. Il n'y avait pas la moindre tendresse dans cette expérience.

« Après, il s'est conduit comme si rien n'était arrivé. Nous sommes rentrés et il m'a parlé de sa famille... sauf de son père. J'ai rompu avec lui à cause de son autre petite amie. Elle m'a trouvée un jour avec lui, elle est devenue presque hystérique.

Claire Forest n'était pas la seule femme à se souvenir que les manières de Ted pouvaient changer brusquement, passer de la plus tendre affection à une fureur glaciale. Le 23 juin 1974, Ted s'était présenté au domicile d'une jeune femme avec qui il entretenait une relation platonique depuis 1973. Elle lui avait présenté une de ses amies, Lisa Temple. Ted n'avait pas paru particulièrement intéressé par Lisa. Plus tard, le 29 juin, il avait invité les deux femmes et un autre de ses amis à faire du canot. Les deux couples avaient dîné avec d'autres personnes à Bellevue puis s'étaient mis en route, le lendemain matin, pour Thorpe, dans l'État de Washington. L'homme qui les accompagnait se souviendrait plus tard qu'en cherchant des allumettes il était tombé sur une paire de collants dans la boîte à gants de la VW de Ted. Cela l'avait simplement amusé.

La descente en canot avait commencé dans la bonne humeur, mais à mi-parcours, l'attitude de Ted avait changé du tout au tout. Il semblait prendre beaucoup de plaisir à tourmenter Lisa. Il voulait absolument qu'elle franchisse quelques rapides sur une chambre à air attachée derrière le canot. Lisa avait été terrifiée, mais Ted s'était contenté de la contempler d'un œil glacial. L'autre couple s'était senti mal. à l'aise. Ted avait mis le canot à l'eau à Diversion Dam, dans un tronçon très dangereux de la rivière.

Ils étaient finalement arrivés à bon port, après une descente épique, les deux filles paralysées de terreur. Ted n'avait pas d'argent et Lisa avait payé le dîner des quatre amis à North Bend.

– Il m'a raccompagnée chez moi, se souvient-elle encore, et il était redevenu gentil. Il m'a dit qu'il reviendrait vers minuit. Il est revenu et nous avons fait l'amour. C'est la dernière fois que je l'ai vu. Je n'arrivais pas à comprendre comment il pouvait changer aussi brutalement. Un instant il était gentil, la minute suivante il se conduisait comme s'il me haïssait.

Kathy McChesncy retrouva la trace de Beatrice Sloane, la vieille dame qui s'était liée d'amitié avec Ted quand il travaillait au cercle nautique de Seattle.

– Oh ! c'était un magouilleur, se rappela la vieille femme. Il arrivait à me faire faire ce qu'il voulait.

Les souvenirs de Mme Sloane concernant Ted et Stephanie correspondaient bien à ce que Kathy connaissait de leur histoire d'amour. Kathy conduisit Mme Sloane dans le quartier de l'université pour qu'elle lui montre où Ted avait vécu à l'époque où elle le connaissait. Elle se remémora les choses qu'elle lui avait prêtées : le service de table, l'argenterie, de l'argent ; elle se souvint de l'avoir promené en voiture quand il n'en possédait pas. Il avait été comme un petit-fils pour elle, un petit-fils qui la manipulait comme un jouet.

– Quand l'avez-vous vu pour la dernière fois ?

– En fait, je l'ai vu deux fois en 1974. Je l'ai vu dans un magasin de Green Lake en juillet ; il avait un bras cassé, à ce moment-là. Puis je l'ai revu à peu près un mois plus tard dans la rue et il m'a dit qu'il entrait en faculté de droit à Salt Lake City.

Les détectives du comté de King prirent ensuite contact avec Stephanie Brooks. Elle était mariée, heureuse et vivait en Californie. Elle se souvenait de ses deux histoires d'amour avec Ted Bundy – l'époque où elle allait à l'université puis de leurs « fiançailles » fin 1973. Elle n'avait jamais su que Ted fréquentait Meg Anders ; elle pensait finalement que Ted lui avait fait la cour une seconde fois dans le seul but de se venger. Elle était heureuse de lui avoir échappé.

Deux Ted Bundy semblaient émerger du tableau général. D'un côté, le fils idéal, l'étudiant de l'université de l'État de Washington, diplômé « avec mention », l'avocat et l'homme politique en herbe. De l'autre, le magouilleur de charme, manipulateur pour du sexe ou de l'argent, quel que soit l'âge des femmes, qu'elles aient dix-huit ou soixante-cinq ans. Et il y avait peut-être aussi un troisième Ted Bundy. Un homme qui pouvait devenir glacial et agressif envers les femmes à la moindre provocation.

Il avait si bien jonglé avec Meg et Stephanie qu'aucune n'avait eu connaissance de sa liaison avec l'autre. Mais il semblait bien les avoir perdues toutes les deux à présent. Stephanie était mariée et Meg affirmait haut et clair qu'elle ne voulait plus épouser Ted. Elle avait terriblement peur de lui. Pourtant, en l'espace de quelques semaines, elle allait lui rouvrir les bras et se reprocherait d'avoir douté.

En matière de femmes, Ted n'était jamais pris au dépourvu. Alors même qu'il était écroué à la prison du comté de Salt Lake, ignorant que Meg racontait tout ce qu'elle savait à la police, il bénéficiait du soutien moral de Sharon Auer. Sharon paraissait être tombée amoureuse de lui. Je n'allais pas tarder à réaliser qu'il était imprudent de mentionner le nom de Sharon devant Meg, et vice versa.

Intéressant à noter : au cours de toutes ces années de procès et de gros titres dans les journaux qui décrivaient Ted Bundy comme un monstre, il y aurait toujours au moins une femme ensorcelée à ses côtés. Une personne qui n'allait vivre que pour les rares moments où elle pourrait lui rendre visite en prison et clamer son innocence à la face du monde. Si les femmes changeaient à mesure que le temps passait, les sentiments qu'il éveillait en elles restaient les mêmes.

19

Emprisonné à Salt Lake City durant l'automne 1975, Ted avait ses détracteurs, mais il avait aussi ses partisans. L'un d'eux n'était autre qu'Alan Scott, son cousin de Tacoma avec qui il avait grandi dès l'âge de quatre ans. Scott enseignait lui-même à des enfants perturbés, et il affirmait n'avoir jamais noté le moindre signe de déviance dans le comportement de Ted. Lui, sa sœur Jane et Ted avaient toujours été très proches, beaucoup plus que Ted ne l'était de ses demi-frères et sœurs. Ses cousins n'étaient pas des Bundy et Ted ne s'était jamais considéré comme un membre du clan Bundy.

L'ironie du sort voulut donc que Jane et Alan Scott constituent un maillon de plus dans la chaîne de présomptions qui reliait Ted Bundy aux disparitions de l'État de Washington. Ce fut tout à fait involontaire de leur part puisqu'ils étaient absolument convaincus de l'innocence de Ted. Ils travaillaient à rassembler les fonds nécessaires à sa défense et beaucoup de ses anciens amis y participaient financièrement.

Le Dr Patricia Lunneborg, du département de psychologie de l'université de l'État de Washington, affirma catégoriquement que Ted Bundy n'était pas un tueur. On ne pouvait prouver qu'il avait connu Lynda Ann Healy, bien qu'ils aient tous deux suivi un cours sur les déséquilibres psychiques en 1972 :

– Il y a des centaines d'étudiants et de très nombreuses classes différentes, dit-elle dédaigneusement. Il n'y a aucun moyen d'affirmer qu'ils se sont rencontrés.

Lunneborg avait l'intention de faire tout son possible pour

soutenir Bundy contre les charges ridicules qui pesaient contre lui.

Mais il existait un autre lien entre Ted Bundy et Lynda Ann Healy : sa cousine Jane. Quand elle habitait la résidence McMahon, Lynda partageait un logement avec une fille qui vivrait plus tard avec Jane Scott. L'inspecteur Bob Keppel retrouva Jane à bord d'un bateau de pêche en Alaska et lui posa quelques questions par téléphone quand elle débarqua à Dutch Harbor.

Jane ne se montra pas très coopérative. Elle aussi prétendait que son cousin avait été gentil, pas du tout le genre de garçon à assassiner des femmes. Elle l'avait vu trois ou quatre fois au cours des six premiers mois de 1974. Jane avait rencontré Lynda Ann Healy, mais elle ne savait pas si Ted la connaissait. Bien sûr, ils avaient organisé quelques fêtes, mais elle ne pouvait pas affirmer que Ted avait assisté aux mêmes soirées que Lynda.

– Avez-vous jamais parlé à Ted de la disparition de Lynda ?

– Oui, dit-elle à contrecœur. Mais je ne me souviens d'aucun détail en particulier. Nous avons simplement pensé que c'était une chose terrible.

Alan Scott se montra encore moins coopératif – ce qui est compréhensible. Alan avait vécu chez Freda Rogers de septembre 1971 à février 1972. Il était resté très lié avec Ted. Alan lui avait parlé quelques jours après les disparitions de Roberta Parks, Brenda Ball, Georgeann Hawkins, Denise Naslund et Janice Ott.

– Il était décontracté, heureux, enthousiasmé à l'idée d'entrer en fac de droit dans l'Utah et impatient d'épouser Meg.

Scott n'eut pas besoin d'ajouter qu'un homme ayant enlevé et assassiné des jeunes femmes n'aurait pu avoir un comportement aussi posé. Mais tout son discours le sous-entendait. Scott avait fait de la voile avec son cousin sur le lac Washington et ils partaient souvent ensemble pour des randonnées pédestres.

– Où alliez-vous ? demanda Keppel.

– Du côté de Carbonado. Et derrière la nationale 18, près de North Bend.

Keppel demanda d'une voix tranquille :

– Quand y êtes-vous allés ?

– De juillet 1972 jusqu'à la fin de l'été 1973.

Scott refusa d'indiquer le parcours exact de leurs excursions. Il répugnait à incriminer son cousin. Il fallut la menace d'une assignation à comparaître pour le faire changer d'avis. C'est ainsi qu'il guida les policiers sur des chemins que Bundy connaissait parfaitement.

Ils prirent la direction du mont Taylor et Scott indiqua les bois qui bordaient les routes allant de Fall City à Duvall et d'Issaquah à Hobart.

– Ted connaissait bien les chemins des environs et nous nous promenions dans le coin à la recherche de vieilles fermes et de vieilles granges. Il y a un endroit avec une immense passerelle le long de la route qui va de Fall City à Preston. C'est la seule fois où nous avons vraiment quitté le bitume pour aller faire un peu de marche. Nous avons grimpé pendant environ deux heures sur cette colline.

Il indiqua un point situé à un kilomètre de Preston. L'endroit n'était qu'à quelques kilomètres du mont Taylor.

La région qui s'étend entre Issaquah et North Bend était visiblement l'un des coins favoris de Ted Bundy. Il y avait conduit Meg et Claire Forest, en avait parlé à son amie Mme Sloane et y avait emmené son cousin.

Une semaine avant le 14 juillet, il s'était rendu seul au parc du lac Sammamish. Pure coïncidence ou étudiait-il le terrain ?

Contrairement à ce qu'affirmaient les articles publiés, Ted Bundy avait été identifié par des témoins oculaires. Néanmoins, l'un d'eux fut « neutralisé » par une journaliste trop zélée. Dès que Ted fut arrêté dans l'affaire DaRonch, la télévision se rua chez l'une des femmes qui avaient été abordées par l'inconnu le 14 juillet au lac Sammamish. Une reporter lui mit une photographie de Ted Bundy sous le nez :

– Est-ce l'homme qui vous a demandé de l'aider ?

La femme ne put l'identifier à coup sûr : l'individu sur la photographie lui parut plus âgé que le bel homme bronzé qu'elle avait vu.

Les inspecteurs du comté de King lui présentèrent ensuite

une sélection de huit clichés de l'identité judiciaire – dont un de Ted Bundy – mais il était trop tard. On lui avait déjà montré une photographie et elle n'était plus sûre de rien. Ce fut un coup terrible pour l'enquête.

L'empressement des médias à montrer la photo de Ted Bundy au public continua d'entraver les progrès de l'investigation. Deux autres femmes qui avaient vu le « Ted » en question le reconnurent tout de suite. Mais c'était malheureusement après avoir vu des photos de lui à la télévision ou dans les journaux. Elles étaient convaincues que Ted Bundy et l'autre « Ted » étaient une seule et même personne – mais n'importe quel avocat de la défense pouvait soutenir qu'elles avaient été inconsciemment influencées par sa photographie parue dans la presse.

Un homme avait aperçu Ted Bundy au lac Sammamish le 14 juillet. Il se trouvait en dehors des frontières de l'État quand la télévision de l'Utah avait diffusé son portrait. Il choisit sans hésiter la photo de Bundy dans le lot que lui montra la police. Le fils d'un magistrat de l'Oregon qui se trouvait à Ellensburg le 17 avril, le jour où Susan Rancourt avait disparu, fit de même. Il était sûr de son choix « à soixante-dix pour cent ».

– Je suis rentré d'Ellensburg à Seattle en voiture cette nuit-là. À seize kilomètres à peu près à l'est d'Issaquah, j'ai remarqué une petite voiture de marque étrangère arrêtée sur le bas-côté. Les feux arrière étaient petits et ronds, comme ceux d'une VW.

L'endroit qu'il indiquait se trouvait près du mont Taylor. S'agissait-il d'un indice de plus, si mince soit-il ?

Pour un auteur de romans policiers, c'eût été amplement suffisant. Pour une instruction judiciaire, ce n'était qu'une présomption supplémentaire. Cette accumulation d'indices finit par forger une certitude dans l'esprit des enquêteurs de l'État de Washington. Pour eux, Theodore Robert Bundy était bien le « Ted » qu'ils cherchaient depuis si longtemps. Mais était-ce suffisant pour engager des poursuites ? Non. Ils ne disposaient même pas d'un cheveu, d'un bouton ou d'une boucle d'oreille qui leur permette de lier à coup sûr Ted Bundy à l'une ou l'autre des victimes. Aucun procureur ne voudrait prendre l'affaire. Quarante « coïncidences », même accumulées, ne suffisaient pas.

Une dernière « coïncidence » vint s'ajouter à la liste. Ce fut l'affaire de viol survenue au 4220 de la 12ᵉ Rue Nord-Est. Cela s'était passé à deux pas seulement de chez Freda Rogers, le 2 mars 1974, et Joyce Johnson avait enquêté sur l'affaire.

La victime, une séduisante jeune femme de vingt et un ans, était allée se coucher vers 1 heure du matin le samedi.

– Mes rideaux étaient tirés, mais quelqu'un pouvait très bien regarder dans l'interstice et voir que j'étais seule. Il y a une personne avec moi à peu près les trois quarts du temps. Ce matin-là, j'avais oublié de refermer le loquet de la fenêtre. L'homme a dû décrocher le panneau de treillis métallique et, quand je me suis réveillée à 4 heures, il était là, debout dans l'embrasure de la porte. Je l'ai vu de profil. Il y avait un peu de lumière qui venait du salon où il avait laissé sa lampe torche. Il s'est approché, s'est assis sur le bord de mon lit et m'a dit de me décontracter, qu'il ne me ferait pas de mal.

La jeune femme lui avait demandé comment il était entré et il avait répondu :

– Cela ne vous regarde pas.

L'homme portait un T-shirt, un jean et un bonnet de marin qu'il avait descendu jusqu'au menton :

– Ce n'était pas un passe-montagne, mais je crois qu'il avait découpé des trous pour les yeux. Le ton de sa voix était bien élevé. Il avait bu, je le sentais. Il avait un couteau avec un manche sculpté, mais il m'a dit qu'il ne s'en servirait pas si je ne me débattais pas.

L'homme lui avait bandé les yeux, puis l'avait violée. Quand il avait eu fini, il avait lié ses poignets et ses chevilles en disant que c'était simplement pour « la ralentir ».

Elle l'avait entendu repasser dans le salon, sauter par la fenêtre, puis courir dans l'allée.

– Il était tellement calme et sûr de lui. Il n'en était sûrement pas à son coup d'essai, déclara-t-elle à Joyce Johnson.

Tous les flics de Seattle, le capitaine Nick Mackie et ses hommes étaient persuadés d'avoir trouvé leur « Ted ». Ils établirent une liste des éléments concordants dans toutes les affaires de disparition :

1) Ted Bundy correspondait d'assez près à la description physique de l'homme recherché – à tel point que quatre personnes avaient fait le lien entre lui et le portrait-robot de l'homme aperçu au lac Sammamish.

2) Il portait souvent une tenue de tennis.

3) Il avait habité à moins d'un kilomètre de chez Lynda Ann Healy, Georgeann Hawkins et Joni Lenz.

4) Il conduisait une Volkswagen de couleur ocre clair.

5) Il affectait souvent un accent britannique pour parler.

6) Il jouait au racket-ball.

7) Il possédait un couteau, un couperet, une grande clé plate, un pied-de-biche, une hachette, des béquilles, du plâtre, des gants de chirurgie, et on avait noté la présence inexplicable d'un sac d'effets féminins chez lui.

8) Personne ne savait où il se trouvait les jours des disparitions.

9) Il s'était absenté de son travail pendant trois jours avant et deux jours après les disparitions du lac Sammamish.

10) Il faisait régulièrement le trajet entre Seattle et Olympia sur l'autoroute I-5.

11) Il avait un ami sur le campus d'Evergreen et dormait souvent chez lui.

12) Il avait un autre ami à Ellensburg – un ami qui se souvenait que Ted lui avait rendu visite au printemps 1974.

13) Il avait un collant dans la boîte à gants de sa voiture.

14) Sa cousine connaissait Lynda Healy ; il avait suivi le même cours de psychologie que Lynda.

15) Il avait été vu au parc du lac Sammamish une semaine avant que Janice et Denise ne disparaissent.

16) Il avait fait de la marche dans la région du mont Taylor.

17) Il aimait bien se glisser silencieusement derrière les femmes et leur faire peur.

18) Il préférait les femmes avec des cheveux longs, sombres et séparés par une raie au milieu.

19) Il avait essayé d'étrangler au moins deux femmes en leur faisant l'amour.

20) Il était un habitué de chez *Dante*, la taverne qu'avait quittée Lynda la nuit de sa disparition.

21) Son attitude vis-à-vis des femmes pouvait radicalement changer en un instant et passer de la tendresse à l'hostilité.

22) Il arborait souvent une fausse moustache.

23) Il aimait faire de la voile et avait loué une fois un voilier.

24) Ses cartes de crédit avaient été utilisées dans les mêmes villes et les mêmes jours que ceux où des jeunes femmes avaient disparu dans le Colorado.

25) Il avait menti et volé.

26) Il paraissait fasciné par le bondage et la sodomie.

27) Il avait été arrêté en possession d'un passe-montagne, d'un masque découpé dans un collant, d'une paire de menottes, de gants, de sacs à ordures, de bandes de tissu déchirées et d'un pied-de-biche.

28) Son groupe sanguin était O, le même que le sang retrouvé sur le col du manteau de Carol DaRonch.

29) Il avait été identifié par DaRonch, Graham, Beck, le jeune homme d'Ellensburg et trois témoins qui s'étaient trouvés au parc du lac Sammamish le 14 juillet.

30) Il avait été vu par Mme Sloane au mois de juillet 1974 avec un bras dans le plâtre.

31) En 1974, il dormait souvent dans la journée et s'absentait tard dans la nuit.

32) Une femme avait été violée par un homme correspondant à son signalement à trois maisons seulement de chez les Rogers, où il logeait.

33) L'un de ses amis de lycée connaissait la famille de Georgeann Hawkins.

34) Il était intelligent, charmeur, abordait facilement les femmes et avait du succès auprès d'elles.

35) Il portait généralement des pantalons de velours côtelé. (Cela correspondait-il aux traces de rayures que l'on avait relevées, imprimées dans le sang qui maculait le lit de Lynda Healy ?)

La liste était infinie et, au terme de chaque piste suivie, les enquêteurs parvenaient toujours à la même conclusion : partout où Ted Bundy allait, une jolie femme – ou deux, ou trois... – ne tardait pas à disparaître...

D'un autre côté, des dizaines de personnes étaient prêtes à jurer leurs grands dieux que Ted Bundy était un citoyen modèle, un homme qui travaillait à extirper la violence de notre société, à ramener ordre et paix dans le « système ». Selon eux Ted Bundy aimait ses semblables et ne cherchait pas à les détruire. Mais s'il était ce que les policiers pensaient, c'est-à-dire un forcené, alors il sortait d'un moule entièrement nouveau.

Le 13 novembre 1975, tandis que les amis et la famille de Ted tentaient de réunir quinze mille dollars de caution pour le faire sortir, la conférence d'Aspen eut lieu. Mackie et Keppel y assistaient, ainsi que dés dizaines d'autres policiers avec des disparitions et des meurtres de jeunes femmes non résolus sur les bras. De nombreux renseignements concernant les enquêtes en cours furent échangés dans la grande salle où se tenait la conférence. On y entendit souvent prononcer le nom de Ted Bundy. L'impressionnante masse d'informations délivrées ne fit que renforcer chaque groupe d'enquêteurs dans sa conviction qu'ils avaient maintenant leur tueur sous les verrous. Ils le tenaient physiquement, mais ne disposaient pas de suffisamment de preuves pour alourdir les chefs d'inculpation.

Le mystérieux et insaisissable Ted leur avait échappé pendant longtemps, le vrai Ted Bundy, en chair et en os, allait leur filer entre les doigts.

Ted fut libéré le 20 novembre grâce aux quinze mille dollars réunis par Johnnie et Louise Bundy. Cet argent leur serait rendu. Il servirait à payer John O'Connell pour défendre Ted le jour de son procès – s'il se présentait.

À Seattle, Meg Anders avait si peur de son ancien amant qu'elle fit promettre aux policiers de l'avertir à l'instant même où Ted Bundy passerait la frontière de l'État. Mais un jour ou deux après son retour à Seattle, Ted était de nouveau installé dans l'appartement de Meg. Cela montre bien ce que pouvait être son pouvoir de persuasion. Meg était de nouveau amoureuse de lui ; tous ses doutes s'étaient envolés. Elle annonça qu'ils étaient fiancés et avaient l'intention de se marier. Elle se reprochait amèrement de l'avoir trahi et le soutiendrait encore pendant de nombreuses années.

Ted n'était pas vraiment libre ; partout où il allait, il restait sous la surveillance de la police. Mackie m'expliqua :

– On ne peut pas l'inculper, mais on ne peut pas non plus courir le risque de le perdre de vue. Si jamais quelque chose arrivait maintenant, si jamais une autre fille disparaissait, ça nous coûterait très très cher !

Dès qu'il atterrit à l'aéroport de Seattle-Tacoma, Ted fut pris cn filature. Au départ, il parut ne prêter aucune attention aux voitures banalisées qui le suivaient partout, quand il sortait avec Meg et sa fille ou se rendait chez un ami.

Je ne savais pas si Ted allait me contacter ou pas, mais plusieurs inspecteurs me prirent à part pour me dire :

– Si jamais il vous appelle, il est hors de question que vous alliez où que ce soit seule avec lui – pas avant de nous avoir dit où vous irez.

– Oh ! allez, allez ! Je n'ai pas peur de Ted. D'ailleurs, vous ne le quittez pas d'une semelle, alors, si je suis avec lui, vous me verrez.

– Soyez prudente, simplement. Il vaudrait peut-être mieux que l'on sache où se procurer votre dossier médico-dentaire, au cas où nous aurions à vous identifier.

Je ris, mais ces paroles me glacèrent le sang.

20

Ted m'appela peu après Thanksgiving. Nous déjeunâmes ensemble à la *Brasserie Pittsbourg*, un restaurant français situé dans un vieux bâtiment de Pioneer Square. C'était à deux pâtés de maisons seulement du quartier général de la police de Seattle et du comté de King.

Je ne l'avais pas revu depuis deux ans, et pourtant je ne le trouvai pas beaucoup changé, hormis quelques poils de plus au menton. En le voyant s'avancer vers moi, souriant sous la pluie, je trouvai qu'il avait quand même un peu maigri. Il portait un pantalon de velours et un pull beige et marron.

C'était curieux : sa photographie avait été imprimée si souvent en première page des journaux qu'il aurait dû être aisément identifiable. Pourtant, au cours des trois heures que nous passâmes ensemble, personne ne lui jeta ne fût-ce qu'un coup d'œil. Beaucoup de gens avaient « aperçu » le Ted fantomatique mais personne ne semblait voir le véritable Ted. Nous fîmes la queue, commandâmes le plat du jour et une carafe de chablis – le tout à mes frais.

– Quand tout sera fini, me promit-il, c'est moi qui t'inviterai à déjeuner.

Nous gagnâmes l'arrière-salle avec nos plateaux et nous installâmes sur une vieille table recouverte d'une nappe en papier. J'étais contente de le revoir, contente de savoir qu'il était sorti de cette prison qu'il détestait. C'était presque comme s'il ne s'était rien passé. Je savais qu'il était le suspect numéro un, c'est tout. J'ignorais que Meg avait parlé aux policiers, qu'elle leur en avait tant dit, et j'ignorais tout du travail d'investigation acharné que la police menait jour et nuit depuis le mois d'août.

J'étais un peu nerveuse et regardais autour de moi, m'attendant à être surveillée par plusieurs policiers. Quelques semaines plus tôt, j'avais déjeuné dans le même restaurant avec Nick Mackie et le Dr Berberich ; la *Brasserie Pittsbourg* était en quelque sorte la cantine de la police et la nourriture y était excellente.

— Ça ne m'étonnerait pas qu'on voie Mackie ici, dis-je à Ted. Il y mange au moins trois fois par semaine. Il voudrait vous parler. Peut-être devriez-vous accepter... Il est plutôt correct, dans l'ensemble.

— Je suis certain que c'est un brave type, mais je ne vois aucune raison de le rencontrer ; je n'ai rien à lui dire. S'ils avaient été vigilants, ils auraient pu me voir hier : j'ai traversé le hall du palais de justice et je suis passé juste devant leurs bureaux. Personne ne m'a vu.

Cette surveillance continuelle était devenue un jeu pour lui. Il trouvait que les policiers qui le filaient étaient maladroits et prenait un malin plaisir à les semer. En revanche, il n'aimait pas que sa culpabilité soit un fait acquis dans l'opinion publique. Il avait prévu une sortie un après-midi avec Liane, la fille de Meg et celle de sa meilleure amie. Il était exaspéré par la réaction de cette femme.

— Sa mère n'a même pas voulu la laisser aller jusqu'au stand d'un marchand de hamburgers ambulant avec moi. C'est ridicule ! Que croyait-elle que j'allais faire ? Agresser sa fille ?

Oui, c'était probablement ce qu'elle avait pensé. Je n'avais toujours pas d'opinion quant à la culpabilité éventuelle de Ted, mais je n'aurais certainement pas joué avec la vie de ma fille, quels que soient mes sentiments.

Le comportement général de Ted était celui d'un innocent : il se sentait blessé par les accusations que l'on portait contre lui et par ses deux mois de prison. J'essayais de me mettre à sa place, de comprendre son indignation. Et, en même temps, je brûlais de curiosité. Mais je ne pouvais en aucune manière le regarder dans les yeux et lui demander tout de go :

— Ted, as-tu fait tout ça ? As-tu vraiment commis un seul de ces crimes ?

Le code des relations sociales ne prévoit aucune formule pour interroger un vieil ami accusé de crimes aussi atroces.

Il continuait à écarter les chefs d'inculpation dans l'Utah comme s'il ne s'agissait que d'un simple malentendu. Il était absolument persuadé de gagner son procès dans l'affaire DaRonch ; les charges concernant le matériel de cambrioleur étaient ridicules.

Tout allait bien avec Meg. Si seulement la police voulait bien les laisser un peu seuls, les laisser profiter un peu de ce temps qu'ils avaient à passer ensemble... Meg était une femme formidable, si sensible et d'un si grand soutien...

Nous bûmes notre vin et commandâmes une seconde carafe. Nous regardions la pluie ruisseler sur les vitres du restaurant. Ted était assis de côté sur sa chaise, les yeux dirigés vers le mur d'en face ; son regard croisait rarement le mien.

Je jouais distraitement avec un œillet disposé dans un vase entre nous. Je fumais trop, tout comme Ted. Les tables autour de nous se vidèrent successivement et nous finîmes par rester seuls.

C'était plus fort que moi, il fallait que je lui pose une question. Mais comment la formuler ? J'étudiai son profil. Il avait l'air plus jeune que jamais et, d'une certaine manière, plus vulnérable.

– Ted... finis-je par dire. Étais-tu au courant de toutes ces disparitions, l'année dernière ? Avais-tu lu les journaux ?

Un long silence s'installa. Finalement, Ted me répondit :

– C'est le genre de questions qui m'embarrasse.

Qui l'embarrassait comment ? Il tournait toujours la tête et je ne pus voir son expression. Crut-il que je l'accusais ? Ou bien trouvait-il tout cela mortellement ennuyeux ?

– Non, continua-t-il, j'étais trop accaparé par mes études de droit à l'UPS. Je n'avais pas le temps de lire les journaux. Je n'étais même pas au courant. Je ne m'intéresse pas à ce genre d'informations.

Pourquoi refusait-il de me regarder en face ?

– Je ne sais rien de tout cela, à part des détails que mon avocat vérifie.

Il me mentait, bien sûr. Des tas de gens l'avaient taquiné sur sa ressemblance avec le « Ted » du parc. Sa propre cousine, Jane Scott, lui avait parlé de Lynda Ann Healy. Carole Ann Boone Anderson n'avait pas cessé de le mettre en boîte dans les bureaux de la DPU. Il ne pouvait pas ne pas avoir su.

Il ne m'en voulut pas de l'avoir interrogé ; c'était un sujet qu'il ne souhaitait tout simplement pas aborder. Nous parlâmes d'autres choses, des vieilles connaissances, de l'époque où nous étions au CAU, et je lui promis qu'on se reverrait avant son procès dans l'Utah. Quand nous nous trouvâmes dehors, face à face sous la pluie, Ted me donna impulsivement une accolade. Puis il s'éloigna rapidement en criant :

– Je t'appellerai !

Je ne le revis pas avant le samedi 17 janvier 1976. Mon ex-mari était décédé le 5 décembre et, une fois de plus, les affaires de famille avaient relégué Ted aux oubliettes. Nous avions eu une ou deux conversations téléphoniques durant le mois de décembre et il m'avait paru gonflé à bloc, confiant, pressé même de se lancer dans la bataille juridique qui l'attendait.

Quand il m'appela le 17 janvier, je fus plutôt surprise d'avoir de ses nouvelles. Il avait brusquement envie de me voir avant de rentrer à Salt Lake City et me demandait de venir le rejoindre dans une taverne du quartier Magnolia, à quarante kilomètres du centre de Seattle.

Tout en conduisant, je m'avisai que personne ne savait que j'allais rencontrer Ted. Je savais aussi, intuitivement, qu'il avait semé ses suiveurs. Quand il vint à ma rencontre, peu après midi, devant la taverne où les soldats de Fort Lawton viennent souvent s'abreuver, je parcourus la rue des yeux à la recherche de voitures de police banalisées. Il n'y en avait pas une seule.

Ted grimaça un sourire.

– Je les ai semés. Ils ne sont pas aussi malins qu'ils le croient.

Nous trouvâmes une table de libre à l'autre extrémité de la taverne, loin des militaires qui beuglaient. Je portais un paquet sous le bras : une dizaine d'exemplaires d'une revue contenant un de mes articles. Le regard de Ted s'y posait souvent. Je finis par comprendre qu'il pensait que j'y avais caché un magnétophone. J'ouvris le paquet et lui tendis un magazine.

Il eut l'air soulagé.

Nous bavardâmes pendant cinq heures. C'est le seul souvenir que j'aie de cette longue conversation. Je ne me donnai même pas le mal de prendre des notes en rentrant chez moi.. Cela montre assez bien à quel point j'étais à l'époque convaincue de son innocence. Nous étions, à bien des points de vue, beaucoup plus à l'aise que lors de notre précédente entrevue. Nous bûmes encore du vin blanc et Ted en but tant qu'il n'était plus très vaillant sur ses jambes quand nous nous levâmes en fin d'après-midi.

Le vacarme à l'autre bout de la taverne nous semblait très lointain ; personne ne pouvait nous entendre. Un faux feu de cheminée brûlait non loin de notre table et, comme d'habitude, le murmure de la pluie qui tombait au-dehors nous environnait.

À un moment, je lui demandai :

— Ted, aimes-tu les femmes ?

Il réfléchit un moment avant de répondre lentement :

— Oui... je crois.

— Tu sembles beaucoup aimer ta mère. J'imagine que tout se ramène à ça. Rappelle-toi, quand tu m'as raconté avoir découvert à coup sûr que tu étais un enfant illégitime, je t'ai dit que ta mère t'avait toujours gardé avec elle, malgré toutes les difficultés que cela lui posait.

Il hocha la tête.

— Oui, c'est vrai. Je me souviens de ça.

Il parla sans que je le lui demande. Il me dit que Meg l'avait dénoncé à la police. J'éprouvai un petit tiraillement de culpabilité à ce moment-là. Il croyait visiblement que je détenais beaucoup plus d'informations. Ce n'était pas le cas.

— Ces béquilles, dans ma chambre... celles dont elle leur a parlé. Elles appartenaient à mon propriétaire. Je travaillais dans un magasin de fournitures médicales... c'est donc là que je les avais récupérées, avec le plâtre.

Je n'avais pas entendu parler de ces béquilles ni du plâtre, mais je ne laissai percer aucune surprise.

Ted ne semblait pas en vouloir à Meg de l'avoir plongé dans un tel bourbier. Cette attitude douce et miséricordieuse qu'il prenait paraissait tout à fait déplacée. Je me demandais ce que Meg avait bien pu raconter aux enquêteurs à son

198

propos... Je m'étonnais qu'il lui pardonne aussi facilement. Il me disait qu'il l'aimait plus que jamais et, pourtant, c'était à cause d'elle qu'il allait être jugé pour enlèvement dans quelques jours dans l'Utah ; autrement, les seules charges dont il aurait eu à répondre étaient le délit de fuite devant un agent de la force publique et la possession d'outils de cambriolage.

Je pensais que la plupart des hommes mépriseraient une femme qui leur aurait joué un tour pareil. Au contraire, Ted parlait des moments merveilleux qu'ils avaient passés ensemble à Noël, me disait combien ils étaient proches l'un de l'autre – malgré l'omniprésence de la police autour d'eux.

Je restais trop perplexe devant son attitude pour l'interroger à ce sujet ; c'était un mystère qu'il me faudrait éclaircir toute seule. J'acquiesçai quand il me demanda de prendre soin de Meg.

– Elle est timide. Tu l'appelleras, n'est-ce pas ? Elle a besoin de quelqu'un à qui parler.

Ted était très confiant ; pour lui, le procès de Salt Lake City était plus un défi qu'une menace. Il était comme un athlète sur le point de participer aux jeux Olympiques. Il allait leur montrer ce qu'il valait.

Je me levai pour me rendre aux toilettes. Pour cela, je dus passer devant des tables pleines de soldats à moitié ivres. En revenant, je sentis brusquement quelqu'un derrière moi et des mains me saisir par la taille. Je sursautai, puis j'entendis un rire : Ted s'était glissé si adroitement derrière moi que je ne m'étais même pas aperçue qu'il avait quitté notre table. Plus tard, j'apprendrais que Ted adorait se glisser derrière les femmes et les surprendre (à en croire Meg et Lynn Banks), leur sauter dessus à l'improviste, en jaillissant de derrière un buisson, et les entendre hurler. Alors, je me souviendrais de ce jour-là dans la taverne.

Comme l'après-midi tirait à sa fin et que la nuit commençait à tomber, je décidai de dire à Ted quelle était ma position par rapport à lui. Je choisis mes mots avec la plus extrême circonspection. Je me montrai probablement plus franche avec lui sur mes sentiments que je ne le serais jamais par la suite. Je racontai ma visite chez le psychiatre et expliquai mon dilemme. Il sut que j'étais partagée entre mon désir d'être honnête avec lui et ce contrat pour la rédaction d'un livre relatant l'histoire de toutes ces jeunes femmes disparues.

Il eut l'air de très bien me comprendre. Il adopta la même attitude que cinq ans plus tôt quand je lui avais raconté mes problèmes au CAU.

— Et, tu sais... je dois te le dire... Je n'arrive pas à être tout à fait convaincue de ton innocence.

Il sourit. J'allais bientôt m'habituer à cette quasi-absence de réaction.

— Ça ne me gêne pas, je comprends ça. Il y a... des choses que j'aimerais te dire, mais je ne peux pas.

— Pourquoi ?

— Je ne peux pas, c'est tout.

Je lui demandai pourquoi il ne se soumettait pas au détecteur de mensonges.

— Mon avocat, John Henry Browne, pense qu'il ne faut pas.

Le fait que Browne conseille Ted était déjà paradoxal. Même s'il était sous surveillance constante, Ted n'avait été inculpé d'aucun crime dans l'État de Washington. Or, Browne faisait partie de l'Assistance judiciaire, un organisme qui se charge ordinairement de ne conseiller que les personnes inculpées !

Tout le monde semblait avoir oublié les règles du jeu. Et il était aussi scandaleux que les médias aient déjà rendu un verdict de culpabilité. Ainsi, on avait demandé à Ted de ne plus utiliser la bibliothèque du département de droit de l'université de l'État de Washington : sa présence effrayait les étudiants qui venaient y travailler !

— Ted, dis-je brusquement. Que voulais-tu quand tu m'as appelée de Salt Lake City ce soir de novembre 1974 ?

— Quel soir ?

Il avait l'air perplexe.

— C'était le 20 ; j'étais à l'hôpital et tu as parlé à ma mère.

— Je ne t'ai jamais appelée à cette époque.

— J'ai vu le relevé téléphonique détaillé de ta ligne à Salt Lake City. Tu m'as appelée juste avant minuit.

Il n'eut pas l'air embarrassé, mais se montra entêté et borné :

— La police du comté de King s'est moquée de toi.

— Mais puisque j'ai vu les relevés de mes yeux !

– Je ne t'ai jamais téléphoné !

Je laissai tomber. Peut-être ne se souvenait-il réellement pas...

Ted se vanta encore de l'adresse qu'il avait acquise à semer les policiers qui le suivaient. Il se moquait d'eux.

– Je sais. Billy Baughman nous a raconté que vous étiez venus le voir dans sa voiture pour lui demander s'il était de la police ou de la Mafia.

– Qui est-ce ?

– Un inspecteur de la brigade criminelle. Un brave type.

– Oh ! je suis sûr que ce sont tous des anges !

Ted n'avait échangé une véritable conversation qu'avec un seul des hommes qui le filaient. John Henry Browne lui avait assuré qu'il n'était pas obligé de parler à la police, mais Roger Dunn était tombé nez à nez avec lui le 3 décembre, alors qu'il garait sa voiture. Les deux hommes, le chasseur et le gibier, s'étaient jaugés du regard et Ted avait demandé à Dunn s'il avait un mandat.

– Non, je voudrais simplement vous parler.

– Entrez donc. Je vais voir ce que je peux faire pour vous.

Dunn en avait été pour ses frais. Ted s'était dirigé tout droit vers le téléphone, avait appelé le cabinet de Browne et informé un assistant que Dunn se trouvait avec lui à cet instant même. Avant que le policier ait fini de lire ses droits à Ted, Browne avait rappelé, demandé à parler à Dunn pour lui ordonner de quitter les lieux sur l'heure. Il s'opposait formellement à ce que Ted s'entretienne avec la police de l'État de Washington.

Ted s'était montré plus compatissant :

– J'aimerais vraiment vous aider. Je sais que la pression que les médias exercent sur vous est énorme. En ce qui me concerne, je ne la ressens pas, mais je ne vous parlerai pas maintenant. Plus tard, John ; peut-être même vous contacterai-je...

– Nous aimerions pouvoir vous rayer de la liste des suspects, si c'était possible, mais nous n'avons pas pu, jusqu'à présent.

– Je sais des choses que vous aimeriez savoir, mais je ne suis pas libre d'en parler.

À peu de chose près, Ted avait tenu à Roger Dunn le même

discours qu'à moi. Ce dernier avait aussi remarqué que Ted évitait soigneusement de le regarder dans les yeux. L'entrevue avait donc tourné court. Ted lui avait tendu une main que Dunn avait serrée.

Ils s'étaient jaugés une fois de plus du regard ; ils ne devaient jamais se revoir.

Assise dans la taverne enfumée, je sentais que Ted était désireux de m'en dire plus. Il était près de 18 heures et j'avais promis à mon fils de l'emmener au cinéma ce soir-là pour son anniversaire. Ted ne voulait pas que notre tête-à-tête s'achève là. Il me proposa d'aller fumer de l'herbe avec lui. Je refusai tout net. De plus, même si je n'avais pas peur, je n'étais peut-être pas tout à fait tranquille non plus.

Ted était passablement ivre quand il m'embrassa sur le trottoir avant de disparaître dans le crachin.

Je devais le revoir encore deux fois par la suite, mais il aurait cessé d'être un homme libre.

21

Le procès de Ted à Salt Lake City s'ouvrit le lundi 23 février 1976. Ted avait choisi de se passer de jury et de s'en remettre à l'avis du juge Stewart Hanson. Hanson avait la réputation d'être un magistrat impartial et Ted était persuadé d'être acquitté. Son défenseur était John O'Connell, un avocat qui avait déjà plaidé vingt-neuf affaires de meurtres, considéré comme l'un des meilleurs de l'Utah. Ted avait de la famille et des amis dans le prétoire : Louise et Johnnie Bundy, Meg. D'autres venus spécialement de Seattle : Sharon Auer et les amis qui l'avaient convaincu, peu avant sa première arrestation, de rejoindre les rangs de l'Église mormone. Mais Louis Smith, le père de Melissa, s'y trouvait aussi, ainsi que les parents et les amis de Debby Kent et de Laura Aime. Aucune charge relative à la disparition de leurs enfants ne pesait contre Ted, mais ils voulaient assister à ce qu'ils considéraient comme un acte de justice symbolique.

En fin de compte, le verdict dépendrait de l'assurance du témoin oculaire Carol DaRonch et du propre témoignage de Ted Bundy. O'Connell avait tenté de faire récuser le témoignage de Bob Hayward concernant l'arrestation de Bundy le 16 août, mais Hanson avait rejeté sa demande.

Bien entendu, on ne fit aucune mention au cours de ce premier procès des autres crimes dont Ted Bundy était aussi suspecté.

Carol DaRonch était loin d'être un témoin confiant ; le regard fixe que Ted posait sur elle la troublait énormément. Elle sanglota pendant toute la durée de sa déclaration sous

203

serment en se remémorant la terreur qu'elle avait éprouvée seize mois auparavant. Mais elle désigna Ted du doigt et l'identifia formellement comme l'homme qui s'était fait passer pour l'« agent Roseland ».

Assis là, impassible, rasé de près, portant un costume gris clair, une chemise blanche et une cravate, Ted ressemblait à tout sauf à un ravisseur.

Pendant deux heures, John O'Connell fit subir un contre-interrogatoire à une Carol DaRonch en larmes, essayant de faire invalider son témoignage accusateur :

– Vous m'avez l'air d'avoir plutôt identifié tout ce que la police voulait vous faire dire, n'est-ce pas ?

– Non... non... c'est faux ! répondit-elle mollement.

Ted continuait de la couver de son regard implacable.

Quand Ted vint à la barre, il reconnut avoir menti au sergent Hayward au moment de son arrestation, ainsi qu'à O'Connell. Il prétendit avoir « détalé » devant Hayward le 16 août parce qu'il avait fumé de la marijuana et voulait débarrasser sa voiture des derniers relents de fumée. Il admit ne pas être allé au cinéma en plein air, comme il l'avait dit à Hayward et il reconnut ne pas avoir dit tout de suite la vérité à O'Connell.

Bundy n'avait aucun alibi justifiant sa présence quelque part dans la nuit du 8 novembre, mais il nia formellement avoir vu Carol DaRonch avant ce jour au tribunal.

Le substitut David Yocum soumit ensuite Ted Bundy à un contre-interrogatoire :

– Avez-vous déjà porté une fausse moustache ? En portiez-vous une quand vous espionniez pour le compte de Dan Evans durant sa campagne électorale ?

– Je n'« espionnais » pour le compte de personne et je n'ai jamais porté de fausse moustache à cette époque.

– Vous êtes-vous vanté, auprès d'une femme de vos relations, d'avoir un certain goût pour les vierges et de pouvoir en posséder une quand vous le vouliez ?

– Non.

– N'avez-vous pas déclaré à la même femme que vous ne faisiez aucune différence entre le bien et le mal ?

– Je ne me souviens pas d'avoir dit une chose pareille ;

mais si je l'ai dite, elle a certainement été sortie de son contexte et ne reflète absolument pas mes opinions.

— Avez-vous utilisé votre ancienne plaque minéralogique sur votre véhicule après avoir obtenu votre nouvelle immatriculation dans l'Utah ?

— Non, monsieur.

Yocum présenta alors deux factures de cartes de crédit correspondant à des achats d'essence.

— Vous avez signalé la perte de plaques portant le numéro LTE-379 le 11 avril 1975. Ces factures prouvent que vous utilisiez toujours ces plaques prétendument « perdues » pendant l'été 1975. Comment expliquez-vous cela ?

— Je ne me souviens pas de ces détails. L'homme de la station-service m'a probablement demandé mon numéro d'immatriculation et il est possible que je lui aie fourni l'ancien, de mémoire.

Ted avait menti à plusieurs reprises et tous ces petits mensonges venaient maintenant entacher l'ensemble de son témoignage. Il avait reconnu avoir menti à O'Connell au sujet de la marijuana deux semaines encore avant le procès. Des jurés l'auraient peut-être cru ; pas le juge Hanson.

Selon ses propres dires, le juge passa un week-end « éprouvant ». Il déclara Ted Bundy coupable d'enlèvement avec circonstances aggravantes. Jusqu'ici en liberté provisoire sous caution, Ted fut placé en détention préventive en attendant que soit prononcée la sentence. Il n'en revenait pas. Au-dehors, la neige tombait ; à l'intérieur, seuls les sanglots de Louise Bundy brisaient le silence qui s'était abattu sur la salle d'audience.

Reconnu coupable, Ted resta silencieux jusqu'à ce qu'on lui passe les menottes, puis il déclara crânement :

— Vous n'avez pas besoin de me mettre ces menottes ; je ne vais pas me sauver.

Navrée, Meg Anders le regarda quitter le tribunal sous bonne garde. La sentence devait être prononcée le 22 mars. Bien entendu, Ted ferait appel.

En attendant, il se retrouvait derrière les barreaux, dans cet univers qu'il haïssait. Je lui écrivis : des lettres insipides, pleines des banalités de ma vie. Je lui fis parvenir un peu d'argent, par l'intermédiaire du cabinet de John O'Connell, pour qu'il puisse se procurer du papier à lettres, des timbres... Et je réservais toujours mon jugement.

Tant que je n'avais pas, personnellement, de preuves de la culpabilité de Ted, j'attendais.

Il m'écrivit de plus en plus souvent. Des lettres qui m'en disaient long sur son état d'esprit. Certaines portent une date erronée, comme si le temps ne signifiait plus rien pour lui.

22

Ted m'écrivit pour la première fois après son procès le 14 mars 1976.

il était déconcerté par le verdict de culpabilité qui avait été rendu et se montrait plein de dédain pour le juge Hanson. Il estimait qu'il avait été plus influencé par l'opinion publique que par les éléments de preuve apportés lors du procès. Il s'attendait à une sentence indéterminée, allant de cinq ans à la perpétuité, et trouvait que le rapport de la Commission de liberté conditionnelle et de probation de l'État était tendancieux.

Le rapport est centré autour de la théorie de la dualité Jekyll-Hyde, une théorie qui est remise en cause par tous les psychologues qui m'ont examiné.

Ted avait entendu dire que le contrôleur judiciaire pensait qu'il avait fait des révélations compromettantes dans sa correspondance avec moi. Ce qui était faux. Il ne m'avait envoyé que deux lettres avant le procès et je les avais remises à la police du comté de King avec l'accord de Ted.

Le juge Hanson annonça le 22 mars que l'inculpé allait subir un examen médico-psychologique. La sentence ne serait donc pas prononcée avant quatre-vingt-dix jours. Ted m'écrivit le soir même, accroupi et le dos appuyé contre la paroi métallique de sa cellule pour essayer de capter un peu de lumière en provenance du corridor. La perspective de ce diagnostic, qui aurait lieu à la prison centrale de Point-of-the-Mountain, n'avait pas l'air de l'inquiéter beaucoup.

Si la vie quotidienne au dépôt est un indicateur fiable, le pénitencier devrait être un endroit riche en sujets d'étude engendrés par la souffrance humaine. Pour plusieurs raisons, je dois donc profiter de cette occasion qui m'est offerte et puiser dans ce réservoir à idées. Je vais me mettre à écrire.

Ted voulait que je lui serve d'agent littéraire pour l'aider à vendre les livres qu'il avait l'intention de rédiger sur son propre cas. Il était pressé que nous définissions nos rôles respectifs et que nous parvenions à un accord de partage sur les profits qui allaient être réalisés. Il me demanda de garder sa proposition secrète et de lui écrire par l'intermédiaire de son avocat.

Je n'avais aucune idée précise de ce qu'il voulait écrire, mais je lui répondis par une longue lettre lui détaillant le b.a.-ba du métier d'écrivain. Je lui rappelai une nouvelle fois que j'avais signé un contrat pour rédiger un livre sur l'affaire des filles disparues. J'insistai sur le fait que je pensais que son histoire devrait nécessairement faire partie de mon livre. Jusqu'à quel point, je ne pouvais encore le préciser. Je lui proposai de partager mes gains avec lui, sur une base de calcul proportionnelle au nombre de chapitres qu'il écrirait de sa main.

Je lui conseillai aussi vivement d'attendre un peu avant de faire publier quoi que ce soit – dans son propre intérêt. Il n'était pas encore sorti d'affaire dans l'Utah et l'enquête dans le Colorado progressait rapidement, bien que le grand public – dont je faisais partie – n'en sache pratiquement rien.

J'avais, moi aussi, des nouvelles pour Ted : je devais venir à Salt Lake City afin d'effectuer quelques recherches pour un éditeur de l'Oregon et je voulais en profiter pour demander une autorisation de le visiter en prison. Je n'étais pas une parente et cette autorisation ne serait pas facile à obtenir. En fait, l'administration pénitentiaire me dit de les rappeler lors de mon arrivée à Salt Lake City : ils prendraient une décision à ce moment-là. J'étais à peu près certaine que leur réponse serait négative.

Je pris l'avion le 1ᵉʳ avril 1976 et louai une voiture à l'aéroport en arrivant. Le soleil brillait dans l'Utah et un vent chargé de poussière roulait des boules d'ansérine desséchée à travers le paysage.

J'appelai la prison pour m'entendre dire que les visites n'étaient pas autorisées en dehors des mercredis et des dimanches. On était jeudi et il était déjà 16 heures. Au téléphone, l'administrateur me dit :

– Quelqu'un va vous rappeler.

On me rappela. Pourquoi voulais-je voir Bundy ?

– C'est un vieil ami.

– Combien de temps comptez-vous rester dans l'Utah ?

– Aujourd'hui et demain matin.

Quel était mon âge ?

– Quarante ans.

Ce devait être la bonne réponse : j'étais trop âgée pour être une « groupie » de Ted.

– D'accord. Vous avez une autorisation spéciale. Présentez-vous à 17 h 15. Vous disposerez d'une heure.

La centrale de Point-of-the-Mountain était située à environ quarante kilomètres au sud de mon motel. En arrivant à Draper, où se trouve le bureau de poste local, j'aperçus deux miradors avec des gardes armés de fusils. La vieille prison et le décor qui l'entourait étaient de la même teinte, brun-gris. Une vague de désespoir me submergea.

À la porte, le gardien me dit que je ne pouvais pas entrer avec mon sac à main.

– Qu'est-ce que j'en fais, alors ? Je ne peux pas le laisser dans la voiture, puisque mes clés sont dedans. Je peux entrer avec mes clés ?

– Désolé. C'est non.

Il finit par se laisser fléchir et m'ouvrit la porte d'un bureau vitré où je pus laisser mes clés de voiture après avoir verrouillé les portières avec mon sac à main à l'intérieur. J'avais mes cigarettes à la main.

– Désolé, pas de cigarettes ni d'allumettes.

Je les laissai sur un comptoir et attendis que l'on aille chercher Ted. J'éprouvais un léger sentiment de claustrophobie, comme chaque fois que je mets les pieds dans une prison ; j'avais l'impression d'avoir un poids sur la poitrine, de respirer plus difficilement.

J'étudiai la salle d'attente autour de moi pour essayer de dissiper mon malaise. Elle était vide. Ce n'était pas l'heure des visites. Les murs ternes et les sièges affaissés paraissaient n'avoir pas bougé depuis cinquante ans. Il y avait un distributeur de bonbons, un panneau d'affichage, des photographies du personnel, une vieille carte dé Noël oubliée. De qui ? Pour qui ? Le règlement disciplinaire en vigueur ; des petites annonces ; un bulletin d'inscription à des cours d'autodéfense. Pour qui ? Le personnel ? Les visiteurs ? Les détenus ?

Où allions-nous parler ? À travers une paroi en verre, par le truchement d'un interphone ? À travers un treillis métallique ? Certaines personnes détestent l'odeur des hôpitaux. Je déteste l'odeur des prisons et des dépôts : tabac froid, détergent, urine, sueur et poussière. Je ne voulais pas voir Ted dans une cage. C'était trop humiliant pour lui.

Un homme se dirigea vers moi en souriant et me demanda de signer un registre. Nous franchîmes une première grille commandée électriquement. Elle se referma derrière nous avec un claquement sonore et métallique. Je signai et passai une deuxième grille.

– Vous pourrez bavarder ici. Vous disposerez d'une heure. M. Bundy sera ici dans une minute.

Je me trouvais dans un couloir ! Un minuscule segment de couloir pris entre deux portillons automatiques. Deux chaises étaient adossées à une rangée de patères auxquelles pendaient des manteaux. Un garde était assis dans une guérite de verre à un mètre cinquante de là. Je me demandai s'il pourrait entendre ce que nous dirions ? Derrière moi s'étendait la prison proprement dite ; des bruits de pas se rapprochaient. Je détournai les yeux, comme pour éviter de voir un infirme ou un handicapé. Je ne pouvais pas regarder Ted en face dans cette cage.

La troisième grille électrique s'ouvrit et il entra, encadré par deux surveillants. Ils le fouillèrent soigneusement. Je n'avais pas été fouillée. M'avaient-ils fait passer sous un détecteur quelconque ? Comment savaient-ils que je ne passais rien en contrebande, que je n'avais pas de rasoir dissimulé quelque part ?

– Votre pièce d'identité, madame ?

On me parlait.

– Elle est dans la voiture. J'ai dû laisser toutes mes affaires dans la voiture.

Les portes s'ouvrirent à nouveau et je courus chercher mon permis de conduire, pour prouver qui j'étais. Je le tendis au gardien, qui l'examina avant de me le rendre. Je n'avais toujours pas regardé Ted en face. Nous attendions tous les deux.

Il était là, maintenant, debout en face de moi. Pendant une seconde, je me demandai pourquoi les prisonniers portaient des T-shirts proclamant leur croyance religieuse. Celui de Ted était orange avec : *Agnostic* imprimé sur la poitrine. Je regardai de plus près et, cette fois, je lus : *Diagnostic*. Ted était là pour un examen de personnalité.

Il était maigre, portait des lunettes et ses cheveux étaient coupés plus court que d'habitude. Il dégageait une odeur de sueur âcre.

Les gardes nous laissèrent seuls pour bavarder dans ce curieux couloir-vestiaire. Le gardien en faction dans sa guérite transparente n'avait pas l'air concerné du tout. Nous étions interrompus par un défilé continu de gardiens, de psychologues et de femmes de détenus qui se rendaient à une réunion. L'un des psychologues reconnut Ted, vint lui serrer la main et échanger quelques mots avec lui.

– C'est un médecin qui a tracé mon profil psychologique pour John O'Connell. Il a dit à John, en confidence, qu'il ne voyait pas comment j'avais pu faire ça.

Un certain nombre des personnes en civil qui passaient là adressaient un signe de tête et parlaient un peu avec Ted. Tout cela était très civilisé.

– Je suis dans le « coffre », où l'on met les nouveaux, m'expliqua-t-il. On est quarante au centre de diagnostic. Le juge a ordonné que je sois placé en détention préventive, mais j'ai refusé. Je ne veux pas être isolé.

Il reconnut pourtant que son arrivée à Point-of-the-Mountain avait fait beaucoup de bruit. Ted était parfaitement conscient que les hommes accusés de crime contre des femmes étaient en danger en prison.

— Ils étaient tous alignés quand je suis arrivé. C'était comme longer un mur d'hostilité.

Mais il préférait nettement le pénitencier au dépôt. Il y était rapidement devenu un « avocat de derrière les barreaux ».

— Si je survis à l'intérieur, ce sera grâce à ma cervelle, à mes connaissances en droit. Ils me demandent des conseils comme à un juriste ; John, mon avocat, est une espèce de grand manitou à leurs yeux. J'ai passé un mauvais quart d'heure une seule fois : ce type – un assassin qui a littéralement déchiqueté la gorge de l'homme qu'il a tué – s'est dirigé droit sur moi et j'ai cru que mon compte était bon. Mais il voulait juste avoir quelques tuyaux sur John, savoir comment l'obtenir comme avocat. Je m'entends très bien avec eux.

Il jeta un coup d'œil à la grille fermée derrière moi.

— Quand tu es allée chercher tes papiers, ils ont laissé la porte ouverte. J'ai vu les manteaux accrochés ici et, pendant un instant, j'ai pensé que je pouvais m'échapper.

Ted avait encore son procès en travers de la gorge et tenait absolument à en parler. Il soutenait que Carol DaRonch avait été influencée dans son témoignage par les policiers du comté de Salt Lake.

— Elle avait déclaré que l'homme avait les yeux bruns. Les miens sont bleus. Elle n'arrivait plus à se souvenir s'il portait ou non une moustache et elle a dit qu'il avait les cheveux sombres et gominés en arrière. Elle a identifié ma voiture d'après un instantané surexposé où elle paraît bleue et non ocre comme elle est en réalité. Ils lui ont montré ma photo tellement souvent qu'elle ne peut que me reconnaître ! Mais au tribunal, elle n'a même pas été fichue d'identifier l'homme qui l'avait ramassée et emmenée au poste de police.

« Jerry Thompson a déclaré qu'il avait vu trois paires de chaussures de cuir verni dans mon placard. Pourquoi ne les a-t-il pas prises en photo ? Pourquoi ne les a-t-il pas saisies comme preuves à conviction ? Je n'ai jamais eu de chaussures de cuir verni. Quelqu'un a même déclaré que je portais des bottes de cuir noir verni à l'église. Ai-jeune tête à porter un déguisement de maniaque pour aller prier ?

212

« Et elle n'a jamais vu non plus le fameux pied-de-biche. Elle a simplement dit qu'elle avait senti un outil métallique à plusieurs sections dans sa main quand elle s'en était emparée par-derrière. Elle a dit qu'il était au-dessus de sa tête.

Ted se montra tout aussi méprisant envers Al Carlisle, le psychologue qui lui faisait passer des tests. La plupart étaient des questionnaires standard, de ceux que connaît le premier étudiant en psychologie venu : le MMPI (Minnesota Multiphasic Personality Index), qui consiste en des centaines de questions auxquelles on peut répondre par « oui » ou par « non ». De temps en temps, on glisse à intervalles réguliers quelques questions pièges, du type : « Vous arrive-t-il d'avoir des pensées trop abjectes pour être mentionnées à un tiers ? » La « bonne » réponse est « oui » – tout le monde a ce genre de pensées, mais certains répondent « non ». Pour Ted Bundy, ce genre de test était du niveau du jardin d'enfants, comme le TAT (Thematic Apperception Test), qui consiste à bâtir une histoire autour d'une image. Et le test de Rorschach, appelé aussi test des taches d'encre. Ted l'avait lui-même utilisé pour des patients. La prison d'État de l'Utah disposait par ailleurs de son propre test psychologique, consistant en une liste d'adjectifs parmi lesquels le patient choisissait et soulignait ceux qui s'appliquaient à sa personnalité.

– Il veut tout savoir sur mon enfance, ma famille, ma vie sexuelle et je lui raconte ce que je peux. Il est content, il me demande si je veux bien le revoir, alors je lui réponds : « O.K., pourquoi pas ? »

Un autre groupe de personnes traversa le couloir, nous forçant à nous interrompre.

– La fois suivante, il est tout souriant. Il a un diagnostic : ma personnalité est passive-agressive. Il est tellement content de lui, Ann, qu'il s'assied là, se renverse en arrière sur sa chaise et attend. Il en veut plus. Mais qu'est-ce qu'il veut ? Une confession complète ?

Je ne parlai pas beaucoup pendant cette visite. Ted en avait tant sur le cœur que je le laissai vider son sac. Et en dehors des visites de Sharon Auer et, occasionnellement, de John O'Connell et de Bruce Lubeck, son associé, Ted avait

213

l'impression de n'avoir personne de son niveau avec qui communiquer.

— John pense que j'aurais dû me mettre en colère au tribunal. Il a fait ses études de droit avec le juge Hanson et il connaît bien l'homme. Mais assis là, dans le box des accusés, j'essayais simplement de comprendre quelles pouvaient être les motivations qui animaient le ministère public. Tout ça me paraissait trop ridicule pour que je m'en émeuve. Mais John pense que j'aurais dû piquer une crise de rage !

Nous abordâmes le sujet de Sharon et de Meg. Il connaissait Sharon depuis plus d'un an ; elle venait fidèlement le voir chaque mercredi et chaque dimanche.

— Ne parlez surtout pas de Sharon à Meg. Sharon est jalouse de Meg et Meg n'est pas vraiment au courant de l'existence de Sharon.

Je lui promis de ne pas m'immiscer dans les méandres de sa vie amoureuse et m'étonnai en même temps qu'il arrive à entretenir deux relations aussi fortes alors qu'il se trouvait derrière les barreaux, sans compter l'éventualité d'une condamnation à perpétuité en perspective.

— Ma mère est furieuse contre Meg parce qu'elle a raconté à la police du comté de King que je suis un enfant illégitime.

Bientôt, cette question ne serait plus que le cadet des soucis de Louise Bundy.

— Ils ont tout ce qu'ils veulent ici... drogue, amphés... Mais je ne veux pas de ça ; il n'est pas question que j'entre dans le scénario habituel du séjour en prison. Je suis en train de m'adapter et j'ai l'intention de travailler à la réforme des prisons. Je suis innocent, mais je peux faire bouger les choses de l'intérieur.

Ted voulait toujours écrire et pensait pouvoir faire sortir sa prose avec la complicité de Sharon. Celle-ci lui apportait régulièrement des papiers et des dossiers juridiques. Elle pouvait sûrement ressortir avec ses écrits et me les expédier.

— J'ai besoin de quinze mille dollars pour payer des enquêteurs privés. Je pense que Carol DaRonch, ou quelqu'un d'assez proche d'elle, connaît l'homme qui l'a attaquée. J'ai aussi besoin d'argent pour engager une équipe de psychologues indépendants censés rédiger un rapport à l'intention de la commission d'application des peines. Tout le monde prend des décisions à mon sujet sans même me consulter...

— Il serait plus sage de ne rien essayer de publier avant le 1er juin, dis-je. Et il y a encore le Colorado.

— Ils n'ont rien contre moi.

— Et ces factures de carte bancaire faites sur place ?

Il sourit.

— Il n'y a rien d'illégal à aller dans le Colorado. Bien sûr que j'y étais, et alors ? Des tas de gens vont dans le Colorado !

Je lui demandai s'il avait l'intention d'inclure une description des affaires de meurtre dans son récit ; il me répondit que ces « affaires sensationnelles » seraient indispensables au succès commercial de son livre.

— Sain Shepard a bien fait reconnaître son innocence après avoir passé des années en prison et son bouquin sur l'épreuve d'un innocent s'est bien vendu.

Il se souvint du monde extérieur et de mon univers personnel, me demandant poliment si j'avais pu vendre ma maison, comment allaient mes enfants... Il me supplia d'aller réconforter Meg, me répéta à quel point il l'aimait et tenait à elle.

Puis les gardes revinrent. Ils lui tapèrent sur l'épaule. Ils nous avaient octroyé quinze minutes de plus. Ted se leva, me serra dans ses bras, me fit la bise. Ils le fouillèrent à nouveau. Voilà pourquoi ils ne m'avaient pas fouillée ; si je lui avais donné quoi que ce soit, ils l'auraient trouvé avant même que j'aie quitté la pièce.

Les grilles s'ouvrirent devant moi et je m'arrêtai un instant pour le regarder s'enfoncer dans le ventre de la prison escorté par les deux grands gardiens.

— Hé ! madame ! Mais faites donc attention, bon sang !

La grille se refermait automatiquement et je n'eus que le temps de faire un bond en avant pour éviter d'être prise dans ses mâchoires d'acier. Le garde me jeta un regard comme si j'étais une débile mentale. L'homme qui m'avait accueillie me raccompagna à l'entrée de la prison et me remercia de ma visite.

J'étais de nouveau à l'air libre ; je passai entre les deux miradors, montai dans ma voiture et repris la route de Salt

Lake City. Le vent avait soulevé une tempête de poussière qui dissimulait presque entièrement la silhouette de la prison dans mon rétroviseur. Brusquement, une camionnette surmontée de gyrophares rouges allumés surgit derrière moi. J'étais devenue paranoïaque pendant cette heure et demie passée à Point-of-the-Mountain et je me demandai ce qu'ils voulaient. Mais qu'avais-je bien pu faire ? La fourgonnette se rapprochait de plus en plus... Je m'apprêtais à me ranger sur le bas-côté quand, soudain, le véhicule tourna sèchement sur une route secondaire. Le hurlement de la sirène s'estompa, emporté par le vent.

Je m'aperçus que je parlais toute seule. Non, non... Il ne pouvait pas être coupable. Il avait été emporté par la marée de l'opinion publique. L'homme avec qui je venais de parler était le même que j'avais toujours connu. Il fallait qu'il soit innocent !

Sur la route, je dépassai les sorties de Midvale et de Murray, des noms qui n'étaient rien d'autre que des emplacements sur une carte – avant les enlèvements. Je doublai quantité de ban-lieusards écrasés d'ennui et je remerciai le ciel d'être libre. Libre de rentrer à mon motel, de sortir dîner avec un ami, de sauter dans un avion pour retourner à Seattle. Ted ne pouvait pas faire cela. Il était bouclé avec les autres dans le « coffre ». Comment une chose pareille pouvait-elle arriver à un jeune homme plein d'avenir ? Perdue dans ma rêverie, je manquai la bretelle de sortie pour mon motel et allai me perdre dans le vaste réseau d'avenues immaculées de Salt Lake City.

Cette nuit-là, je fis un rêve. Un cauchemar terrifiant dont je m'éveillai en sursaut dans une chambre insipide au milieu d'une ville inconnue.

Je me trouvais sur un grand parking, entourée de voitures qui roulaient à folle allure. L'une d'elles écrasa un bébé, le blessant très grièvement, et je le pris dans mes bras, consciente que sa survie dépendait de moi. Je devais l'emmener à l'hôpital, mais personne ne voulait m'aider. Je l'avais enve-loppé dans une couverture grise et le portai jusqu'à une agence de location de voitures. Ils disposaient de quantité de véhicules libres, mais ils regardèrent le bébé dans mes bras et refusèrent de m'en louer une. J'essayai d'obtenir une ambulance, mais les ambulanciers me tournèrent le dos. Désespérée, je trouvai finalement un chariot d'enfant. J'y déposai le bébé et le tirai derrière moi sur des kilomètres et des kilomètres avant d'atteindre la porte d'un service des urgences.

Je courus jusqu'au bureau d'admission avec le bébé dans les bras. L'infirmière de service jeta un coup d'œil à l'enfant.

— Non, nous ne le soignerons pas.

— Mais il est encore en vie ! Il va mourir si vous ne faites rien !

— Ça vaut mieux. Qu'il meure. Personne n'a intérêt à le soigner.

L'infirmière, les médecins, tout le monde s'écartait de moi et du bébé en sang.

Je baissais alors les yeux. Ce n'était plus un petit bébé innocent : c'était un démon. Alors même que je le tenais dans mes bras, il plongea ses dents dans la chair de ma main et me mordit.

Nul besoin de faire des études de psychanalyse pour comprendre ce rêve ; son interprétation était évidente. Avais-je tenté de sauver un monstre ou de protéger quelqu'un de dangereux qui ne le méritait pas ?

23

Quelque chose était remonté du tréfonds de ma conscience pour me le crier à l'oreille : inconsciemment je pensais que Ted Bundy était un tueur. Mais, quoi que nous réserve l'avenir, je m'étais engagée à rester en contact avec lui. Je pensais vaguement pouvoir l'aider un jour à soulager sa conscience. Peut-être me raconterait-il ce qui s'était passé, me révélerait-il quelques faits cachés... Tous ces parents dans la douleur connaîtraient peut-être la vérité au sujet de leurs filles.

Curieusement, j'étais incapable d'imaginer Ted Bundy en assassin. Ce qui était sans doute préférable car, dans le cas contraire, je n'aurais probablement pas pu lui écrire toutes ces lettres. Quelque chose semblait pourtant s'être détraqué dans l'esprit de Ted et je commençais à soupçonner son côté « malade » capable de tuer. Si tel était le cas, alors Ted aurait besoin d'une écoute attentive, de quelqu'un qui ne se poserait pas en juge, mais qui pourrait faciliter sa confession. C'était pour cela que je l'encourageais à écrire.

Pendant ma visite en prison, il m'avait demandé d'appeler Meg. Il m'avait dit : « J'aime Meg spirituellement. » Je me demandais si cela ne signifiait pas que Meg s'était éprise d'un homme qui ne l'épouserait jamais.

Je téléphonai à Meg, qui se souvint de moi. Elle paraissait très désireuse de me revoir. Nous nous fixâmes rendez-vous pour dîner ensemble un soir.

Le 7 avril, je reçus une lettre de Ted, la première depuis que j'étais allée le voir dans l'Utah. Il semblait s'être entièrement ressaisi ; cette capacité qu'il avait de se reprendre dans des conditions de tension extrême et de s'adapter à chaque nouvelle situation m'étonnerait toujours.

Il s'excusait d'avoir accaparé toute la conversation lors de ma visite :

J'ai développé le syndrome typique du prisonnier : je suis obnubilé par mon propre cas... Le procès et le verdict me rongent comme une tumeur maligne au cerveau.

Il écrivait beaucoup de lettres dans sa cellule et disait que sa main gauche (il est gaucher) était devenue si forte qu'il avait rompu ses lacets par inadvertance.

Il m'adjurait encore de m'occuper de Meg et m'écrivait de lui suggérer qu'elle me lise quelques-uns des poèmes d'amour qu'il lui avait envoyés. Il en glissa un dans la lettre, qu'il avait imprimé sur du papier bleu avec le matériel d'imprimerie de la prison a la disposition des détenus :

Je t'envoie ce baiser
Ce corps à étreindre.
Cette nuit, je dors avec toi
Et te parle d'amour en silence.
Je t'aimerais, si je le pouvais,
Avec des mots d'amour pour étendre
Ces bras qui voudraient te serrer contre moi.

Je dînai avec Meg le 30 avril 1976. Elle avait apporté avec elle une bonne douzaine de poèmes de Ted. C'étaient des sonnets romantiques. Tout en les lisant, je ne pouvais m'empêcher d'être frappée par l'incongruité de la situation : Meg était celle qui avait placé Ted dans cette situation inextricable et moi, je savais que Sharon était également amoureuse de lui – Sharon qui s'imaginait que Ted l'aimait.

Meg pleurait en relisant les poèmes de Ted, soulignant à mon intention quelques phrases particulièrement tendres.

– Je ne comprends pas comment il a pu me pardonner, après ce que je lui ai fait, comment il peut m'écrire des phrases comme celles-là...

Elle rangea les feuilles dans une grande enveloppe en papier kraft et regarda autour d'elle. Personne ne l'avait vue pleurer.

— Vous savez, ajouta-t-elle, je ne me lie pas facilement d'amitié. Je n'avais qu'une seule amie et qu'un seul petit ami. Maintenant, je les ai perdus tous les deux. Je ne vois plus Lynn. Je ne peux pas lui pardonner de m'avoir fait douter de Ted, et je ne sais pas quand je reverrai Ted.

— Qu'est-ce qui vous a poussée à appeler la police, Meg ? Y avait-il autre chose que les seuls soupçons de Lynn ?

Elle secoua la tête.

— Je ne peux pas vous en parler. Je sais que vous écrivez un livre. Vous comprenez, n'est-ce pas ? Je suis incapable d'en parler.

Je ne la poussai pas. Je n'étais pas là pour lui tirer les vers du nez. J'étais là parce que Ted me l'avait demandé. En revanche, Meg, de son côté, voulait me soutirer des informations. Alors même que Ted était emprisonné dans l'Utah, elle était jalouse. Elle voulait que je lui parle de Sharon Auer. Je lui dis, honnêtement, que je ne savais pas grand-chose de Sharon. Je ne lui racontai pas que j'avais parlé à Sharon au téléphone quand j'étais allée à Salt Lake City et que sa voix était brusquement devenue glaciale quand j'avais mentionné le nom de Meg. C'était à ce moment-là que j'avais réalisé que Sharon était aussi possessive que Meg avec Ted.

Meg me parut extrêmement vulnérable. Je me demandai pourquoi Ted ne lui rendait pas sa liberté. Elle avait trente et un ans et voulait absolument se marier et faire d'autres enfants avant que l'écart d'âge ne devienne trop important avec Liane. Ted devait certainement savoir qu'il ne serait pas libéré avant bien des années et pourtant il continuait leur relation avec ses poèmes, ses lettres, ses coups de téléphone... De son côté, Meg l'aimait plus que jamais et devait surmonter un sentiment de culpabilité écrasant.

C'était étrange : comment Meg pouvait-elle survivre en restant aussi dépendante de Ted ? Alors que je me posais cette question, je reçus une lettre de lui – le 17 mai – où il paraissait terrifié à l'idée de la perdre ! Nous étions à deux semaines du jour où sa sentence serait prononcée et cela devait agir sur son état nerveux. Il avait l'air de croire que Meg s'éloignait de lui et il me demandait d'aller la voir et de plaider sa cause auprès d'elle. Il n'avait aucune raison valable de douter de la loyauté de Meg ; il *sentait* simplement *des vibrations*.

Sa lettre s'achevait sur son opinion sur les psychiatres et les psychologues qui venaient de passer trois mois à l'étudier dans le groupe de diagnostic :

[...] après m'avoir fait passé une batterie de tests et m'avoir examiné sur toutes les coutures, ils m'ont trouvé normal et sont profondément perplexes. Nous savons tous les deux que personne n'est « normal ». Peut-être devrais-je plutôt dire qu'ils n'ont pu trouver aucune explication venant confirmer le verdict ou toutes les autres allégations. Pas de crise, ni de psychose, ni de dissociation mentale, ni penchants, opinions, ou craintes inhabituels. Intelligent, maître de soi, mais certainement pas cinglé. Leur théorie du moment est que j'ai tout oublié, une théorie que les résultats de leurs propres tests viennent infirmer. « Très intéressant », marmonnent-ils sans arrêt. J'en ai peut-être même convaincu un ou deux de mon innocence.

J'appelai Meg de la part de Ted et trouvai que ses sentiments envers lui n'avaient pas changé d'un iota. Elle le lui avait dit lors d'un très bref coup de fil passé à la prison et me supplia de le rassurer en lui disant qu'elle ne sortait avec personne d'autre. Il ne voulait pas la lâcher et, selon toute apparence, elle ne voulait pas le quitter.

Meg vint passer la soirée du 5 juin chez moi. Ses parents venaient de partir après une longue visite d'une semaine. Elle état sur les nerfs parce que sa famille acceptait mal sa liaison avec Ted. Elle était aussi très consciente de l'influence de Sharon auprès de Ted et elle avait peur d'elle. Je me trouvais au cœur d'une situation qui me mettait plutôt mal à l'aise ; je ne voulais pas couvrir Ted s'il trompait Meg, mais je ne voulais pas non plus qu'elle entende parler des visites de Sharon à la prison centrale de Draper. J'avais le vague sentiment d'être manipulée.

Le sort de Ted était encore dans les limbes. La lecture de sa condamnation pour le rapt de Carol DaRonch, prévue pour le 1ᵉʳ juin, fut repoussée d'un mois. On pouvait envisager – bien que ce soit improbable – qu'il obtienne une mise en liberté conditionnelle. Il pouvait aussi être condamné à perpétuité. On cherchait toujours à éclairer sa personnalité. Un dimanche, j'avais reçu un appel d'Al Carlisle, le psychologue chargé d'établir le rapport sur Ted. Il avait commencé assez brusquement :

– Connaissez-vous Ted Bundy ?

– À qui ai-je l'honneur ? avais-je alors répondu, consciente que Ted Bundy devenait quelqu'un de relativement infréquentable.

Il avait alors décliné son identité et m'avait donné l'impression d'être un homme timide, manquant un peu d'assurance. Je lui avais parlé de ce que je connaissais. Je ne voyais pas d'intérêt à mêler mes rêves et mes angoisses à ce qui était supposé être un diagnostic psychologique rationnel. Je lui avais expliqué que, dans tous les rapports que j'avais eus avec Ted, je l'avais trouvé normal, amical, gentil et capable d'empathie.

– Bien, avait-il dit. J'ai parlé de lui avec un tas de gens et c'est étonnant le nombre d'opinions très divergentes que j'ai reçues à son sujet.

Je voulais lui demander des précisions, mais ce n'était pas le moment. J'avais attendu.

Carlisle voulait une copie des deux lettres de Ted qui étaient devenues si inexplicablement célèbres ; je lui dis que je les lui enverrais – mais seulement si Ted m'y autorisait. Ce qu'il fit, et je les expédiai au psychologue de la prison.

Ted m'écrivit encore le 9 juin. Sa condamnation approchant à grands pas, il avait adopté une attitude plus combative. « Ça promet », disait-il.

Il trouvait les tests psychologiques « vicieux, tendancieux et infernaux ». Se remémorant ses propres études de psychologie, il se sentait fin prêt à répondre aux questions que les médecins lui posaient. Des questions laissant entendre qu'il avait pu exprimer des désirs bizarres ou faire preuve de déviance au cours de ses rapports sexuels, voire adopter un comportement homosexuel... Il était furieux parce que les médecins lui avaient dit que certains de ses amis avaient fait des commentaires négatifs à son sujet. Mais ils ne voulaient pas lui révéler la teneur de ces commentaires ni le nom de ces amis.

J'étais atterré ! Est-ce cela, l'Amérique ? Dois-je être anonymement vilipendé ? J'ai dressé une liste de plusieurs amis très proches, des personnes qui me connaissent très bien. Aucun n'a été contacté. Qui sont mes détracteurs ? Pas de réponse...

Mais il avait bel et bien obtenu quelques réponses. Les psychologues du groupe de diagnostic lui avaient dit que les personnes anonymes l'avaient déclaré instable.

« À certains moments vous aviez l'air content, affable, et à d'autres vous sembliez être quelqu'un d'autre, un être insensible », lui avaient-ils dit.

Ils font tout ce qu'ils peuvent pour créer un cas de dédoublement de la personnalité, écrivait-il sur un ton furieux. *Je vais les écraser !*

Il était certain de pouvoir réduire à néant tout le travail effectué par le groupe de diagnostic au cours des trois mois écoulés. Ted attendait avec impatience la lecture du rapport sur ses facultés mentales.

Il venait seulement d'entamer la bataille juridique pour sa propre liberté, une bataille dans laquelle il allait se montrer de plus en plus pressant au fil des années. Il était « gonflé à bloc », sûr que son esprit et son intelligence prévaudraient sur tout ce que les psychiatres essaieraient de démontrer. Je crois qu'il était sincèrement convaincu que sa seule éloquence suffirait à le tirer d'affaire. Ted fit sa déposition devant le juge Hanson. Au cours de sa plaidoirie, Ted se montra spirituel et présomptueux, tellement détaché des faits que toute la situation en devenait caricaturale. Cette attitude allait irriter de nombreux juges et jurés dans tous les tribunaux où il allait devoir se défendre par la suite. J'ai toujours senti que Ted préférerait encore la mort à l'humiliation et qu'il affronterait la chaise électrique ou la prison à perpétuité plutôt que de s'abaisser.

À l'audience, Ted protesta avec arrogance contre ses arrestations d'août et d'octobre 1975. Il admit avoir eu un comportement quelque peu « bizarre » face au sergent Bob Hayward, mais il ne voyait pas le rapport entre ces actes, le contenu de sa voiture et le rapt de Carol DaRonch. Il n'avait pas d'alibi pour la nuit du 8 novembre 1974 et argumenta :

– Si je ne parviens pas à me souvenir avec précision de ce qui a pu arriver à une date précise qui remonte maintenant à plus d'un an et demi avant mon arrestation pour enlèvement, c'est parce que ma mémoire ne s'améliore pas avec le temps. Je peux en revanche vous dire sans crainte ce que je ne faisais pas : je ne me faisais pas opérer du cœur, je ne prenais pas de cours de danse classique, je ne me trouvais pas au Mexique et je n'enlevais pas revolver au poing une personne que je ne connais ni d'Ève ni d'Adam. Il y a des choses que l'on n'oublie pas et d'autres choses que l'on ne fait pas, quelles que soient les circonstances.

En dépit de sa larmoyante plaidoirie où il soutint que le mettre en prison n'apportait rien de bon, Ted fut condamné le 30 juin.

– Un jour, Dieu sait quand, dans cinq ou dix ans, ou plus, quand viendra pour moi l'heure de sortir, je vous suggère de vous demander : où en sommes-nous ? qu'est-ce qui a changé et est-ce que tout cela valait vraiment le sacrifice de ma vie ? Oui, je l'affirme, je serai candidat à la réhabilitation. Pas à cause de ce que j'aurai fait, mais à cause de ce que le système m'aura fait.

Ted s'en tira avec une sentence relativement légère, aucune autre charge plus grave n'étant venue alourdir son dossier. Il fut condamné – comme le prévoit la loi – à quinze ans d'emprisonnement pour attentat à la liberté individuelle. Il pouvait espérer être remis en liberté conditionnelle d'ici dix-huit mois.

Mais rien ne se passerait comme il le souhaitait. L'enquête sur le meurtre de Caryn Campbell à Aspen, dans le Colorado, avançait à pas de géant. Mike Ficher était en possession des factures de cartes de crédit et avait été contacté par Bob Neill, un criminaliste du laboratoire du FBI. Parmi les cheveux trouvés dans la voiture de Ted, il s'en trouvait dont l'examen par microscopie comparative avait révélé qu'ils étaient identiques en tout point à ceux de trois victimes présumées de Ted : Caryn Campbell, Melissa Smith et Carol DaRonch.

Les cheveux ne sont pas aussi personnalisés que les empreintes digitales ; Bob Neill affirma néanmoins qu'en vingt ans de carrière au laboratoire du FBI, il n'avait jamais trouvé des échantillons de cheveux de trois victimes différentes au même endroit.

– Les chances pour qu'on trouve trois types de cheveux différents, identiques à ceux des victimes mais ne leur appartenant pas sont d'une sur vingt mille. Ça n'est jamais arrivé.

Un inspecteur de l'État de Washington me confia un jour que la taille des pans du pied-de-biche saisi dans la voiture de Ted correspondait exactement aux dépressions de la fracture du crâne de Caryn Campbell. Des bruits couraient aussi sur l'existence d'un témoin oculaire : une femme qui aurait vu l'étrange jeune homme dans le couloir du premier étage de l'hôtel Wildwood, quelques minutes avant la disparition de Caryn. Des rumeurs circulaient aussi au sein de la police disant que le dossier qui se constituait dans le Colorado était autrement plus solide que celui présenté dans l'Utah.

Ted avait conscience de ce qui se préparait dans le Colorado, mais il était encore émotionnellement sous le coup de la sentence prononcée contre lui dans l'Utah quand il m'écrivit le 2 juillet 1976. Sa lettre était classique dans la mesure où elle consistait en une analyse de son diagnostic psychiatrique par le sujet lui-même – diplômé en psychologie. Elle avait été dactylographiée sur une vieille machine à écrire dont les lettres étaient toutes tachées d'encre. Il écrivait dans ces pages brouillées :

C'était comme de pisser dans un violon et pourtant, curieusement, je me sentais étrangement satisfait. J'étais calme et énergique en même temps ; parfaitement maître de moi tout en étant sincère et en proie à l'émotion. Peu m'importait de savoir qui m'écoutait, même si je voulais que chaque mot ait autant d'impact que possible sur le juge. Pendant un court moment, beaucoup trop court, j'étais de nouveau moi-même, entouré de gens libres, déployant toute l'adresse dont j'étais capable, luttant de la seule manière que je connaisse : à l'aide des mots et de la logique. Et pendant ce trop court instant, j'ai goûté le rêve d'être avocat.

Il savait avoir perdu, mais c'était bien sûr à cause de la police, du ministère public, du juge, et de ce qu'il appelait « la faiblesse d'hommes trop timides, trop aveugles, trop peureux pour accepter la fragilité du dossier d'instruction ».

Les psychiatres étaient parvenus à la conclusion que Ted Bundy ne souffrait d'aucune psychose, d'aucune névrose, d'aucun dysfonctionnement cérébral, d'aucun trouble caractériel ou d'amnésie. Il n'était ni alcoolique, ni toxicomane, ni déviant sexuel.

Al Carlisle était parvenu à la conclusion que Ted était un « homme secret », à savoir un individu que personne ne pouvait connaître intimement : « Quand on essaie de le connaître mieux, il se défile. »

« Ann, m'écrivait Ted, pense à moi tel que tu me connais. Bien sûr, je suis quelqu'un de secret, et alors ?... Quant à cette histoire selon laquelle je suis incapable d'intimité... c'est absurde ! »

Il reconnaissait volontiers qu'il était un anxieux, comme l'avait suggéré le Dr Carlisle, et que cela l'incitait peut-être à structurer ses rapports avec les autres :

Il est fort possible que je structure, peut-être même inconsciemment, mes rapports avec les gens, mais reconnais qu'il faut bien que je mette un peu d'ordre dans ma vie.

L'une des conclusions qui l'ulcérait évoquait sa très forte dépendance par rapport aux femmes, une tendance considérée comme suspecte.

Que je sois dépendant de vous les femmes doit sûrement signifier quelque chose, mais quoi ? Je ne nie pas cette dépendance : je suis né d'une femme, mes profs à l'école étaient des femmes, et je suis très profondément épris d'une femme. Que chaque femme à qui je me suis trouvé lié socialement, professionnellement ou intimement considère nos rapports. Ai-je jamais été une espèce de boule de nerfs crispée, entièrement soumise à une féminité suprême ?

Carlisle avait découvert que Ted éprouvait une grande crainte d'être humilié dans ses rapports avec les femmes et Ted reconnut sardoniquement qu'il n'aimait « pas particulièrement se faire rabrouer et humilier... Tires-en les conclusions que tu voudras... ».

Ted avait une réponse pour chaque conclusion apportée par le Dr Carlisle. Il niait qu'il « fermait les yeux devant les problèmes », ou qu'il était instable, en mettant en évidence l'extraordinaire rigueur et force de caractère dont il avait fait preuve au cours du procès DaRonch. Personne ne pouvait dire le contraire.

Sa critique acerbe ne s'arrêtait pas là. Il refusait l'avis de Carlisle, qui soutenait que le profil psychologique général qui se dégageait du rapport était compatible avec la nature des crimes pour lesquels il avait été condamné.

Si cela est vrai, écrivait Ted, alors, il y a beaucoup de ravisseurs en puissance en liberté dans les rues en ce moment même... Cette conclusion est grotesque et montre bien l'ampleur de la tentative réalisée là pour satisfaire aux présomptions qui sous-tendent le verdict. Ce rapport est une ignoble imposture !

Toute la souffrance et le désespoir de Ted transparaissaient dans le dernier paragraphe de cette très, très longue lettre :

Je suis épuisé. L'amère réalité s'est fait jour en moi, mais je n'ai pas encore totalement compris le sens profond de mon destin. Depuis que la sentence a été prononcée, mes premiers sursauts de colère et de désespoir sont nés quand j'ai pris conscience que Meg et moi ne vivrions jamais

227

ensemble. On m'a séparé de la plus grande force motrice de mon existence.

Il me demandait de faire lire cette lettre à Meg, la première qu'il écrivait depuis la sentence et de la réconforter.

J'étais terriblement impressionnée par la capacité de Ted à penser en homme de loi. Son Q.I. avait été testé à la prison centrale et évalué à cent vingt-quatre. Ce n'était pas le niveau d'un génie – plutôt le juste nécessaire à un étudiant de quatrième année désirant obtenir son diplôme –, mais Ted était très nettement supérieur aux résultats des tests. J'hésitais toujours dans mes convictions : qui croire ?

Pourtant, en lisant ces phrases où Ted proclamait son grand amour pour Meg, je savais qu'il était parfaitement capable de faire complètement abstraction de ses relations avec d'autres femmes. S'il ne pouvait rester fidèle à Meg, comment croire en son inébranlable amour pour elle ? Et, s'il se servait de moi, il s'y prenait vraiment très bien...

24

Le rapt de Carol DaRonch était loin d'être le plus important des crimes dont Ted était soupçonné. Alors que les autorités du Colorado semblaient en passe de constituer un solide dossier sur le meurtre de Caryn Campbell, la police de l'État de Washington restait extrêmement frustrée.

En septembre 1975, quelques semaines seulement avant l'arrestation de Ted Bundy, Herb Swindler avait été nommé commandant de la police administrative à Georgetown, au sud-est de Seattle. Selon la rumeur, ses orientations occultistes dans la conduite de l'enquête sur les tueries avaient fini par embarrasser les huiles de la police. Sa nouvelle affectation le mettait sur la touche. Il ne s'agissait nullement d'un camouflet mais d'un simple rappel à l'ordre. Swindler avait pourtant été le seul enquêteur à croire que la disparition de Kathy Parks, dans l'Oregon, s'inscrivait dans la continuité de la vague de crimes commis à Seattle – et il avait eu raison.

Il avait été remplacé par le capitaine John Leitch, un policier chevronné et plutôt brillant. Alors qu'Herb aimait bien bavarder de l'actualité criminelle, Leitch restait muet comme une carpe et se méfiait de moi. Avec le temps, il finirait par m'accorder à contrecœur une certaine confiance et prendrait plaisir à me taquiner à propos de mon « petit ami, Ted ». C'était un cérébral, un bon administrateur qui laissait ses hommes faire leur boulot en paix. Je ne sais pas ce qu'il pensait de moi, mais il me considérait plutôt comme une journaliste que comme un ancien agent de police. Je l'aimais bien, mais il m'intimidait. Lui, en revanche, semblait craindre que l'on me confonde avec un « policier » dans l'affaire Ted Bundy – un rôle que j'étais bien certaine de ne pas vouloir jouer.

De son côté, dans ses bureaux de la police du comté, Nick Mackie me connaissait depuis si longtemps que je ne constituais plus une menace. Nous nous rencontrâmes plusieurs fois tout au long de l'été 1976 pour parler de Ted. Ce dernier le savait, car je continuais à lui faire passer des messages provenant de Mackie. Il n'aimait pas que je lui suggère de s'entretenir avec le chef de la police du comté de King et il se mettait parfois en colère, même s'il ne semblait pas m'en vouloir réellement.

Mackie ne me révéla jamais avec précision quels éléments la police détenait contre Ted, mais il essayait continuellement de me persuader qu'elle était sur la bonne piste. Je ne sais combien de fois il me demanda avec une pointe d'exaspération dans la voix :

– Allez, reconnaissez-le, vous le croyez coupable, n'est-ce pas ?

Et à chaque fois je répondais :

– Non, vraiment, je ne sais pas. Parfois, j'ai la certitude qu'il est coupable, puis mes doutes reviennent.

Au cours des huit dernières années, j'avais déjà fait le récit d'au moins une douzaine de cas, rien que dans le Nord-Ouest, où des jeunes femmes avaient été assassinées « à la chaîne ». Et j'étais certaine d'une chose : je sentais que le « Ted » en question, Bundy ou pas, avait conservé quelque part des « souvenirs », qu'il avait gardé un trophée de chaque meurtre.

– Je suis d'accord avec vous, me dit Nick Mackie, mais où ? Nous avons visité la maison des Rogers de fond en comble. Nous avons même retourné le jardin, sans succès.

Les parents Bundy avaient bien évidemment refusé que leur maison de Tacoma soit fouillée, ainsi que leur chalet de vacances du lac Crescent. Phil Killien, le premier substitut, avait prévenu Mackie : il ne détenait pas suffisamment d'éléments pour obtenir un mandat qui lui permette de perquisitionner dans ces propriétés. Cette impossibilité de rechercher des preuves susceptibles d'impliquer Ted dans les meurtres de l'État de Washington – notamment en fouillant cette propriété proche du lac Crescent – exaspérait Mackie. On ne pouvait lui en vouloir mais, sans mandat, tout ce que les enquêteurs trouveraient sur le terrain serait considéré comme le « fruit de l'arbre défendu », autrement dit : irrecevable devant une cour de justice, car obtenu illégalement.

La police avait les mains liées. Les règles du système judiciaire en matière d'enquête criminelle sont si compliquées que certaines paraissent même avoir été édictées en faveur des suspects.

Il était peu probable que Ted Bundy soit un jour inculpé dans les affaires de meurtres de l'État de Washington. La police n'avait rien de plus qu'une douzaine de preuves indirectes qui semblaient défier toute probabilité.

Des mois plus tard, quand John Leitch se sentit un peu plus libre de me parler, il reconnut être à peu près du même avis. Selon lui, Ted ne pourrait être inculpé et jugé dans l'État de Washington que si les huit cas étaient formellement reliés les uns aux autres.

– Si tout ce que nous savons sur ces affaires était réuni en un seul dossier, je pense qu'il serait condamné. Ce serait le seul moyen.

Jamais aucun avocat de la défense ne laisserait faire une chose pareille. John Henry Browne se battrait comme un lion contre une telle éventualité, même si elle ne devait être que suggérée.

25

Malgré son incarcération, Ted semblait rester égal à lui-même. Nous entretenions, par le biais de notre correspondance, cette curieuse intimité de rapports propre à l'écriture et qui autorise une franchise qu'il est souvent difficile de conserver quand on se retrouve face à face.

Je restai en contact avec Meg et m'aperçus qu'elle avait pris de nouvelles résolutions : elle s'était inscrite à des cours du soir et avait commencé à prospecter pour s'acheter une maison. Elle nourrissait des soupçons grandissants sur les liens qui unissaient Ted à Sharon Auer. Quand Louise Bundy était rentrée après la lecture de la sentence contre Ted, elle avait commis l'erreur de répéter sans cesse à Meg combien Sharon était « charmante ». Meg avait fini par en déduire que Sharon était bien plus pour Ted qu'un simple lien entre lui et son avocat. Quand je lui parlai en août 1976, Meg hésitait encore. Que faire ! Dire adieu à Ted – non pas à cause des charges qui pesaient contre lui, mais parce qu'il lui avait menti au sujet de Sharon – ou continuer de le soutenir de tout son amour ? Elle lui avait envoyé une première lettre pour jalonner un chemin de rupture mais avait immédiatement regretté son geste.

Ted passa l'été en prison ; il s'acclimatait à la réclusion. Je n'eus aucune nouvelle de lui avant le 25 août. Je lui avais proposé de montrer à Nick Mackie son courrier où il critiquait le rapport psychiatrique, mais l'idée ne lui avait pas plu. Cette nouvelle lettre, postée huit semaines après sa propre « contre-expertise » outragée, me parut être le reflet des sentiments d'un homme qui reprenait du poil de la bête.

Il était content d'avoir une nouvelle machine à écrire, obtenue quand il avait rédigé son premier acte judiciaire après avoir été transféré dans la partie commune de la prison.

La population générale est cette masse anonyme de détenus dont les « nouveaux » ont peur ; peur d'être violés ou pire : qu'on leur vole leurs rations.

Ted se débrouillait vraiment très bien. Il avait eu peur de se retrouver parmi tous ces détenus – pour qui un homme accusé de crimes contre des femmes ou des enfants était au niveau le plus bas dans la hiérarchie carcérale. Ces prisonniers-là étaient souvent battus, violés ou tués. Mais personne n'avait menacé Ted ; il prétendait pouvoir circuler d'un bout à l'autre de la prison sans rien craindre parce qu'il détenait quelque chose qui avait une énorme valeur aux yeux des prisonniers de Point-of-the-Moutain : des connaissances juridiques. Il était souvent interpellé par des détenus qui souhaitaient être aidés à préparer leur pourvoi en appel. Comme il me l'avait dit lorsque j'étais venu le voir, alors qu'il était encore un « bleu », il survivrait grâce à son cerveau.

Mieux, il était même devenu une célébrité locale. Son franc-parler lors de ses plaidoiries au tribunal avait impressionné les caïds de la prison. Les vieux de la vieille mettaient un point d'honneur à être vus en compagnie de Ted, à l'estampiller en quelque sorte du sceau de leur approbation.

Je crois qu'ils apprécient aussi beaucoup le fait de voir un ancien républicain, ex-étudiant en droit, membre de la petite-bourgeoisie blanche, critiquer le système aussi vigoureusement qu'il le mérite à leurs yeux. J'entretiens des rapports étroits avec les Noirs et les Mexicains et ce que j'ai fait pour certains de ces gens a été très bénéfique pour mon image. J'ai réussi à ne pas tomber dans l'orgueil : le genre « Je suis trop malin – je ne devrais pas être ici avec vous. »

Il passait ses journées à travailler dans l'atelier d'imprimerie de la prison, à écouter les doléances des autres prisonniers et à *souhaiter être ailleurs*. Il semblait même heureux de m'écrire que Meg prenait de plus en plus d'indépendance. Cela signifiait qu'elle ne lui écrivait plus aussi souvent qu'avant, ce qui ne l'empêchait pas d'attendre avec impatience sa visite prévue pour le 28 août.

Ted n'avait cependant pas abandonné tout esprit combatif : il s'était aussi lancé dans une diatribe contre Nick Mackie et d'autres membres de la police.

Ted disait qu'il serait curieux d'entendre, un de ces jours, la « théorie monstrueuse » soutenue par la policé du comté de King, mais que, pour le moment, les « histoires rocambolesques » ne l'intéressaient pas.

Au cours de l'été et de l'automne 1976, Ted m'expédia des lettres très variées dans leur contenu, alternant colère et humour comme celle-ci à la plongée dans les eaux profondes de la dépression, en passant par de simples demandes d'informations. Étant donné les circonstances, ces sautes d'humeur étaient tout à fait naturelles. Sa demande de mise en liberté provisoire en attente du jugement d'appel avait été rejetée et la menace d'une inculpation pour meurtre dans le Colorado se précisait.

Il me demanda aussi à plusieurs reprises de vérifier l'identité de journalistes du Nord-Ouest qui cherchaient à l'interviewer.

Quelque chose parut ébranler Ted dans la première semaine de septembre, quelque chose qui le fit sombrer dans une profonde dépression. En reconstituant la chronologie des événements un peu plus tard, j'en déduisis que son malaise avait trait à la visite de Meg, le 28 août.

La lettre que m'envoya Ted le 5 septembre était baignée du désespoir le plus noir. Je ne pus l'interpréter autrement que comme la lettre d'un suicidé en puissance et cela m'effraya. Ted écrivait que cette lettre était pour lui l'équivalent d'un appel au CAU, mais qu'il n'y avait pas de réponse possible :

> *Je ne demande aucune aide, j'écris simplement pour dire adieu.*

Il disait ne plus avoir la force de lutter pour la justice. Il ne traversait pas simplement une mauvaise passe, il était parvenu au terme de tout espoir, là où tous les rêves disparaissent.

Chaque phrase, chaque mot de cette lettre ne pouvait s'interpréter que d'une seule façon : Ted avait l'intention de se donner la mort.

À mesure que je lisais ces lignes, je sentais mes cheveux se dresser sur ma tête ; peut-être était-il déjà trop tard ? Il avait écrit cette lettre trois jours plus tôt.

Les dernières phrases étaient un plaidoyer à l'intention de tous ceux qui le croyaient coupable de ces crimes terribles :

Enfin, et c'est le plus important, je veux que vous sachiez, que le monde entier sache que je suis innocent. Je n'ai jamais fait le moindre mal à qui que ce soit de toute ma vie. Au nom de Dieu, je vous en prie, croyez-moi !

Bien qu'il ait écrit qu'il ne pouvait y avoir de réponse à sa lettre, je me souvins que Ted et moi avions appris au CAU que toute prise de contact faite par une personne désespérée devait être considérée comme un appel à l'aide. Ted m'avait écrit ; je supposais qu'il voulait inconsciemment que j'intervienne. J'appelai Bruce Cummings, notre ancien mentor du CAU, et lui lus la lettre de Ted. Il était d'accord avec moi : il fallait réagir.

J'appelai donc ensuite le cabinet de John O'Connell à Salt Lake City. Je tombai sur Bruce Lubeck et lui dis que je craignais que Ted ne fût sur le point de se suicider. Il me promit de se rendre à Point-of-the-Mountain. Je n'ai jamais su s'il y était allé. J'envoyai à Ted un courrier en urgence plein de « Accroche-toi ! » et restai dans l'expectative pendant plusieurs jours, m'attendant à recevoir la sale nouvelle dans un flash spécial d'informations.

Rien ne vint.

Au lieu de cela, Ted m'écrivit une lettre le 26 septembre dans laquelle il s'expliquait vaguement. Apparemment, ce n'était pas ma missive qui l'avait détourné de l'idée de se pendre, mais une partie de handball :

Pratiquer le handball est une curieuse façon de chasser l'amertume. Peut-être est-ce pour le corps une manière de dominer les impulsions destructrices de l'esprit... Le corps n'est peut-être que l'hôte du cerveau, mais l'intellect, fragile et égoïste, ne fait pas le poids devant les impératifs de la vie elle-même.

Ted me présentait ses excuses pour m'avoir fait peur ; il avait décidé de vivre et, à la suite de cette décision, ses lettres reprirent un ton de colère et de bravade.

Il critiquait sans arrêt la police :

Les flics sont une espèce étrange, mais on comprend vite que, quand ils tiennent quelque chose, ils agissent d'abord et discutent après... Je ne sous-estime jamais l'esprit d'invention de ces gens-là et le danger qu'ils représentent. Comme les animaux sauvages, ils deviennent imprévisibles quand ils se sentent coincés.

Et Ted avait bien raison de craindre le « danger » qu'ils représentaient. Le 22 octobre, pratiquement un an après son inculpation dans le rapt de Carol DaRonch, il fut officiellement inculpé du meurtre de Caryn Campbell. Je le soupçonnais d'avoir hâte d'affronter ses accusateurs ! Sa force face aux attaques dont il était l'objet paraissait tout à fait réelle. Il était fait pour l'arène ; il ne se sentait bien que dans l'adversité, niant dédaigneusement les charges qui pesaient contre lui.

Peut-être Ted avait-il prévu de ne plus être là quand les charges seraient finalement portées contre lui. En effet, le 19 octobre, Ted n'avait pas regagné sa cellule après la promenade. Sam Smith, l'administrateur de la prison, annonça que Ted avait été découvert dissimulé derrière un buisson en possession d'un « nécessaire d'évasion », à savoir : une carte de Sécurité sociale, une esquisse de permis de conduire, des cartes routières et des horaires d'avion.

Ted m'avait écrit que son comportement « modèle » lui avait permis de bénéficier d'une plus grande liberté de circulation dans l'enceinte de la prison. Désormais, on le soupçonnait d'avoir eu l'intention de fabriquer des faux papiers avec le matériel d'imprimerie à la disposition des prisonniers. Il fut immédiatement mis au régime cellulaire. Rétrospectivement, considérant la propension à s'évader qu'il allait manifester au cours des mois suivants, il est très vraisemblable qu'il avait effectivement eu l'intention de s'échapper de Point-of-the-Mountain...

Le 26 octobre, je reçus une lettre de Sharon Auer contenant un bref message que Ted lui avait confié à mon intention. Bien que chacune des lettres de Ted soit pleine d'éloges pour Meg, Sharon occupait toujours une place très importante dans sa vie. Sharon était horrifiée par la cellule de haute sécurité dans laquelle Ted avait été enfermé. En fait ses impressions sur le sujet provenaient des descriptions de Ted, puisque les visites étaient interdites :

Deux mètres cinquante de plafond, trois mètres de long sur un mètre quatre-vingts de large, avec des barreaux d'acier montant du sol au plafond à soixante centimètres en retrait de l'entrée à l'intérieur de la cellule et une porte pleine, en acier – percée d'un judas. Les murs sont couverts de graffitis, de vomi et d'urine.

Une simple dalle de béton avec un mince matelas servait de lit et le seul signe d'espoir visible était un crucifix pendu au mur, au-dessus d'un simple lavabo. Les livres lui étaient interdits, mais il avait le droit de recevoir du courrier. Il devait y passer quinze jours ; Sharon était furieuse qu'il soit aussi sévèrement puni pour une faute aussi bénigne qu'être découvert en possession d'une carte d'assuré social. Elle essayait de lui écrire trois ou quatre lettres par jour :

Ces salauds ne m'autorisent peut-être pas à aller le voir, mais ils vont vite en avoir marre de lui porter son courrier...

À lire sa lettre, je me demandais encore, à la fois stupéfaite et consternée, comment toute cette histoire allait finir pour ces deux femmes amoureuses de Ted. Quand allaient-elles comprendre que chacune avait été trompée en croyant être la seule...

Ted m'écrivit à l'époque d'Halloween. Il prétendait n'avoir été en possession que d'une carte de Sécurité sociale de femme. Elle ne pouvait en aucun cas servir de justificatif d'identité, et il accusait Sam Smith d'avoir monté l'affaire en épingle. Je n'ai jamais découvert quel nom figurait sur cette carte.

La seule allusion qu'il faisait à l'affaire du Colorado se limitait à y nier toute implication. Il me laissait entendre qu'il avait en main des documents qui réduiraient le dossier à néant :

> *Ce procès au Colorado marquera le début de la fin d'un mythe !*

Ted m'écrivit encore après la lecture publique de l'acte d'accusation présidant à sa demande d'extradition. Selon lui, l'audience avait attiré plus de journalistes qu'il n'en avait vus depuis le début de ses épreuves. Il dénigrait leur sens de l'équité : *...qualité qu'ils n'ont pas.* Il affirmait aussi que le « témoin oculaire » d'Aspen n'était d'aucune valeur puisqu'il avait choisi sa photographie un an après la disparition de Caryn Campbell.

Bien que la lecture de l'acte d'accusation contre Ted ait attiré un grand nombre de reporters, il n'était pas le plus célèbre détenu de la centrale de l'Utah cette semaine-là. Gary Gilmore, un assassin condamné qui avait volontairement choisi la peine capitale, fit la couverture de *Newsweek* du 29 novembre. Comparé à Gilmore, Ted ne présentait pas un grand intérêt médiatique. Il faudrait attendre encore un peu...

De toute façon, Ted n'avait pas le temps de méditer sur la « saga » de Gary : il était bien trop occupé à relire en détail et à annoter les sept cents pages du rapport sur l'affaire DaRonch et à étudier le droit criminel propre au Colorado. Il ne comprenait pas, après avoir relu les minutes du procès, comment le juge avait pu le déclarer coupable, et il était persuadé qu'un verdict de non-culpabilité serait rendu dans le Colorado.

Ted ne manquait jamais de faire allusion au monde extérieur, à mon univers personnel, même s'il ne s'agissait que d'une seule phrase ou deux en fin de lettre. Cette fois-ci, il m'écrivit :

J'attends avec impatience que Cosmopolitan *te paye pour que tu sois enfin en mesure de louer un hélicoptère pour me sortir d'ici. Les autorités de la prison maintiennent, à tort, que je possédais des horaires de vols. Tu te rends compte ! Si j'étais assez idiot pour me rendre dans un aéroport, je me ficherais pas mal de savoir dans quel avion je vais sauter, du moment qu'il puisse décoller et atterrir. Je vais bien, je me bats comme un lion. Tu sais ce que c'est quand il faut ramer à contre-courant...*

Amitiés,
Ted.

Malgré la désinvolture du ton sur lequel il parlait d'évasion, cette idée était devenue courante dans sa correspondance, noyée au milieu de ses dissertations sur les aspects juridiques de la bataille dans laquelle il était engagé. Tous les prisonniers rêvent de s'échapper et tous en parlent – débattent des possibilités et de leurs chances de réussite. Mais seul un nombre infime d'entre eux passe aux actes.

Ted disait qu'il allait changer de décor, ce qui voulait dire qu'un jour ou l'autre il arrêterait de se battre contre la demande d'extradition du Colorado. Mais il voulait choisir son moment et il avait encore beaucoup de recherches à faire au préalable. Il ne lui restait plus un sou pour payer des avocats et il n'avait plus rien à attendre de sa famille ni de ses amis de l'État de Washington. Il allait donc se retrouver à la merci des avocats de l'assistance judiciaire et prenait de plus en plus en main les rênes de son destin juridique.

À la suite de mon déménagement, j'eus une avalanche de contrats pour des magazines féminins de très grande diffusion. Un phénomène significatif de l'intérêt grandissant du public américain, en 1976, pour le sort des victimes de crimes violents. J'interrompis donc ma correspondance avec Ted pendant trois ou quatre semaines. Il s'en plaignit dans une lettre qu'il m'envoya à la mi-décembre. Pour la première fois, Ted allait passer Noël derrière les barreaux. Cela l'attristait. Un an plus tôt, nous étions assis l'un en face de l'autre à la *Brasserie Pittsbourg* ; j'avais l'impression que vingt années s'étaient écoulées.

Il avait griffonné son message de Noël sous forme de poème sur une feuille de papier réglementaire quadrillé :

> *Cette lettre devra faire office de carte de vœux, une manière de te remercier pour toute la joie que tu as apportée dans ma vie. Sans oublier ton soutien qui a été vital. Je n'ai plus besoin pour finir que de quelques vers pittoresques que l'on trouve sur les cartes achetées en grandes surfaces :*
> *Que les rennes du Père Noël*
> *Aient la bonté de ne pas laisser*
> *De crottes sur ton toit.*
> *(...)*
> *Noël est là !*
> *Ne dis pas que tu ne le savais pas ;*
> *Si cela t'intéresse peu,*
> *Va au diable de ce pas !*
> *Accroche les guirlandes,*
> *Momifie l'arbre,*
> *Et surtout, n'oublie pas :*
> *Sans carte de vœux,*
> *Je serais resté de marbre.*

Je lui répondis immédiatement, puis appelai Meg pour apprendre qu'elle était en route pour l'Utah. J'espérais que cette visite n'aurait pas sur le moral de Ted les mêmes conséquences désastreuses que la précédente. Son séjour à Point-of-the-Mountain tirait à sa fin ; il allait très bientôt devoir prendre une décision concernant son transfert dans le Colorado. Son nom n'était pas encore connu à Aspen – en dehors de la police. Et puis il y avais l'affaire Claudine Longet, accusée de meurtre : son procès devait s'ouvrir à Aspen en janvier et toutes les unes lui étaient consacrées.

Ted m'écrivit deux jours avant Noël pour me raconter la visite de Meg, qui lui avait fait le plus grand bien.

Il se remémorait la dispute qui les avait opposés après cette fête de Noël du CAU en 1972. Après que je l'eus déposé dans un état d'ébriété avancé devant chez les Rogers, il avait réussi à regagner sa chambre et avait sombré dans le sommeil :

Meg et moi nous étions disputés et elle devait prendre un avion tôt le lendemain matin. Elle a décidé de faire un saut chez moi juste avant son départ, pour me dire au revoir et nous réconcilier. (...) Elle a jeté des cailloux contre ma fenêtre et m'a appelé. (...) Persuadée que j'aurais répondu si j'avais été là, elle est partie le cœur brisé, certaine que je « dormais » avec quelqu'un d'autre. Elle n'a jamais voulu croire que j'étais assommé par l'alcool. Je ne lui ai pas dit que j'étais allé à une soirée avec toi.

Mais, moi, je l'avais dit à Meg le soir où nous nous étions rencontrées, en décembre 1973. Ted ne m'avait peut-être pas entendue, ou il l'avait peut-être oublié...

Ted essayait de recréer une atmosphère de Noël dans sa cellule en posant sur sa table les cartes de vœux qu'il avait reçues. Il avait même acheté et enveloppé des cadeaux pour ses « voisins » ; des boîtes d'huîtres fumées et des barres de chocolat.

Je m'attaque maintenant à l'impossible : convaincre tous ces criminels endurcis de chanter des cantiques le 24 au soir. Jusqu'à présent, je me suis fait traiter de malade dégénéré pour avoir osé aborder une idée aussi perverse.

Autant que je puisse en juger, ce Noël 1976 aura été le dernier que Ted et Meg auront partagé, même séparés par le treillis métallique du parloir. Et c'est vrai quelle semblait être davantage pour lui qu'un simple amour : elle était une véritable force de vie.

Ted avait joint à sa lettre une liste des témoins au procès de l'affaire Campbell, soulignant que plusieurs noms avaient été mal orthographiés. Il terminait par ces mots :

Quant à la nouvelle année, elle va si mal commencer que les choses ne pourront que s'arranger par la suite. Peut-être que si tu versais un peu de chablis dans des canettes de punch hawaiien et m'en envoyais une caisse pour le nouvel an, je parviendrais à oublier ce début de mauvais augure. Mais après tout, à quoi bon...

Bonne année.

Amitiés,

Ted.

Ted allait quitter l'Utah à destination du Colorado le 28 janvier. Il m'envoya un bref message le 25 pour me dire de ne plus lui écrire jusqu'à ce qu'il me communique sa « nouvelle adresse ».

L'année qui démarrait – 1977 – allait voir s'opérer d'immenses bouleversements dans la vie de Ted et dans la mienne. Je crois bien qu'aucun de nous deux n'imaginait ce qui nous attendait.

26

Ted quitta la prison centrale de l'Utah pour l'antique maison d'arrêt du comté de Pitkin, à Aspen, Colorado, le 28 janvier 1977. Il avait désormais un nouvel adversaire en la personne de George H. Lohr, juge au tribunal fédéral de grande instance. Mais Lohr n'avait pas l'air si méchant que cela. Il venait d'ailleurs de condamner Claudine Longet à une modeste peine de trente jours de réclusion pour avoir abattu Spider Sabich. Claudine commencerait à purger sa peine en avril dans la même prison que Ted, à la différence près que sa cellule aurait été fraîchement repeinte à son intention et qu'elle ne mangerait pas l'ordinaire.

Le shérif Dick Keinast se méfiait de Bundy et soutenait qu'il s'agissait d'un évadé en puissance, à cause du nécessaire d'évasion qui avait été prétendument découvert sur lui dans l'Utah. Il voulait que Ted assiste aux audiences du tribunal menottes aux poignets, mais l'autorité de Lohr prévalut et Ted obtint la permission de comparaître en costume civil et sans entraves.

L'ancien palais de justice, qui abritait aussi les locaux de la prison, avait été bâti en 1887. L'ensemble reflétait un esprit plutôt spartiate, mais Ted appréciait le changement et surtout de ne plus être entouré par les murs écrasants de Point-of-the-Mountain.

Quand je l'appelai en février, j'eus l'agréable surprise d'apprendre que la prison du comté de Pitkin fonctionnait encore en grande partie comme celle qui était sous la juridiction de mon grand-père, il y a très longtemps de cela, dans le

Michigan. C'était une « petite prison familiale ». À l'autre bout du fil, j'entendis le suppléant qui avait décroché crier dans le couloir, puis Ted se trouva en ligne. Il avait l'air satisfait, calme et confiant.

Au cours des onze mois que Ted passerait dans le Colorado, j'aurais fréquemment l'occasion de m'entretenir avec lui par téléphone. Assurant sa propre défense, il se verrait accorder le privilège d'en user à discrétion pour la préparation de son dossier. Il allait en profiter également pour m'appeler ainsi que certains de ses amis.

Je revois encore Bob Keppel et Roger Dunn secouer la tête d'un air désespéré devant le toupet de Ted et la facilité avec laquelle il avait accès au téléphone.

— Vous n'allez pas le croire, me dit Keppel un jour que je lui rendais visite dans son bureau. Devinez un peu qui vient d'appeler ?

C'était Ted, évidemment, qui avait poussé l'effronterie jusqu'à appeler deux de ses ennemis les plus acharnés pour obtenir des informations dont il avait besoin pour organiser sa défense dans le Colorado.

— Que lui avez-vous dit ? demandai-je à Keppel.

— Je lui ai dit que j'étais tout à fait disposé à échanger quelques informations avec lui. Que s'il voulait nous parler, eh bien, nous avions nous aussi quelques questions à lui poser depuis un certain temps. Mais il n'a pas voulu entrer dans le jeu. Il nous appelait comme s'il était un simple avocat de la défense essayant de rassembler des faits. Il a un de ces culots, je n'arrive pas à y croire !

Ted m'appela aussi, beaucoup. Je me réveillais souvent le matin, vers 8 heures, au son de sa voix en provenance du Colorado. Il ne m'envoyait pas beaucoup de lettres, mais j'en reçus une, postée le 24 février. Une lettre pleine de bonne humeur.

Ted avait surnommé l'instruction dont il faisait l'objet dans le comté de Pitkin l'« Opération Pieds Nickelés » et se montrait particulièrement méprisant envers Frank Tucker, le district attorney. Tucker s'efforçait, m'écrivait Ted, de trouver des points communs entre la tuerie du Colorado et les crimes commis dans l'Utah. Il essayait aussi de comprendre la personnalité de Ted. Ted prétendait voir clair dans son jeu et pensait que la confiance qu'il affichait, en tant que défendeur, constituait une menace pour le district attorney.

Ce type ne devrait jamais jouer au poker. Et, pour ce que j'en ai vu l'autre jour, il ne devrait jamais non plus mettre les pieds dans une salle de tribunal.

Ted citait un passage d'un entretien que Tucker avait accordé à la presse à son sujet :

Bundy est l'homme le plus suffisant que j'aie jamais rencontré. Il se présente les bras chargés de livres, comme s'il était lui-même avocat. Il fait passer des messages au juge et l'appelle au milieu de la nuit. Il refuse de me parler, à moi ou à n'importe quel autre magistrat.

C'était, bien sûr, l'exacte image de lui-même que Ted cherchait à faire valoir.

Ted espérait qu'il serait assez facile de rassembler un jury impartial dans le comté de Pitkin et d'avoir ainsi un procès équitable. Il m'encourageait à venir assister à son procès si je le pouvais, et pensait que la date d'ouverture serait fixée pour le début de l'été.

En lisant cette lettre où Ted paraissait si sûr de lui, si maître de la situation, je me rappelai le jeune homme qui avait crié : « Rendez-moi ma liberté ! » depuis sa cellule lors de son premier séjour en maison d'arrêt à Salt Lake City dix-huit mois plus tôt et je me rendis compte à quel point il avait changé. Il n'avait plus peur ; il s'était adapté à la vie carcérale et se délectait à d'idée de la bataille juridique à venir. Il terminait sa lettre par cette phrase :

Le procès devrait avoir lieu fin juin ou début juillet, avec la volonté de Dieu et pourvu que le procureur ne chie pas dans son froc dernier cri.

Son ton était caustique et amer, empreint d'une certaine rudesse. Je le sentais quand il m'appelait au téléphone. Il détestait les magistrats, les policiers, les journalistes... Peut-être s'agissait-il d'une évolution naturelle pour un prisonnier qui ne cessait de clamer son innocence... Il ne me parlait plus d'écrire lui-même quelque chose sur son affaire.

Même s'il détestait l'ordinaire de la prison du comté, il s'entendait plutôt bien avec ses compagnons de cellule et de détention, pour la plupart des pochards et des escrocs à la petite semaine qui n'y effectuaient que de brefs séjours. Il travaillait très dur à l'élaboration de sa défense et, au mois de mars, il envisageait d'être son propre avocat. L'avocat commis d'office, Chuck Leidner, était loin de le satisfaire. Habitué au talent de John O'Connell, il s'était attendu à mieux, mais les avocats de l'assistance judiciaire étaient souvent de jeunes avocats inexpérimentés, nettement moins forts que les pros du pénal qui demandaient d'énormes honoraires.

Au mois de mars, le département fédéral de la Santé publique du Colorado décréta que la prison du comté de Pitkin ne pouvait être qu'un lieu de détention provisoire. Aucun prisonnier ne devait y demeurer plus de trente jours ; Ted allait donc devoir être transféré.

Il me disait lire beaucoup, la lecture étant son seul moyen d'échapper aux feuilletons et aux jeux télévisés. Son livre favori était *Papillon*, l'histoire d'une évasion impossible du bagne de l'île du Diable.

Ici encore, l'allusion était subtile, mais il semblait incroyable que Ted pût s'échapper de cette prison située au cœur même du vieux palais de justice. D'ailleurs, si les arguments présentés contre lui étaient si critiquables – comme il le proclamait –, pourquoi se serait-il échappé ? La sentence prononcée dans l'Utah avait été finalement légère et il pouvait fort bien ne jamais être inculpé dans l'État de Washington. Ted libéré avant son trente-cinquième anniversaire, c'était une hypothèse crédible.

Chuck Leidner était toujours l'avocat de Ted lors de l'audience préliminaire du 4 avril dans l'affaire Caryn Campbell. Les citoyens d'Aspen s'étaient fait les dents sur l'affaire Longet-Sabich et ils se bousculaient dans le prétoire. La rumeur disait que le procès de Ted Bundy risquait d'être encore plus folklorique que le cirque auquel ils avaient assisté quelques mois plus tôt.

Ted et ses avocats voulaient que le procès ait lieu à Aspen ; ils en aimaient l'atmosphère décontractée et pensaient que les gens du cru ne s'étaient pas encore forgé une opinion, favorable ou défavorable, sur Ted.

Par ailleurs, le district attorney Frank Tucker se trouvait dans le colimateur depuis qu'il avait égaré le journal de Claudine Longet ; un journal intime censé être de la plus haute importance pour l'accusation et qui, d'une manière ou d'une autre, avait curieusement disparu de chez lui. Les jurés potentiels d'Aspen s'en souviendraient. Conscient, peut-être, que sa crédibilité s'en trouvait diminuée, Tucker avait fait venir des renforts de Colorado Springs : Milton Blakely et Bob Russell, deux autres D.A.

Lors de l'audience préliminaire, la partie plaignante présente l'affaire devant le juge, qui décide si le procès doit avoir lieu ou non. Tout le procès de Pitkin, comme celui de Salt Lake précédemment, reposait sur l'identification de l'accusé par un témoin oculaire. Cette fois-ci, le témoin était une touriste qui avait aperçu l'inconnu dans le couloir de l'hôtel Wildwood la nuit du 12 janvier 1975.

L'enquêteur Mike Fisher lui avait présenté un jeu de portraits anthropométriques un an après cette nuit-là – et elle avait choisi celui de Ted Bundy. Au cours de l'audience préliminaire, on lui demanda de bien vouloir regarder autour d'elle et d'identifier la personne qu'elle avait vue dans le couloir de l'hôtel. Ted réprima un sourire quand elle pointa son doigt non pas vers lui, mais en direction du shérif adjoint Ben Meyers.

La pression venait de s'échapper de la chaudière de la partie civile. Le juge Lohr écouta Tucker énumérer les autres preuves : les factures de la carte de crédit de Bundy ; le dépliant sur les stations de ski du Colorado, avec l'emplacement de l'hôtel Wildwood entouré, découvert dans son appartement de Salt Lake City ; deux cheveux ramassés dans sa vieille VW et dont la structure microscopique correspondait

247

à celle des cheveux de Caryn Campbell ; la symétrie entre la largeur des pans du pied-de-biche de Bundy et la dépression laissée dans le crâne de la victime.

À moins de pouvoir y rattacher les crimes commis dans l'Utah, tout le dossier de l'accusation se jouait sur un coup de dés. Le juge Lohr déclara que Ted Bundy passerait en jugement pour le meurtre de Caryn Campbell, ajoutant qu'il ne lui appartenait pas d'évaluer les probabilités de condamnation ni la crédibilité des pièces présentées, mais seulement d'admettre leur existence.

À la suite de cette audience, Ted Bundy limogea sommairement ses avocats Chuck Leidner et Jim Dumas. Il voulait se charger de sa propre défense. Cette attitude arrogante envers ceux que l'État désignait pour assurer sa défense allait devenir chez lui un leitmotiv : s'il ne pouvait avoir les meilleurs avocats, alors il s'en passerait. Lohr fut bien obligé d'entériner la décision de Ted de se représenter lui-même, même s'il désigna Leidner et Dumas comme conseillers juridiques.

Bien que Ted s'y opposât, il fut transféré le 13 avril de la prison du comté de Pitkin à celle du comté de Garfield, à Glenwood Springs, à soixante-douze kilomètres de là, en application du décret du département fédéral de la Santé publique.

La prison de Garfield avait été construite dix ans plus tôt et était nettement plus confortable que sa vieille cellule en sous-sol. Nous eûmes plusieurs conversations téléphoniques et Ted me confia qu'il aimait bien le shérif Ed Hogue et sa femme, mais que l'ordinaire était infâme.

Il s'écoula peu de temps avant que Ted commence à inonder le juge Lohr de requêtes en traitements de faveur. Puisqu'il était son propre avocat, il avait besoin d'une machine à écrire, d'un bureau, devait avoir accès à la bibliothèque de droit d'Aspen, pouvoir se servir en toute liberté du téléphone, et obtenir le concours des laboratoires de l'Institut médico-légal et des enquêteurs de police. Il voulait trois repas par jour et disait que ni lui ni les autres prisonniers ne pouvaient survivre sans déjeuner. Il affirmait avoir perdu du poids. Il voulait que l'ordre qu'avait donné Hogue aux autres prisonniers de ne plus lui adresser la parole soit annulé. Cet ordre avait été donné peu après l'arrivée de Ted, quand les gardiens avaient découvert un plan de la prison comprenant les accès aux sorties et un dessin du système de ventilation.

— Ed est un brave type, me dit Ted au téléphone. Je ne veux pas lui attirer d'ennuis, mais il faut qu'on nous donne plus à manger.

Ses requêtes furent acceptées. D'une manière ou d'une autre, Ted était parvenu à se faire traiter en prince : il avait non seulement obtenu tout ce qu'il voulait, mais il avait aussi été autorisé à se rendre plusieurs fois par semaine, sous escorte, à la bibliothèque de droit du palais de justice du comté de Pitkin, à Aspen.

Il se lia avec les hommes de son escorte, s'intéressa à leur famille et sut se faire apprécier d'eux.

— Ils sont corrects, me dit-il un jour. La journée était tellement belle qu'ils m'ont même laissé faire quelques pas au bord de la rivière. Ils m'ont accompagné, évidemment.

Puis, brusquement, je n'eus plus aucune nouvelle de Ted pendant quatre semaines et me demandai ce qui avait bien pu se passer. Ted était toujours en contact avec Meg, du moins par téléphone, et elle lui fit part de mon inquiétude. Je reçus finalement une lettre, datée du 27 mai, qui commençait sur un ton plutôt hostile et sarcastique :

Chère Ann,
Je rentre à l'instant du Brésil et je viens de trouver une pile de tes lettres dans ma boîte postale. Mon Dieu, tu as dû me croire perdu dans la jungle, là-bas. En fait, j'y suis allé pour découvrir où tous ces fils de putes avaient caché les onze milliards de tonnes de café prétendument détruites par le mauvais temps. Je n'ai pas vu l'ombre d'un grain de café, mais j'ai rapporté cent quatre-vingts kilos de cocaïne.

La date de son procès avait été fixée au 14 novembre 1977 et Ted travaillait sans conseiller. Il était emballé par son nouveau rôle et se sentait un flair d'enquêteur.

Je vais travailler et me donner à fond jusqu'à ce que je réussisse. Personne ne peut en faire plus que moi, pour la simple raison que je suis le principal intéressé.

Ted était aussi ravi de coûter une fortune au comté. Un journaliste local avait relaté dans un article les frais sans cesse grandissants engagés par les enquêteurs, les experts, les hommes attachés à la surveillance de Ted lors de ses déplacements à la bibliothèque, ses soins dentaires, ses fournitures, ses communications téléphoniques... Ted trouvait ces critiques bougrement scandaleuses : « Personne ne demande à l'assistance judiciaire ou à la police le montant de l'argent des contribuables qu'elles foutent par la fenêtre. Qu'ils rendent un non-lieu, me renvoient chez moi et économisent leur argent, voilà ma réponse ! »

Le juge Lohr avait ordonné qu'il soit conduit chez un médecin pour savoir si sa perte de poids – qu'il estimait due à la nourriture de la prison du comté – était aussi importante qu'il le prétendait. Le lendemain de la transmission de l'ordre du jugé, un déjeuner avait été servi à midi pour la première fois dans l'histoire de la prison. Ted considéra avoir gagné une victoire morale.

Ted soupçonna ensuite le shérif de chercher à le faire engraisser avant sa visite médicale, mais il continuait de le considérer comme un « brave type ». Hogue avait aussi accepté que les amis et la famille de Ted puissent lui envoyer de la nourriture : des paquets de raisins secs, de noisettes et des boîtes de corned-beef seraient les bienvenus.

Ted avait commencé sa lettre avec une pointe d'hostilité. Il avait entendu dire que j'avais « *développé une opinion relative à son innocence qui ne correspondait pas du tout à la réalité de cette innocence* » et voulait que je lui écrive pour lui faire « *franchement état* » de mes convictions à son sujet. Puis son humeur et son ton s'adoucissaient vers la fin :

Merci pour l'argent et les timbres. Je sais que tes récents succès commerciaux ne te font pas pour autant rouler sur l'or et que tout ce que tu me donnes représente donc un sacrifice de ta part.

Je n'attendrai pas si longtemps la prochaine fois pour t'écrire. Promis.

Amitiés,
Ted.

Mais il prit beaucoup, beaucoup plus longtemps pour écrire. Car, brusquement, Ted Bundy prit la clé des champs.

27

Ted se préparait pour une seconde audience où l'on déciderait si la peine capitale devait ou non être considérée lors de son procès ; ce genre de décision était pris au cas par cas dans les affaires criminelles jugées dans le Colorado. L'audience aurait lieu le 7 juin.

Le matin du 7 juin, Ted fut conduit en auto de Glenwood Springs à Aspen, un peu avant 8 heures, comme d'habitude. Il avait les mêmes vêtements que ceux qu'il portait quand nous avions déjeuné ensemble à la *Brasserie Pittsbourg* de Seattle en décembre 1975 : un pantalon de velours côtelé de couleur ocre, un jersey à col roulé et manches longues et cet énorme cardigan marron bigarré qui lui tombait presque jusqu'aux genoux et faisait aussi office de manteau. Cependant, alors qu'il préférait généralement porter des mocassins, il était chaussé ce jour-là des gros souliers fournis par l'administration pénitentiaire. Ses cheveux étaient coupés court, grâce aux vingt dollars que je lui avais fait parvenir.

Les adjoints au shérif du comté de Pitkin, Rick Kralicek et Peter Murphy, ses gardes habituels, vinrent le chercher ce matin-là pour effectuer les soixante-douze kilomètres qui le séparaient d'Aspen. Ted engagea familièrement la conversation avec les deux suppléants qu'il avait fini par très bien connaître et leur demanda des nouvelles de leurs familles.

Kralicek conduisait ; Ted était assis sur le siège du passager et Murphy occupait le siège arrière. Murphy se souviendrait plus tard qu'au moment où ils étaient sortis des faubourgs de

Glenwood Springs, Ted s'était brusquement retourné et l'avait fixé du regard tout en agitant ses mains entravées.

– J'ai fait sauter la lanière de sécurité de mon 38 ; il ne pouvait pas se tromper sur la nature du bruit qu'elle a fait en se détachant. Ted s'est retourné et a regardé la route droit devant lui jusqu'à Aspen.

En arrivant au palais de justice, Ted fut remis entre les mains de David Westerlund, un policier qui ne l'avait gardé qu'une seule journée et le connaissait mal.

La Cour se réunit à 9 heures et Jim Dumas – qui défendait toujours Ted bien que ce dernier l'ait renvoyé – argumenta pendant près d'une heure contre la peine de mort. Le juge Lohr suspendit l'audience à 10 h 30, disant que le ministère public présenterait ses arguments lorsque la séance reprendrait. Comme il le faisait souvent, Ted prit la direction de la bibliothèque où les hauts rayonnages le dissimulaient à la vue de Westerlund.

Ce dernier resta à son poste près de la porte de la salle du tribunal. Ils se trouvaient au deuxième étage, à sept mètres soixante au-dessus du niveau de la rue. Tout était normal, apparemment. Ted avait l'air de chercher de la documentation dans les rayons en attendant la reprise de l'audience.

Dans la rue en contrebas, une femme qui passait par là fut surprise de voir une silhouette ocre et marron sauter brusquement d'une fenêtre au-dessus d'elle. Elle regarda l'homme tomber, se remettre sur ses pieds et descendre la rue au pas de course en boitillant. Ahurie, elle le regarda s'éloigner pendant un moment avant d'entrer dans le palais de justice et de se diriger vers le bureau du shérif. Sa première question fit bondir les policiers de service :

– Les gens sautent souvent par les fenêtres, chez vous ?

Kralicek entendit la question, jura et fonça vers l'escalier.

Ted Bundy s'était échappé !

Il avait les mains libres et les fers qui lui entravaient habituellement les pieds en dehors de la salle d'audience lui avaient été retirés. Il était libre de ses mouvements et avait eu amplement le temps d'examiner les environs du palais de justice quand les policiers l'avaient laissé aller se dégourdir les jambes près de la rivière.

253

On dressa des barrages sur les routes. On appela les chiens pisteurs et des petits détachements de la police montée se déployèrent autour d'Aspen à la recherche de l'homme qui avait laissé entendre à plusieurs reprises qu'il allait tenter le coup. Whitney Wulff, le secrétaire du shérif Keinast, se souvint que Ted s'était souvent dirigé vers la fenêtre pendant les audiences, avait regardé en bas, puis avait tourné les yeux vers les hommes du shérif pour voir s'ils l'observaient.

Ted s'était « surhabillé » – dans le jargon du milieu –, c'est-à-dire qu'il portait d'autres vêtements sous ceux dans lesquels il s'était présenté au tribunal. Son plan était si audacieux qu'il fonctionna parfaitement au départ. Il avait touché le sol sur la pelouse devant le palais de justice, l'avait touché si durement, en fait, qu'il avait laissé une empreinte de dix centimètres de profondeur dans le gazon avec son pied droit. Les policiers pensèrent qu'il avait pu se blesser à la cheville droite – mais pas assez sérieusement pour le ralentir.

Puis Ted s'était dirigé tout droit vers les berges de la Roaring Fork, à quatre rues du tribunal, où il était allé se promener à plusieurs reprises. Là, caché au milieu des buissons, il s'était dépouillé de sa couche supérieure de vêtements. À présent, il portait une chemise habillée et ressemblait à n'importe quel citoyen d'Aspen. Il rentra en ville d'un pas tranquille, d'une nonchalance calculée. Il ne pouvait être plus en sécurité ailleurs : tous ses poursuivants s'étaient éparpillés autour de la ville pour établir les barrages.

La nouvelle de son évasion fit l'objet de bulletins spéciaux d'information sur toutes les radios, de Denver à Seattle et jusque dans l'Utah. On conseilla aux habitants d'Aspen de fermer leurs portes à clé, de rappeler leurs enfants et de rentrer leur voiture au garage.

Frank Tucker, le district attorney qui avait été la cible principale des quolibets de Ted, commenta sur le ton du je-vous-l'avais-bien-dit :

– Ça ne m'étonne pas. Je n'ai pas cessé de les prévenir.

Apparemment, tout le monde s'attendait à ce que Ted joue les filles de l'air, mais personne n'avait rien fait pour l'en empêcher. Maintenant, ils tournaient en rond pour le rattraper. Il fallut quarante-cinq minutes pour dresser des barrages sur les deux routes principales qui sortaient de la ville. Les chiens, qui devaient être acheminés de Denver par avion, arrivèrent avec quatre heures de retard parce qu'on ne parvenait pas à mettre la main sur leurs cages et que les compagnies aériennes refusaient de les embarquer s'ils n'étaient pas en cage. S'il existe un bon Dieu pour les fugitifs, Il protégeait Ted Bundy ce jour-là.

À Seattle, je commençai à recevoir des coups de téléphone d'amis et de policiers pour me prévenir que Ted Bundy était en cavale. Ils pensaient qu'il viendrait peut-être me voir en croyant que je pouvais le cacher ou lui donner de l'argent pour gagner la frontière canadienne.

L'éventualité de cette rencontre était loin de m'enchanter. Je ne pensais pas qu'il reviendrait dans l'État de Washington : trop de gens l'y reconnaîtraient. S'il réussissait à quitter la zone montagneuse d'Aspen, il ferait mieux de se diriger vers Denver ou vers une autre grande ville. Quoi qu'il en soit, Nick Mackie me donna son numéro de téléphone personnel et mes fils reçurent pour instruction d'appeler immédiatement de l'aide si jamais Ted se présentait à la porte.

Mon téléphone sonna par trois fois dans la soirée du 7 juin. Chaque fois que je décrochai, il n'y avait personne à l'autre bout de la ligne... ou personne qui veuille parler. Je pouvais entendre des bruits de fond, dans l'écouteur, comme si les appels provenaient d'une cabine téléphonique située au bord d'une grande route.

Je finis par dire :

– Ted... C'est toi, Ted ?

Et la communication fut coupée.

Quand Ted avait sauté par la fenêtre à Aspen, la journée était belle et ensoleillée ; mais la nuit entraîna avec elle cette chute de température commune à toutes les villes de montagne, même en été. Où qu'il se trouvât, Ted avait certainement très froid. Je dormis mal, cette nuit-là, rêvant que j'étais partie camper et m'apercevant au dernier moment que j'avais oublié d'apporter des couvertures et un sac de couchage.

Où était-il ? Les chiens pisteurs avaient perdu sa trace sur la berge de la Roaring Fork. Ted avait dû prévoir cela.

Tard dans l'après-midi de ce lundi de juin, la pluie se mit

à tomber sur Aspen et toute personne sans abri n'aurait pas tardé à être trempée comme une soupe. Ted ne portait qu'une chemise légère et un pantalon. Il souffrait peut-être d'une entorse ou même d'une fracture de la cheville... Mais il était toujours libre.

Il avait dû éprouver les mêmes sensations que le héros de *Papillon*, ce livre qu'il avait presque appris par cœur au cours des longs mois passés en prison. En dehors de l'ingéniosité de son évasion, *Papillon* abordait les thèmes de la maîtrise de soi, de la capacité de l'homme à surmonter son désespoir, à dominer son environnement par la seule force de sa volonté. Ted faisait-il tout cela en ce moment même ?

Avec leurs Stetson, leurs vestes en peau de daim, leurs jeans, leurs bottes de cow-boy et leurs pistolets dans un étui sur la cuisse, les hommes qui traquaient Ted Bundy avaient l'air de sortir tout droit des tableaux de Charles Russell ou de Frederick Remington [1]. Ils auraient pu être les membres d'une milice du siècle dernier à la poursuite de Billy the Kid ou des frères James ; je me demandai s'ils allaient tirer d'abord et poser les questions après... au cas où ils retrouveraient Ted.

L'humeur des Aspériens oscillait entre l'affolement et l'humour noir. Tandis que la police, aidée de volontaires, effectuait une fouille systématique de la ville maison par maison, d'autres se hâtaient de faire des gros sous sur le dos de ce nouveau héros populaire qui venait de s'emparer de l'imaginaire collectif d'une ville où l'ennui prévalait. Ted Bundy venait de faire un pied de nez au système, avait roulé dans la farine ces « couillons de flics », et personne ne songeait plus au corps brisé de Caryn Campbell qui avait été découvert dans la neige en 1975. Bundy était d'actualité et mettait de l'animation.

Des T-shirts disant « Ted Bundy est un bon coup », « Bundy, roi des montagnes » et autres slogans firent leur apparition, tandis que cafés et restaurants inventaient le « Bundy burger » (d'où la viande s'échappait) et le « cocktail Bundy » (tequila, rhum et deux pois sauteurs mexicains) ; et

---

1. Peintres de la vie dans l'Ouest américain au XIXᵉ siècle.

les auto-stoppeurs qui voulaient être pris à la sortie d'Aspen brandissaient une pancarte déclarant : *Je ne suis pas Ted Bundy.*

Mais une certaine paranoïa régnait en même temps que la franche rigolade ; un jeune journaliste fut rapidement suspecté et pris à partie après avoir demandé à trois jeunes femmes dans un café leurs réactions sur l'évasion de Bundy ; ses papiers et sa carte de presse ne lui furent pas d'une grande utilité.

Des doigts accusateurs pointaient de tous côtés. Le shérif Keinast reprochait au juge Lohr d'avoir autorisé Bundy à assurer sa propre défense et à se présenter au tribunal libre de toute entrave. Tucker accusait tout le monde et Keinast confia avec lassitude à un journaliste qu'il aurait bien voulu ne jamais entendre parler de Ted Bundy.

Le vendredi 10 juin, Ted n'avait toujours pas été retrouvé et le FBI se joignit à la chasse à l'homme. Louisc Bundy apparut à la télévision, où elle supplia Ted de se rendre. Elle avait peur pour lui dans les montagnes.

– Mais j'ai surtout peur que les gens qui le pourchassent ne manquent de bon sens, tirent d'abord et posent les questions après. Les gens vont penser : « Oh, il doit être coupable, puisqu'il a pris la fuite. » Mais moi je pense à toutes ces choses dont il a été privé et quand il a vu une fenêtre ouverte, il a décidé de sauter. Je suis sûre qu'il regrette de l'avoir fait maintenant.

L'équipe de cent cinquante hommes lancés à la poursuite de Bundy s'était réduite de moitié vendredi. Le sentiment général était que Ted avait réussi à sortir de la zone des recherches et avait peut-être bénéficié d'une complicité. Sid Morley, âgé de trente ans, qui purgeait une peine d'un an pour recel d'objets volés, s'était lié avec Ted Bundy dans la prison du comté de Pitkin et avait été transféré avec lui à celle du comté de Garfield. Le vendredi qui avait précédé l'évasion de Ted Bundy, Morley n'avait pas reparu à la fin de sa journée de travail hors de la prison dans le cadre d'un programme de réinsertion sociale. Les enquêteurs pensaient qu'il avait pu aider Ted.

Morley fut repris le 10 juin sous un tunnel près de l'auto-

257

route 70 à quatre-vingts kilomètres de Denver. Il ne savait rien des projets d'évasion de Bundy et ne paraissait pas être dans le coup. Morley pensait que Ted avait quitté Aspen mais qu'il se trouvait toujours dans le comté de Pitkin.

D'un point de vue national, ce fut la semaine des évasions. Alors que Ted Bundy était traqué dans le Colorado, James Earl Ray et trois codétenus fuyaient le 11 juin de la centrale de Brushy Mountain, dans le Tennessee. Le récit de cette évasion allait souffler à Ted Bundy la une des journaux de l'Ouest pendant une journée.

Ted était toujours dans le comté de Pitkin. Il avait traversé la ville puis escaladé facilement la pente herbue des premiers contreforts du mont Aspen le 7 juin ; l'année n'avait pas été bonne pour les sports d'hiver, mais la douceur de l'hiver précédent était une bénédiction pour Ted. Quand le soleil se coucha au soir de cette première journée, il avait franchi le mont Aspen et suivait le cours de la rivière Castle en direction du sud. Il était en possession des cartes de la région d'Aspen dont l'accusation se servait pour indiquer l'emplacement où avait été découvert le corps de Caryn Campbell. Étant son propre avocat, il avait accès aux pièces du dossier !

S'il avait pu continuer au sud jusqu'à Crested Butte, il aurait peut-être pu prendre un billet pour la liberté. Mais le vent et la pluie le firent revenir sur ses pas vers un refuge inoccupé et bien approvisionné devant lequel il était passé un peu plus tôt.

Ted s'y introduisit par effraction et prit un peu de repos. Il n'y avait pas grand-chose à manger, mais quelques vêtements chauds et un fusil. Le jeudi 9 juin au matin, plus chaudement vêtu et muni du fusil, il reprit la direction du sud. S'il avait maintenu son cap, il aurait pu atteindre Crested Butte ; mais il obliqua vers l'ouest le long d'une autre ligne de crête moins enneigée et se retrouva à longer le cours de l'East Maroon.

Il tournait en rond, à présent, et ne tarda pas à retomber sur les faubourgs d'Aspen. Il reprit la direction de la Castle pour regagner le refuge où il s'était déjà arrêté auparavant. Mais il était trop tard. Ses poursuivants avaient déjà retrouvé sa trace ;

en fait, ils se déployaient autour du refuge alors même que Ted les observait, dissimulé dans les fourrés à deux cents mètres de distance.

Les membres de la petite troupe découvrirent des restes de nourriture déshydratée et virent que le fusil et les munitions manquaient dans la cabane. Ils y relevèrent aussi une empreinte digitale de Ted. Puis ils apprirent que quelqu'un s'était introduit dans un camping-car Volkswagen sur un lieu de villégiature près du lac Maroon – apparemment le vendredi 10 – et y avait dérobé de la nourriture et un parka. En dépit de la nourriture volée, Ted avait perdu du poids, sa cheville blessée enflait et il n'était pas loin de l'épuisement physique. Il reprit la direction du nord, vers Aspen. Le samedi 11 juin au soir, il dormit à la belle étoile et le lendemain il contourna la périphérie de la ville. Le dimanche soir, cela faisait presque une semaine qu'il s'était échappé ; il était toujours libre, mais était revenu à son point de départ et seul un miracle aurait pu l'aider à sortir à nouveau de la ville. Pelotonné, épuisé et frissonnant, au creux des hauts bosquets d'arbustes qui bordaient le terrain de golf d'Aspen, il repéra une vieille Cadillac garée non loin de là. D'un coup d'œil il vérifia que les clés se trouvaient sur le tableau de bord. Ted semblait avoir son miracle à portée de la main : un véhicule.

Tassé sur le siège, il quitta Aspen par l'est et prit d'abord la direction du mont Smugler et du col de l'Indépendance, dont le nom lui semblait de très bon augure. Puis il changea d'avis et préféra se diriger vers l'ouest, en direction de Glenwood Springs et de la prison dans laquelle il avait été incarcéré, mais il recherchait surtout l'Ouest, terre mythique de liberté.

Il était 14 heures, le lundi 13 juin.

Gene Flatt et Maureen Higgins patrouillaient en voiture dans les rues d'Aspen en direction de l'est quand leur attention fut attirée par une Cadillac venant à leur rencontre. Le conducteur avait l'air ivre, incapable de maintenir son véhicule sur une trajectoire rectiligne. En effectuant un demi-tour complet pour prendre la voiture en chasse, ils ne songeaient même pas à Ted Bundy. Ils s'attendaient à tomber sur un conducteur en état d'ivresse. Ted était parfaitement à jeun, mais l'épuisement

259

avait émousse ses réflexes : il ne parvenait plus à contrôler la Cadillac.

La voiture de patrouille s'aligna contre la Cadillac et les policiers firent signe au conducteur de se ranger. Gene Flatt sortit de son véhicule, se dirigea vers la Cadillac et regarda à l'intérieur. Le conducteur portait des lunettes noires et un spa-radrap sur le nez. Mais Flatt le reconnut tout de suite : il s'agis-sait de Ted Bundy, qui allait se faire reprendre à quelques pas de l'endroit d'où il s'était échappé.

Ted haussa les épaules et sourit faiblement quand Flatt lui dit :

– Salut, Ted.

Les cartes de la région retrouvées dans la voiture volée prou-vèrent bien que Ted n'avait pas sauté par la fenêtre du palais de justice sous le coup d'une impulsion soudaine. Son évasion ratée avait été préparée. Son cas était désormais beaucoup plus grave qu'avant. Il fut temporairement incarcéré à la prison du comté de Pitkin jusqu'au 16 juin, date à laquelle on le traduisit en justice pour évasion et vol avec effraction. Le juge Lohr ordonna qu'il porte désormais des menottes et des fers chaque fois qu'il se déplacerait en dehors de la prison. Mais il conser-vait la plupart des privilèges qui lui avaient été accordés afin qu'il puisse organiser sa propre défense.

Une semaine après la capture de Ted, mon téléphone sonna un peu avant 8 heures. Je sortis d'un profond sommeil pour entendre la voix de Ted à l'autre bout du fil.

– Où es-tu ? grommelai-je.

– Tu peux venir me chercher ? me demanda-t-il, puis il éclata de rire.

Il ne s'était pas évadé à nouveau mais, pendant une seconde, je l'avais cru. Il se sentait un peu fatigué, avait perdu une dizaine de kilos, mais sa forme générale était assez bonne.

– Pourquoi as-tu fait ça ? lui demandai-je.

– Me croirais-tu si je te disais que j'ai simplement regardé par la fenêtre et que, quand j'ai vu toute cette belle herbe verte et ce beau ciel bleu, je n'y ai pas résisté ?

Non, je n'y croyais pas, mais je n'avais pas besoin de le lui dire. Sa question était purement rhétorique.

Notre conversation fut de courte durée et, quand je lui écrivis, je ne pus m'empêcher de commencer par :

J'ai essayé de répondre à ta lettre précédente, mais tu avais déménagé sans laisser d'adresse.

Je n'avais toujours pas répondu à la question qu'il me posait dans la lettre envoyée avant son évasion : il voulait savoir quels étaient mes sentiments relatifs à son innocence ou à sa culpabilité. Je lui dis qu'ils étaient les mêmes que la dernière fois que nous nous étions vus, ce samedi après-midi de juin 1976, peu avant qu'il retourne dans l'Utah pour être jugé dans l'affaire DaRonch. Je lui avais alors déclaré que je ne pouvais pas être totalement convaincue de son innocence. Je ne savais pas s'il se souvenait de mes propos, mais je ne pensais pas avoir besoin d'en dire plus. Je lui rappelai aussi que je n'avais jamais encore écrit la moindre ligne sur son cas dans aucune publication. Bien qu'il fût entre-temps devenu un fait divers hors du commun, j'étais parvenue à tenir cette promesse. Il en parut satisfait.

La première lettre qu'il m'envoya après sa capture n'avait ni l'amertume ni l'acerbité des précédentes. Peut-être le fait d'avoir goûté un peu de liberté l'avait-il légèrement adouci...

Si survivre était ce qui comptait, alors Ted devait travailler à la résistance de son corps. Il disait avoir perdu une quinzaine de kilos pendant son escapade dans la montagne et il pesait déjà dix kilos en dessous de son poids normal quand il s'était évadé. Il ne fallait pas compter sur l'ordinaire de la prison pour se refaire une santé. Il y avait sans arrêt de nouveaux cuisiniers « *qui démissionnaient deux jours plus tard* ». Ted en appela encore à la générosité de ses amis. Il récupérait beaucoup trop lentement et avait besoin d'une nourriture saine. Il me chargea de lui trouver des compléments protéiques en poudre. Il m'écrivit que j'en trouverais probablement dans un magasin de diététique et qu'il préférait les boîtes d'un kilo qui contenaient quinze grammes de protéines à l'once : « *Et quel-*

261

ques figues sèches, aussi, peut-être, et des sachets de noi-settes... si c'est dans tes moyens. »

Bien qu'il soit largement responsable de ce qui lui arrivait, j'éprouvai de la pitié pour Ted en songeant à sa solitude. Il avait menti à Stephanie, à Meg, à Sharon et même à toutes ses partenaires occasionnelles. Je n'aurais pas dû me faire tant de souci : Carole Ann venait le voir le plus souvent possible et travaillait comme « enquêteur » à la réfutation des allégations contre lui. Quand elle finit par se dévoiler comme son plus fervent défenseur, je n'en revins pas. Qui était cette femme qui donnait anonymement toutes ces interviews pour soutenir Ted ? Jamais je n'aurais pu deviner qu'il s'agissait de la même personne qui l'avait taquiné des années auparavant en l'accusant d'être l'« infâme Ted ».

En réponse à ses demandes, j'envoyai à Ted un gros paquet contenant cinq kilos de compléments protéiques, de vitamines, de fruits secs et de noisettes. Quand je le portai au bureau de poste local, l'employé leva légèrement les sourcils en lisant l'adresse indiquée, mais il ne fit aucun commentaire. Les fonctionnaires des postes sont comme les prêtres, les médecins et les avocats : le respect d'une certaine éthique les pousse à protéger le secret d'informations confidentielles et à respecter la vie privée de leurs clients.

28

Je ne doutai pas un instant que Ted ait prévu cette évasion : il y avait fait allusion trop souvent. Même s'il n'avait pas voulu m'en parler au téléphone ni dans ses lettres, je sais qu'il raconta au shérif adjoint Don Davis ses aventures dans la montagne pendant cette semaine de cavale. Il avait effectivement pris le fusil dans le refuge, puis s'en était débarrassé dans les bois : un homme porteur d'un fusil au mois de juin aurait eu l'air beaucoup trop suspect. Il avait rencontré peu de gens au cours de ses pérégrinations dans ce paysage sauvage, mais quand il lui était arrivé de tomber sur des campeurs, il leur avait simplement raconté qu'il campait lui-même un peu plus loin en famille et qu'il était à la recherche de sa femme et de ses enfants. Plus tard, il me raconterait ce qu'il avait ressenti quand il était revenu au refuge.

Ils étaient là, si proches que je pouvais les entendre parler de moi. Ils n'avaient pas conscience que je les observais, caché derrière les arbres.

L'un dans l'autre, tout cela n'avait été pour lui qu'une grande aventure. Même désespérée, elle n'avait fait qu'aiguiser son appétit de liberté. Il était entré dans la peau du prisonnier de *Papillon*.

Qu'il se soit échappé n'était pas à mes yeux une preuve de culpabilité. N'empêche qu'il se trouvait à présent dans un sacré pétrin. En plus de son procès pour meurtre, il venait d'être inculpé d'évasion et de vol avec effraction. Les charges relatives à son évasion pouvaient alourdir sa peine de quatre-vingt-dix ans.

Au sujet de Chuck Leidner et de Jim Dumas, les policiers avaient une meilleure opinion que Ted :

– Ce sont d'excellents avocats... impressionnants.

Dumas, qui venait juste de terminer sa plaidoirie contre la peine de mort quand Ted avait sauté du deuxième étage, n'était pas dépourvu d'humour. En apprenant que son client venait de s'échapper, il dit sur un ton ironique et désabusé :

– Jamais je n'ai vu quelqu'un montrer aussi peu de foi dans mes plaidoyers.

Mais Ted n'avait pas voulu de l'aide des avocats de l'assistance judiciaire et, au vu des récents événements, il leur fut impossible de poursuivre leur tâche ; Leidner fut désigné par l'accusation comme témoin potentiel à charge dans l'évasion de Ted.

Conseiller de Ted de longue date, John Henry Browne, de l'assistance judiciaire de Seattle, avait pris l'avion pour Aspen dès que Ted avait été capturé. Browne ne pouvait être son conseil officiel puisque Ted n'avait jamais été inculpé dans l'État de Washington. Mais il avait toujours été choqué par la manière dont l'affaire « Ted » était menée et considérait que toutes sortes d'insinuations et de soupçons avaient condamné Ted d'avance aux yeux de l'opinion publique. Il effectua le déplacement à ses propres frais pour s'entretenir avec lui.

À la mi-juin 1977, le rôle de Browne consistait à arbitrer les rapports entre Ted d'un côté et Leidner et Dumas de l'autre. Browne fut ravi d'apprendre qu'un nouvel avocat venait d'être commis d'office à la défense de Ted : Stephen Ware.

Le juge Lohr chargea Ware du dossier le 16 juin. Debout à côté de Ted, vêtu d'un jean et d'un veston sport, Ware n'avait absolument pas l'allure d'un avocat qui gagne ses procès. Il avait les cheveux en bataille, portait des lunettes et une épaisse moustache. De fait, il avait plus l'air d'un de ces types qui traînent dans les bars d'Aspen que d'un F. Lee Bailey en puissance. Mais Ware s'était fait un nom : il n'avait jamais perdu un procès en instance à Aspen. Il pilotait son propre avion, conduisait une moto et était considéré comme l'avocat incontournable dans toute affaire de stupéfiants.

264

Ware était né pour gagner et Ted le sentit. Enfin, il avait quelqu'un à ses côtés qu'il pouvait respecter. Ted me passa un coup de fil où il ne tarissait pas d'éloges sur son nouvel avocat-conseil. Au mois d'août, quand il entama une procédure de pourvoi en révision du jugement rendu dans l'affaire DaRonch, il avait totalement oublié la déception de son évasion ratée.

Dans le Colorado, l'accusation essayait d'étoffer son dossier en y ajoutant des témoignages relatifs à sa condamnation pour enlèvement, aux meurtres et aux disparitions de Melissa Smith, Laura Aime et Debby Kent dans l'Utah, et peut-être même aux huit affaires de l'État de Washington. Pris dans leur ensemble, les crimes attribués à Ted Bundy se ressemblaient beaucoup ; pris séparément, ils manquaient de poids.

On peut se demander ce qui serait arrivé si Ted avait continué de bénéficier du soutien de Ware qui avait insufflé une telle énergie dans la défense... Dans la nuit du 11 août, Ware et sa femme furent victimes d'un accident de moto qui tua Mme Ware sur le coup et dont le jeune avocat se tira avec de multiples fractures du crâne, des lésions internes et une jambe cassée. Ware se trouvait dans le coma et il pouvait rester paralysé à vie.

Ted en fut désolé ; il avait compté sur Ware pour le tirer de ses ennuis dans le Colorado et il se retrouvait seul à nouveau. Il se sentait aussi vieillir rapidement : des photos récentes publiées dans les journaux le faisaient paraître plus âgé qu'il n'était.

Je lui écrivis à la mi-août pour tenter de le consoler sur son âge et de la perte de Ware ; sa réponse était dans la dernière lettre qu'il devait m'envoyer du Colorado :

Le destin semble avoir le don de me prendre par surprise. Mais les deux années passées ont été si pleines de ces surprises que mes « périodes de dépression » consécutives sont devenues de plus en plus courtes. M'endurcirais-je ? Pas précisément. Les larmes que j'ai versées en apprenant l'accident de Buzzy étaient sincères ; je ne pleurais pas sur moi. C'est un homme si merveilleux. Quant à moi, la

confiance que j'ai dans mon cas ne saurait être ébranlée
même si tous les avocats du pays mouraient.

Il disait aussi que c'était presque un sacrilège de continuer à travailler sur son dossier sans marquer la moindre pause, en signe de respect pour Ware, mais il le fallait. Ted semblait voir la lumière au bout du tunnel et marchait dans sa direction.

En septembre, il se mit à crier à l'« injustice » et à la « manœuvre politique » quand Bob Russell, le D.A. du comté d'El Paso, voulut lier les affaires de l'Utah à l'affaire Campbell. Ce dernier versa au dossier de l'accusation les poils et les cheveux découverts dans la vieille Volkswagen de Ted – des poils qui correspondaient aux poils pubiens de Melissa Smith et des cheveux qui correspondaient à ceux de Caryn Campbell et Carol DaRonch. Ted riposta : il déduisait de la lecture des rapports d'autopsie de Laura Aime et Melissa Smith que les victimes avaient pu être retenues captives pendant une semaine avant de mourir. Il soulignait donc le manque de cohérence qui existait entre cette éventualité et le fait reconnu que Caryn Campbell avait rendu l'âme quelques heures à peine après avoir été enlevée. Qui plus est, les victimes de l'Utah avaient été frappées à l'aide d'un instrument contondant, à en croire les conclusions de l'examen post mortem, alors que le corps de Caryn Campbell portait les marques d'un instrument tranchant. Ted soutint que ces différences entre les divers cas étudiés pouvaient difficilement être considérées comme des « similitudes ».

En dépit de la bataille juridique acharnée qu'il livrait, et malgré Carole Ann Boone, Ted n'oublia pas Meg en septembre. Il m'appela le 20 du mois pour me demander d'envoyer une seule rose rouge à Meg pour le 26.

C'est le huitième anniversaire du soir où je l'ai rencontrée. Envoie-lui seulement une rose, avec une carte qui dira : « Mes valvules auriculo-ventriculaires ont besoin d'un petit réglage. » Amitiés, Ted.

Ted ne m'avait pas offert de payer la rose ni l'expédition. Je l'envoyai, après avoir discuté avec le fleuriste qui voulait m'en vendre quatre pour neuf dollars. Je ne sais pas quelle fut la réaction de Meg. Je n'ai plus jamais entendu parler d'elle.

Ted passa l'automne 1977 à travailler d'arrache-pied à sa défense. Il ne m'écrivait plus, mais me téléphonait de temps à autre, quand il avait quelque chose à me dire. La sécurité s'était resserrée autour de lui : il n'était plus autorisé à composer lui-même les numéros de téléphone sur le cadran et devait attendre qu'un surveillant le fasse. Il ne sortait plus de la prison pour se rendre à la bibliothèque sans menottes aux poignets ni fers aux pieds. Mais il se lia de nouveau si intimement avec ses gardiens qu'ils finirent par les lui enlever. Il semblait ne penser à rien d'autre qu'à gagner son procès ; son évasion précédente était déjà presque oubliée.

Une audience à huis clos eut lieu le 2 novembre 1977. À la grande joie de Ted, le juge Lohr s'opposa à ce que les affaires Debby Kent ou Laura Aime soient mentionnées lors du procès sur l'affaire Campbell.

Deux semaines plus tard, au cours d'une autre audience à huis clos, les anatomopathologistes présentèrent une argumentation sur les similitudes et différences entre les fractures crâniennes relevées sur Melissa Smith et Caryn Campbell. Ils s'accordèrent cependant sur le fait que les blessures des deux victimes avaient pu être causées par la pince à levier trouvée dans la voiture de Ted.

Lohr médita un moment sur le témoignage des légistes et déclara que l'information liée à l'affaire Smith serait irrecevable dans le procès Campbell. Avoir réussi à maintenir ces trois affaires en dehors du procès du Colorado était une grande victoire pour Ted. Mais il subit une défaite quand Lohr déclara recevable le témoignage de Carol DaRonch et autorisa qu'on verse au dossier de l'accusation la brochure découverte dans son appartement de Salt Lake City sur laquelle l'emplacement de l'hôtel Wildwood avait été encerclé.

Cette même semaine de novembre, Ted apprit que la plus haute cour de justice de l'Utah avait rejeté son pourvoi en révision dans l'affaire DaRonch.

Ce que Ted voulait maintenant, c'était changer de juridiction avant le 9 janvier, date à laquelle le procès avait été fixé. Il était peu probable de trouver encore quelqu'un à Aspen qui ignore qui était Ted Bundy ou qui n'ait pas en mémoire, et dans leurs moindres détails, les crimes dont il était accusé. Un procès à Aspen aurait toutes les allures d'un spectacle, c'était tout bonnement impensable.

Des circonstances inattendues m'éloignèrent encore plus de Ted à la fin du mois de novembre : un de mes articles avait éveillé l'intérêt d'une maison de production hollywoodienne et, après deux brefs échanges téléphoniques, je me retrouvai à bord d'un avion pour Los Angeles. Au terme d'une journée complète d'entretiens avec les producteurs, on conclut que je reviendrais passer trois semaines sur place en décembre pour rédiger un synopsis détaillé de l'histoire. J'étais surexcitée, terrifiée aussi, croyant à peine à ce qui m'arrivait. Après avoir gagné, parfois correctement, souvent difficilement de quoi nourrir toute ma petite famille pendant près de six ans, je voyais enfin la route s'élargir devant moi. J'étais naïve, bien sûr, aussi peu réaliste que n'importe quelle Cendrillon mettant les pieds à un bal d'Hollywood.

J'appelai Ted et lui dis que je me trouverais à l'hôtel Ambassador à Los Angeles pendant la plus grande partie du mois de décembre. Il me souhaita de réussir. Il cherchait alors à rassembler des fonds dans le but d'organiser un sondage d'opinion impartial pour déterminer s'il existait un endroit dans le Colorado où il pouvait avoir un procès équitable. Il pensait à Denver, une ville assez grande pour que « Ted Bundy » n'y soit pas devenu un nom commun. Ce pourrait être le lieu propice.

Son grand ennemi, le D.A. Frank Tucker, du comté de Pitkin, était tombé. Non pas en raison d'une machination de Ted, mais parce qu'il croulait sous treize chefs d'inculpation pour détournement de fonds publics !

Quelques jours avant Noël, je rendis mon synopsis aux producteurs. Ils l'apprécièrent et je signai alors le contrat pour écrire le scénario complet du film. Ils m'assurèrent que j'en aurais pour six semaines. Serais-je capable de laisser mes enfants seuls pendant si longtemps ? Il le faudrait bien ; je ne pouvais laisser échapper une si belle occasion. Comment aurais-je pu savoir que je n'allais rentrer chez moi que sept mois plus tard ?

Le Noël de cette année fut délirant : deux jours pour faire des courses, un jour pour faire la fête et une semaine pour trouver des baby-sitters et faire mes bagages pour la Californie.

Le Noël de Ted fut très sombre : il avait appris, le 23 décembre, que sa requête en changement de juridiction avait été accordée. Il ne serait pas jugé à Denver, mais à Colorado Springs, à près de cent kilomètres au sud, dans la juridiction du D.A. Bob Russell, celui-là même à qui Tucker avait fait appel pour renforcer le ministère public. Trois des six condamnés à mort de l'État l'avaient été par un jury de Colorado Springs. Le pays n'était pas tendre avec les assassins.

Après lecture de l'arrêt par le juge Lohr, Ted déclara sur un ton péremptoire :

– Vous me condamnez à mort.

Quatre jours plus tard, Ted apprit que le juge Lohr avait entériné sa requête pour que la peine de mort ne soit pas envisagée lors de son procès. Lohr devint ainsi le premier juge du Colorado à déclarer la peine capitale anticonstitutionnelle. Bien entendu, Ted déclara qu'il ne s'attendait pas à être reconnu coupable, mais que cette décision devrait faire jurisprudence pour tous ceux qui s'opposeraient dorénavant à la peine de mort.

Ted m'appela le 30 décembre pour me souhaiter la bonne année. Nous bavardâmes une vingtaine de minutes. Ce coup de fil avait ceci d'inhabituel : alors que Ted m'appelait toujours pour me demander de lui rendre un service ou parce qu'il avait une idée derrière la tête, cet appel-ci parut sans véritable objet, modéré, amical, comme s'il était un ami passant un petit coup de fil pour la forme depuis l'autre bout de la ville.

Il disait que la prison était vide et silencieuse ; tous les prisonniers purgeant des peines légères avaient été relâchés pour aller passer les fêtes de Noël en famille et il était resté seul dans la prison du comté. Et, comme toujours, il se plaignait de la nourriture :

– Le cuistot est parti aussi – en ne laissant que des plats à réchauffer, y compris la pêche en gelée ! Tout ce qui est censé être mangé chaud est servi froid et vice versa !

Son discours était plein de non-dits ; il était à deux semaines de son procès pour meurtre et je ne pouvais pas lui dire grand-chose pour relâcher un peu de la pression que cet événement devait exercer sur lui. Je lui souhaitai bonne chance et l'informai que je serais à Los Angeles et que je lui donnerais de mes nouvelles. Intérieurement, j'essayai de ne pas songer à ce que l'on devait éprouver quand on restait tout seul en prison pendant que le reste du monde célébrait le nouvel an...

– J'ai besoin de ton adresse..., là où tu seras, à Los Angeles, dit-il.

Je la lui donnai et attendis qu'il eût fini de la noter. Il me souhaita bonne chance aussi, et bonne année.

Ted me faisait ses adieux, mais rien dans sa conversation ne l'avait indiqué. Je raccrochai, légèrement troublée. Tant de choses étaient arrivées en six ans, et si peu d'événements heureux pour l'un comme pour l'autre...

Ted passa plusieurs autres coups de téléphone en cet avant-dernier jour de l'année 1977 : à John Henry Browne et à un journaliste de Seattle, à qui il déclara mystérieusement qu'il avait l'intention d'assister au match de qualification des Washington Huskies, mais « pas depuis ma cellule ». Je ne sais s'il appela Meg, mais je le soupçonne d'avoir appelé Carole Ann Boone. Elle lui avait rendu visite dans sa cellule, lui avait prêté beaucoup d'argent, lui avait tenu la main en le couvant d'un regard éperdu d'amour... exactement comme tant d'autres femmes avant elle.

Puis Ted passa son plan en revue ; le procès imminent ne l'inquiétait plus : il n'avait pas l'intention d'y assister.

Il connaissait la prison du comté de Garfield comme aucun surveillant. Il connaissait les manies et les habitudes des quatre geôliers, mieux qu'eux-mêmes. Il aurait même pu établir un graphique horaire de leurs mouvements. Son ex-compagnon de cellule, Sid Morley, lui avait tracé un plan de la prison des mois plus tôt et Ted avait mémorisé chaque coin et recoin du bâtiment. Il avait une scie à métaux, qu'il tenait de quelqu'un dont il ne révélerait jamais le nom : il avait depuis longtemps adopté le code d'honneur des prisonniers qui interdisait de moucharder.

Il y avait, au plafond de sa cellule, une plaque métallique scellant l'endroit où devait être installé un dispositif d'éclai-

270

rage. Les électriciens étaient censés avoir terminé leur travail en quelques jours, mais les travaux de remise en état du circuit électrique avaient pris un retard considérable. Ted avait mis six à huit laborieuses semaines pour découper un carré de trente centimètres de côté dans la plaque métallique du plafond avec sa scie à métaux. Il l'avait découpée avec tant de soin qu'il pouvait la replacer à loisir sans que cela se remarque... et personne n'avait rien vu. Il s'était même absenté pendant deux jours de sa cellule sans que sa « trappe » soit découverte.

Il avait travaillé de nuit, pendant que les autres prisonniers prenaient leur douche, le bruit de l'eau et de leurs cris couvrant celui de son travail. Les dimensions de la cavité étaient limitées par l'existence dans le plafond de barres de renforcement en acier. Afin de pouvoir se faufiler dans ce passage, il s'était mis au régime et avait réduit son poids à soixante-trois kilos. Ses jérémiades à propos de la nourriture n'étaient qu'une couverture.

Au cours des deux dernières semaines de décembre, Ted s'était souvent faufilé dans le plafond pour aller ramper dans l'espace vide et poussiéreux qui courait sous les combles. Chaque fois qu'il était revenu à sa cellule, il avait vécu ce moment d'angoisse indicible pendant lequel il pensait avoir été découvert, s'attendant à trouver tout un groupe de surveillants « prêts à l'écharper ».

Ted était fin prêt. Il n'attendait plus que le moment favorable. Le plafond était la seule voie possible : la porte de sa cellule était en acier et, au-delà, deux autres portes verrouillées le séparaient encore de la liberté. Il avait les genoux douloureux à force d'avoir rampé sur les parpaings sous les combles à la recherche du meilleur moyen d'en sortir. Il le trouva le 30 décembre. Un simple puits de lumière, où dansaient paresseusement des particules de poussière, perçait les ténèbres au-dessous : il y avait un trou dans les carreaux de plâtre au-dessus d'un placard dans l'appartement du gardien Bob Morrison.

L'endroit faisait chambre d'écho et le bruit d'une chute d'épingle aurait pris des proportions énormes. Ted attendit, immobile dans un équilibre parfait, au-dessus du trou dans le plâtre. Morrison et sa femme dînaient ; il avait très distinctement entendu leur conversation. Pouvaient-ils l'entendre aussi ?

— Allons au cinéma, ce soir, proposa Mme Morrison.

— Oui c'est une idée... répondit son mari.

Ted eut un accès de paranoïa : l'idée lui vint que cela pouvait être une ruse pour le piéger. Il savait que Morrison possédait une arme à feu et était bien capable de l'abattre quand il descendrait du plafond. Il resta assis là, presque sans respirer, pendant une demi-heure. Il entendit les Morrison enfiler leurs manteaux, puis la porte d'entrée claquer.

C'était parfait. Il ne lui restait plus qu'à se laisser tomber dans leur appartement, changer de vêtements et sortir par la porte.

Il savait qu'il aurait une bonne longueur d'avance quand il s'échapperait. Il avait entièrement changé sa routine au cours des dernières semaines, avait dit aux gardiens qu'il ne se sentait pas bien du tout et que l'idée même de manger quelque chose au petit déjeuner le rendait malade. Il travaillait très tard dans la nuit à l'élaboration de son dossier et dormait tard dans la matinée, laissant toujours son plateau de petit déjeuner intact derrière la porte de sa cellule.

Personne ne venait jamais vérifier sa cellule une fois le dîner servi. Et personne ne viendrait y jeter un coup d'œil avant le service de midi du lendemain.

Bouclé dans une cellule sans fenêtre, Ted n'avait pas la moindre idée du temps qu'il faisait dehors ; il ne pouvait pas savoir que quinze centimètres de neige étaient tombés dans la journée, venant s'ajouter à une couche déjà très épaisse, et que la température était descendue nettement en dessous de zéro. L'aurait-il su que cela n'aurait rien changé à l'affaire.

Sa décision prise, Ted regagna sa cellule, bourra sous sa couverture tous les papiers dont il n'aurait plus besoin et jeta un dernier coup d'œil à sa geôle.

Puis il remonta dans le plafond, replaça la trappe et rampa vers l'ouverture au-dessus du placard. Il s'y glissa, tomba d'une étagère et se retrouva dans la chambre des Morrison. Il quitta ses vêtements de prisonnier et enfila un blue-jean, un pull gris à col roulé et des chaussures de tennis bleues. Par précaution, au cas où les Morrison rentreraient avant qu'il ait

272

quitté leur appartement, il glissa les deux copies d'armes anciennes (un fusil et un Derringer) en état de marche dans le plafond.

Et Ted Bundy sortit par la porte d'entrée dans la « belle nuit enneigée du Colorado ».

Il trouva une MG Midget munie de pneus cloutés à structure radiale. Elle n'avait pas l'air de pouvoir tenir le coup jusqu'en haut du col, mais les clés étaient dessus.

Ted Bundy quitta Glenwood Springs et l'auto rendit l'âme en cours de route, comme il s'y était attendu. Un homme le prit en stop et le déposa un peu plus loin à la gare routière de Vail. Ted prit le bus de 4 heures pour Denver, où il arriva à 8 h 30.

À 7 heures du matin, un surveillant, porteur du plateau de petit déjeuner, frappa à la porte de la cellule de Ted. Pas de réponse. Il jeta un coup d'œil à travers le judas et vit ce qu'il prit pour la silhouette endormie de Ted.

Bob Morrison n'était pas de service ce jour-là. Quand il prit des vêtements dans son placard pour s'habiller, vers 8 h 15, il ne remarqua rien d'anormal.

À Denver, Ted prit un taxi pour l'aéroport et monta à bord d'un avion à destination de Chicago ; personne encore ne savait qu'il s'était échappé. À 11 heures du matin, il était à Chicago.

L'heure du déjeuner arriva à la prison du comté de Garfield ; le plateau de petit déjeuner de Ted gisait intact, comme d'habitude, devant la porte de sa cellule. Le gardien regarda la forme allongée sur la couchette et appela cette fois-ci Ted par son nom. Toujours pas de réponse. Il ouvrit la porte et poussa un juron en arrachant les couvertures d'un seul mouvement. Personne ! Rien d'autre que les papiers et les livres de droit de Ted. Il leur devait effectivement sa liberté !

Il y eut du grabuge au bureau du shérif. Les sanctions volaient bas, les cris et récriminations aussi : les surveillants avaient soi-disant été prévenus et, malgré cela, ils avaient laissé filer un homme accusé de près d'une vingtaine de meurtres !

Le shérif adjoint Robert Hart déclara aux journalistes qu'il doutait que Ted se soit enfui dans les montagnes cette fois-ci.

— Il ne pouvait pas supporter la fraîcheur de l'air dans la montagne autour d'Aspen au mois de juin, alors je ne crois pas qu'il tente le coup par ici en décembre. Nous avons affaire à un homme particulièrement intelligent. Il a sûrement très soigneusement préparé son évasion. Bundy pouvait se servir du téléphone autant qu'il le voulait. Il avait une carte de crédit pour appeler partout où ça lui chantait. Et un arrêt de la Cour nous interdisait d'écouter ses conversations. Bordel ! Il aurait bien pu appeler le président Carter en Europe si l'envie lui en avait pris !

On dressa des barrages routiers, on rappela les chiens pisteurs, mais le cœur n'y était plus : Ted avait dix-sept heures d'avance sur ses poursuivants.

Assis dans la voiture-bar à bord du train reliant Chicago à Ann Arbor, il sirotait confortablement un verre. Pendant ce temps, les hommes lancés à sa recherche très loin derrière lui avançaient péniblement dans la neige qui leur montait aux genoux. Comme il aurait aimé voir ce spectacle !

À Aspen, Ted devint aussi célèbre que Billy the Kid. Il avait réussi ! Le procès prévu en janvier n'aurait pas lieu. Ted avait joué le tout pour le tout et il avait gagné !

29

J'arrivai à Los Angeles le 6 janvier au soir. Ce même jour, Ted quittait Ann Arbor dans une voiture volée et filait en direction de la Floride. Le temps pour moi de prendre contact avec les producteurs du film et de démarrer le travail sur mon scénario et Ted était confortablement installé dans sa chambre de la pension du Chêne à Tallahassee, sous le nom de Chris Hagen. S'il m'accorda une pensée, ce fut sans doute par hasard ; je faisais désormais partie de l'autre monde, un monde qu'il avait quitté à tout jamais.

Dans sa chambre miteuse, Ted était plus heureux qu'il ne l'avait été depuis des années. La seule vue, au réveil, de la vieille porte en bois, éraflée et à la peinture écaillée, au lieu d'une cellule sordide, était une fabuleuse victoire. Au début, la liberté lui suffisait ; il vivait parmi d'autres gens, évoluait au sein d'un milieu étudiant, un milieu qu'il avait toujours trouvé sain et stimulant.

Il avait l'intention de respecter la loi au pied de la lettre, de se passer de voiture et même de bicyclette. Il avait l'intention de trouver un emploi – de préférence dans le bâtiment, mais pourquoi pas comme concierge... Il était en moins bonne forme physique qu'avant : malgré les tractions et les séances d'abdominaux qu'il s'était obligé à pratiquer régulièrement dans sa cellule, tous ces mois passés en prison avaient fait fondre sa musculature. Et il avait aussi perdu beaucoup de poids : il avait dû se priver de nourriture pour parvenir à se faufiler par l'ouverture pratiquée dans le plafond. Il lui faudrait un certain temps avant de retrouver une constitution normale.

Il avait épluché le fichier des étudiants de deuxième cycle de l'université de Floride et fixé son dévolu sur un étudiant nommé Kenneth Misner. Ce serait sa première identité d'emprunt. Il fit des recherches sur la famille de Misner et son lieu de naissance. Il se fit faire une carte d'identité au nom de Misner, mais ne voulut pas l'utiliser immédiatement ; il avait d'abord besoin d'autres papiers et d'un permis de conduire. Dès qu'il aurait en main tous les documents nécessaires pour prouver qu'il était bien Kenneth Misner, il travaillerait à se créer deux ou trois autres identités d'emprunt – américaines, puis canadiennes. Mais il ne devait pas se précipiter : il avait le temps, maintenant, l'éternité devant lui.

Ses journées se déroulaient simplement : levé à 6 heures, il allait prendre son petit déjeuner à la cafétéria du campus, se passait de déjeuner et se contentait d'un hamburger pour dîner. Dans la soirée, il marchait jusqu'au supermarché du coin, achetait une canette de bière, puis revenait la boire tranquillement chez lui. Bon Dieu ! que c'était bon d'être libre ! Il prenait un tel plaisir aux choses les plus simples.

Tout en sirotant sa bière, il souriait en resongeant, encore et encore, à son évasion. Tout avait marché encore mieux qu'il ne l'avait prévu. Ils n'avaient jamais compris de quoi il était véritablement capable ! Comme ils avaient l'air contents d'eux-mêmes quand ils lui mettaient ces fers aux pieds, des fers qu'ils cadenassaient au plancher du fourgon cellulaire ! Dire que pendant tout ce temps il avait eu dans sa poche une clé pour ces fers, une clé fabriquée par un de ses compagnons de cellule ! Il aurait pu les enlever à n'importe quel moment, mais à quoi bon sauter d'une voiture de police pour se retrouver dans la montagne en plein hiver, quand il pouvait filer par le plafond avec une bonne demi-journée d'avance sur tous ces fumiers ?

Il savait qu'il aurait dû faire plus d'efforts pour chercher un travail, mais il n'avait jamais été très fort à ce jeu-là. C'était si bon de laisser les jours s'écouler comme cela, béatement ; les uns derrière les autres !

Ted avait le goût de la propriété, il le savait – posséder des « choses » était très important pour lui. Son appartement de Salt Lake City avait été meublé et décoré exactement tel qu'il l'avait voulu et ces maudits flics lui avaient tout pris. À présent, il voulait d'autres objets pour égayer son monde. Il était passé plusieurs fois devant cette bicyclette en allant au supermarché. C'était une Raleigh ; il avait toujours eu un faible pour les Raleigh. Elles étaient solides et bien faites, mais son propriétaire n'avait vraiment pas l'air d'en prendre soin : les pneus étaient à plat et les jantes rouillées. Il la prit, répara les pneus et passa les jantes au papier de verre. Chevaucher une bicyclette ajoutait à sa sensation de liberté. Il l'enfourchait pour aller acheter du lait et personne ne lui prêtait attention.

Il prit d'autres choses, aussi, des choses dont il avait besoin, dont on a tous besoin si l'on ne veut pas vivre comme des animaux : des serviettes de toilette, de l'eau de Cologne, un poste de télévision, des balles et des raquettes de racket-ball. Maintenant, il pouvait jouer sur les courts de l'université.

Il passait généralement la soirée chez lui, à regarder la télévision en sirotant sa bière. Il essayait de se coucher à une heure régulière, vers 22 heures.

Voler les objets dont il avait besoin paraissait assez simple. C'était comme d'aller au supermarché et de glisser une boîte de sardines à l'huile dans sa poche pour son dîner. Il ne pouvait pas faire autrement que de le voler s'il voulait avoir quelque chose ; malgré la frugalité de ses repas, les soixante dollars qui lui restaient après avoir payé la caution pour sa chambre fondaient à vue d'œil.

Avoir des amis était la seule chose qu'il ne pouvait pas se permettre. Un groupe de musiciens de rock avait élu domicile au rez-de-chaussée et il bavardait avec eux de temps à autre, mais il ne pouvait pas se lier d'amitié avec qui que ce soit au Chêne. Quant à l'idée d'avoir une petite amie, inutile d'en parler. Il n'avait pas de passé ; il ne pouvait s'attacher à quelqu'un quand il risquait à tout moment de devoir disparaître. Et comment aurait-il pu aborder une femme alors qu'il – lui, Chris Hagen, Ken Misner, ou Dieu sait qui – venait seulement de « naître », une semaine plus tôt ?

Chaque jour, il se reprochait de ne pas chercher activement du travail. Sans boulot, pas de paie ; que raconterait-il alors, le 8 février, au propriétaire du Chêne quand celui-ci viendrait réclamer ses trois cent vingt dollars ?

277

Mais il n'y arrivait toujours pas. C'était trop bon de passer ses journées à jouer au racket-ball, à faire du vélo, à regarder la télé, à aller à la bibliothèque... Il avait l'impression de faire à nouveau partie de la société des hommes.

Avec le temps, l'ameublement de sa chambre s'améliora : c'était si facile de se servir. Subtiliser le porte-monnaie des ménagères dans leur sac pendant qu'elles faisaient leurs courses était un jeu d'enfant. On pouvait acheter n'importe quoi avec des cartes de crédit ; il devait simplement faire attention à en changer rapidement, avant que leur vol ne soit déclaré.

Le monde était le débiteur de Ted Bundy. On lui avait tout pris et, maintenant, il se payait en retour pour toutes ces années qu'on lui avait volées, toutes ces années de privation et d'humiliation.

Il avait pris l'habitude d'aller au plus facile. C'était peut-être là la raison pour laquelle il ne parvenait pas à prendre le bus, comme tout le monde, quand c'était si facile de voler une voiture. Il ne les gardait jamais longtemps. Plus tard, il se souviendrait même du nombre d'autos qu'il avait volées pendant les six semaines de liberté passées en Floride. Mais tout voleur qu'il était, il avait sa propre éthique. Il mettait un point d'honneur à ne jamais rien voler à quelqu'un qui avait peu ou pas de moyens : si la voiture était neuve, munie de toutes les options possibles et imaginables, il considérait que son propriétaire avait les moyens de la perdre. Mais si c'était une vieille auto retapée avec deux cent mille kilomètres au compteur, alors il n'y touchait pas.

Ainsi passaient les jours à Tallahassee ; des journées chaudes, presque idylliques, et des nuits fraîches où il faisait bon être à l'abri dans sa chambre, à regarder la télévision, à faire des projets d'avenir, un avenir qu'il ne parvenait pas tout à fait à contrôler.

Avec le changement de décor et de comportement, son apparence se modifia aussi. Alors qu'il avait été maigre et émacié, le lait, la bière et la nourriture de mauvaise qualité commencèrent à influer sur sa silhouette ; sa figure, s'arrondit ; ses joues s'alourdirent ; son corps et ses muscles, prisonniers si longtemps des quatre murs de sa cellule, reprirent force et volume sous les effets conjugués des promenades à bicyclette et des parties de racket-ball. Il garda ses cheveux coupés court et plaqués sur son crâne pour décourager leur tendance naturelle à boucler. Il se dessina une mouche sur la joue gauche et laissa pousser sa moustache. Il ne fit pas d'autre effort pour modifier son apparence ; il avait la chance de posséder naturellement des traits subtilement changeants, toujours séduisants, quoique assez communs pour rester anonymes ; il le savait et en tirait parti.

Une seule chose le tracassait : il n'avait personne à qui parler. Personne avec qui il puisse avoir une conversation un peu plus poussée que le banal et occasionnel « Salut ! Comment va ? » qu'il lançait aux musiciens de rock d'en bas ou à la jolie jeune fille qui vivait aussi au Chêne. Avant, c'était différent. Il n'avait jamais eu envie de mettre son âme à nu, mais il avait toujours eu quelqu'un à qui parler. Même si ce n'était que pour blaguer avec ses geôliers ou discourir dans la salle du tribunal. Et puis, il écrivait des lettres. Il n'avait plus personne à présent. Il devait se délecter de ses faits de gloire tout seul, et cette solitude lui gâchait presque tout son plaisir. Theodore Robert Bundy avait acquis une certaine célébrité dans l'Ouest ; ici, en Floride, il n'était personne.

Ted Bundy était arrivé sur le campus de l'université de Floride le dimanche 8 janvier 1978 au matin. Ni vu ni connu, il s'y déplaçait à son gré, assistait même parfois à des cours, mangeait à la cafétéria et profitait des installations sportives de l'université. Il ne connaissait personne et personne ne le connaissait ; aux yeux des autres habitants de ce petit monde universitaire, il n'était qu'une ombre.

La sororité Khi Omega – propre, décorée avec goût, d'un coût de construction élevé, l'une des plus belles résidences du campus – était un énorme bâtiment en brique en forme de L. Elle était située au numéro six cent soixante et un sur Jefferson Ouest, à quelques rues seulement du Chêne. C'était un lieu totalement à part où vivaient trente-neuf étudiantes et une responsable.

Khi Omega hébergeait les plus belles, les plus intelligentes, les plus appréciées des étudiantes. Toutes s'étaient retrouvées là parce que – évidemment – leurs mères ou leurs grands-mères y avaient été pensionnaires en leur temps. L'honneur exigeait en 1950 qu'elles soient de retour à 20 heures au plus tard en semaine et à 1 heure du matin les week-ends. En 1978, il n'existait plus de couvre-feu. Chaque occupante connaissait le code d'entrée de la porte de derrière, qui donnait dans la salle de détente du rez-de-chaussée. Elles étaient libres d'aller et venir à leur guise et, en cette nuit du samedi 14 janvier 1978, la plupart des filles de la sororité restèrent dehors jusqu'au petit matin. Plusieurs « beuveries » avaient été organisées ce soir-là sur le campus et un certain nombre de filles regagnèrent leur lit légèrement ivres. Peut-être cela explique-t-il en partie comment toute cette horreur a pu arriver sans qu'aucune des filles, séparées les unes des autres par des cloisons fines comme du papier à cigarettes, n'ait rien entendu.

Le rez-de-chaussée de la maison Khi Omega comprenait la salle de détente et, à l'ouest, un salon de réception. Il n'était jamais utilisé, sauf pour accueillir les anciennes élèves de passage ou pendant les semaines d'examens. Au-delà, se trouvaient la salle à manger et les cuisines. Il y avait deux escaliers de service, l'un montant aux chambres depuis la salle de récréation – celui qu'empruntaient généralement les filles qui rentraient tard – et l'autre partant de la cuisine. L'escalier principal s'élevait depuis le hall d'entrée, juste derrière la porte à double battant. Le vestibule était tapissé de papier d'un bleu métallique brillant et était assez bien éclairé à en croire les témoins qui deviaient parler plus tard.

Le seul homme admis à l'étage était Ronnie Eng, l'homme à tout faire, surnommé le « joli cœur de Khi Omega ». Toutes les étudiantes de la résidence appréciaient Ronnie, un jeune homme timide, mince et aux cheveux sombres.

Ce samedi-là, la plupart des filles avaient des projets pour la soirée. Margaret Bowman, vingt et un ans, fille d'une bonne famille de Saint-Petersburg, en Floride, avait rendez-vous avec un garçon qu'elle ne connaissait pas à 21 h 30. Ce rendez-vous lui avait été arrangé par son amie Melanie Nelson. Lisa Levy, vingt ans, qui venait aussi de Saint-Petersburg, avait travaillé toute la journée et comptait bien sortir un peu le soir. À

22 heures, Lisa et Melanie se rendirent à la discothèque à la mode du campus – *Sherrod's* –, à deux pas de Khi Omega.

Karen Chandler et Kathy Kleiner partageaient la chambre numéro 8 et prirent des directions opposées. Karen alla chez ses parents leur préparer un dîner et rentra avant minuit pour faire un peu de couture dans sa chambre. Kathy Kleiner se rendit à un mariage avec son fiancé, puis ils allèrent dîner entre amis. Toutes deux étaient couchées et endormies avant minuit. Nita Neary et Nancy Dowdy aussi avaient un rendez-vous cette nuit-là. Elles ne devaient rentrer que très tard. Mama Crenshaw, la gouvernante, se retira vers 23 heures. Elle restait à la disposition des filles.

Lisa Levy était épuisée après sa journée de travail et ne resta qu'une demi-heure dans la boîte de nuit. Elle rentra seule se coucher dans la chambre numéro quatre ; sa camarade de chambre était rentrée chez elle pour le week-end.

Comme tous les week-ends, la discothèque était pleine à craquer ce soir-là. Melanie s'assit en compagnie d'une autre étudiante de Khi Omega, Leslie Waddell, et du petit ami de celle-ci, un étudiant de la fraternité Sigma Khi.

Mary Ann Piccano était là aussi, en compagnie de sa camarade de chambre Connie Hastings. Mary Ann avait fait une rencontre assez troublante : un homme plutôt mince, aux cheveux bruns, l'avait fixée des yeux avec une intensité qui l'avait mise mal à l'aise. Quelque chose dans la façon dont son regard la pénétrait la faisait frissonner d'épouvante. Puis l'homme avait fini par s'approcher, lui apporter un verre et lui proposer de danser. Il était assez beau et elle n'avait eu aucune raison de refuser ; la boîte de nuit était le lieu par excellence où l'on dansait avec des inconnus. En se levant pour aller le rejoindre sur la piste de danse, elle avait murmuré à Connie :

– Je crois que je suis sur le point de danser avec un ancien taulard...

Pendant leur tour de danse, l'homme n'avait rien dit ou fait qui ait pu confirmer sa première impression, mais elle s'était mise à trembler comme une feuille. Elle n'avait pas pu le regarder et, quand la musique s'était arrêtée, elle avait regagné sa table avec soulagement. Quand elle l'avait recherché des yeux plus tard, il avait disparu.

Melanie, Leslie et son ami quittèrent la boîte peu après 2 heures du matin, à sa fermeture, et regagnèrent Khi Omega qui se trouvait à deux pas. En arrivant devant la porte de derrière, Melanie s'aperçut que le code d'entrée ne fonctionnait pas.

– C'est bizarre, dit-elle à Leslie. La porte n'est pas fermée.

Leslie se contenta de hausser les épaules. Le système de fermeture de la porte fonctionnait plus ou moins bien ces derniers jours.

Le trio traversa la salle de repos, à peine éclairée par les petites lampes de tables individuelles. Margaret Bowman était déjà rentrée. Elle attendait impatiemment Melanie pour lui parler de son rendez-vous du soir. Le petit ami de Leslie n'avait aucun moyen de regagner sa résidence ; Margaret prêta à Leslie les clés de sa voiture pour qu'elle le raccompagne.

Margaret se rendit dans la chambre de Melanie pour bavarder des événements de la soirée tandis que Melanie enfilait son pyjama. Puis elles passèrent dans la chambre de Margaret, la numéro 9, et continuèrent à bavarder tandis que Margaret se déshabillait à son tour.

Nancy Dowdy rentra quelques minutes après Melanie et Leslie ; elle aussi trouva le mécanisme de fermeture de la porte hors d'état de marche et voulut s'assurer que la porte était bien fermée derrière elle. Elle s'arrêta un instant sur le palier de l'escalier principal pour souhaiter une bonne nuit à Margaret et Melanie, puis rejoignit sa chambre. À 2 h 15, elle dormait.

Il était exactement 2 h 35 au réveil de Margaret quand Melanie lui souhaita « Bonne nuit ». À ce moment, Margaret était en slip et soutien-gorge. Melanie ferma la porte de Margaret derrière elle, entendit distinctement le « clac » du pêne dans la gâche, puis enfila le couloir en direction de la salle de bains où elle bavarda un peu avec une autre résidente, Terry Murphree, qui venait de terminer son service au Sherrod's.

À partir de cet instant, la chronologie des événements devient cruciale :

Melanie Nelson jeta un coup d'œil à sa pendule à cristaux liquides avant d'éteindre la lumière : 2 h 45. Elle s'endormit presque instantanément.

Nita Neary arriva à la sororité Khi Omega en compagnie de son petit ami à 3 heures. Ils avaient participé à une fête de la bière, mais Nita n'avait pas bu exagérément ; elle était enrhumée et se sentait mal fichue.

En arrivant devant la porte, Nita la trouva grande ouverte. Cela ne l'inquiéta pas outre mesure ; elle savait que la fermeture fonctionnait mal. Elle entra et éteignit les petites lampes restées allumées en traversant la salle de détente. Brusquement, elle entendit un gros « poum ! » étouffé. Elle crut d'abord que son ami avait trébuché et s'était étalé en regagnant sa voiture. Elle se précipita à la fenêtre et vit qu'il n'en était rien. Il montait justement à bord. Une seconde plus tard, elle entendit un bruit de pas de course dans le couloir à l'étage supérieur.

Nita se dirigea alors vers le vestibule ; personne, descendant l'escalier principal, n'aurait pu la voir. Elle, en revanche, distinguait parfaitement l'entrée : le lustre était encore allumé. Les deux battants blancs de la porte se trouvaient à cinq mètres d'elle environ.

Elle entendait les pas résonner dans l'escalier principal à présent. Des pas précipités.

Puis elle le vit : un homme mince, vêtu d'une veste sombre. Un bonnet de laine, du genre bonnet de marin, dissimulait toute la partie supérieure de son visage. Elle ne le distingua que de profil, mais vit parfaitement un nez acéré et pointu.

L'homme était courbé en avant, la main gauche posée sur la poignée de la porte. Si incroyable que cela parût, il tenait dans sa main droite un gourdin semblable à une bûche. Elle en distingua les contours rugueux, comme s'il s'agissait d'écorce. Le bas du gourdin, là où il l'empoignait, était entouré de tissu.

Une seconde... deux... trois... la porte s'ouvrit et l'homme disparut.

Toutes sortes de pensées traversèrent l'esprit de Nita Neary. Elle n'avait pas eu le temps d'avoir peur. Elle se dit : « On a été cambriolées... Ou peut-être qu'une des filles a eu le culot d'introduire quelqu'un à l'étage... »

Le seul homme qu'elle avait l'habitude de voir dans la

maison était Ronnie Eng et, pendant un instant, elle se demanda : « Qu'est-ce que Ronnie faisait là ? »

Elle n'avait pas pu voir les yeux de l'homme – du tout. Il ne lui restait que cette vision fugitive, désormais gravée dans son esprit, de cette silhouette penchée en avant et armée d'un gourdin. Elle courut à l'étage et réveilla Nancy Dowdy.

– Nancy, il y a quelqu'un dans la maison ! Je viens de voir quelqu'un se sauver.

Nancy attrapa la première chose qui lui tomba sous la main – un parapluie en l'occurrence – et les deux filles descendirent au rez-de-chaussée sur la pointe des pieds. Elles vérifièrent la porte d'entrée et la trouvèrent fermée ; et Nita avait refermé la porte de derrière en rentrant. Elles discutèrent de l'attitude à adopter. Appeler la police ? Réveiller Mama Crenshaw ? Rien ne semblait avoir été volé. Tout avait l'air normal. Nita montra à Nancy dans quelle position elle avait vu l'homme et lui décrivit le gourdin.

– D'abord, j'ai cru que c'était Ronnie, mais cet homme était plus grand et plus large que Ronnie.

Elles remontèrent l'escalier en continuant de discuter sur ce qu'elles devaient faire. En arrivant sur le palier, elles virent Karen Chandler sortir de la chambre numéro 8 et courir dans le couloir. Elle titubait et se tenait la tête à deux mains. Elles la crurent malade et Nancy courut pour la rattraper.

Karen avait la tête couverte de sang. Le sang ruisselait sur son visage et elle paraissait en plein délire. Nancy la conduisit dans sa propre chambre et lui donna une serviette pour étancher le flot de sang.

Nita courut éveiller Mama Crenshaw puis se rendit à la chambre numéro 8, que Karen partageait avec Kathy Kleiner. Kathy était assise dans son lit et tenait sa tête entre ses mains. Elle gémissait indistinctement et avait, elle aussi, la tête en sang.

Nancy Dowdy, au bord de l'hystérie, composa le numéro de police secours et dit qu'on avait besoin d'aide d'urgence à la résidence Khi Omega, au numéro 661 sur Jefferson Ouest. Ce premier appel fut plutôt confus. Le standardiste du central comprit d'abord que « deux femmes se battaient pour un homme ». Ce fut sur la foi de cette information que l'agent de police Oscar Brannon prit la direction de la maison Khi Omega. Il ne s'en trouvait alors qu'à deux ou trois kilomètres.

– À mon grand regret, dirait-il plus tard, ce que j'ai découvert était bien différent.

Il arriva sur place à 3 h 23. Trois minutes plus tard, Henry Newkirk, un collègue de la police de Tallahassee, Ray Crew et Bill Taylor, deux hommes de la police d'État, et le Medic 1 de Tallahassee le rejoignaient.

Ni les policiers ni les auxiliaires médicaux n'avaient la moindre idée de ce qui les attendait.

Brannon et Taylor restèrent au rez-de-chaussée pour recueillir la déposition de Nita et diffuser par radio le signalement qu'elle leur donna de l'homme qu'elle avait vu ; Crew et Newkirk montèrent à l'étage. Mme Crenshaw et une dizaine de filles tournaient en rond dans le couloir. Elles les conduisirent à Karen et Kathy ; les deux filles avaient l'air très gravement blessées.

Les infirmiers furent guidés au premier, où les victimes gémissaient. Don Allen et Amelia Roberts s'occupèrent de Kathy Kleiner ; elle était consciente, mais avait la peau du visage lacérée et déchirée, la mâchoire brisée, plusieurs dents cassées et probablement le crâne fracturé en plusieurs endroits. Quelqu'un lui avait tendu une bassine pour cracher le sang qui s'écoulait de sa bouche. Elle appelait son petit ami et son pasteur au secours. Elle n'avait pas la moindre idée de ce qui avait pu lui arriver : elle dormait à poings fermés.

Lee Phinney alla aider Karen Chandler. Elle aussi avait la mâchoire brisée, plusieurs dents cassées, les chairs lacérées et d'éventuelles fractures du crâne. Les infirmiers eurent toutes les peines du monde à empêcher les deux filles de mourir étouffées sous l'afflux de leur propre sang.

Avec ses murs pâles éclaboussés de sang, la chambre où avait eu lieu l'agression ressemblait à un abattoir. Des morceaux d'écorce – de chêne – étaient restés accrochés sur les oreillers et les vêtements de nuit des deux filles.

Karen non plus ne se souvenait de rien. Elle aussi dormait profondément quand l'homme lui avait frappé la tête à coups de gourdin.

Il régnait un désordre monstre. Tandis que les autres policiers vérifiaient chaque chambre, Newkirk rassembla les filles dans la chambre numéro 2. Aucune ne pouvait répondre à ses questions ; personne n'avait rien entendu.

Ray Crew arriva devant le numéro 4 – la chambre de Lisa –, Mme Crenshaw sur ses talons. Lisa était allée se coucher vers 23 heures et n'avait apparemment pas été réveillée par le chahut. Il ouvrit la porte. Il aperçut la jeune fille couchée sur son côté droit, les draps tirés sur ses épaules. La responsable lui indiqua son nom.

– Lisa ? appela Crew.

Pas de réponse.

– Lisa ! Réveillez-vous !

La silhouette dans le lit ne bougeait pas.

Crew s'approcha, tendit la main pour lui secouer gentiment l'épaule ; elle roula doucement sur le dos. Il aperçut à ce moment-là une petite tache de sang sur les draps en dessous d'elle. Il se tourna vers Mme Crenshaw et lui dit d'une voix tendue :

– Appelez les infirmiers !

Don Allen attrapa sa trousse et courut au chevet de Lisa. Il chercha son pouls : elle n'en avait plus. Il la tira sur le plancher et lui fit du bouche-à-bouche tout en pratiquant un massage cardio-pulmonaire. Lisa avait le teint blafard et les lèvres bleues ; sa peau refroidissait déjà, et pourtant l'infirmier ne parvenait pas à en déterminer la cause. Elle ne portait qu'une chemise de nuit ; son slip gisait sur le sol à côté du lit.

Allen découpa sa chemise de nuit à la recherche de blessures qui puissent expliquer son état. Il remarqua que ses chairs étaient très enflées sous la mâchoire, un phénomène généralement provoqué par la strangulation, et un vilain hématome tournait au violacé sur son épaule droite. Son mamelon droit avait été pratiquement arraché d'un coup de dents.

Il n'y avait pas une seconde à perdre : Allen et Roberts lui firent un tubage de la trachée par le larynx, insufflant ainsi de force de l'oxygène dans ses poumons de telle sorte qu'en voyant sa poitrine se soulever et s'abaisser régulièrement, un néophyte aurait pu croire qu'elle respirait d'elle-même. Ils lui enfoncèrent un cathéter dans la veine et lui injectèrent une solution de D5W qui empêche l'artère de se boucher avant l'administration des drogues. Quand un patient était en état de mort apparente, ils devaient suivre une procédure de réanimation établie d'avance. Ils appelèrent ensuite, par radio, le médecin de garde de l'hôpital central de Tallahassee pour savoir avec précision quel traitement ils devaient appliquer. Ils lui injectèrent un produit censé lui faire battre le cœur pendant dix à vingt minutes.

C'était sans espoir et ils le savaient, mais la fille qui gisait sur le sol à leurs pieds était si jeune ! Son pouls ne revenait pas ; ils n'obtinrent rien d'autre qu'un vague écho irrégulier sur l'écran de leur électrocardiographe. Il ne s'agissait que d'une dissociation électromécanique : les dernières impulsions électriques d'un cœur mourant. Le cœur de Lisa Levy ne battait pas. Elle était morte.

On la transporta néanmoins à l'hôpital toutes sirènes hurlantes. Elle serait déclarée décédée pendant le transport. Dans sa chambre, Melanie Nelson dormait toujours. Elle s'éveilla en sursaut en voyant un homme debout près de son lit. Cet homme la secouait en l'appelant par son nom. Elle l'entendit soupirer :

— Seigneur ! Encore une !

Mais, à son grand soulagement, Ray Crew vit que Melanie était toujours bien vivante ; elle était juste endormie. Elle se leva et attrapa un manteau pour se protéger contre la fraîcheur du petit matin avant de le suivre dans le couloir.

Elle ne savait rien de ce qui était arrivé. Elle aperçut toutes les filles de la résidence rassemblées dans une pièce, vit les policiers et les auxiliaires médicaux qui tournaient en rond et crut qu'il y avait le feu.

— Tout le monde est rentré ? demanda-t-elle.

— Tout le monde, sauf Margaret, dit une voix.

Melanie secoua la tête :

— Non. Margaret est rentrée ; je lui ai parlé.

Elle attrapa l'agent Newkirk par la manche et dit :

— Venez avec moi.

Elle l'entraîna jusqu'à la chambre numéro 9. La porte était entrouverte, à présent, mais Melanie se souvenait parfaitement de l'avoir refermée derrière elle après avoir quitté Margaret, quarante-cinq minutes plus tôt. Elle poussa légèrement le battant et aperçut la silhouette de Margaret dans son lit ; la lumière provenant de la rue était tout juste suffisante pour lui permettre d'identifier les longs cheveux noirs de Margaret sur l'oreiller blanc.

– Vous voyez, dit Melanie, elle est rentrée.

Newkirk fit un pas dans la chambre et alluma la lumière. Ce qu'il vit alors l'obligea à repousser Melanie dans le couloir et refermer la porte sur elle. Il était en plein cauchemar.

Margaret Bowman gisait sur le ventre, les draps remontés jusque sur sa nuque, mais il avait vu le sang qui tachait son oreiller. En s'approchant, il vit que le sang avait inondé tout le côté droit de sa tête et formé un caillot dans le creux de son oreille.

Newkirk tira un peu les draps vers le bas. La jeune fille avait été si cruellement garrottée à l'aide d'un bas en nylon que son cou paraissait avoir réduit de moitié. Elle avait probablement eu la nuque brisée.

Presque sans réfléchir, il lui frôla l'épaule droite, puis la souleva très légèrement du lit. Mais il savait au fond de lui-même qu'il n'y avait plus rien à faire. Il lâcha son épaule et la laissa doucement retomber dans la position où il l'avait trouvée.

Newkirk examina la pièce autour de lui. Il y avait des débris d'écorce partout – sur le lit, dans les cheveux de la fille, collés dans le sang qui maculait son visage. Et pourtant, il ne semblait pas y avoir eu de lutte. Margaret Bowman était encore vêtue d'une chemise de nuit jaune très courte et une chaîne en or était entortillée dans le bas entourant son cou. Son slip gisait sur le plancher au pied du lit.

Un infirmier confirma que Margaret Bowman était décédée depuis un certain temps déjà, puis Newkirk apposa des scellés sur la porte de sa chambre. Ces lividités caractéristiques qui gagnent la peau peu après la mort, ces striures lie-de-vin, légèrement violines, qui apparaissent dans les régions déclives du corps et qui sont provoquées par l'accumulation du sang, étaient déjà apparentes.

Le terrible bilan se montait désormais à deux mortes et deux blessées graves ; les autres occupantes de la résidence Khi Omega étaient choquées, incrédules et en larmes, mais saines et sauves. Comment avaient-elles pu ne rien entendre pendant tout ce carnage ? Comment le tueur avait-il pu pénétrer ainsi dans leur résidence, dans leurs chambres, sans que personne ne s'en soit rendu compte ?

Tout s'était déroulé si rapidement que c'en était presque inimaginable. Melanie Nelson avait vu Margaret Bowman en vie à 2 h 35 et Nita avait vu l'homme au gourdin quitter la maison à 3 heures. Melanie avait circulé dans le couloir jusqu'à 2 h 45.

Carol Johnston était rentrée vers 2 h 55 ; elle avait garé sa voiture à l'arrière de la maison et était entrée par la porte de derrière. Carol avait trouvé la porte entrouverte. Elle avait traversé le vestibule avant de monter l'escalier. Elle avait été étonnée de trouver toutes les lampes éteintes dans le couloir du premier – cela n'arrivait pratiquement jamais. La seule lumière visible provenait de la lampe de bureau que sa compagne de chambre laissait toujours allumée quand Carol était sortie ; elle projetait un mince rai lumineux sous la porte de leur chambre.

Une fois en pyjama, Carol était sortie dans le couloir obscur pour gagner la salle de bains. Alors qu'elle se lavait les dents, la porte de la salle de bains – une porte battante – avait émis un craquement, bruit qu'elle faisait toujours quand quelqu'un passait devant dans le couloir. Supposant qu'il s'agissait de l'une des filles, Carol n'y avait prêté aucune attention. Quelques instants plus tard, elle quittait la salle de bains et regagnait sa chambre en se guidant sur le rai de lumière qui filtrait sous la porte.

Elle était allée se coucher, sans se douter qu'à une fraction de seconde près elle rencontrait le tueur.

Certains enquêteurs pensaient que Lisa avait été attaquée la première et que son assassin avait attendu dans sa chambre que d'autres victimes surviennent. Il est cependant plus vraisemblable de supposer que Margaret Bowman fut la première victime, Lisa la seconde, et que Kathy et Karen n'avaient été agressées que pour faire bonne mesure... Si tel était le cas, l'homme avait traversé la maison et commis ses crimes en moins de quinze minutes ! Au nez et à la barbe de plus d'une trentaine de témoins qui n'avaient rien entendu !

Lisa Levy et Margaret Bowman gisaient à présent à la morgue de l'hôpital central de Tallahassee ; l'autopsie aurait lieu dimanche matin. Le campus grouillait de véhicules de la police municipale de Tallahassee, de celle du comté de Leon et de la police de l'État de Floride ; tous recherchaient l'homme à la veste sombre et au pantalon clair. Ils n'avaient pas la moindre idée de sa physionomie, en dehors du nez pointu. Il y avait peu de chances pour qu'il se promène avec un gourdin tout ensanglanté... Par contre, une telle quantité de sang avait été répandue au cours de ces quinze minutes tragiques qu'il pouvait fort bien avoir taché ses vêtements.

Les chambres 4, 8 et 9 de la sororité étaient jonchées de débris laissés par le tueur et par les auxiliaires médicaux ; les murs étaient éclaboussés de gouttelettes écarlates, les sols et les lits couverts de sang et d'éclats d'écorce arrachés à l'arme du crime. L'agent Oscar Brannon parcourut la salle de détente à quatre pattes et y récolta huit débris de la même écorce ; le meurtrier était manifestement entré par la porte de derrière dont la serrure fonctionnait mal.

Brannon découvrit une pile de bûches de chêne derrière le bâtiment. Le meurtrier aurait donc pris son arme en passant.

Brannon et le sergent Howard Winkler s'activaient. Ils passèrent toutes les pièces – les chambranles, les affiches murales, le code numérique de la porte de derrière – à la poudre d'alumine pour rechercher des traces d'empreintes digitales. Ils prirent aussi des photographies. Brannon remarqua un emballage vide de bas Hanes « Alive » dans la corbeille à papiers de la chambre de Margaret Bowman. Une paire de collants neuve gisait sur un des lits. On aurait dit que l'assassin avait apporté ses propres garrots.

Tous les hommes de la police municipale et de celle du comté étaient sur le qui-vive.

On n'avait pris aucune photographie de Lisa dans sa chambre ; elle avait été transportée d'urgence à l'hôpital dans l'espoir qu'il reste en elle une étincelle de vie ; mais l'agent Bruce Johnson, de l'Identité judiciaire de la police de Tallahassee, avait pris des clichés de Margaret Bowman gisant sur son lit, le visage pressé contre l'oreiller, le bras droit le long du corps, le bras gauche, main retournée, paume offerte, replié

290

dans le dos, les jambes droites. Margaret n'avait pu esquisser le moindre geste de défense. Il en avait été de même pour Lisa ; on l'avait découverte avec le bras droit replié sous son corps.

Une heure après le massacre, il n'y avait pas un représentant de la force publique dans tout le comté de Leon qui ne sache ce qui était arrivé. Jusqu'à ce jour, aucun d'entre eux n'avait eu à faire face à un tel débordement de violence.

Les voitures de patrouille ratissèrent les environs selon un tracé extrêmement serré. Sans résultat. Une fourgonnette de surveillance banalisée garée dans la rue arrêtait tous les gens qui passaient. Sans résultat. Le suspect s'était évanoui dans la nature.

À 4 heures du matin, les victimes étaient à l'hôpital mais le travail continuait pour les équipes d'auxiliaires médicaux ; pour eux, la nuit était loin d'être terminée.

Ce vieux bâtiment situé au numéro 431 de la rue Dunwoody se trouvait approximativement à huit rues de la résidence Khi Omega, mais beaucoup plus près à vol d'oiseau : environ trois cents mètres. La bâtisse était typique de ces constructions des années 20 en bordure des campus : elle avait été transformée en appartements à louer fonctionnels et pas fantaisistes pour deux sous. Elle comprenait deux appartements jumeaux : Debbie Ciccarelli et Nancy Young occupaient l'appartement A et Cheryl Thomas occupait le B. Les deux appartements donnaient sur une véranda commune entourée d'un treillis métallique percé d'une seule porte. Mais chaque appartement avait son entrée particulière et comprenait une salle de séjour, une chambre et une cuisine à l'arrière. Ils étaient séparés par une cloison mitoyenne que personne ne s'était soucié d'insonoriser.

Les trois filles qui vivaient là étaient très bonnes amies et s'en moquaient aussi. Cheryl et Nancy étaient des danseuses confirmées et avaient été camarades de chambre dans une résidence du campus. Le trio se rendait mutuellement visite et sortait souvent ensemble.

Le samedi 14 janvier au soir, les trois filles – accompagnées d'un ami de Cheryl, étudiant à l'école de danse – étaient allées danser au *Big Daddy*, autre lieu de rassemblement de la jeunesse de Tallahassee. Cheryl et son ami étaient partis avant la fermeture et, comme il n'avait pas d'auto, elle l'avait raccompagné chez lui. Il lui offrit du thé et des biscuits et ils bavardèrent pendant une demi-heure. Puis elle reprit la route pour couvrir les trois kilomètres qui la séparaient de chez elle, où elle arriva à 2 heures du matin. Elle alluma la télévision et alla se préparer quelque chose à grignoter dans la cuisine sans oublier de nourrir son nouveau chaton.

Quelques minutes seulement après son retour, Nancy et Debbie débarquaient. Elles crièrent avec bonne humeur pour se plaindre du son de la télévision ; Cheryl rit et le baissa.

Cheryl Thomas était une fille mignonne, assez timide, de grande taille, musclée, au corps de ballerine, aux yeux sombres et aux cheveux noirs et longs lui tombant à la moitié du dos. Elle fit le tour de la cuisine du regard et éteignit la lampe suspendue au plafond, ne laissant qu'une veilleuse allumée.

Elle attendit que son chaton la suive puis ferma le store qui séparait la cuisine de sa chambre à coucher. La nuit était fraîche et elle enfila un caleçon long et un tricot avant de rabattre sur elle la courtepointe en madras bleu. Son lit était disposé le long de la cloison séparant les deux appartements ; la chambre de ses amies se trouvait juste derrière. À peine couchée, elle s'endormit.

Un bruit la réveilla peu de temps après. Elle tendit l'oreille et pensa que ce devait être le chaton. Le rebord de ses fenêtres était couvert de plantes en pots et le chat adorait y jouer. Aucun autre bruit ne se fit entendre ; elle se retourna et se rendormit.

À côté, Debbie et Nancy s'étaient aussi préparées pour la nuit. Pour autant qu'elles s'en souviennent, elles dormaient à 3 heures.

Debbie sortit de son sommeil vers 4 heures. Elle s'assit dans son lit, l'oreille aux aguets. On aurait dit que quelqu'un donnait des coups de marteau sous la maison. Debbie dormait sur un matelas posé sur le plancher et elle avait l'impression que toute la maison vibrait sous des coups sourds qui semblaient provenir d'un endroit situé directement sous son lit ou sous la cloison qui le séparait de celui de Cheryl.

Debbie secoua Nancy. Le bruit continua pendant encore une dizaine de secondes, puis le silence se réinstalla. Les deux locataires de l'appartement A restèrent immobiles, essayant d'identifier le bruit que Debbie avait entendu. Elles avaient peur.

Puis elles entendirent d'autres sons, en provenance de l'appartement de Cheryl. Celle-ci geignait et gémissait, comme si elle était la proie d'un mauvais rêve.

Debbie rampa hors de son lit jusqu'au téléphone et appela son petit ami pour lui demander ce qu'elles devaient faire. Il lui répondit que ce n'était probablement rien et de se rendormir. Mais Debbie avait un mauvais pressentiment : quelque chose clochait méchamment.

Les trois filles avaient depuis longtemps établi entre elles un code de sécurité : elles devaient toujours répondre au téléphone, quelle que soit l'heure. Serrées l'une contre l'autre, Nancy et Debbie composèrent le numéro de Cheryl. Elles pouvaient entendre le téléphone sonner : une... deux... trois... quatre... cinq fois...

Pas de réponse.

– C'est bon, dit Nancy. Appelle la police... tout de suite !

Debbie entra en contact avec le standard de la police de Tallahassee à 4 h 37 et donna leur adresse. Alors même qu'elle parlait, un bruit épouvantable monta de l'appartement de Cheryl ; le bruit semblait venir de la cuisine, comme si quelqu'un avait heurté la table ou les placards en courant. Puis il n'y eut que le silence.

Debout, tremblantes au milieu de leur chambre, Debbie et Nancy entendirent des voitures s'immobiliser devant leur maison. Trois ou quatre minutes seulement s'étaient écoulées depuis qu'elles avaient appelé au secours. Elles furent surprises, en regardant dehors, de voir une dizaine de voitures de patrouille !

Debbie et Nancy restèrent dans l'embrasure de leur porte et montrèrent la porte de Cheryl aux premiers agents de police – Wilton Dozier, Jerry Payne, Mitch Miller, Willis Solomon – en leur indiquant son nom. Les policiers frappèrent énergiquement à sa porte en appelant Cheryl. Pas de réponse. Dozier envoya Miller et Solomon à l'arrière de la maison au cas où quelqu'un essaierait de s'enfuir par là.

La porte de l'appartement de Cheryl refusait de s'ouvrir

sous la pression de Dozier. À l'arrière, Solomon cria qu'un store manquait à la fenêtre de la cuisine et que l'on pouvait l'ouvrir. Dozier essaya de s'introduire dans l'appartement de Cheryl de cette façon, mais Nancy se souvint alors que Cheryl gardait généralement un double de sa clé caché au-dessus de la véranda. Personne en dehors des trois filles ne connaissait l'existence de cette clé.

Dozier ouvrit la porte. Leurs yeux s'adaptant à la pénombre qui régnait à l'intérieur, Payne et Dozier distinguèrent la silhouette de la fille, couchée en diagonale sur son lit au milieu de la pièce ; ils distinguèrent aussi le sang qui maculait les draps et le plancher.

À côté, Nancy et Debbie entendirent un cri :
– Mon Dieu ! Elle est encore en vie !

Elles éclatèrent en sanglots, sachant que quelque chose de terrible venait d'arriver à Cheryl. Le cri suivant ordonnait à Solomon d'appeler Medic 1, puis d'autres policiers vinrent dire gentiment aux jeunes filles en larmes de rentrer chez elles et de fermer leur porte.

Dozier et Payne essayèrent d'apporter un peu d'aide à la victime ; Cheryl geignait, à demi inconsciente, et ne réagissait pas à ce que lui disaient les policiers. Son visage couvert d'hématomes tournait au violet ; il était enflé et elle paraissait souffrir de nombreuses blessures à la tête. Elle se tordait et grognait de douleur sur son lit. Cheryl ne portait plus que son collant ; le tricot qu'elle portait en allant se coucher avait été arraché et sa poitrine était dénudée.

Les infirmiers Norvell et Matthews, qui venaient de transporter Karen Chandler et Kathy Kleiner aux urgences de l'hôpital central de Tallahassee, reçurent l'appel alors qu'ils retournaient sur le campus de l'université. Ils furent sur place en quelques minutes. Cheryl Thomas fut emmenée d'urgence à l'hôpital. Comme les autres, elle avait été sauvagement frappée à la tête et était gravement blessée.

Si incroyable que cela paraisse, l'agresseur de la sororité Khi Omega, toujours sous l'emprise d'on ne savait quelle impulsion irrésistible, avait couru tout droit jusqu'à la maison de la rue Dunwoody, comme s'il savait parfaitement où aller étancher sa soif de sang... et, là, il avait attaqué une autre jeune femme.

Dozier boucla l'accès de ce dernier théâtre d'événements jusqu'à l'arrivée des détectives et des techniciens des laboratoires de l'Identité judiciaire : Mary Ann Kirkham, de la police du comté, et Bruce Johnson, de la police municipale.

Johnson prit des clichés de la chambre, du lit, des draps et couvertures sur le sol, de la latte de bois – teintée de rouge – qui gisait par terre au pied du lit, du store arraché à la fenêtre de la cuisine, tandis que Kirkham ramassait, ensachait et notait laborieusement tous les indices.

Au moment de ramasser les draps et les couvertures, Kirkham trouva quelque chose à l'intérieur. Elle crut d'abord qu'il s'agissait d'une paire de bas. Mais, en y regardant de plus près, elle vit que c'était un collant dont les jambes avaient été nouées au sommet et dans lequel on avait découpé deux trous pour les yeux. Deux cheveux bruns ondulés étaient restés pris entre les mailles du masque.

Il n'y avait aucune clé dans l'appartement et la porte de sortie de la cuisine était toujours verrouillée, bien que la chaîne de sécurité soit ôtée. Le suspect était vraisemblablement entré et sorti par la fenêtre de la cuisine.

Tout comme les draps, les couvertures et les taies d'oreiller des victimes de Khi Omega, ceux de Cheryl Thomas furent soigneusement pliés et glissés dans des sacs en plastique pour qu'aucun indice ne s'en échappe.

Toutes les surfaces de l'appartement furent passées à la poudre d'alumine à la recherche de traces et toutes les pièces passées à l'aspirateur : le contenu des sacs serait soigneusement analysé en quête d'autres indices.

La latte de bois, d'environ vingt centimètres de long pour moins de deux centimètres et demi d'épaisseur, ne paraissait pas assez lourde pour avoir pu infliger à Cheryl Thomas les blessures dont elle souffrait ; elle avait probablement servi à ouvrir la fenêtre et la matière rouge qui tachait un côté avait séché depuis très longtemps. L'analyse révélerait qu'il ne s'agissait que de peinture.

Cette fois-ci, les enquêteurs ne trouvèrent aucun débris

d'écorce. Quelle qu'eût été l'arme du crime, l'intrus l'avait manifestement emportée avec lui.

Bien sûr elles allaient devoir garder toute leur vie les séquelles physiques et psychiques de cette terrible nuit. Mais Karen Chandler, Kathy Kleiner et Cheryl Thomas avaient eu de la chance. Lorsqu'elles apparaîtraient dix-huit mois plus tard en salle d'audience à Miami pour témoigner contre l'homme accusé de les avoir agressées, elles ne porteraient guère de marques visibles des dommages corporels subis. Seule Cheryl resterait affligée d'une démarche hésitante, d'une claudication flagrante ; Cheryl qui, bien sûr, avait rêvé de devenir danseuse...

L'examen médical de Karen Chandler révéla une commotion cérébrale, la mâchoire et des dents cassées, de multiples fractures des os de la face et un doigt écrasé. Les blessures de Kathy Kleiner étaient sensiblement les mêmes : triple fracture de la mâchoire, lésion traumatique des vertèbres cervicales, profondes entailles à l'épaule. Kathy avait toutes les dents du maxillaire inférieur déchaussées et il fallut lui placer une agrafe dans la mâchoire.

Les blessures de Cheryl Thomas étaient les plus graves. Elle avait cinq fractures du crâne et perdit à jamais l'usage de son oreille gauche. Elle avait la mâchoire brisée et l'épaule gauche démise. Les dommages causés au huitième nerf crânien étaient tels qu'elle avait non seulement perdu l'ouïe, mais ne retrouverait en outre que partiellement le sens de l'équilibre.

Karen et Kathy allaient passer une semaine à l'hôpital ; Cheryl y resterait un mois.

Aucune des trois filles ne se souvenait de l'agression ; pas une ne put décrire l'homme qui les avait battues si sauvagement.

Lisa Levy et Margaret Bowman ne pourraient plus jamais affronter en cour de justice l'homme accusé de leur meurtre. Seules les terribles photographies de leurs corps et la froide lecture des rapports d'autopsie fourniraient un témoignage silencieux et accablant.

Les autopsies furent pratiquées par le Dr Thomas P. Wood, anatomopathologiste à l'hôpital central de Tallahassee, le dimanche 15 janvier – soit une semaine après que Ted Bundy fut descendu du car à la gare routière de Tallahassee.

Il commença l'autopsie du corps de Lisa à 10 heures. Elle avait été étranglée, ce qui se traduisait par de caractéristiques pétéchies dans les tissus musculaires de la nuque et une marque de ligature autour du cou. Elle avait une ecchymose au front et le visage écorché. La radiographie démontra que sa clavicule droite avait éclaté sous l'impact d'un coup extrêmement violent. De l'avis de Wood, les coups portés à la tête l'avaient rendue inconsciente. Piètre consolation.

Son mamelon droit n'était plus rattaché au sein que par un mince fragment de tissu. Mais cette mutilation n'était pas la pire : sa fesse gauche portait une double marque de dents. Son assassin lui avait littéralement déchiré la fesse avec les dents, y laissant deux rangées d'empreintes parfaitement distinctes là où les dents avaient pénétré les chairs.

Lisa avait été violée – mais pas au sens habituel. Un objet rigide avait été enfoncé en elle à deux reprises au moins, contusionnant et lacérant l'anus, le rectum et la muqueuse vaginale, et provoquant une hémorragie dans l'utérus et d'autres organes internes.

On retrouva plus tard dans sa chambre l'objet ayant servi à infliger ces dommages : un atomiseur de laque pour cheveux taché de sang, de matière fécale et auquel étaient restés collés des poils.

L'homme qui avait attaqué Lisa pendant son sommeil l'avait d'abord frappée, puis l'avait étranglée, l'avait mordue tel un animal atteint par la rage et l'avait violée avec la bombe. Puis, apparemment, il avait remonté presque tendrement les couvertures autour de ses épaules et l'avait laissée reposer tranquillement sur le côté.

La journée était plutôt grise. L'autopsie de Margaret Bowman débuta à 13 heures. Les coups portés sur le côté droit de sa tête étaient à l'origine de multiples fractures avec déplacement des fragments, dont certains s'étaient enfoncés dans la matière cervicale. Les traumatismes étaient « complexes », ce qui voulait dire, pour un néophyte, que les dégâts étaient d'une telle ampleur qu'il était difficile de déterminer où se terminait une fracture et où commençait la suivante. Les horribles blessures partaient de l'arcade sourcilière droite et se prolongeaient du même côté derrière l'oreille. Les délicats tissus cervicaux situés en dessous avaient été écrasés et réduits en charpie. L'une des fractures mesurait six centimètres et demi de diamètre et celle qui courait derrière l'oreille dix centimètres. Curieusement, au premier abord, il sembla que le côté gauche de l'encéphale avait subi plus de dommages que le droit ; mais il y avait une explication fort simple à cela : la violence du coup porté avec le gourdin de chêne sur le côté droit de la tête de Margaret Bowman avait été telle que son cerveau avait été brutalement projeté contre le côté gauche de sa boite crânienne.

Le garrot qui avait servi à étrangler Margaret était si profondément incrusté dans les chairs de son cou qu'on le voyait à peine. C'était un collant fait d'une matière extrêmement résistante à la tension. L'assassin en avait coupé une jambe et noué le haut à l'autre jambe juste en dessous de la poche fessière – exactement comme celui transformé en masque qui avait été retrouvé dans l'appartement de Cheryl Thomas. La fine chaînette d'or que portait la jeune fille était encore prise dans le garrot.

De l'avis du Dr Wood, Margaret avait, comme Lisa, déjà perdu conscience à la suite des coups reçus à la tête quand elle avait été tuée par strangulation.

À la différence de Lisa, cependant, Margaret ne semblait pas avoir été agressée sexuellement, même si elle portait des marques de brûlure « par friction » sur la cuisse gauche, là où son slip avait été baissé de force.

Aucune des deux filles n'avait d'ongle cassé et aucune lésion apparente sur leurs mains ne venait indiquer qu'elles avaient tenté de défendre leur vie.

Wood exerçait depuis seize ans et il n'avait jamais rien vu de pareil.

Toute cette rage, cette haine, ces mutilations bestiales... Pourquoi ?

30

Pratiquement tous les habitants à proximité du campus avaient entendu les sirènes des ambulances de Medic 1 au cours de ce terrible week-end. Impossible de ne pas se rendre compte que l'activité policière était intense et que quelque chose de beaucoup plus grave qu'un simple accident s'était produit.

Henry Polumbo et Rusty Gage, deux des musiciens de rock qui vivaient au Chêne, regagnèrent leur chambre vers 4 h 45 du matin ce dimanche 15 janvier, alors même que, non loin de là, Cheryl Thomas était transportée à l'hôpital. Ils entendirent les sirènes, mais ne savaient rien de ce qu'il s'était passé.

Alors qu'ils se dirigeaient vers la porte d'entrée, Polumbo et Gage aperçurent l'homme qui venait d'emménager au numéro douze : Chris Hagen. Il se tenait devant la porte. Ils échangèrent quelques mots :

– Salut, dit-il.

Il avait le regard braqué en direction du campus. Les deux musiciens ne se souviennent pas exactement des vêtements qu'il portait. Gage penche pour un coupe-vent, une chemise, des jeans – peut-être –, le tout dans des teintes sombres. Il ne leur parut pas non plus particulièrement nerveux ou préoccupé. Ils montèrent se coucher en supposant qu'Hagen allait en faire autant.

Le lendemain matin, les bulletins d'information à la radio ne parlaient que du massacre de Khi Omega et de l'agression de la rue Dunwoody. Choqués, les résidents du Chêne se réunirent dans la chambre de Polumbo ; ils étaient horrifiés et discutaient de quel genre d'homme avait pu commettre pareils crimes.

Chris Hagen pénétra dans la pièce alors qu'ils étaient en plein débat. Chris ne s'était encore jamais ouvert à quiconque et n'avait jamais dit exactement ce qu'il faisait à Tallahassee. Il s'était, en revanche, vanté de très bien connaître la loi et d'être beaucoup plus malin que la police.

– Je peux me tirer de n'importe quelle affaire parce que je sais comment faire, avait-il déclaré.

Pour eux, c'était du pipeau.

Henry Polumbo dit qu'à son avis le tueur était un dément et qu'il se terrait probablement quelque part tandis que l'enquête progressait.

Les autres abondèrent dans son sens, mais Hagen n'était pas d'accord :

– Non... c'était du boulot de professionnel ; l'homme n'en était pas à son coup d'essai. Il est probablement loin d'ici, à l'heure qui il est.

Il avait peut-être raison ; Hagen prétendait en savoir long sur ce genre de sujet ; il connaissait la loi et pensait que les flics étaient des ânes.

Tandis que les étudiants essayaient tant bien que mal de reprendre leur routine, les recherches continuaient. Tous les services de police de Floride travaillaient en collaboration étroite les uns avec les autres. Toutes les rues du campus et de ses environs proches étaient sous la surveillance constante de policiers patrouillant tranquillement en voiture. À la nuit tombée, ces rues devenaient pratiquement désertes et toutes les portes étaient verrouillées et barricadées. Après ce qui s'était passé dans la sororité Khi Omega et dans l'appartement de la rue Dunwoody, où donc une femme pouvait-elle être en sécurité ?

Au terme d'un parcours rigoureux qui les porta des lieux des crimes au laboratoire de criminalistique de la P.J., les indices furent testés, analysés, puis gardés en lieu sûr.

La police n'en manquait pas ; il ne faudrait, bientôt, pas moins de huit heures pour en énoncer la liste lors du procès.

Pourtant, il n'y avait pas grand-chose qui puisse servir à mener les enquêteurs jusqu'à l'homme qu'ils recherchaient.

Les taches de sang relevées appartenaient aux victimes. Le Dr Wood avait profondément excisé dans la fesse de Lisa le morceau de chair portant les marques de dents. Il l'avait réfrigéré dans une solution saline normale pour le conserver. Il vit de ses propres yeux le sergent Howard Winkler, chef du service d'enquêtes sur le terrain de la police municipale, en prendre possession.

Lors du procès, l'un des arguments de la défense consisterait à dire que le prélèvement avait été mal conservé et qu'il avait rétréci. On l'avait en effet sorti de sa solution saline pour le placer dans du formol.

Mais Winkler avait pris des clichés de la morsure, en l'état et à l'échelle, à côté d'une règle calibrée utilisée à la morgue ; de quelque proportion qu'ait pu rétrécir le prélèvement, l'échelle des photographies ne changerait jamais. N'importe quel spécialiste d'odontologie en médecine légale pourrait comparer ces traces de morsures à la denture d'un suspect avec presque autant de précision qu'un dactylo-technicien analyse les boucles et les volutes d'une empreinte digitale...

... À condition que l'on mette déjà la main sur un suspect !

Les autres pièces versées au dossier étaient :

– la bombe de laque pour cheveux tachée de sang du groupe O – le groupe sanguin de Lisa ;

– les deux cheveux trouvés dans le collant-masque ramassé près du lit de Cheryl Thomas ;

– une boulette de chewing-gum trouvée dans les cheveux de Lisa, boulette qui allait être accidentellement détruite en laboratoire et sur laquelle il serait dès lors impossible d'analyser les sécrétions ou les empreintes dentaires ;

– tous les draps, taies d'oreiller, couvertures, chemises de nuit et slips ;

– les fragments d'écorce de chêne ; mais comment savoir d'où provient un morceau d'écorce – même si on retrouve l'arme du crime ?

– le collant ; le garrot de marque Hanes récupéré autour du cou de Margaret, profondément taché de sang ; le masque de marque Sears ramassé dans l'appartement de Cheryl – masque qui était presque identique à celui saisi dans la voiture de Ted Bundy lors de son arrestation dans l'Utah en août 1975.

Toute la literie des victimes fut analysée à la recherche de traces de sperme. Sous l'action de certains produits chimiques, le sperme pris dans les fibres de tissu réagit en prenant une teinte rouge violacé caractéristique. On n'en trouva aucune trace dans la literie des filles de Khi Omega.

Une tache d'approximativement sept centimètres et demi de diamètre fut néanmoins découverte sur le drap de dessous du lit de Cheryl Thomas. Richard Stephens, expert en sérologie au laboratoire de criminalistique de Floride, soumit cette tache de sperme à de très nombreux tests.

Tous les tests d'absorption-inhibition pratiqués par Stephens sur les draps de Cheryl Thomas aboutirent à une agglutination. Les résultats étaient non concluants.

Stephens appliqua ensuite la technique d'électrophorèse. Un prélèvement de drap taché de sperme est placé dans du colloïde d'amidon et chauffé jusqu'à obtention d'une consistance « semblable à de la gelée ». On le place ensuite sur une lamelle de verre et, sous l'effet stimulant d'un courant électrique, les protéines se déplacent ; l'adjonction d'un métabolite permet d'en évaluer la vitesse de déplacement. Cette technique ne permit d'observer aucune activité enzymatique.

Il semblait donc que l'homme à qui appartenait ce sperme était une personne « non sécrétrice ». Stephens considérait cependant ces résultats comme peu convaincants ; trop de variables, en effet, peuvent venir altérer, voire inhiber, quelques-unes des réactions aux tests : la nature du support, l'âge de la tache, le milieu et l'état de conservation. De plus, le taux de sécrétion varie avec les individus en fonction de l'état de leur système à un moment donné. Or Ted Bundy est un individu sécréteur appartenant au groupe sanguin O positif.

Toute l'affaire s'apparentait à un puzzle. Lors du procès, la défense clamerait que les tests effectués en laboratoire prouvaient que la tache de sperme trouvée sur le drap de Cheryl ne pouvait pas avoir été laissée par Ted. Possible. L'accusation, elle, se contenterait de rappeler que Cheryl Thomas ne parvenait pas à se rappeler si elle avait ou non changé ses draps ce samedi 14 janvier. Aucune des deux parties ne franchirait le pas suivant qui consistait à demander à Cheryl si elle avait eu des rapports sexuels avec un autre homme cette semaine-là. La question demeurerait en suspens. Si Cheryl n'avait pas changé les draps, cela sous-entendait pour l'accusation que la tache de sperme dont le groupage sanguin était resté indéterminé avait été laissée là par quelqu'un d'autre, avant l'arrivée de l'homme qui l'avait agressée. Les partisans de Ted Bundy remettraient à de nombreuses reprises cette question sur le tapis en présentant l'existence de cette tache comme une preuve *a contrario* de l'innocence de Ted.

Pour un jury de néophytes, tout cela ne semblait guère avoir d'intérêt pratique. La lecture des témoignages scientifiques leur passerait au-dessus de la tête comme autant de charabia.

Toute l'affaire finirait par reposer sur trois éléments principaux : l'identification, par Nita Neary, de l'homme en « cagoule » qu'elle avait vu quitter la résidence Khi Omega avec le gourdin souillé de sang ; les traces de morsures laissées dans la chair de Lisa Levy ; et les cheveux trouvés dans le collant-masque. Le reste serait considéré comme preuves indirectes.

Mais, le 15 janvier, toutes ces considérations étaient encore purement académiques. La police n'avait aucun suspect en vue et n'avait encore jamais entendu parler de Theodore Robert Bundy.

31

Un jeune homme répondant au nom de Randy Ragan occupait une maison située derrière le numéro 431 de la rue Dunwoody. De sa porte de derrière, il pouvait observer en droite ligne celle de l'appartement de Cheryl Thomas. Il avait découvert, le 13 janvier, qu'on lui avait volé la plaque minéralogique de son camping-car Volkswagen, modèle 1972. Elle n'avait pas pu tomber : elle était trop bien fixée à l'aide de vis et d'écrous.

Le numéro en était 13-D-11300. « Treize » signifie que le véhicule a été immatriculé dans le comté de Leon, et « D » désigne un véhicule de petite taille.

Ragan signala la perte, sans porter plainte, et reçut une nouvelle plaque.

Le 5 février, Freddie McGee, qui travaillait pour l'Institut fédéral de l'audiovisuel de Floride, signala le vol d'une fourgonnette Dodge appartenant à l'institut et qu'il avait laissée en stationnement sur le campus. Elle portait des plaques de l'État de Floride, jaune vif, numérotées 7378, plus le numéro de l'université de Floride peint en noir à l'arrière : 343.

Tallahassee se trouve dans la partie nord-ouest de la Floride ; Jacksonville est à trois cent vingt kilomètres de là au nord-est, sur le fleuve Saint-John, qui se jette ensuite dans l'Atlantique.

Le mercredi 8 février 1978, la petite Leslie Ann Parmenter quitta le lycée Jeb Stuart de Jacksonville, situé sur Wesconnett Boulevard, un peu avant 14 heures. Son père était James Lester Parmenter, détective-chef et membre depuis dix-huit ans de la police municipale de Jacksonville. Son frère aîné, Danny, âgé de vingt et un ans, devait venir la chercher et elle traversa la rue devant le lycée pour entrer dans le parc de stationnement du K-Mart situé en face, tout en guettant Danny du coin de l'œil.

Il pleuvait, ce jour-là, à Jacksonville, et Leslie courbait la tête en avant pour se protéger le visage des gouttes de pluie qui tombaient avec force. Elle sursauta quand une petite fourgonnette blanche freina à sa hauteur.

Un homme, qui avait bien besoin d'un coup de rasoir, les cheveux bruns ondulés, portant des lunettes à monture sombre, un pantalon écossais et une veste de marin, bondit du véhicule et se dirigea droit vers elle, lui barrant la route.

L'adolescente remarqua un badge en plastique épinglé sur sa vareuse ; elle lut : « Richard Burton » et « Sapeurs-pompiers ».

– J'appartiens au service des pompiers ; mon nom est Richard Burton, commença l'homme. Tu vas à cette école en face ? Quelqu'un m'a dit que tu y allais. Tu te diriges vers le K-Mart ?

Elle le regarda, perplexe et plus qu'un peu effrayée. Qu'est-ce que son identité pouvait bien lui faire ? L'homme était nerveux et paraissait choisir avec soin ses mots. Leslie ne lui répondit pas ; elle chercha des yeux la camionnette débâchée de son frère, une camionnette au nom de l'entreprise de bâtiment que possédait son père et dans laquelle Danny travaillait.

L'homme ne ressemblait pas à un pompier. Il était trop débraillé et avait une étrange lueur au fond des yeux, une lueur qui la fit frissonner. Elle essaya de passer à côté de lui, mais il lui bloquait le passage.

À ce moment, Danny Parmenter arriva sur le parc de stationnement. Il avait quitté plus tôt son travail à cause de la pluie – autre facteur qui contribua sans doute à sauver la vie de Leslie. Il aperçut la Dodge blanche, la portière ouverte et son conducteur debout à côté, parlant à sa sœur. Cela ne lui plut pas du tout.

Danny Parmenter immobilisa son véhicule à hauteur de l'inconnu et lui demanda ce qu'il voulait.

305

– Rien, marmonna l'homme.

L'arrivée du frère de la fille parut le troubler.

– Monte, dit tranquillement Danny à Leslie, puis il sortit à son tour et marcha sur l'homme en pantalon écossais. Celui-ci recula, puis grimpa précipitamment dans sa fourgonnette. Parmenter lui redemanda ce qu'il voulait.

– Rien... rien du tout... Je me suis simplement trompé de personne. Je lui demandais juste comment elle s'appelait.

Il remonta à la hâte la vitre de sa portière et quitta le parc de stationnement.

Parmenter avait remarqué que l'homme était tellement nerveux qu'il s'était mis à trembler et que sa voix avait perdu toute assurance. Il suivit la fourgonnette et eut le temps de relever son numéro d'immatriculation avant de la perdre dans la circulation : 13-D-11300.

Si Leslie n'avait pas été la fille d'un policier, l'incident aurait pu être oublié, mais Parmenter eut un pressentiment quand Danny et Leslie lui racontèrent leur aventure le soir même. Toute cette histoire sentait mauvais et il remercia le ciel que sa fille soit saine et sauve. Mais il ne s'arrêta pas là : son rôle était de protéger aussi les filles des autres.

Il savait que le numéro « 13 » désignait une immatriculation dans le comté de Leon, de l'autre côté de l'État. Il vérifierait cela avec la police de Tallahassee. Son propre devoir l'occupa pendant une bonne partie de la journée du 9 février et il n'eut pas le temps d'appeler la capitale de l'État avant la fin de l'après-midi.

Lake City, en Floride, se situe à peu près à mi-chemin entre Jacksonville et Tallahassee. Mignonne, des cheveux noirs, âgée de douze ans, Kimberly Diane Leach vivait là. Elle mesurait un mètre cinquante-deux pour quarante-cinq kilos. Le 9 février était pour elle un grand jour : elle venait d'être nommée vice-reine de la Saint-Valentin au collège de Lake City.

Le jeudi 9 février était un jour venteux et pluvieux à Lake City, mais Kim arriva à l'école à l'heure. Elle était là quand son professeur principal fit l'appel. Kim était si énervée par l'approche du bal de la Saint-Valentin qu'elle en oublia son sac à main en quittant sa salle de classe pour se rendre au cours de gym. Quand elle s'en aperçut, elle demanda à son professeur la permission de retourner le chercher. Il lui fallait, pour cela, courir sous la pluie jusqu'à un autre bâtiment, mais Kim et son amie Priscilla Blakney s'en moquaient. Elles sortirent par la porte de derrière, qui donne sur la rue West Saint-John. Elles parvinrent sans encombre à leur salle de classe et Priscilla emboîta le pas à Kimberly qui ressortait sous la pluie quand elle se souvint qu'elle aussi était venue récupérer quelque chose. Quand elle ressortit pour rejoindre Kim, elle tressaillit en voyant un inconnu accompagnant Kim en direction d'une auto blanche. Ses souvenirs seraient plus tard quelque peu confus, à la suite du choc causé par le sort de Kim. Avait-elle vu Kim à bord du véhicule ? ou l'avait-elle seulement imaginé ? En tout cas, elle avait vu l'homme.

Et Kim avait disparu.

Clinch Edenfield, un vieil agent affecté aux traversées d'enfants devant les écoles, qui travaillait par ce matin glacial où le vent soufflait avec des pointes de quarante kilomètres/heure, avait remarqué un homme au volant d'une fourgonnette blanche. Le véhicule bloquait la circulation et Edenfield vit que l'homme en question observait la cour de l'école. La présence de cette fourgonnette était simplement agaçante, sans plus ; il l'oublia rapidement.

Clarence Lee Andy Anderson, lieutenant et infirmier dans les sapeurs-pompiers de Lake City, passa devant le collège quelques instants plus tard. Anderson assurait à cette époque une double période de service et avait l'esprit préoccupé par divers problèmes. Lui aussi fut gêné par cette fourgonnette blanche qui bloquait la circulation, et il dut piler derrière.

Sur sa gauche, Anderson remarqua une adolescente avec de longs cheveux noirs. La fillette paraissait au bord des larmes. Elle était entraînée en direction de la fourgonnette par un homme d'une trentaine d'années, qui arborait une abondante chevelure brune légèrement bouclée. L'homme la grondait et Anderson le prit pour un père en colère venu chercher sa fille qui venait de se faire renvoyer de l'école. Il songea qu'il y avait de la fessée dans l'air tandis que l'homme poussait la fillette sur le siège du passager, puis courait prendre place

307

derrière le volant avant de lancer le moteur et de démarrer sur les chapeaux de roues.

Anderson n'en parla à personne. L'incident lui avait paru tout à fait ordinaire. Un homme obligé de quitter son travail parce que sa fille avait été renvoyée de l'école avait tous les droits d'être furieux. Le pompier poursuivit sa route jusqu'au quartier général, situé dans le même corps de bâtiment que la police municipale.

Jackie Moore, la femme d'un chirurgien de Lake City, roulait ce matin-là sur la nationale 90 en direction de l'est. Elle vit une fourgonnette blanche venir à sa rencontre et eut une peur bleue quand le véhicule fit une embardée brutale et amorça une série de zigzags, manquant lui faire quitter la route. Elle aperçut le conducteur. Il avait les cheveux bruns et l'air en colère, presque en rage. Il ne regardait pas du tout la route ; il regardait en direction du siège du passager et sa bouche était grande ouverte, comme s'il criait.

Puis la fourgonnette disparut vers l'ouest, laissant Mme Moore tremblante d'émotion à l'idée de la collision de plein fouet à laquelle elle venait d'échapper.

Les parents de Kim – Thomas Leach, jardinier paysagiste, et Freda Leach, coiffeuse – accomplirent leur journée de travail sans savoir ce qui était arrivé à leur enfant. Tard dans l'après-midi, l'école téléphona chez eux pour savoir si Kim était malade : elle n'était pas à l'école.

– Mais elle est à l'école ! répondit sa mère. Je l'y ai conduite moi-même ce matin.

– Non, lui répondit-on. Elle est partie après la première heure de classe.

Les Leach se dirent qu'elle avait fait une petite incartade et qu'elle allait rentrer après l'école avec une bonne explication. Mais elle ne revint pas et ils coururent au collège pour la chercher. Les responsables de l'école pensaient que Kim avait fait une fugue, mais ses parents n'en croyaient pas un mot : pour commencer, elle était beaucoup trop excitée par ce bal de la Saint-Valentin... Mais la raison principale, c'était tout simplement que Kim n'aurait jamais fait une fugue.

La nuit arriva et Kim ne rentra pas dîner. La pluie tombait

dans les rues et martelait les vitres des fenêtres. Où pouvait-elle bien être ?

Ses parents appelèrent sa meilleure amie, puis toutes ses copines. Aucune n'en savait plus – hormis Priscilla, qui l'avait vue s'éloigner en direction de l'inconnu.

Les Leach appelèrent la police. Paul Philpot tenta de les rassurer : il arrivait aux enfants les plus sages de se sauver. Tout en essayant de croire lui-même à ce qu'il venait de dire aux parents affolés, il fit passer par radio un avis de recherche à toutes les patrouilles. Kim était une élève sérieuse ; elle ne pouvait pas avoir fugué.

Mignonne, yeux et cheveux bruns, elle portait un blue-jean, un maillot de football avec le numéro « 83 » imprimé devant et derrière, et un manteau long, marron, avec un col en fausse fourrure. Elle avait l'air plus âgée qu'elle ne l'était réellement : elle n'était qu'une enfant.

Cet après-midi-là, à Jacksonville, le détective James Parmenter, toujours tracassé par l'homme à la fourgonnette blanche qui s'était approché de sa fille, appela le bureau du shérif du comté de Leon et tomba sur le détective Steve Bodiford.

– J'ai besoin d'un petit coup de main. J'effectue un contrôle sur une fourgonnette Dodge blanche, plaque numéro 13-D-11300. Elle est enregistrée au nom d'un certain Randall Ragan, domicilié à Tallahassee. J'aimerais que vous fassiez une petite enquête de routine sur lui. Quelqu'un avec sa plaque d'immatriculation a effrayé ma fille, hier. Je crois qu'il essayait de l'enlever. Elle n'a que quatorze ans.

Bodiford accepta de faire les recherches ; il ne se doutait pas de l'importance du tuyau.

Le vendredi 10 août, Bodiford retrouva Randy Ragan chez lui, dans sa maison derrière la rue Dunwoody. Oui, reconnut-il, il avait perdu sa plaque vers le 12 janvier.

– Je ne l'ai pas déclarée volée ; j'en ai simplement demandé une autre.

Bodiford remarqua la proximité des lieux entre le crime de la rue Dunwoody et le vol de la Dodge blanche sur le campus le 5 février et fit le rapprochement.

Quand il lut, plus tard, la dépêche en provenance de Lake

City, un frisson glacial le parcourut. S'il y avait le moindre rapport entre les affaires de Tallahassee et la disparition de la petite Kimberly Leach, alors il ne voulait pas penser au sort de la fillette. Elle était seule et les filles de Tallahassee n'avaient pas eu la moindre chance, même entourées par tout ce monde...

En entendant cela, Parmenter aussi frissonna rétrospectivement. Sa fille l'avait échappé belle. Si Danny n'était pas arrivé à ce moment-là...

Parmenter savait que ses enfants détenaient peut-être la clé du mystère de l'inconnu au volant de la Dodge blanche. Il les fit hypnotiser par un collègue, le lieutenant Bryant Mickler. Quelque détail d'importance était peut-être enfoui dans un recoin de leur inconscient...

L'expérience fut un véritable supplice pour Leslie Parmenter : elle était très sensible à l'hypnose. Non seulement elle se rappela très bien l'homme qui l'avait approchée, mais elle revécut véritablement l'incident et eut une crise d'hystérie. Quelque chose dans le visage de cet homme l'avait terrifiée, comme si elle y avait lu la méchanceté et le danger à l'état pur.

Parmenter expliqua :

– Quand on lui a demandé de décrire son visage, elle est devenue hystérique. Il a fallu interrompre la séance et la ramener à la réalité. Elle luttait contre l'hypnose parce qu'elle ne voulait pas revoir ses traits. Quant à ce qui a pu lui faire si peur, je l'ignore.

Une demi-heure après la séance, encore tremblante et apeurée, Leslie collaborait néanmoins avec son frère à l'élaboration d'un portrait-robot réalisé par le dessinateur de la police Donald Bryan. Ils établirent d'abord deux esquisses séparées, d'après les descriptions de Leslie d'une part et de Danny de l'autre. Les deux dessins se révélèrent très semblables.

Plus tard, quelques jours après l'arrestation de Ted Bundy à Pensacola, en Floride, le 15 février, Parmenter dirait en voyant les clichés anthropométriques de Ted :

– Ah, ça ! mince, alors !... mettez-lui des lunettes sur le nez et c'est presque exactement le même homme !

Quand un enquêteur de Tallahassee montra aux enfants de Parmenter, toujours quelques jours après l'arrestation de Ted Bundy, un jeu de clichés signalétiques contenant une photo de ce dernier, Danny en désigna deux. Il prit celle de Bundy en second.

Leslie, elle, n'hésita pas. Elle choisit immédiatement celle de Ted Bundy.

– Vous en êtes sûre ? lui demanda l'enquêteur.

– Certaine, répondit-elle.

Mais Kimberly Leach avait disparu. En dépit des recherches massives organisées sur quatre comtés et couvrant près de trois mille kilomètres carrés pendant huit semaines, on ne retrouva aucune trace d'elle. Disparue, comme toutes les autres avant elle, toutes ces jeunes femmes dont elle n'avait jamais entendu parler, à presque un continent de distance.

32

Le 10 février 1978, les mailles du filet se resserraient autour de Ted Bundy.

À 1 h 47 du matin exactement, dans la nuit du 10 au 11 février, l'agent Keith Daws patrouillait à bord d'une Chevy Chevelle banalisée. Il tourna sur Jefferson Ouest, non loin de la résidence Khi Omega, et repéra devant lui un « homme de race blanche tripotant une serrure de portière ». Le policier immobilisa son véhicule au milieu de la rue, s'identifia et interpella l'individu :

– Que faites-vous là ?

L'homme avait une clé à la main.

– Je suis venu chercher mon bouquin que j'ai laissé sur le tableau de bord, à l'intérieur.

Daws l'examina. Les cheveux bruns, pas tout à fait la trentaine, vêtu d'un blue-jean qui avait l'air tout neuf et d'une veste matelassée rouge orangé. L'homme paraissait épuisé.

Daws balaya l'intérieur du véhicule, une Toyota verte, avec le faisceau de sa lampe torche. Les sièges et le plancher étaient jonchés de papiers ; en dessous, il aperçut le coin d'une plaque minéralogique qui dépassait.

– À qui est cette plaque ?

– Quelle plaque ?

L'homme farfouillait au milieu de la paperasse et frôla la plaque des doigts.

– Celle que vous touchez des doigts.

L'homme lui tendit la plaque, prétendant l'avoir ramassée il ne savait plus où.

Le numéro était : 13-D-11300.

Daws ne le reconnut pas, mais retourna néanmoins à son véhicule pour demander par radio un contrôle de routine. Il laissa l'homme debout près de la Toyota Daws avait son micro dans une main et la plaque dans l'autre quand l'homme détala brusquement à toute vitesse, traversa la rue, sauta un mur de soutènement et disparut entre deux pâtés de maisons.

Plus tard, Keith Daws reconnaîtrait l'homme qui avait « détalé » sur une photographie prise au cours d'une séance d'identification de suspects : c'était bien Ted Bundy.

– Au moment où il a disparu, j'aurais pu le toucher avec une balle de base-ball. Il était à une distance équivalente à la largeur de ce prétoire, déclarerait-il piteusement lors de son témoignage au procès de Miami.

Le dégoût de Daws grandit encore quand il apprit, le lendemain, que l'on recherchait une fourgonnette Dodge blanche. Justement il y en avait une, avec un pneu à plat, en stationnement illégal, derrière la Toyota verte qu'ouvrait son suspect la nuit précédente. Quand les détectives revinrent sur les lieux, elle avait disparu.

33

Le 12 février, après s'être offert la veille un dernier bon repas dans un restaurant français, Ted Bundy rassembla ses affaires. Il avait accumulé un certain nombre d'objets hétéroclites depuis son arrivée à Tallahassee : le poste de télévision, la bicyclette, son équipement de racket-ball...

Il nettoya sa chambre du Chêne de fond en comble. Plus tard, les enquêteurs n'y trouveraient absolument aucune empreinte digitale, rien qui indique que quelqu'un venait d'y vivre pendant un mois.

Il abandonna la vieille fourgonnette Dodge devenue inutile dans une rue de Tallahassee, où elle serait repérée le 13 février par un employé de l'Institut de l'audiovisuel et signalée à la police qui l'enlèverait pour l'examiner. Une épaisse couche de poussière et de saleté recouvrait toute la surface du véhicule – sauf la portière du chauffeur et autour des poignées des autres portières. Là, les techniciens du labo relèveraient des « traces d'effacement », comme si quelqu'un s'était attaché à faire disparaître toute empreinte. Cinquante-sept traces latentes furent relevées ailleurs dans la fourgonnette. Mais finalement, elles appartenaient toutes à des employés de l'Institut audiovisuel.

L'arrière du véhicule était sale et recouvert d'un épais tapis de feuilles. On avait l'impression que ces débris végétaux avaient été délibérément placés là pour cacher la moquette qui se trouvait en dessous. La couche d'humus avait par ailleurs conservé l'empreinte de quelque chose de lourd qui avait été traîné à l'extérieur de la Dodge.

L'analyse sérologique révéla deux larges taches de sang du groupe B sur la moquette en fibre synthétique. Mary Lynn Hinson, spécialiste en fibres textiles du laboratoire de criminalistique, parvint à isoler un grand nombre de fibres étrangères prises dans celles de la moquette de la fourgonnette. Elle prit aussi des clichés très nets d'empreintes de pas laissées dans la couche d'humus : ça pouvait provenir de mocassins et de chaussures de sport.

Les experts du labo avaient des semaines de travail devant eux, mais il fallait pour cela qu'ils disposent de chaussures, de prélèvements sanguins et d'échantillons de fibres à des fins de comparaison. La police ne connaissait pas l'homme qu'elle recherchait et n'avait pas retrouvé le corps de Kim Leach ni les vêtements qu'elle portait lors de sa disparition. Elle ne pouvait pas non plus deviner la signification de ces deux petites étiquettes orange vif découvertes sous le siège avant du véhicule. L'une annonçait vingt-quatre dollars et l'autre, collée par-dessus, vingt-six dollars. Elles venaient d'un magasin Green Acre Sporting Goods, une chaîne de distribution d'articles de sport qui comptait soixante-quinze boutiques à travers l'Alabama, la Géorgie et la Floride. L'inspecteur J. D. Sewell fut chargé de trouver lequel de ces magasins utilisait des étiquettes de cette couleur-là, ce type de crayon-marqueur et quel article pouvait avoir été vendu à ces prix-là.

Ted avait toujours eu un faible pour les coccinelles VW ; en ce dernier jour qu'il passait à Tallahassee, il en repéra une de couleur orange, garée devant le numéro 529 de la rue East Georgia. Les clés étaient sur le tableau de bord.

Ted avait sous la main une autre plaque minéralogique, volée sur une autre Volkswagen : 13-D-0743. Il chargea la bicyclette Raleigh et le poste de télévision dans le coffre et quitta définitivement la capitale de la Floride – du moins le pensait-il...

Il prit cette fois-ci la direction de l'ouest.

À 9 heures le lendemain matin, Betty Jean Barnhill, réceptionniste à l'Holiday Inn de Crestview, à deux cent quarante kilomètres à l'ouest de Tallahassee, se disputa avec un homme qui était arrivé à bord d'une VW orange. Après avoir pris son petit déjeuner, il avait essayé de payer avec une carte de crédit portant un nom de femme. Quand il avait voulu signer du nom porté sur la carte, la réceptionniste lui avait dit qu'il ne pouvait pas faire cela. Il avait explosé et lui avait jeté la carte au visage avant de partir précipitamment. Plus tard, en lisant dans les journaux les articles relatifs à l'arrestation de Ted Bundy, elle reconnaîtrait en lui l'homme qui lui avait fait cette scène.

La police ne possède aucune trace de son passage ailleurs entre 9 heures ce 13 février et 1 h 30 le 15 février.

Pensacola est une ville côtière tellement à l'ouest de la Floride qu'elle s'en trouve presque en Alabama. David Lee était en patrouille dans les quartiers ouest de la ville entre 20 heures le 14 février et 4 heures le 15. Il connaissait bien le coin, de même que les heures de fermeture de presque tous les commerces de son secteur.

Son attention fut attirée par une coccinelle orange qui émergeait d'un passage non loin du restaurant d'Oscar Werner. Lee savait que Werner avait fermé à 22 heures ce mardi soir. Il connaissait aussi les voitures de tous ses employés. Une contre-allée faisait le tour du bâtiment, avec un passage transversal menant jusqu'à la porte de derrière du restaurant. Le policier crut d'abord qu'il s'agissait du cuisinier – puis il vit que ce n'était pas lui.

Il fit demi-tour ; la Volkswagen roulait lentement et la voiture de patrouille vint se placer derrière elle. Il n'y avait jusque-là eu aucune infraction et Lee était simplement curieux de savoir qui se trouvait au volant, étant donné que l'allée conduisant au restaurant ne pouvait pas être un raccourci. Il demanda par radio une vérification du numéro de la plaque minéralogique, puis mit ses gyrophares en marche et fit signe à la coccinelle de se ranger. La réponse à sa demande d'information lui parvint : volée.

Le véhicule orange accéléra brusquement. David Lee le prit en chasse sur près d'un kilomètre et demi, jusqu'au-delà des limites du comté d'Escambia. Là, juste après l'intersection des rues Cross et West Douglas, la Volkswagen se rangea.

Lee dégaina son arme de service et s'approcha prudemment de la portière du conducteur ; il pensait que celui-ci n'était pas seul dans l'auto. Lee avait un an de moins que Ted et lui rendait dix kilos. Son attention était divisée entre l'homme assis à la place du conducteur et la possibilité que quelqu'un d'autre se dissimule à l'avant du véhicule. C'était comme cela que la plupart des flics se faisaient descendre et il le savait.

Il ordonna à Ted de sortir et de s'allonger au sol, face contre terre. Ted refusa. Lee ne parvenait pas à distinguer ses mains. Ted finit par obtempérer mais, au moment où Lee lui passait une menotte autour du poignet gauche, Ted roula sur lui-même, effectua d'une jambe un balayage qui faucha le policier et lui sauta dessus.

Lee tenait toujours son revolver en main et tira un coup de semonce en l'air pour inciter l'homme à le lâcher.

Ted prit alors ses jambes à son cou sur West Douglas en direction du sud. Juste derrière lui, Lee cria :

— Arrêtez ! Arrêtez ou je tire !

Ted atteignit le croisement et obliqua à gauche dans la rue Cross. Lee vit quelque chose briller dans la main gauche du suspect et, dans le feu de l'action, oubliant qu'il lui avait passé une menotte, crut que c'était une arme. Il tira un autre coup de feu, visant cette fois-ci directement le fuyard.

Ted tomba à terre et Lee crut l'avoir touché. Le policier accourut pour voir où il l'avait blessé, mais ce dernier se tourna alors contre lui. Il n'avait pas été touché du tout et cherchait à s'emparer du revolver de Lee. La lutte sembla durer une éternité.

Quelqu'un n'arrêtait pas de brailler :

— Au secours !

Lee réalisa avec surprise que ces appels venaient du suspect lui-même ! Plus tard, quand il relaterait l'incident au tribunal, il déclarerait :

— J'espérais bien que quelqu'un viendrait à mon secours à moi ! Un type est sorti de chez lui et m'a demandé ce que je faisais à l'homme qui était à terre... et, en plus, j'étais en uniforme !

La force supérieure de Lee finit par prévaloir et il réussit à immobiliser le suspect et à lui passer les menottes. Il était à cent lieues de se douter qu'il venait d'arrêter l'un des dix criminels les plus recherchés du pays.

Il ramena l'homme à sa voiture de patrouille, lui lut ses droits et prit le chemin du poste. Le suspect avait perdu toute combativité et paraissait même curieusement déprimé. Il n'arrêtait pas de répéter :

– Vous auriez dû me tuer.

Alors qu'ils arrivaient à proximité du dépôt, il se retourna vers Lee et lui demanda :

– Et si je me sauvais en arrivant au dépôt, vous me tueriez ?

Lee en resta perplexe ; il n'arrivait pas à comprendre cette humeur suicidaire qui s'était brusquement emparée de son prisonnier.

Avec vingt kilos de plus, l'inspecteur Norman M. Chapman Jr., qui était de garde cette nuit-là aurait pu passer pour le sosie d'Oliver Hardy ; vingt de moins et il aurait pu servir de doublure à Burt Reynolds. Quand il pénétra dans les locaux du commissariat central de Pensacola à 3 heures du matin, il aperçut le suspect assoupi à même le sol. Il l'éveilla et le conduisit à l'étage dans la salle des interrogatoires où il lui lut à son tour ses droits. Le suspect hocha la tête et déclina son identité : Kenneth Raymond Misner.

« Misner » était en possession de trois jeux complets de papiers d'identité, tous au nom d'étudiants de l'université de Floride. Il détenait aussi vingt et une cartes de crédit volées, un téléviseur volé, une voiture volée portant des plaques volées, et une bicyclette. Il fournit aussi son adresse au 509 West College Avenue, à Tallahassee.

« Ken Misner » accepta que sa déclaration fût enregistrée. Ses vêtements étaient dans un état déplorable ; il avait les joues et les lèvres abîmées et du sang dans le dos de sa chemise. Il signa sa déclaration de renonciation à ses droits et reconnut avoir volé les cartes de crédit, la voiture et les plaques. Il avait volé les cartes d'identité dans des bars. Pourquoi avait-il agressé l'agent Lee ? Clair comme de l'eau de roche : il voulait se sauver.

L'interrogatoire fut interrompu à 6 h 30 le 15 février quand « Misner » réclama un médecin. On le conduisit à l'hôpital pour soigner ses blessures superficielles au visage, puis il passa le reste de la matinée à dormir dans une cellule.

À trois cent vingt kilomètres de là, à Tallahassee, le véritable Ken Misner apprit non sans une certaine surprise la nouvelle de sa propre arrestation.

Les inspecteurs Don Patchen, de la police de Tallahassee, et Steve Bodiford, de celle du comté de Leon, se rendirent à Pensacola dans l'après-midi du 15 ; ils savaient que le prisonnier n'était pas Ken Misner. Ils ignoraient sa véritable identité, mais se doutaient bien qu'il avait quelques comptes à rendre dans leur propre juridiction. Ils s'entretinrent brièvement avec le suspect et constatèrent qu'il ne souffrait de rien sinon d'épuisement.

— Nous savons que vous n'êtes pas Ken Misner, lui dirent-ils. Nous aimerions savoir qui vous êtes.

Il refusa de le dire, mais déclara qu'il leur parlerait le lendemain matin. À 7 h 15 du matin le 16 février, le prisonnier écouta une fois de plus la lecture de ses droits, puis signa un autre document du nom de « Kenneth Misner ». Il reconnut encore avoir volé les cartes de crédit. Il ne se souvenait plus où exactement, mais avait subtilisé la plupart dans des sacs à main dans les grandes surfaces et les bars de Tallahassee. Il y en avait eu tant qu'il ne pouvait pas s'en souvenir...

L'interrogatoire se termina sur :

— Déclinez vos nom et prénom.

Le suspect s'esclaffa :

— Qui ? Moi ? Kenneth R. Misner. Jean Dupont.

Le prisonnier demanda la permission de se servir du téléphone. Il voulait appeler un avocat à Atlanta pour lui demander conseil, savoir s'il devait révéler sa véritable identité et comment il devait plaider.

L'avocat en question était Millard O. Farmer, un pénaliste bien connu, spécialisé dans la défense des affaires de meurtre où la peine de mort était envisagée. Farmer expliqua à Ted qu'un de ses associés se rendrait à Pensacola le lendemain même et qu'il pourrait alors révéler sa véritable identité, mais qu'il ne devait rien avouer.

Ted appela ensuite, vers 16 h 30, son vieil ami et avocat John Henry Browne, à Seattle. Browne comprit que Ted se trouvait à Pensacola, qu'il venait d'être arrêté, mais que personne ne connaissait son nom. Ted lui parut complètement déboussolé et il eut du mal à obtenir un énoncé clair des faits. Il fallut à Ted trois ou quatre minutes pour expliquer qu'il se trouvait en garde à vue, mais il ne voulait pas en dire plus ; il voulait parler du bon vieux temps à Seattle, avoir des nouvelles de la ville où il avait passé son enfance.

Browne lui répéta au moins une douzaine de fois de ne parler à personne sans les conseils d'un avocat. Browne pensait qu'étant donné l'état d'égarement dans lequel il se trouvait, Ted était bien capable de se placer lui-même dans une situation extrêmement fâcheuse s'il parlait à la police. Jusque-là, Ted avait toujours suivi attentivement les conseils de Browne. Mais, ce 16 février, les choses avaient changé. Ted ne semblait plus vouloir l'écouter.

L'avocat de Pensacola commis d'office à la défense de Ted, Terry Turrell, entra dans sa cellule à 17 heures et y resta près de cinq heures. Il se rendit bien compte que l'homme était au bord de l'effondrement : il gardait la tête basse, pleurait et fumait cigarette sur cigarette.

Pendant le temps que Turrell fut avec lui, Ted passa plusieurs appels interurbains – mais refusa de dire le nom de ses correspondants. Ted demanda ensuite à voir un prêtre catholique. Le père Michael Moody passa un moment en tête à tête avec lui, puis il le quitta avec des informations dont nul ne connaîtrait jamais la teneur.

Le soir, les inspecteurs partagèrent avec lui des hamburgers et des frites.

Le masque si soigneusement élaboré de Ted se craquelait, s'effritait en morceaux de désespoir. Je le sais pour avoir eu un entretien avec lui plusieurs heures plus tard. Pour la première fois de sa vie, il voulait se libérer d'un poids terrible qui pesait sur sa conscience.

34

Alors même que les polices de Pensacola et de Tallahassee ne savaient toujours pas qui était leur prisonnier, la nouvelle de l'arrestation de Ted Bundy s'était frayé un chemin jusqu'aux organes de presse du Nord-Ouest. Mon père m'appela de Salem vers 23 heures pour m'annoncer la nouvelle.

— Ils ont attrapé Ted Bundy. Il est à Pensacola, en Floride. C'est dans tous les journaux, ici.

Je me trouvais à Los Angeles ce jeudi 16 février ; et l'information me frappa de plein fouet. Soudain, le souvenir d'une coupure de presse sur les meurtres de la sororité Khi Omega en Floride me revint. Ma mère venait de me rejoindre pour assister à une première le lendemain soir. Je me tournai vers elle et lui dis simplement :

— Ils ont attrapé Ted Bundy et il était effectivement en Floride.

Je ne disposais alors d'aucune autre information. Je ne découvrirais tous les détails qu'au cours des dix-huit mois à venir. Jusque-là, j'avais gardé un tout petit espoir de l'innocence de Ted. Il s'effondrait. Mon sommeil, cette nuit-là, fut peuplé de cauchemars.

La sonnerie stridente du téléphone, posé près de mon lit, me réveilla brutalement. Je décrochai le combiné à tâtons et regardai la pendule : 3 h 15. Une voix s'exprimant avec un accent du Sud me demanda si j'étais bien Ann Rule. Je répondis par l'affirmative. L'homme se présenta : inspecteur Norman Chapman, de la police de Tallahassee.

— Acceptez-vous de parler avec Ted Bundy ?

– Bien sûr...

La voix de Ted prit le relais. Il parlait comme quelqu'un de très fatigué, semblait égaré et confus.

– Ann... je ne sais pas quoi faire. J'ai beaucoup parlé avec eux et je n'arrive pas à décider de ce que je dois faire...

– Tu vas bien, au moins ? Tu es bien traité ?

– Oh ! pour ça, oui !... On a du café, des cigarettes... Ils sont corrects. Mais je ne sais pas quoi faire...

– Ted, dis-je alors, ça fait très longtemps, maintenant, et il serait peut-être temps de tout raconter... Je pense que tu devrais te confier à quelqu'un qui te comprend, un ami, et te débarrasser de tout ce poids.

– Oui... oui... peux-tu venir ? J'ai besoin d'aide...

En un certain sens, c'était le coup de fil que j'avais attendu pendant des années – depuis le jour où j'avais appris que Ted m'avait appelée à minuit, en novembre 1974. Il avait manifestement quelque chose sur la conscience ce soir-là. C'était le jour de la disparition de Debby Kent, dans l'Utah. Depuis cet instant, j'avais toujours eu le sentiment que Ted savait intimement qu'il pouvait se libérer sur moi des choses terribles qu'il gardait enfermées au fond de lui-même et que je pourrais le supporter. Le moment était-il venu ?

Je lui dis que je pensais pouvoir venir, mais que je n'avais pas d'argent pour payer un billet d'avion et que je ne savais même pas quand était le prochain vol de Los Angeles pour la Floride.

– Je vais trouver l'argent – je ne sais pas où – et j'arrive dès que possible.

– Je crois qu'ils te paieront le billet d'ici, dit-il. J'ai dans l'idée qu'eux aussi veulent que tu viennes.

– D'accord. Laisse-moi le temps de boire une tasse de café et de m'éclaircir les idées. Je me renseigne sur les vols et je te rappelle dans quelques minutes. Donne-moi ton numéro.

Il me donna un numéro et raccrocha.

J'appelai immédiatement les compagnies d'aviation. Je pouvais attraper un vol dans la matinée qui me déposerait à Pensacola dans l'après-midi. Je sentais que l'inspecteur Chapman souhaitait aussi ma présence ; sans cela, pourquoi m'aurait-il appelée ? J'appris par la suite qu'il s'était donné un mal de chien pour me joindre.

Pourtant, quand j'essayai de rappeler quelques minutes plus tard le bureau où Ted était interrogé, le policier au standard me répondit que les appels de l'extérieur n'étaient pas autorisés ! Je lui dis que je venais de parler à Norman Chapman et à Ted Bundy et qu'ils attendaient mon coup de fil, mais la réponse resta négative.

Je n'y comprenais plus rien. Trente heures plus tard, je reçus un appel de Ron Johnson, adjoint au procureur de Floride.

– Je souhaite votre présence. À mon avis, vous devriez venir, mais les flics réclament un délai de trois jours pour obtenir une confession complète de Ted Bundy. S'ils ne l'obtiennent pas dans les trois jours, ils vous feront venir.

Ils n'en firent jamais rien.

Les choses auraient-elles été différentes si j'avais eu l'autorisation de m'entretenir avec Ted dans les premiers jours qui avaient suivi son arrestation à Pensacola ? Disposerait-on aujourd'hui de plus d'éclaircissements ? Ou bien ne me serais-je rendue en Floride que pour entendre les mêmes propos évasifs et détournés que Ted servit aux policiers ?

Je ne le saurai jamais.

35

La décision des policiers de faire barrage à mon coup de téléphone et à ma venue en Floride a peut-être été la bonne, mais elle a pu aussi constituer une tragique erreur de jugement...

Tard dans la soirée du 16 février, Ted avait fait dire à Norman Chapman qu'il était prêt à parler sans l'assistance d'un avocat. L'enregistrement de cette conversation, qui eut lieu avec Chapman, Bodiford et Patchen, commença à 1 h 29 du matin le 17 février. Ted s'exprime d'une voix forte et assurée :

– Bon, voyons ça. La journée a été longue, mais j'ai bien dormi la nuit dernière et j'ai les idées claires. J'ai vu un médecin et j'ai appelé un avocat.

Si Ted s'attendait à des manifestations de joie de la part des policiers quand il leur annoncerait qu'il était Theodore Robert Bundy, il en fut pour ses frais. Aucun des trois détectives n'avait jamais entendu parler de lui. Ce fut une déconvenue totale. Quel intérêt y avait-il à être l'un des hommes les plus recherchés de l'Amérique du Nord si son nom éveillait aussi peu d'écho quand il le dévoilait enfin ? Ils ne voulurent pas le croire avant que l'agent Lee les ait rejoints avec la liste des dix principaux ennemis publics émise par le FBI.

Chapman propose :

– On vous écoute... quoi que vous ayez à nous dire...

Ted rigole.

– Ça fait un peu austère...

– Dès que vous en aurez marre de voir nos têtes décomposées par la fatigue, dites-le-nous, ajouta Chapman.

– C'est moi qui donne la mesure, alors... commence Ted.

– Vous avez assez de cigarettes ?

– Ouais... Ça a été dur de ne pas vous révéler mon nom...

– Je crois que nous le comprenons tous maintenant que vous nous l'avez dit. On comprend très bien pourquoi vous hésitiez. Je reconnais que vous avez su vous maîtriser... Vous présenter comme ça, devant le juge, sans dévoiler votre identité. C'était plus que je n'aurais été capable de faire.

– Vous connaissez mon passé ?

– Seulement ce que vous m'en avez dit. Je fonctionne sur le principe du face-à-face. On vous écoute.

– Appelons ça une affaire à traiter, c'est une bonne façon d'aborder le sujet. Je savais bien que ça allait faire un sacré tapage – si j'avais été arrêté à Omaha, dans le Nebraska... Je savais que vous finiriez par tomber sur ma fiche signalétique, c'était inévitable. Je me suis donné tant de mal pour retrouver ma liberté la première fois que je ne pouvais pas abandonner aussi facilement.

Les évasions de Ted intéressaient Chapman. Et Ted mourait d'envie de les raconter ! Si astucieuses, si bien préparées... Quel malheur de ne pouvoir en parler à personne ! Il y avait une certaine ironie dans le fait que ce soit aux policiers – à ces « flics stupides » qu'il avait si longtemps dénigrés – qu'il s'adressait finalement.

Il y a beaucoup de rires au début de la cassette, là où Ted raconte comment il a sauté par la fenêtre du palais de justice du comté de Pitkin, puis son autre évasion, jusqu'au moment où il arrive à Tallahassee. Là, son intonation change et il prend de profondes inspirations tandis qu'il se reproche amèrement de ne pas avoir trouvé de travail. Il décrit la joie qu'il éprouvait à jouer au racket-ball et propose aux policiers de leur signer une autorisation de fouiller sa voiture volée. Puis sa voix se brise.

– Je n'ai jamais trouvé de travail. Quel âne j'ai été ! J'aime beaucoup travailler, mais je n'aime pas chercher du travail. C'était terrible de ne pas avoir de travail.

Chapman lui demande s'il ne s'est jamais rendu au *Sherrod's*, à Tallahassee.

— Je n'y suis allé qu'une fois, il y a une semaine et demie. Le vacarme est insupportable, là-dedans : c'est une discothèque.

— Vous arrive-t-il de squatter les fêtes des sororités ou des fraternités pour avoir de la bière ou de la nourriture à l'œil ?

— Non. J'ai un mauvais souvenir de ça qui remonte loin. On est arrivés à une fête avec un copain et on est tombés sur un type ivre et plutôt agressif. J'ai couru très vite pour lui échapper.

— Vous vous souvenez de la semaine des examens ? de toutes ces beuveries sur les pelouses du campus, en janvier ?

— Ouais, j'ai entendu le vacarme en provenance de certaines fraternités, pas très loin de là où je vivais.

— Qu'avez-vous fait, cette nuit-là ? Vous vous êtes promené ?

— J'allais à la bibliothèque et je mettais un point d'honneur à me coucher tôt. Mais dès que j'ai eu la télévision, je suis resté dans ma chambre parce que je regardais les programmes.

On lui demande de raconter comment il passait ses samedis soir, mais Ted change de sujet. Il ne se souvient pas d'avoir volé une plaque minéralogique autour des 12 ou 13 janvier. En revanche, il se rappelle en avoir volé une sur une fourgonnette orange et blanc six jours après être arrivé à Tallahassee.

— Vous est-il arrivé d'effacer vos empreintes digitales sur les voitures que vous aviez volées ?

— Euh... je porte simplement des gants, des gants de cuir, répond Ted, surpris.

Des larmes perlent de ses paupières, lui brouillent la voix.

— Y a-t-il d'autres mystères que vous pourriez nous aider à éclaircir, à Tallahassee ?

Encore des larmes... Il sanglote en racontant comment il a volé la bicyclette laissée à l'abandon. Il en parle presque comme d'un ami.

— Et à propos de cette fourgonnette blanche – volée sur le campus...

— Je ne peux vraiment pas en parler.

— Pourquoi ?

– Parce que je ne peux pas en parler, c'est tout.

Ted pleure. Il parle d'une voix étranglée par les hoquets :

– Je ne peux pas... Vraiment... C'est une situation...

Chapman embraie rapidement sur l'arrestation de Ted dans l'Utah. Ted lui dit qu'il a été condamné à une peine indéterminée de un à quinze ans pour rapt.

– D'homme ou de femme ?

– Oh, vous savez... tout ça est tellement compliqué. Je pensais que vous saviez tout ce que vous vouliez savoir sur mon passé, maintenant. J'étais en prison dans l'Utah quand j'ai été inculpé pour meurtre dans le Colorado, en 1976.

Les détectives prennent une photographie et l'un d'eux lui demande :

– Quel est votre meilleur profil ? Merde alors, vous étiez dans les dix premiers au hit-parade, la semaine dernière...

– Ils s'approprieront la gloire de mon arrestation.

– Vous n'aimez pas le FBI ?

– Tous ces salauds sont surestimés.

Chapman demande à Ted ce qui s'est passé dans le Colorado.

– Des factures de stations-service... Je n'arrive pas bien à comprendre ce que c'est venu faire là... Ah ! oui... j'ai pris de l'essence à Glenwood Springs le jour même où Caryn Campbell a disparu d'Aspen, à près de quatre-vingts kilomètres de là. Si le glas sonnait déjà, là, il a tinté à toute volée – surtout depuis ces histoires dans l'État de Washington. J'avais beaucoup de contacts dans l'État de Washington – le bureau du gouverneur, etc. La pression était vraiment forte.

– De quel genre d'homicides s'agissait-il ?

– Je le sais parce qu'on m'en a communiqué les détails : il s'agissait de jeunes femmes. Le capitaine de la brigade criminelle du comté de King était sous pression – mais ils ne m'ont jamais interrogé. Ils n'avaient aucune preuve.

– Quel genre de meurtres était-ce ?

– Personne ne sait, parce que les victimes étaient en morceaux et les morceaux dispersés.

– Et dans le Colorado ?

– J'ai vu les clichés d'autopsie. Traumatisme crânien et strangulation...

– De quelle manière ?

– Je l'ignore.

Chapman embraie à nouveau sur un autre sujet, demande à Ted s'il n'a jamais volé de portefeuilles dans les résidences d'étudiantes.

– Non, c'est trop risqué. Il y a trop de systèmes de sécurité. J'imagine qu'il doit y avoir toutes sortes de systèmes d'alarme et de fermeture...

À ce stade de l'entretien, Ted demande à ce que le magnétophone soit arrêté et qu'aucune note ne soit prise. À en croire le témoignage du détective Chapman lors du procès, un « mouchard » avait été placé dans la salle d'interrogatoire – qui ne fonctionna pas. Dans l'État de Washington, de telles méthodes auraient jeté le discrédit sur tout l'entretien, pas en Floride.

L'interrogatoire se poursuivit toute la nuit et les trois policiers – Bodiford, Chapman et Patchen – affirment que Ted leur raconta des choses autrement plus compromettantes que ce que l'on peut entendre sur la cassette. Le juge Edward Cowart, du comté de Dade, finirait par frapper d'irrecevabilité tous les propos tenus par Ted durant cette nuit du 16 au 17 février 1978. Mais la conversation supposée s'être déroulée après que le magnétophone eut été arrêté est à vous glacer le sang dans les veines.

Les trois policiers prétendent que Ted leur a dit être une créature de la nuit – « un vampire » – et qu'il avait été un « voyeur ». Il leur a dit n'avoir jamais « rien fait », mais que son voyeurisme était lié à ses fantasmes.

Il leur a décrit une fille qu'il avait vue marcher dans une rue de Seattle bien des années auparavant, à l'époque où il allait en faculté à Tacoma.

– J'ai ressenti le besoin de la posséder à n'importe quel prix. Mais je ne suis quand même pas passé à l'acte.

Il leur a, paraît-il, parlé d'un « problème », un problème qui faisait surface quand il avait bu et se baladait en voiture, un problème en rapport avec ses fantasmes.

– Écoutez, leur a-t-il -dit, je voudrais vous parler, mais j'ai un tel blocage en moi que ça ne sortira jamais tout seul. Il faut que vous me parliez.

– Vous voulez parler des meurtres de la sororité Khi Omega ?

– La preuve est là. Continuez à chercher.

– Avez-vous tué ces filles ?

– Je ne veux pas vous mentir mais, si vous me forcez à vous répondre, je vous répondrai non.

– Avez-vous jamais réalisé vos fantasmes ?

– Ils me dévoraient...

– Avez-vous jamais réalisé matériellement vos fantasmes ?

– L'acte en soi est déprimant...

– Êtes-vous allé à la résidence Khi Omega ? Avez-vous tué ces filles ?

– Je ne veux pas avoir à vous mentir...

Ted raconta, paraît-il, encore beaucoup d'autres choses au cours de cette nuit-là et de la suivante ; quant à l'authenticité de ces propos, il appartient à chacun de décider en soi-même qui croire : la police ou Ted Bundy ?...

D'après le service de presse du FBI et plusieurs journalistes qui faisaient pleuvoir sur la police de Pensacola un déluge d'appels, ils avaient arrêté un homme soupçonné de trente-six assassinats : un nombre incroyable.

Quand Chapman avait posé la question à Ted au cours de la conversation non enregistrée, celui-ci aurait répondu :

– Ajoutez-y encore un chiffre et vous aurez le compte.

Qu'avait-il voulu dire ? S'agissait-il d'un sarcasme ? Avait-il voulu dire trente-sept meurtres ? Ou bien... non, c'était impossible... plus de cent meurtres ?

Le nombre avancé par le FBI tenait compte de certaines affaires non résolues qui pouvaient fort bien n'avoir aucun lien avec Ted Bundy. Mais, toujours officieusement, Ted aurait déclaré aux policiers de Floride que la justice de six États en tout aimerait bien le tenir. Six ? Les inspecteurs prétendent qu'il leur proposa de conclure un marché : il échangerait des informations contre sa vie, et il pensait avoir certaines choses dans l'esprit qui seraient d'une grande valeur pour la recherche psychiatrique. Aucun de ces propos n'a été enregistré sur bande et les enquêteurs disent qu'à chaque fois que Ted semblait sur le point de leur livrer des détails, il faisait marche arrière ; il excitait leur curiosité en leur agitant une carotte sous le nez pour la retirer aussitôt.

Quand les enquêteurs de l'État de Washington apprirent qu'il avait déclaré : « Ajoutez-y encore un chiffre et vous aurez le compte », ils pensèrent immédiatement à deux affaires anciennes qui n'avaient jamais été résolues :

En août 1961, alors que Ted avait quinze ans, Ann Marie Burr, âgée de neuf ans, disparut de chez elle, à Tacoma, sans laisser de trace. Elle n'habitait qu'à quelques rues de chez Ted. Ann Marie s'était levée dans la nuit pour prévenir ses parents que sa petite sœur était malade, puis elle était retournée se coucher – du moins l'avaient-ils supposé. Mais, le lendemain matin, la fillette blonde au visage couvert de taches de son était introuvable, la fenêtre donnant sur la rue grande ouverte. Elle ne portait rien d'autre que sa chemise de nuit lors de sa disparition. En dépit d'énormes moyens mis en œuvre par la police de Tacoma, on ne retrouva aucune trace d'elle.

Le 23 juin 1966, les détectives de la brigade criminelle de Seattle s'étaient trouvés confrontés à une affaire où la façon d'opérer du criminel correspondait à celle des crimes dont Ted Bundy était le suspect numéro un : Lisa Wick et Lonnie Trumbull, toutes deux âgées de vingt ans, partageaient un appartement en demi-sous-sol avec une autre fille sur Queen Anne Hill. Toutes trois étaient hôtesses de l'air pour la compagnie United Airlines et aussi belles les unes que les autres. La troisième fille ne se trouvait pas chez elle ce mercredi 23, car elle passait la nuit avec une autre hôtesse. Lonnie Trumbull sortait avec l'adjoint au shérif du comté de King. Ils se virent en fin d'après-midi et il l'appela dans la soirée vers 22 heures. La jolie brune, originaire de Portland, lui dit que tout allait bien et que Lisa et elle étaient sur le point d'aller se coucher.

Quand l'amie de Lonnie et de Lisa rentra le lendemain matin à 9 h 30, elle trouva la porte ouverte – ce qui était tout à fait inhabituel – et la lumière allumée. Elle pénétra dans la chambre de ses amies et les trouva toutes deux encore couchées dans leurs lits jumeaux. Elles ne répondirent pas au « Bonjour ! » qu'elle leur lança. Perplexe, elle donna de la lumière.

– J'ai vu Lonnie et je n'en ai pas cru mes yeux. Puis j'ai essayé de réveiller Lisa et... elle était dans le même état !

Lonnie Trumbull était morte, la tête et le visage couverts de sang, le crâne fracassé à l'aide d'un objet contondant. Lisa Wick était dans le coma. Elle aussi avait été sauvagement frappée à la tête. Les médecins de l'hôpital de Harborview émirent l'hypothèse qu'elle était encore en vie car les bigoudis qu'elle portait avaient dû absorber une partie des chocs. Aucune des deux filles n'avait été victime de violences sexuelles et n'avait pu se défendre ; toutes deux avaient été attaquées durant leur sommeil. Il n'y avait aucune trace d'effraction et rien n'avait été volé.

Joyce Johnson passa des journées entières au chevet de Lisa Wick dans l'attente de la moindre information que pourrait lui fournir la jeune femme quand elle sortirait du coma – si elle en sortait un jour... Lisa finit par se réveiller, mais aucun souvenir ne lui revint. Elle était allée se coucher et s'était réveillée plusieurs jours plus tard à l'hôpital.

La police de Seattle découvrit l'arme du crime dans un terrain voisin, au sud de l'immeuble : un morceau de bois de vingt centimètres de long et de sept centimètres et demi de diamètre, couvert de sang et de cheveux. L'affaire demeure à ce jour inexpliquée.

Âgé de vingt ans, Ted Bundy s'était installé à Seattle dans le courant de cet été 1966 pour commencer à suivre des cours à l'université de l'État de Washington. Un an plus tard, il travaillait dans un supermarché Safeway de Queen Anne Hill...

La proximité du lieu du crime et le *modus operandi* de l'assassin sont les seules analogies que trouvèrent les enquêteurs de l'État de Washington entre ces deux affaires et celles imputées à Ted Bundy.

L'inspecteur-chef Jack Poitinger, de la police du comté de Leon, déclarerait plus tard à la défense que Ted lui avait avoué le jour suivant éprouver un désir puissant de blesser physiquement les femmes. Poitinger lui avait demandé pourquoi il avait une telle inclination à voler des Volkswagen. Ted lui avait répondu que c'était parce qu'elles avaient un bon rapport de consommation au kilométrage :

– Bien, d'accord, Ted, mais quoi encore ?

– Eh bien, on peut retirer le siège du passager.

Ted avait légèrement hésité et Poitinger avait dit alors :

– C'est peut-être plus facile pour transporter quelqu'un, comme ça...

– Je n'aime pas employer ce terme.

Les inspecteurs et le prévenu avaient alors cherché un mot adéquat et étaient tombés d'accord sur « cargaison ».

– C'est plus facile pour transporter une cargaison.

– Pourquoi est-il facile de transporter une cargaison ?

– On peut mieux la contrôler...

Chapman, qui semblait avoir les faveurs de Ted, lui avait demandé :

– Ted, si vous me disiez où se trouve le corps de Kimberly Leach, je pourrais aller le chercher et faire savoir aux parents que leur enfant est morte.

– Je ne peux pas faire ça, parce que l'endroit est vraiment trop affreux à voir.

Ted fut par la suite transféré à la prison du comté de Leon, à Tallahassee. Durant le trajet dans le fourgon cellulaire, Don Patchen lui demanda encore :

– Est-ce que la petite fille est morte ?

– Voyons, messieurs, vous savez parfaitement, et depuis quelques jours déjà, à quel genre de créature étrange vous avez affaire.

– Nous avons besoin de votre aide pour retrouver le corps de Kim, pour que ses parents puissent au moins lui donner une sépulture.

Ted se leva brusquement, froissa un paquet de cigarettes dans sa main et le jeta contre la porte en disant :

– Mais je suis le pire salaud que vous ayez jamais rencontré !

Si l'on prend en considération tous ces propos prétendument tenus par Ted, ceux-ci révèlent effectivement une facette de sa personnalité ignorée de tous – en dehors de ses victimes.

Norman Chapman jure que Ted a tenu ces propos. Il ajoute

aussi qu'il a refusé de parler aux avocats de l'assistance judiciaire, Terry Turrell et Elizabeth Nicholas.

— Il m'a dit : « Norman, il faut que vous me tiriez des griffes dc ces salauds, parce qu'ils essaient de m'empêcher de vous raconter des choses que je veux vous dire. » Il m'a dit qu'il voulait nous parler de lui, de sa personnalité, de son « problème », de ses fantasmes qui le dévoraient. Il s'était occupé de personnes atteintes de troubles affectifs dans le passé, et pourtant il était incapable d'aborder ses difficultés avec qui que ce soit. Ses fantasmes le poussaient à des actes antisociaux. On a supposé que son « problème » était lié à la mort. Il a dit que, dès qu'il se sentirait de nouveau dans la peau d'un « avocat », il parlerait avec les avocats de l'assistance judiciaire. Nous comprendrions alors quelle faveur il nous avait faite en nous parlant comme ça. Il répétait sans arrêt qu'il ne voulait pas nous mentir, mais que si nous l'y obligions, il ne pourrait pas faire autrement. Je lui ai dit que je n'avais pas le pouvoir de renvoyer son avocat, qu'il devrait le faire lui-même.

Ted m'appela ce matin du 17 février, à 6 h 15 heure locale, pour me dire qu'il voulait tout raconter. Ses avocats attendaient à l'extérieur de la salle d'interrogatoire et ne furent pas autorisés à lui parler avant 10 heures. Quand ils purent enfin le voir, il était perdu, en larmes et tenait des propos incohérents.

Lors d'une audience préliminaire, dix-huit mois plus tard, Ted déclarerait qu'il n'avait qu'un souvenir très confus de cette matinée. Il était tout à fait certain qu'il aurait demandé à voir ses avocats s'il avait su qu'ils attendaient derrière la porte.

Les enquêteurs et l'assistance judiciaire s'étaient livrés à une lutte acharnée dont le prisonnier avait été l'enjeu. À qui Ted désirait-il véritablement parler ? C'est une question dont la réponse demeure incertaine.

36

Bien qu'il soit le suspect numéro un dans l'affaire des meurtres de la résidence Khi Omega, l'agression de la rue Dunwoody et l'enlèvement de Kimberly Leach, Ted Bundy ne tombait provisoirement que sous le coup des chefs d'inculpation suivants : vol de voitures avec effraction, vol de cartes de crédit, faux et usage de faux. Ces seules charges pouvaient lui valoir soixante-quinze ans de prison. Mais l'État de Floride instruisait en vue d'autres chefs d'accusation et ne voulait prendre aucun risque avec le « Houdini des prisons » : Ted ne sortait pas de sa cellule sans qu'on lui passât les menottes et les fers aux pieds.

Le 18 février, Ted fut transféré de Pensacola à Tallahassee, la ville même où il envisageait de ne jamais revenir. Tout au long de ses démêlés avec la justice, Ted s'était toujours trouvé face à des policiers ou des magistrats qui l'irritaient particulièrement. Il était sur le point de faire la connaissance d'une nouvelle Némésis en la personne du shérif Ken Katsaris, du comté de Leon. Ted allait rapidement le mépriser profondément. Il se reposerait de plus en plus sur Millard Farmer, cet avocat d'Atlanta spécialisé dans les causes où l'accusé risque la peine de mort. Ted le voulait comme défenseur, mais cette idée était loin d'enchanter les autorités judiciaires de Floride, qui considéraient Farmer comme un élément perturbateur dans une salle de tribunal.

Dans une entrevue accordée au *Tallahassee Democrate* après l'arrestation de Ted, Farmer décrivait ce dernier comme « une personne extrêmement perturbée mentalement, victime de troubles affectifs. Il aime que les projecteurs soient braqués sur lui. Il adore jouer le jeu. Il semble prendre le plus grand plaisir à regarder les représentants de la loi patauger dans leur propre ignorance.

Farmer déclara que son cabinet d'assistance se chargerait de la défense de Bundy à la condition qu'il soit inculpé dans les affaires de meurtre.

Au cours de la première semaine du mois de mars 1978, Ted passa deux fois devant le juge John Rudds : une première fois pour entendre lecture des charges dressées contre lui et une seconde pour s'opposer à une demande de prélèvement de sang, de cheveux et de salive formulée par l'accusation. Malgré son apparence dépenaillée, il semblait être redevenu l'homme sûr de lui qu'il avait toujours été.

J'avais écrit à Ted immédiatement après avoir appris que je n'obtiendrais jamais l'autorisation de le voir ni même de lui parler au téléphone, mais je ne reçus aucune réponse avant le 9 mars. Le ton de sa lettre était extrêmement sombre. Son écriture était vacillante et difficile à décrypter, mais elle avait toujours beaucoup varié avec les circonstances et l'intensité de ses émotions.

Pendant deux ans, j'ai rêvé de cette liberté. Je l'avais et je l'ai perdue à cause d'actes impulsifs et de stupides concours de circonstances. C'est un échec que je n'arrive pas à oublier si facilement.

Amitiés,
Ted.

Ted faisait retomber la faute de son échec et de sa capture sur son attitude « impulsive ». Avait-il essayé de toutes ses forces de dominer ses pulsions, pour finir par se rendre compte qu'il en était incapable ? Ted restait-il intérieurement prisonnier de cette nuit de terreur dans la résidence Khi Omega, enfermé dans une sorte de prison mentale dont il était incapable de s'évader ?

Bien que je lui aie écrit à plusieurs reprises à la suite de cette lettre, je n'eus aucune autre nouvelle de Ted pendant quatre mois.

Les restes de la petite Kimberly Leach furent finalement découverts le 7 avril. Les botanistes et les experts du laboratoire de criminalistique, qui avaient analysé les échantillons d'humus, de feuilles et d'écorce trouvés dans la fourgonnette Dodge, avaient fini par identifier leur lieu d'origine : non loin d'une rivière au nord de la Floride. L'indication était loin d'être précise, mais cela avait constitué un point de départ pour les recherches.

Les enquêteurs avaient retrouvé une chaussure de tennis de grande taille, quelques cheveux et d'autres débris à la fin du mois de février près de Branford, sur la Suwannee, à quarante kilomètres de Lake City. Ils avaient réuni ces preuves éventuelles en vue d'analyses ultérieures – qui ne révélèrent rien d'intéressant.

Le bruit avait aussi couru qu'ils avaient fait une « découverte extraordinaire » au mois de mars près de l'entrée du parc naturel de Suwannee. Pour autant, aucun détail n'avait filtré à l'extérieur et aucun communiqué officiel n'avait suivi. Il s'agissait en fait de mégots de cigarettes de la même marque que ceux trouvés dans le cendrier de la coccinelle VW que Ted conduisait lors de son arrestation.

La couche d'humus et la végétation qui recouvrent le sol du parc de Suwannee étaient du même type que celles retrouvées à l'arrière de la fourgonnette volée.

Le 7 avril, l'agent Kenneth Robinson, de la sécurité routière de Floride, participait aux recherches avec un groupe de quarante hommes près du parc, non loin de la bordure de l'autoroute 10. Il faisait une chaleur écrasante pour le mois d'avril, la température avoisinant trente-deux degrés, et les hommes étaient assaillis par des nuages de moustiques tandis qu'ils se frayaient un passage à travers les fourrés, sondaient les mares superficielles à l'aide de perches et exploraient les plus profondes en scaphandre autonome.

La matinée passa sans aucune découverte et, à midi, ils firent une pause à l'ombre pour manger rapidement un morceau.

Des enquêteurs à cheval avaient déjà fouillé le secteur, mais on n'avait pas encore réalisé un ratissage méthodique à pied. Le groupe de Robinson décida de rayonner à partir d'un centre, une mare en l'occurrence. Robinson progressa seul dans les taillis pendant une quinzaine de minutes environ. Devant lui, il aperçut un petit appentis en tôle qui avait dû servir d'abri à une truie et à sa portée. Une clôture de fil de fer l'encerclait. Robinson dut se courber en avant pour jeter un coup d'œil par un trou pratiqué dans la tôle. Alors que son œil s'adaptait progressivement au manque de clarté, il distingua tout d'abord une chaussure de tennis... puis ce qui ressemblait à un pull en jersey, avec le numéro « 83 » inscrit dessus.

La chaussure ne contenait plus ni pied ni jambe – rien qu'un os nu. Son estomac se révolta. Il savait pourtant à quoi s'attendre, mais l'infamie du lieu et l'idée que Kim avait été jetée dans un enclos à cochons dans cette région désolée lui soulevaient le cœur.

Robinson se redressa et recula. Il appela les autres membres de son groupe et ceux-ci entourèrent immédiatement l'enclos devenu tombe d'une corde en interdisant l'accès. Il était exactement 12 h 37.

Les policiers attendirent l'arrivée du Dr Peter Lipkovic, de l'Institut médico-légal de Jacksonville, pour enlever le toit de l'abri. Personne ne doutait qu'il s'agissait de Kim. En dehors de ses chaussures de tennis et d'un maillot blanc à col roulé, elle était nue, mais tous ses autres vêtements et sous-vêtements étaient là aussi, avec son sac, empilés de manière tout à fait incongrue à côté d'elle.

L'analyse comparative de ses empreintes dentaires apporterait par la suite la certitude qu'il s'agissait bien du corps de Kimberly Leach.

Le Dr Lipkovic pratiqua l'autopsie du corps et y trouva « ce que l'on peut s'attendre à voir au bout de huit semaines ». Les mois de février, mars et avril ayant été inhabituellement chauds et secs, le corps s'était plutôt momifié que décomposé. Tous les organes internes étaient là, mais totalement desséchés. Le corps ne contenait plus le moindre fluide corporel et l'analyse du sang dut se faire à partir de prélèvements de tissu organique.

La cause de la mort était douteuse, comme c'est toujours le cas quand le cadavre n'est pas découvert avant un certain temps. Lipkovic se contenterait de déclarer officiellement :

– La victime est morte des suites de coups violents portés dans la région de la nuque. Les coups ont été appliqués avec suffisamment de force pour déchirer la peau, mais je suis incapable de préciser s'ils l'ont été à l'aide d'un objet tranchant ou contondant.

Il ne sut déterminer non plus si elle avait été étranglée, mais sans en exclure totalement la possibilité. Le corps ne recelait aucun os cassé, mais quelque chose avait décidément entamé la région de la nuque. Ce genre de blessure est généralement provoqué par un couteau ou une arme à feu ; or, il n'y avait aucune trace de balle ou d'utilisation d'une arme à feu.

Contrairement aux filles de Tallahassee, Kim n'avait souffert d'aucune fracture du crâne. Il était flagrant qu'elle avait été violée, mais cela aussi fut impossible à préciser lors de l'autopsie et des analyses. Le Dr Lipkovic déclara sur un ton impénétrable que les régions traumatisées d'un cadavre se décomposent toujours plus rapidement que celles demeurées intactes. Il voulait dire par là qu'il ne restait pas assez de tissu vaginal pour qu'un examen puisse déterminer s'il y avait eu violences sexuelles ou non.

Dans le parc naturel, les enquêteurs avaient continué de chercher des indices. Ils trouvèrent une veste kaki de type militaire tachée de sang a une trentaine de mètres de la bauge.

Selon toute vraisemblance, Kim était déjà morte quand elle avait été emmenée au parc Suwannee. Il n'y avait que très peu de taches de sang sur le lieu où son corps avait été découvert et, par ailleurs, les traces profondes relevées dans les débris végétaux qui tapissaient le plancher de la Dodge indiquaient assez bien un scénario où le corps aurait été laborieusement traîné hors du véhicule.

La nouvelle de la découverte du corps de leur fille fut douloureuse pour les parents de Kim. Il ne leur restait plus qu'un seul enfant, un fils plus jeune.

– Les choses ne seront plus jamais ce qu'elles étaient, déclara amèrement Freda Leach.

Quand on lui annonça la découverte du corps de Kim, Ted ne manifesta pas la moindre émotion.

37

Les prélèvements effectués sur la Dodge ayant guidé les pas des enquêteurs jusqu'aux berges de la Suwannee, Mary Lynn Hinson et Richard Stephens, du laboratoire de criminalistique, disposaient maintenant d'éléments de comparaison pour leurs analyses.

Le sang de Kimberly Leach était du même groupe – B – que celui qu'on avait retrouvé sur la moquette arrière de la fourgonnette. L'état de dessèchement du corps rendait cependant impossible la mise en évidence des enzymes. L'analyse des taches de sperme relevées sur la culotte de la fillette révéla qu'elles avaient été faites par un sécréteur du groupe O. Le groupe sanguin de Ted – mais cela ne prouvait rien.

Mlle Hinson compara les empreintes d'une paire de mocassins et de chaussures de sport confisquées à Ted lors de son arrestation à celles trouvées dans la couche d'humus sur le plancher de la fourgonnette : elles étaient identiques. Le lien entre les deux était plus que probable – mais il ne constituait encore pas une preuve matérielle irréfutable.

Hinson analysa des centaines de fibres textiles prélevées dans la moquette de la Dodge. Des fragments d'une fibre de polyester bleu d'un type inhabituel provenaient du maillot de football de Kimberly. Les mêmes fibres furent retrouvées accrochées dans le blazer bleu marine que portait Ted lors de son arrestation. Des fibres provenant de ce blazer furent identifiées par microspectrophotométrie à d'autres, prélevées dans les chaussettes blanches de Kim. Hinson trouva ainsi témoignage muet sur témoignage muet que les vêtements de Kim s'étaient trouvés en contact rapproché avec la moquette de la Dodge (ou avec une moquette aux fibres microscopiquement identiques) et avec les vêtements portés par Ted (ou avec des vêtements aux fibres microscopiquement identiques). Les conclusions apportées par la micro-analyse étaient claires : il était probable, « en fait, extrêmement probable », que les vêtements de Kim aient été en contact avec la moquette de la fourgonnette et les vêtements de Ted Bundy.

L'examen microscopique de la centaine de poils et de cheveux retrouvés dans la Dodge ne permit aucune identification avec ceux de Kim ou de Ted.

En analysant les zones d'intrication des fibres des vêtements de Ted et de Kim, et la position dans laquelle le corps de Kim avait été retrouvé, le Dr Lipkovic émit l'hypothèse que l'enfant avait été tuée pendant le viol. Son corps était probablement resté dans cette position quand la rigidité cadavérique avait commencé à s'installer, avant d'être transporté jusqu'à la bauge où il avait été découvert.

Les étiquettes de prix trouvées sous le siège de la fourgonnette provenaient du magasin Green Acres Sporting Goods de Jacksonville. Le gérant de la boutique se souvint d'avoir vendu un grand couteau de chasse au début du mois de février.

– Je venais juste d'en augmenter le prix, de vingt-quatre à vingt-six dollars.

Le client, un homme aux cheveux bruns, d'une trentaine d'années, avait payé en liquide. Le gérant avait choisi la photo d'un autre homme parmi les clichés signalétiques que la police lui avait montrés ; mais quand il vit plus tard la photographie de Ted Bundy dans un journal, il rappela l'un des enquêteurs et déclara qu'il était absolument certain que l'homme qui lui avait acheté le couteau de vingt-cinq centimètres de long était Ted Bundy.

Comme cela avait déjà été le cas, les factures de cartes de crédit que Ted laissait derrière lui allaient se révéler très embarrassantes pour lui, notamment celles concernant l'achat d'essence.

Ted achetant souvent de l'essence en petites quantités et plusieurs fois par jour, les enquêteurs avaient fini par présumer, au fil des années, qu'il devait éprouver une espèce de crainte maladive à l'idée de se trouver à court de carburant. Deux des vingt et une cartes de crédit volées retrouvées sur Ted avaient été utilisées les 7 et 8 février pour acheter de l'essence à Jacksonville. Le numéro de la plaque minéralogique de la voiture en cause était 13-D-11300.

Le soir du 8 février, un homme que la réceptionniste de l'Holiday Inn de Lake City décrivit comme ayant l'air « de mauvais poil, avec une barbe de trois jours », signa le registre du nom d'Evans et paya à l'aide de l'une des cartes de crédit volées à Tallahassee. Un autre employé de l'hôtel avait remarqué qu'il avait des yeux « vitreux ». Il le soupçonnait d'être sous l'influence de l'alcool ou d'une autre drogue.

Le lendemain matin, « Evans » déménagea à la cloche de bois. Bien que régler sa note d'hôtel ne lui eût rien coûté – puisque ses cartes de crédit étaient volées –, il vida les lieux à 8 heures.

Moins d'une heure plus tard, un pompier voyait Kimberly Leach poussée vers une Dodge blanche par un « père en colère ». Andy Anderson, le pompier en question, rentra chez lui pour se changer et ne mentionna pas l'incident. Il déclarerait plus tard qu'il avait eu « un peu peur de déclencher un foin de tous les diables... de lancer la police sur une fausse piste ». Il ne croyait pas que la petite fille qu'il avait vue avec son « père » pouvait avoir un rapport quelconque avec l'enfant recherchée. Anderson alla voir la police six mois plus tard. Il accepta de se laisser hypnotiser pour faire remonter à la surface de sa mémoire les détails de la scène dont il avait été témoin le 9 février au matin. Il put décrire assez précisément les vêtements de Kim et ceux de l'homme qui l'accompagnait.

Clinch Edenfield, l'agent contractuel chargé de faire traverser la rue aux enfants, se révéla inutile en tant que témoin. Deux ans plus tard, il qualifiait la journée du 9 février 1978 de chaude et estivale. Ce jour-là, le vent soufflait en rafales, la température n'était pas loin de zéro et une pluie glaciale tombait à verse.

38

Dès que la véritable identité de Ted Bundy fut connue, la presse de Floride s'empara de lui et en fit le suspect numéro un dans les affaires de Tallahassee et de Lake City. Ted réussit à faire parvenir en fraude quelques lettres à des journalistes du Colorado et de l'État de Washington, dans lesquelles il s'indignait contre l'accusation dont il faisait l'objet en Floride.

L'État de Floride, de son côté, était beaucoup plus intéressé par l'obtention de prélèvements de cheveux, de poils et de salive de Ted Bundy – qui finirent par être donnés. Ted refusa ensuite de fournir un échantillon de son écriture, mais il y fut contraint par le juge.

Il fut inculpé le 10 avril 1978 à Lake City pour faux et usage de faux. Mais étant donné qu'il tombait déjà sous le coup de soixante-deux chefs d'inculpation dans le seul comté de Leon et qu il était toujours recherché pour meurtre et évasion dans le Colorado, Lake City devrait attendre.

Le 27 avril, Ted Bundy fut conduit sous mandat chez un dentiste, qui fit un relevé de ses empreintes dentaires en vue d'une analyse comparative avec les traces de morsures trouvées sur le corps de Lisa Levy. Les autorités judiciaires avaient voulu le prendre par surprise. Elles ne voulaient pas lui laisser le temps de « s'user les dents » avant que l'empreinte soit faite.

Dans l'intervalle, Ted s'était une fois de plus acclimaté à la vie carcérale. La prison du comté de Leon était un bâtiment en brique, peint en blanc, haut de trois étages. Sans être de construction récente, ce n'était pas non plus le trou à rats étouffant présenté souvent dans les romans comme la prison typique du sud des États-Unis.

Il avait été mis au régime de sécurité, seul dans une cellule pour quatre, au premier étage au centre de la prison. Il n'avait aucun contact avec les deux cent cinquante autres détenus et ne recevait pour seule visite que celle de ses avocats nommés par l'assistance judiciaire. Il aimait bien ses geôliers, mais il faut reconnaître à sa décharge qu'il n'avait jamais rien eu à dire contre eux, ses diatribes ayant toujours été dirigées contre la police et les magistrats instructeurs.

Sa cellule était propre et climatisée et Ted avait droit aux journaux et à la radio. Il savait que la chambre d'accusation finirait par l'inculper de meurtre.

Au fait de ses précédentes évasions, les autorités pénitentiaires n'avaient rien laissé au hasard. Le plafond de sa cellule était bien trop haut pour qu'il puisse l'atteindre. Sa porte avait été renforcée de deux serrures et un seul surveillant détenait les clés nécessaires pour ouvrir les deux. Comme d'habitude, Ted se plaignait du manque d'exercice, de l'absence de lumière et de la mauvaise qualité de la nourriture. Sa cellule n'avait pas de fenêtre : il ne pouvait pas voir le monde extérieur.

Je n'eus aucune nouvelle de Ted avant le 6 juillet, date à laquelle il m'écrivit une lettre qui était un exemple typique de l'humour sardonique dont il était capable, bien loin du ton désespéré de celle qu'il m'avait postée peu après son arrestation.

Il devait, ce jour-là, passer en jugement sous quatorze chefs d'inculpation concernant l'utilisation de cartes de crédit volées. Mais, comme il me l'avait déjà dit des années plus tôt, ces menus larcins ne l'affectaient « pas plus que l'eau les plumes d'un canard ». Il trouvait que ces cartes de crédit étaient « foutrement enquiquinantes » et il n'avait pas tort.

Je lui répondis dans la même veine, mais ce fut la dernière lettre que je recevrais de Ted Bundy. Il y aurait des coups de téléphone – longs et en PCV –, mais plus jamais de lettre.

Le filet s'abattit lourdement sur Ted le 27 juillet au cours de ce que l'on appela plus tard un numéro de cirque.

Ted avait passé toute la journée au tribunal de Pensacola et

343

s'y trouvait toujours quand la chambre d'accusation rendit son verdict à 15 heures. Revenu dans sa cellule, il n'y resta qu'une heure avant d'être conduit au rez-de-chaussée où l'attendait le shérif Ken Katsaris, impeccablement habillé d'une chemise blanche et d'un costume noir. Katsaris était en possession d'un acte d'accusation et avait organisé une conférence de presse pour 21 h 30 ce soir-là.

Entouré de gardiens et revêtu de sa tenue de prisonnier, une combinaison flottante de couleur verte, Ted émergea de l'ascenseur. L'éclat stroboscopique des flashes des appareils photo l'aveugla et il comprit instantanément ce qui se passait. Il battit précipitamment en retraite dans l'ascenseur en marmonnant qu'il refusait d'être « montré en spectacle pour le bénéfice de Katsaris.

Ted avait le visage blême des prisonniers qui ne voient jamais le soleil ; ses traits tirés lui donnaient un air d'ascète. Quand il comprit qu'il n'avait nulle part où se cacher, il ressortit de l'ascenseur avec un air presque crâneur.

Katsaris décacheta l'acte d'accusation et on commença la lecture :

– Au nom et en vertu de l'autorité conférée par l'État de Floride...

La haine qu'éprouvait Ted pour Katsaris se lisait sur son visage. Il s'approcha de lui et dit sur un ton sarcastique :

– Voyons voir ce que nous avons là, Ken ? Oh ! un acte d'accusation ! Mais faites-m'en donc la lecture, voyons ! C'est bientôt les élections !

Sur ces mots, Ted lui tourna le dos, leva le bras droit pour s'appuyer contre le mur et dirigea son regard loin devant lui, les mâchoires soudées, prenant l'attitude de l'homme persécuté. Ses yeux étincelaient devant les caméras ; il avait l'air de s'élever au-dessus de ses vêtements informes de prisonnier.

Tous les appareils étaient braqués sur Ted Bundy, mais Katsaris poursuivait la lecture de l'acte :

– ... ledit Theodore Robert Bundy agressa Karen Chandler et/ou Kathy Kleiner...

Ted s'adressa à la presse :

– Il a dit qu'il voulait m'avoir.

Puis au shérif :

– Vous l'avez, maintenant, votre acte d'accusation, mais c'est tout ce que vous aurez !

Katsaris l'ignora et continua de débiter ses phrases dans un jargon qui signifiait, en clair, que Ted Bundy était accusé de meurtre :

– ... agit contre la loi au lieu et au moment précisés et tua un être humain, à savoir : Lisa Levy, par strangulation et/ou coups et blessures entraînant la mort, et déclara que l'acte fut perpétré par ledit Theodore Robert Bundy, lequel agit contre la loi au lieu et au moment précisés et tua un être humain, à savoir : Margaret Bowman, par strangulation et/ou coups et blessures entraînant la mort (...) et que ledit Theodore Robert Bundy, entraîna avec ou par préméditation la mort de ladite Cheryl Thomas...

La lecture parut durer des heures.

Ted tourna la chose en dérision. À un moment, il leva la main pour interrompre ct dit :

– Je plaide non coupable dès maintenant.

Ted avait retrouvé toute sa maîtrise de lui et grimaçait un large sourire. Il ne cessait d'interrompre Katsaris :

– Je pourrai parler aux journalistes quand vous aurez terminé ?

Katsaris poursuivait sa lecture, la moitié de ses phrases couvertes par les plaisanteries de Ted.

– Vous avez vu le prisonnier, maintenant, dit encore Ted sur un ton moqueur. Je crois que c'est à mon tour. Écoutez : ça fait six mois que je suis au régime de haute sécurité. Vous, vous n'avez pas arrêté de bavarder depuis six mois. Je suis bâillonné, vous ne l'êtes pas.

La lecture de l'acte d'accusation terminée, Ted fut reconduit vers l'ascenseur. Il brandit son exemplaire de l'acte devant les caméras et le déchira méthodiquement en deux.

Pour la première fois de sa vie, Ted allait risquer la peine de mort. Quelles que soient les émotions qui l'affectaient quand il comprit cela, il n'en montra aucune.

L'horizon s'assombrit encore le lendemain quand le juge McClure refusa à Millard O. Farmer le droit d'assurer la défense de Ted Bundy. L'État déclara qu'il y avait déjà assez de « carnaval » comme cela sans, qu'en plus, un homme cabotin comme Farmer vienne semer le trouble dans cette affaire. Farmer n'était de toute façon pas autorisé à exercer en Floride et l'État pouvait refuser d'accorder pareils privilèges.

Ted ne dit rien du tout et refusa même de répondre aux questions que le juge lui posa à ce propos. McClure déclara alors d'un ton implacable :

– Greffier, inscrivez dans le registre que le prévenu refuse de répondre.

Il était évident que Ted protestait ainsi contre la perte de son conseiller légal. Il s'attendait très vraisemblablement à être inculpé de meurtre, mais ne s'attendait certainement pas à se passer de Farmer à ses côtés. C'était une grosse déception. À l'image de Buzzy Ware, Millard Farmer était le genre d'avocat pour qui Ted pouvait éprouver du respect. Cela était très important pour son sens des valeurs. Il appréciait l'idée d'être un inculpé notoire représenté par un avocat célèbre ; le fait de se retrouver aux mains de l'assistance judiciaire était plus un coup porté à sa fierté qu'une menace pour sa vie.

Les mailles du filet se resserrèrent encore : le 31 juillet, l'acte rendu par la chambre d'accusation du comté de Columbia arriva sur le bureau du juge Wallace Jopling, du tribunal de Lake City. Ce jour-là, Ted plaidait non coupable à Tallahassee. Une fois de plus, le juge Rudd refusa à Millard Farmer le droit de représenter Ted. En réaction, Ted renvoya ses avocats commis d'office. Comme par le passé, il assurerait sa propre défense.

Ces procédures étaient à peine achevées que le juge Jopling brisait le cachet scellant l'acte d'accusation : Ted Bundy était maintenant inculpé d'enlèvement et de meurtre avec préméditation dans l'affaire Kimberly Leach.

L'ouverture du procès dans les affaires de Tallahassee était prévue pour le 3 octobre 1978. Selon la rumeur, Ted allait devoir subir procès sur procès. Ted contre-attaqua.

Le 4 août, Millard Farmer déposa une plainte contre Ken Katsaris et huit autres représentants de la justice pour avoir privé Ted Bundy de ses droits élémentaires en tant que prisonnier. Ted demanda trois cent mille dollars de dommages et intérêts en vertu du préjudice causé. Il exigea aussi une heure d'exercice quotidien à l'air libre et sans entraves, un éclairage convenable dans sa cellule, la fin de son isolation carcérale et que l'on ordonnât à Katsaris de cesser de le « harceler ». Il demanda que lui soient versés des honoraires acceptables en tant qu'avocat. Ted avait retrouvé toute son audace et repris du poil de la bête.

Il y avait à cette époque en Floride quelque soixante-dix à quatre-vingts prisonniers dans le quartier des condamnés à mort. Quand il avait choisi un endroit où fuir après son évasion en décembre 1977, Ted aurait bien mieux fait de prendre en considération d'autres facteurs que le climat.

Il se présenta devant le juge Jopling, au tribunal de Lake City, le 14 août et plaida non coupable devant les charges portées contre lui dans l'affaire Kimberly Leach.

— Parce que je suis innocent, déclara-t-il.

La justice de Floride irait lentement. Il y avait eu trop de meurtres. Et trop de charges pesaient contre l'accusé pour que les procédures soient rapides. Le procès de l'affaire Khi Omega fut d'abord repoussé au mois de novembre 1978, puis jusqu'à la mi-1979, tout comme celui de Lake City. Pendant ce temps-là, Ted se morfondait dans sa cellule de la prison du comté de Leon, sous la surveillance constante de son grand ennemi : le shérif Ken Katsaris.

Le 26 septembre, je reçus un appel téléphonique en PCV de Ted – je n'avais eu aucune nouvelle de lui depuis le mois de juillet et j'avais suivi la progression des événements dans la presse. La ligne était mauvaise et je n'étais pas sûre que nous ne soyons pas écoutés :

— Un ordre est venu d'en haut, m'expliqua-t-il, pour la première fois depuis sept mois, ils m'ont laissé sortir pour faire autre chose que me traîner à une audience. Deux surveillants armés et équipés de talkies-walkies m'ont conduit sur le toit et m'ont permis de marcher en cercle. Il y avait trois voitures de patrouille et trois chiens de garde en bas.

Je lui dis que, de toute façon, il n'aurait pas pu sauter trois étages. Il rit :

— Pour qui me prennent-ils ? Pour Superman ?

Il me décrivit l'intérieur de sa cellule :

– La lumière naturelle n'y entre pas. C'est une cellule en acier encastrée au milieu d'autres murs. Il y a une ampoule de cent cinquante watts intégrée au plafond derrière un globe de plastique et un grillage. La lumière qui me parvient réellement à travers tout ça est négligeable ! C'est très loin d'être suffisant ! J'ai un lit, un combiné lavabo-toilettes et un poste de radio portatif qui capte deux stations. C'était si bon tout à l'heure de se promener à l'air libre sans entraves !... et même d'entendre ces chiens aboyer ! Ça faisait bien longtemps que je n'en avais pas entendu.

Ted soutenait mordicus qu'« ils » ne parviendraient pas à le briser :

– ... Et tous ces tests d'évaluation psychologique qu'ils m'ont fait passer là-dedans... Dans le dernier, ils ont dit à Katsaris qu'en lisant l'acte d'accusation comme il l'a fait, ça me briserait et je parlerais. Dès qu'ils m'ont ramené à ma cellule, deux détectives sont venus et m'ont dit : « Vous avez entendu à quel point on vous tient, maintenant ? Vous êtes complètement coincé... Vous feriez peut-être mieux de vous rendre les choses plus faciles et de tout nous raconter. » Mais ils n'ont pas réussi à me briser.

Pour la première fois, Ted me parla de Carole Ann Boone et me dit qu'ils étaient devenus « vraiment très proches l'un de l'autre ». Il prêtait une oreille attentive aux conseils qu'elle lui donnait sur la façon de gérer ses intérêts au mieux.

Il me fit part de la peine qu'il avait éprouvée à l'idée de perdre Millard Farmer. Il était tout aussi furieux d'être « montré en spectacle » aux foules de Tallahassee et de Lake City où il se rendait trois fois par semaine, pour les audiences de l'affaire Leach. Pourtant, il tirait en même temps une sorte de fierté sous-jacente de se trouver à nouveau sous les feux des projecteurs – qu'il ne quitterait plus de sitôt.

– L'affaire Khi Omega est vraiment tordue. Je ne vais pas me laisser entraîner là-dedans. Mais associer Ted Bundy à une affaire pareille... imaginez un peu les répercussions ! Je vais tenir la vedette pendant un sacré bout de temps ! Les preuves ont été forgées de toutes pièces ! Les gens d'ici veulent des condamnations à tout prix, même s'ils savent qu'elles seront révisées par la suite. Tout ce qui les intéresse, c'est de me passer les menottes et de me traîner devant un jury. Sans parler de l'avalanche de procès qui me tombe dessus !

Nous étions le 26 septembre, le jour anniversaire de la rencontre entre Ted et Meg. Un an auparavant, il m'avait demandé de lui envoyer une rose. Ce jour-là, il me dit que Meg s'était définitivement détachée de lui :

– J'imagine qu'elle a écouté des journalistes... je ne sais pas... Ça fait longtemps qu'elle ne m'a plus donné de nouvelles. Elle m'avait dit qu'elle ne pouvait plus le supporter, qu'elle ne voulait plus en entendre parler. Quand l'avez-vous vue pour la dernière fois ?

Il y avait bien longtemps, lui répondis-je. Plus d'un an, en fait. Je suis certaine qu'il avait parfaitement conscience de la date. C'était peut-être même pour cela qu'il m'avait appelée pour parler de Meg. Il avait Carole Ann Boone, à présent, mais il n'avait pas oublié Meg pour autant.

Je lui demandai quelle heure il était en Floride. Il hésita :

– Je ne sais pas. Le temps ne signifie plus grand-chose pour moi.

La voix de Ted parut s'affaiblir, comme entraînée au loin. Je crus que la ligne allait être coupée.

– Ted ? Ted !...

Sa voix revint en ligne ; il avait l'air perdu, confus. Il s'excusa :

– Ça m'arrive parfois, au milieu d'une conversation... j'oublie ce que j'étais en train de dire... j'ai du mal à me rappeler...

C'était la première fois que je l'entendais parler avec aussi peu d'assurance, comme s'il glissait inexorablement hors du monde. Puis sa voix se raffermit de nouveau. Il attendait l'ouverture du procès avec impatience, il était pressé de se battre.

– Ta voix est plus ferme, maintenant, dis-je alors. Tu as l'air d'être toi-même.

Sa réponse me parut un peu étrange :

– Je le suis, généralement...

Ted ne voulait qu'une chose. Il me demanda de lui envoyer les annonces classées du *Seattle Sunday Times*. Il ne me précisa pas pourquoi. Simple nostalgie, peut-être... Peut-être la lecture des petites annonces provenant de la ville où il avait passé son enfance l'aiderait-elle à chasser loin de son esprit la vision de ces murs d'acier dépourvus de fenêtre ?...

Je lui envoyai le journal. J'ignore s'il le reçut un jour. Je ne devais plus avoir aucune nouvelle de lui avant son procès de Miami, en juin 1979.

39

Il est permis de se demander s'il était possible que Ted Bundy puisse avoir un procès équitable dans l'État de Floride. Il commençait à devenir plus célèbre que Disney World et les Everglades réunis, et son attitude même faisait de lui un sujet en or pour alimenter la presse à sensation.

À l'approche des fêtes de Noël 1978, les perspectives étaient loin d'être réjouissantes pour Ted Bundy. Il était toujours en prison, son horizon limité par trois murs et une porte d'acier, et il n'avait pas le moindre plan d'évasion. Toute évasion était d'ailleurs impossible, et deux procès en assises l'attendaient.

Il avait réussi à faire retirer son dossier d'instruction des mains du juge John Rudd par la Cour suprême de l'État de Floride. Les raisons invoquées étaient un vice de procédure dans les contacts du juge avec le bureau du *state attorney* et un préjugé de parti pris d'hostilité contre la défense. Il avait aussi accepté, mais de mauvaise grâce, l'aide de l'assistance judiciaire, placée cette fois-ci sous la direction de Mike Minerva. Ted semblait avoir finalement compris que ce serait de la folie pure et simple d'essayer d'assurer seul sa défense.

Un nouveau juge fut nommé en janvier 1979 : Edward D. Cowart, une espèce de grand saint-bernard de cinquante-quatre ans, avec des bajoues tombant jusque sur sa robe et une voix apaisante. Cowart connaissait son droit sur le bout des doigts et avait la réputation de donner pendant les audiences des conseils aux avocats. Ted n'allait pas beaucoup l'aimer.

Cowart annonça le 22 février que les procès des affaires Khi Omega et Dunwoody s'ouvriraient le 21 mai, et qu'il déciderait en avril si un jury impartial pouvait ou non être constitué dans la capitale. La défense pensait que juger deux procès pour meurtre à la suite risquait de favoriser des préjugés défavorables envers l'inculpé et Cowart le reconnut volontiers.

Ted dirigeait toujours officiellement sa défense – Minerva n'étant là que pour le conseiller – et voulut faire exclure la presse des audiences au cours desquelles il interrogerait lui-même les témoins. Le juge Cowart refusa en disant :

– Si vous excluez la presse, vous excluez le public. Les audiences seraient donc filmées.

En dépit des efforts de Ted pour faire retirer l'affaire des mains du juge Cowart, les audiences débutèrent à Tallahassee en mai, mais le procès lui-même ne s'ouvrit que le 11 juin. À la fin du mois de mai, des bruits coururent qu'il pourrait y avoir des négociations entre la défense et le juge pour une réduction des charges et pour écarter ainsi Ted du spectre de la chaise électrique.

La chaise électrique était, en Floride, une menace terriblement réelle. Cinq jours auparavant, l'État avait prouvé qu'il allait jusqu'au bout de ses condamnations à mort. John Spenkelink, condamné pour le meurtre d'un ancien camarade de prison en 1973, avait été exécuté le 25 mai. C'était la première exécution capitale aux États-Unis depuis que Gary Gilmore avait été fusillé – à sa demande – dans l'Utah le 19 janvier 1977. C'était aussi la première fois en Amérique qu'un condamné entrait dans la chambre de la mort contre sa volonté depuis 1967.

Ted accusa ensuite Mike Minerva d'exercer des pressions sur lui et de le pousser à plaider coupable pour obtenir une réduction des charges et éviter ainsi la chaise électrique. Minerva voulait abandonner la défense et Ted, qui déclarait à qui voulait l'entendre que son avocat commis d'office était « incompétent », voulait se débarrasser de lui.

Ted réclamait quatre-vingt-dix jours de délai et son équipe de défenseurs une expertise psychiatrique pour déterminer sa capacité juridique – seul moyen de savoir s'il était mentalement et psychologiquement apte à participer à sa défense. Cette dernière requête le fit enrager plus que jamais.

352

Cowart avait cent trente-deux jurés potentiels sous la main et, dix-huit mois s'étant déjà écoulés depuis les agressions de Khi Omega et de la rue Dunwoody, le juge pensait qu'il était grand temps que le procès s'ouvre. Il accepta cependant que la défense procède à l'expertise psychiatrique réclamée.

Deux psychiatres, les Drs Herve Cleckley et Emanuel Tanay, examinèrent Ted au cours de la première semaine de juin. Ils reconnurent avec lui qu'il n'était pas incompétent, mais qu'il faisait preuve d'un certain comportement antisocial. Le Dr Tanay déclara que les troubles de la personnalité qui l'affectaient pouvaient avoir une incidence sur ses rapports avec ses avocats et, de ce fait, constituer une entrave à sa participation à sa défense.

– Sa biographie est riche d'agissements antisociaux, typiques d'un être inadapté, et allant à l'encontre du but recherché.

Le juge Cowart déclara conséquemment Ted apte à subir le procès et lui refusa le droit de renvoyer ses avocats. J'avais écrit à Ted pour le prévenir que j'assisterais à son procès et que je porterais probablement un badge de presse ; c'était pour moi le seul moyen de pénétrer à coup sûr dans la salle du tribunal. Sa haine des journalistes allant en grandissant, je ne voulais pas que Ted me voie au milieu d'une marée de reporters en s'imaginant que j'avais rejoint les rangs du quatrième pouvoir.

Je ne mis jamais les pieds à Tallahassee : le 12 juin, quatre des cinq premiers jurés pressentis ayant dit qu'ils en savaient trop long sur les meurtres de Khi Omega pour pouvoir juger des faits en toute équité, le juge Cowart décréta un changement de juridiction.

Le procès aurait donc lieu à Miami et une liste de session serait dressée pour le 25 juin. Mike Minerva ne participerait pas à la défense. Celle-ci serait constituée des avocats de l'assistance judiciaire du comté de Leon : Lynn Thompson, Ed Harvey et Peggy Good. Tous trois jeunes, bien décidés à faire de leur mieux et malheureusement totalement inexpérimentés. Un avocat de Miami, Robert Haggard, guère plus âgé que les autres, se porta volontaire pour rejoindre la défense. À mon sens, c'était le moins capable du groupe. Peggy Good était sans doute la plus efficace.

Ted aussi avait l'air content d'elle. Il m'en parla avec enthousiasme lors d'un coup de fil qu'il me passa le 28 juin de la prison du comté de Dade, à Miami. Il paraissait confiant et presque grisé. Il reconnut néanmoins qu'il était totalement épuisé.

Le petit déjeuner était servi – Dieu sait pourquoi ! – à 4 h 30 du matin dans la prison du comté. Ted était fatigué, mais tout de même très satisfait de son équipe de défenseurs et du budget qui lui avait été alloué.

– Rien n'est impossible ! L'État nous a donné cent mille dollars pour assurer notre défense. Je suis bien content de ne plus avoir Mike Minerva dans les pattes. J'aime bien mes avocats, et particulièrement le fait d'avoir une femme parmi eux à mes côtés. Jamais je ne ferai appel sur la base de l'inefficacité de mon équipe de défenseurs, pour la simple raison qu'elle est bonne ! J'ai avec moi un spécialiste dans le choix des jurés qui m'aide à les sélectionner. Rien qu'en les regardant, il peut dire ce qu'ils pensent. Par exemple, aujourd'hui, l'un des jurés de la liste a porté sa main droite à son cœur et ce geste a un sens pour mon spécialiste.

Cela étant, même à Miami, la plupart des jurés nommés sur la liste de session avaient entendu parler de Ted Bundy. L'un des jurés retenus, cependant, Estela Suarez, n'avait jamais entendu parler de lui.

– Elle ne lit que les journaux en espagnol ! me déclara Ted avec beaucoup d'enthousiasme. Elle n'a pas cessé de me sourire... Elle n'a pas réalisé que c'était moi, l'accusé !

Ted ne tarissait pas d'éloges sur Carole Ann Boone.

– Elle s'est totalement investie dans ma cause : elle a abandonné son boulot pour venir s'installer ici. Elle garde tous mes dossiers et je lui ai donné l'autorisation de s'adresser aux médias. Pour qu'elle puisse vivre, je lui ai dit de réclamer cent dollars par jour, plus le gîte et le couvert en paiement des interviews.

Ted avait hâte de me voir quand j'arriverais à Miami. Il avait l'air de très bien accepter le fait que je figurerais parmi les journalistes. Il m'assura qu'il ferait tout son possible pour que je puisse accéder à la salle du tribunal.

– Si tu as le moindre problème pour entrer, fais-le-moi savoir. Je suis le chouchou, là-bas ; je t'aiderai.

– Tu dors bien, au moins ? lui demandai-je.

– Comme un ange.

Une seule chose lui était restée en travers de la gorge, c'était le témoignage du Dr Tanay :

– La seule raison pour laquelle j'ai accepté de lui parler, c'est que je pensais que notre conversation serait enregistrée pour le bénéfice de la défense. C'est Brian Hayes, l'avocat de Spenkelink, qui me l'a recommandé. Imagine un peu le choc que j'ai reçu quand Tanay a déclaré devant le tribunal que j'étais dangereux pour moi-même et pour les autres, que j'étais un « sociopathe », que j'avais une personnalité antisociale et que je ne devais pas être laissé en liberté ! C'est seulement à ce moment-là que j'ai compris que l'expertise avait été ordonnée par la cour et non par la défense.

– Tu fumes toujours ?

– J'avais arrêté, mais j'ai acheté un paquet juste avant d'embarquer sur cet avion pour venir ici. Je viens de le terminer. Il m'a duré plusieurs jours ; ce n'est pas si mal que ça.

– As-tu peur pour ta sécurité personnelle ?

– Pas du tout. Je suis beaucoup trop connu – une « cause célèbre », comme qui dirait. Rien ne peut m'arriver ; ils ne le permettraient pas. Ils tiennent à ce que j'arrive sain et sauf au tribunal.

Ted semblait être parfaitement maître de la situation. Il m'expliqua comment le procès se déroulerait : les cent cinquante témoins seraient préalablement entendus et l'on déciderait s'ils devaient être admis ou non lors du procès proprement dit. Puis il m'expliqua les deux autres phases : le procès lui-même et la condamnation, ajoutant que des personnes hostiles par conviction à la peine de mort avaient été autorisées à faire partie du jury.

– Qu'est-ce qu'ils passent à la télévision à Seattle ? me demanda Ted. On y parle beaucoup de moi ?

– Assez, oui. Je t' ai vu te présenter aux jurés de la session, à Tallahassee. Tu avais l'air très sûr de toi.

Cela lui plut.

Je n'avais aucun moyen de savoir si Ted était véritablement

aussi confiant qu'il le montrait. Quand je le vis au tribunal, à Miami, il avait l'air de croire qu'il pouvait – et allait – gagner. Au bout d'une heure de conversation – qui, me précisa-t-il, avait été écoutée par ses gardiens –, nous raccrochâmes après nous être promis de nous revoir à Miami cette fois.

Ted refusa de faire des pronostics sur l'issue du procès pour les journalistes.

– Si j'étais l'entraîneur d'une équipe de football, je te dirais qu'on ne commence pas à songer à la finale avant même d'avoir joué le premier match de la saison.

Le Dr Emil Spillman, l'hypnotiseur ayant fait office d'expert auprès de Ted lors de la sélection des jurés, déclara à la presse que Bundy avait choisi lui-même son jury. Ils avaient entendu soixante-dix-sept jurés potentiels et Spillman pensait que Ted avait écarté dix-sept ou dix-huit jurés présentant « le profil affectif idéal ». En haussant les épaules, Spillman ajouta :

– Il a écarté des jurés absolument fantastiques ! Mais je lui ai dit : « C'est votre vie qui est en jeu, pas la mienne. »

Les douze jurés finalement retenus, plus trois jurés suppléants, étaient en majorité des petits employés d'âge moyen. Ted, et Ted seulement, les avait choisis. Ce serait à eux de décider si le jeune homme originaire de Tacoma, Washington, devait mourir ou non.

Il s'agissait effectivement de sa propre vie.

40

Je m'envolai de Seattle pour Miami à 1 heure du matin le 3 juillet. On m'avait promis que j'aurais une accréditation de journaliste dès mon arrivée.

L'avion franchit la ligne de fracture du nycthémère : je vis poindre l'aube sur ma gauche tandis qu'il faisait encore nuit noire sur ma droite. Une heure d'escale à Atlanta à 6 heures du matin, puis ce fut un autre avion et Miami. Les terres marécageuses des Everglades s'étendaient à perte de vue. Uniformément plate et très étendue, Miami m'apparut comme l'antithèse même de Seattle, qui est bâtie sur une succession de collines.

Dès que je sortis de l'aéroport, la chaleur tropicale d'un mois de juillet en Floride s'abattit sur moi telle une chape de plomb. Les brusques orages qui éclataient soudainement en fin d'après-midi en déversant de grosses gouttes d'eau chaude ne modifiaient en rien l'épaisseur oppressante de l'air ambiant. La tombée de la nuit n'apportait aucun répit comme dans le Nord-Ouest. La vue des palmiers omniprésents me donnait le mal du pays.

Je laissai mes bagages à l'hôtel et fonçai au palais de justice du comté de Dade – où aurait lieu le procès de Ted. Un complexe tout neuf relié par un pont aérien au bâtiment de la Protection civile, où Ted était retenu prisonnier. Je perçus aussitôt un très haut niveau de sécurité. Personne ne pouvait emprunter les ascenseurs donnant accès aux étages supérieurs sans décliner son identité et recevoir un badge. Badge qui me permettait d'accéder au bureau des relations publiques, qui me délivra un autre badge sur la foi de mes accréditations, pour me permettre d'entrer dans la salle du tribunal. Les autorités de Miami ne prenaient aucun risque !

La totalité du huitième étage de l'immeuble abritant le palais de justice avait été réservée à la presse. Je n'avais jamais rien vu d'équivalent. L'activité qui régnait sur les lieux était frénétique ; trois douzaines de récepteurs de télévision en circuit fermé retransmettaient ce qui se passait à l'audience, cinq étages plus bas ; les pièces grouillaient de présentateurs, de techniciens, de journalistes-reporters, et tout ce monde regardait, notait, montait, diffusait... La cacophonie ne semblait gêner personne. L'air était saturé de fumée de cigarette, le sol jonché de gobelets. Les moquettes étaient recouvertes de réseaux de fils électriques et de câbles de transmission.

D'une seule et unique caméra placée dans la salle du tribunal au troisième, un câble montait le long du mur extérieur du bâtiment jusqu'à un central de contrôle où des amplificateurs raccordés en série distribuaient les signaux sur les trois réseaux à la fois. Au septième étage, un émetteur parabolique envoyait les signaux à un récepteur du centre-ville, lequel les transmettait ensuite par câble à un réseau spécial de télévision.

Je sortis de l'ascenseur au troisième étage et me dirigeai vers la salle d'audience. J'étais terrifiée à l'idée de m'aventurer ainsi sur un territoire sans références, presque sur le point de voir culminer brusquement quatre années d'inquiétude et d'ambivalence dans mes sentiments.

La salle était octogonale et de vastes dimensions, lambrissée de bois tropicaux avec des garnitures en cuivre derrière les bancs de marbre. Du toc ? Peut-être bien. Des luminaires blancs, aqueux, rouges et bordeaux pendaient du plafond.

Les trente-trois sièges réservés à la presse se trouvaient sur la droite en entrant ; en face, ceux réservés aux agents de la force publique. Une centaine d'autres sièges étaient disposés au-delà pour l'assistance. Il n'y avait pas de fenêtres mais le prétoire était climatisé.

Je pris place dans la tribune réservée à la presse, au milieu d'inconnus qui allaient devenir des amis : Gene Miller, du *Miami Herald*, Tony Polk, du *Rocky Mountain News* de Denver, Linda Kleindienst et George McEvoy, du *Fort Lau-*

derdale News et du *Sun-Sentinel*, George Thurston, du *Washington Post*, Pat McMahon, du *St-Petersburg Times*, Rick Barry, du *Tampa Tribune*, Bill Knowles, de la chaîne ABC... tous gribouillant de notes, chacun à leur manière. Ted jeta un coup d'œil dans notre direction, me reconnut, sourit et me fit un clin d'œil. Il ne paraissait guère plus vieux que la dernière fois que je l'avais vu et était impeccablement habillé en costume et cravate. Cela me fit un drôle d'effet – comme si le temps s'était arrêté pour lui. Le souvenir du *Portrait de Dorian Gray* me traversa l'esprit ; le temps avait passé, j'étais devenue grand-mère, et Ted était toujours comme je l'avais connu en 1971, peut-être même plus beau.

Je fis du regard le tour du prétoire et reconnus des visages et des expressions que j'avais déjà vus dans des dizaines de tribunaux : ceux d'hommes et de femmes âgés, tirés à quatre épingles, dont toute la vie se résumait à assister à des procès, des femmes au foyer, un prêtre... Des rangs compacts d'agents en uniforme.

Le premier rang, juste derrière Ted et son équipe de défenseurs, était rempli de jeunes femmes. Ce serait le cas chaque jour. Avaient-elles la moindre idée de leur degré de ressemblance avec les victimes présumées de l'accusé ? Elles ne quittaient pas Ted des yeux, rougissant et gloussant quand il se retournait pour leur darder un sourire étincelant – ce qu'il faisait souvent. Dans les couloirs, certaines avouaient aux journalistes qu'il leur faisait peur, mais qu'elles ne pouvaient s'empêcher de s'approcher de lui. Cette fascination qu'exerce un tueur supposé sur certaines femmes, comme s'il était une sorte d'ultime représentation de la virilité, est un syndrome assez commun.

Par une sorte d'accord tacite, ce premier rang avait été réservé aux « groupies de Ted ». Je dois reconnaître que je n'avais jamais assisté jusque-là à un procès avec tant de jolies femmes – y compris les témoins de la résidence Khi Omega, les victimes survivantes, et même les éléments féminins de la police et des journalistes.

Le jury n'assista pas à ces premiers jours d'audience. Nous en étions encore aux préliminaires et Cowart n'avait toujours pas tranché sur ce qui serait ou non présenté lors du procès proprement dit.

La défense voulait que plusieurs des témoins assignés par l'État soient écartés : Connie Hastings et Mary Ann Piccano, qui avaient vu l'inconnu à la discothèque *Sherrod's* le samedi soir de l'agression ; Nita Neary, la résidente de Khi Omega qui avait vu l'homme armé du gourdin ; le Dr Souviron, qui avait effectué une analyse comparative des traces de dents ; Bob Hayward, qui avait arrêté Ted dans l'Utah ; Carol DaRonch ; Norman Chapman et Don Patchen, qui avaient procédé à l'interrogatoire de Ted à la mi-février à Pensacola.

Nita Neary était à la barre au moment où je pénétrai dans le prétoire. Elle venait d'être harcelée par la défense et était au bord de la crise de larmes – mais elle restait ferme.

– L'homme que vous avez vu est-il présent en ce moment dans cette salle ?

– Oui.

Mais elle voulait le voir de profil. Cowart ordonna à tous les hommes présents de se présenter de profil. Nita parut hésiter à regarder directement Ted. Puis elle finit par lever un bras, d'un geste un peu mécanique et, toujours en gardant les yeux baissés, par pointer un doigt en direction de l'accusé.

Ted se pencha vers le greffier et lui dit (en parlant de lui-même) :

– C'est M. Bundy...

La défense l'interrogea encore. Elle était absolument certaine de ce qu'elle avançait. Le juge Cowart déclara son témoignage à charge recevable : c'était un coup pour la défense.

Ronnie Eng, le « joli cœur » de la sororité – que Nita Neary avait d'abord cru reconnaître –, était aussi présent, même s'il avait été mis hors de cause par le détecteur de mensonges. Debout, là, à côté de Ted Bundy, il n'y avait pas la moindre ressemblance entre eux. Ronnie était plus petit, il avait le cheveu noir et le teint sombre. Il témoigna en souriant timidement.

Grande, solidement bâtie, âgée de trente-deux ans, portant d'épaisses lunettes et des cheveux sombres coupés court – sans raie au milieu –, Carole Ann Boone assistait au procès. Elle souriait rarement et transportait tout le temps des liasses de rapports. L'accusé seul semblait l'intéresser. L'audience suivante donna lieu à l'un des plus curieux épisodes que j'aie vu se dérouler dans un tribunal. Le sergent Bob Hayward, de la police de la route de l'Utah, fut appelé à la barre des témoins pour décrire l'arrestation de Ted en août 1975. Ted Bundy joua successivement les rôles d'accusé, d'avocat de la défense, puis de témoin. Il soumit Hayward à un contre-interrogatoire, puis prit la place du témoin et subit un contre-interrogatoire mené par Danny McKeever. Ted voulait absolument que le témoignage relatif à son arrestation dans l'Utah soit écarté de la procédure. Selon lui, les pièces à conviction avaient été saisies lors d'une fouille illégale de son véhicule et n'avaient donc aucune valeur juridique. Cowart finirait par supprimer ce témoignage – non pas pour les raisons invoquées par Ted, mais parce qu'il trouvait cette histoire beaucoup trop éloignée dans le temps.

Cette décision était un coup porté à l'accusation en ce sens qu'elle n'avait plus la possibilité de comparer devant le jury le collant-masque saisi dans l'Utah lors de l'arrestation de Ted et celui trouvé sur les lieux du crime de la rue Dunwoody.

Cowart écarta ensuite les témoignages des détectives Chapman et Patchen et l'enregistrement réalisé à Pensacola. L'accusation n'en revenait pas. Le jury ne saurait rien de tout cela ! Rien de l'évasion, rien des cartes de crédit volées, rien de ses aveux sur son « vampirisme », son « voyeurisme » et ses « fantasmes » ! Cowart trouvait que l'enregistrement recelait trop peu d'éléments concrets en regard des conversations prétendument tenues par la suite, et les charges concernant le vol des cartes de crédit n'étaient pas au nombre de celles pour meurtre qu'il jugeait actuellement.

L'accusation ne disposait plus que des témoignages de Nita Neary et du Dr Richard Souviron. Le reste serait accessoire.

41

Le samedi 7 juillet à midi, le juge Cowart se déclara prêt à ouvrir le procès. Ted s'y opposa. Il était fatigué, ses avocats étaient fatigués et il souhaitait que l'audience fût ajournée jusqu'au lundi. Cowart ne voulut pas en entendre parler.

— Vous disposez de quatre avocats à Miami, d'un enquêteur, et deux étudiants en droit vous assistent. En ce qui me concerne, je ne vois aucune raison d'attendre plus longtemps. Il n'est pas rare, dans cette circonscription, que la Cour siège jusqu'à minuit. De plus, chaque minute que vous avez passée ici, j'y étais aussi et regardez-moi : je suis frais comme un gardon.

— Mes avocats ne sont pas prêts !

— L'audience aura lieu, monsieur Bundy.

Ted explosa :

— Dans ce cas, elle aura lieu sans moi, Votre Honneur !

— Comme vous voudrez, répondit imperturbablement Cowart tandis que Ted bougonnait.

Mais le procès s'ouvrit et Ted était présent quand le jury fit son entrée pour la première fois.

Larry Simpson exposa les faits pour l'accusation. Il schématisa le déroulement des agressions de Khi Omega et de la rue Dunwoody sur un tableau noir, tout en énumérant les noms des victimes et les charges retenues contre l'accusé : effraction, meurtre avec préméditation sur la personne de Lisa Levy ; meurtre avec préméditation sur la personne de Margaret

Bowman ; tentative d'assassinat sur la personne de Kathy Kleiner ; tentative d'assassinat sur la personne de Karen Chandler ; effraction ; tentative d'assassinat sur la personne de Cheryl Thomas.

L'exposé fut très professionnel et Simpson ne montra que peu d'émotion. L'ensemble était clair et concis.

Ted avait choisi Robert Haggard, qui ne travaillait sur le dossier que depuis deux semaines, pour présenter la version des faits de la défense. Cowart l'avait exhorté à attendre que la parole lui soit donnée pour qu'il intervienne, mais Ted voulut aller de l'avant. Haggard parla pendant vingt-six minutes, s'égara, et Cowart retint vingt-trois des vingt-neuf objections présentées par l'accusation.

Même Ted aurait pu faire mieux, pensai-je.

Ted choisit de soumettre l'agent Ray Crew à un contre-interrogatoire sur le détail de ses actes à son arrivée à la résidence Khi Omega le matin des meurtres. J'ignore ce que pouvaient bien penser les jurés pendant que Ted demandait à Ray Crew des informations relatives à l'état dans lequel se trouvaient le corps de Lisa Levy et les chambres où les meurtres avaient été commis, mais tout cela me parut assez grotesque. Se pouvait-il que ce jeune avocat, qui s'exprimait sur un ton si tranquille et désinvolte, ait causé de ses mains ces terribles blessures ? Il menait son interrogatoire sur un ton entièrement détaché.

— Décrivez-nous l'état de la chambre de Lisa Levy.

— Des vêtements pendus ici et là, un bureau, des bouquins... un peu de désordre.

— Y avait-il du sang ailleurs qu'aux endroits que vous nous avez précisés tout à l'heure ?

— Non.

— Décrivez-nous l'état du corps de Margaret Bowman.

— Elle gisait sur le ventre, la bouche et les yeux ouverts. Un bas de nylon était noué autour de son cou ; elle avait la tête croûtée de sang et le visage décoloré.

Ted avait voulu démontrer que le policier avait manqué aux règles élémentaires de précaution et avait laissé ses propres empreintes dans la pièce ; au lieu de cela, il ne réussit qu'à imposer à l'esprit des jurés une image horrible des faits.

Puis ce fut un défilé continu de jeunes femmes, victimes et témoins à charge : Melanie Nelson, Nancy Dowdy, Karen Chandler, Kathy Kleiner, Debbie Ciccarelli, Nancy Young, Cheryl Thomas, toutes vêtues de coton, drapées d'innocence et de vulnérabilité.

Aucune marque extérieure ne trahissait les blessures qu'avaient subies Karen et Kathy ; les commotions et les ecchymoses étaient guéries depuis longtemps, les broches dans les mâchoires ôtées. Ce ne fut que lorsqu'elles ouvrirent la bouche pour témoigner que l'on put se rendre compte de toute l'horreur à laquelle elles avaient survécu. Pas une fois elles ne regardèrent Ted Bundy.

Les choses furent plus difficiles pour Cheryl Thomas. Elle boitait quand elle traversa le prétoire pour aller rejoindre le siège réservé aux témoins et s'assit de telle façon que son oreille droite fût tournée en direction du procureur : elle était restée totalement sourde de l'autre oreille.

Elle témoigna d'une voix douce, souriant souvent avec timidité. Sagement, la défense choisit de ne pas faire subir de contre-interrogatoire aux jeunes femmes.

Le Dr Thomas Wood, qui avait pratiqué les autopsies sur les corps des victimes, vint témoigner à son tour. Les effroyables photographies circulèrent parmi les jurés silencieux. Les femmes semblaient mieux supporter le choc que les hommes, qui pâlirent et grimacèrent d'horreur.

Il y avait plusieurs clichés des fesses de Lisa Levy – sur lesquels les traces de dents étaient clairement visibles. Il y avait aussi un gros plan de la tête de Margaret Bowman, que le juge Cowart, faute d'un meilleur terme, avait appelé la photo du « trou-dans-la-tête », et un autre du sein droit de Lisa Levy, avec le mamelon à moitié arraché d'un coup de dents.

Je n'avais pas pu voir Ted ni lui parler en privé. Il n'avait pas la liberté de bavarder avec des membres de l'assistance comme il l'avait cru. À chaque suspension d'audience, on lui passait les menottes et il était conduit dans une petite pièce de l'autre côté du couloir. Quand l'audience fut suspendue jusqu'au lendemain à la fin de cette journée, je me postai dans le couloir pendant un moment. Ted apparut, portant son habituelle liasse de documents entre ses mains menottées, et passa à quelques mètres. Il se tourna vers moi, me sourit, haussa les épaules et s'éloigna.

En Floride, les journalistes sont autorisés à examiner les pièces à conviction présentées. J'attendis donc que le greffier nous les apporte. Des miasmes, réels ou imaginaires ; semblaient s'en échapper. L'humour noir, ce trait commun à tous les membres de la profession, nous avait déserté.

– On ne rigole plus, maintenant, on dirait..., dit paisiblement Tony Polk.

Non, on ne rigolait plus.

Il y avait là tous les collants-masques – y compris celui saisi par le sergent Bob Hayward dans l'Utah –, d'une ressemblance frappante les uns avec les autres ; le garrot qui avait servi à étrangler Margaret Bowman, encore imprégné de sang ; et toutes les photographies... des clichés grand format en couleurs des blessures qu'avaient subies toutes ces filles assez jeunes pour être les miennes – des dommages corporels censés avoir été causés par un homme que je connaissais, un homme qui, quelques minutes auparavant, m'avait souri comme autrefois en haussant les épaules, comme pour me dire : « Je n'ai rien à voir avec tout ça. »

J'en avais pourtant vu des milliers, dans ma vie et ma carrière, des photographies de cadavres – j'avais vu celles des corps de Kathy Devine et de Brenda Baker, dans le comté de Thurston – et j'avais appris à les regarder avec un certain détachement. Mais là, je fus emportée par une vague de nausées qui me fit courir aux toilettes pour vomir.

42

Pour certains journalistes, le procès Bundy n'était rien qu'une histoire de plus ; d'autres, en revanche, paraissaient mal à leur aise, impressionnés par le gâchis de vies humaines. Une grande tragédie se jouait devant nous et sa portée dépassait de loin la simple notion de gros titres.

Au troisième étage, l'atmosphère générale au sein du public était à la colère, à la vengeance. Alors que je faisais la queue pour passer sous le détecteur de métal et me soumettre à la fouille obligatoire avant d'entrer dans le prétoire, j'entendis deux hommes bavarder derrière moi.

– Ce Bundy, il ne quittera pas la Floride vivant... Il aura ce qui lui pend au nez.

– On devrait le traîner dehors et le clouer au mur par la peau des couilles et le laisser là jusqu'à ce qu'il crève. Et ça serait encore trop bon pour lui !

Je me retournai à moitié pour les regarder : deux hommes d'un certain âge, qui avaient l'air de grands-pères sympathiques. L'opinion publique de Floride.

L'hostilité du public gonflait à mesure que le procès avançait. Les jurés pouvaient-ils le sentir ? Étouffaient-ils eux-mêmes leur propre colère ? Impossible à dire en les voyant. Il y en avait toujours un ou deux qui s'endormaient lors des longues séances de l'après-midi.

Ted jetait régulièrement des coups d'œil vers la tribune de presse pour voir si je m'y trouvais ; il me souriait toujours faiblement. Chaque jour, ses yeux se creusaient davantage, comme si quelque chose en lui se ratatinait pour ne plus laisser qu'une enveloppe extérieure épuisée assise à la table de la défense.

Malgré le long défilé de jeunes femmes et la parade d'agents et d'officiers de police à la barre des témoins, le bruit courait que Ted allait gagner. Beaucoup d'éléments le concernant avaient été dissimulés au jury.

Danny McKeever accorda à la presse de courts entretiens au cours desquels il exprima ses inquiétudes – fait rare pour un procureur.

Robert Fulford, le gérant de la pension du Chêne, vint témoigner sous serment de sa première prise de contact avec Chris Hagen :

– Quand est venu le terme, il n'avait pas l'argent du loyer. Il m'a dit qu'il allait appeler sa mère dans le Wisconsin et qu'elle allait le lui envoyer. Je l'ai entendu appeler et il à eu l'air de parler à quelqu'un, mais il ne s'est jamais présenté avec l'argent. Quand je suis revenu le voir, deux jours plus tard, il avait vidé les lieux.

Puis ce fut le tour de David Lee, qui vint relater les circonstances de l'arrestation de Ted Bundy à Pensacola à l'aube du 15 février.

Le jour suivant, le 17 juillet, Ted n'apparut pas au tribunal. Des murmures emplirent la salle d'audience. Ted était toujours présent. La tribune de presse s'interrogeait. Quelque chose n'allait pas.

Marty Kratz, le surveillant chargé de Ted Bundy, vint expliquer au juge Cowart que Ted leur avait causé quelques ennuis. Vers 1 heure du matin, il avait lancé une orange entre les barreaux de sa cellule et réussi à briser l'une des lampes disposées à l'extérieur pour lui offrir un meilleur éclairage. Les surveillants l'avaient immédiatement placé dans une autre cellule et avaient fouillé la première. Ils y avaient trouvé, soigneusement cachés, des éclats d'ampoule électrique. Pour quoi faire ? Suicide ? Évasion ?

– Quand nous avons voulu l'emmener au tribunal ce matin, poursuivit Kratz, nous n'avons pas pu introduire la clé dans la serrure de sa cellule. Il l'avait bourrée avec du papier hygiénique.

Ils lui avaient rappelé qu'il était attendu au tribunal et Ted avait répondu :

-- Je m'y rendrai quand je le déciderai !

Cowart n'entendit pas cela d'une bonne oreille et envoya les avocats de Ted le chercher pour le ramener en vitesse.

Ted arriva à 9 h 30. Il était de très mauvaise humeur et clamait qu'il n'était pas satisfait du tout de la manière dont il était traité en prison. Quand il s'adressa à Cowart, sa voix se brisa, au bord des larmes :

– Il y a un moment où je ne puis plus opposer d'autre résistance que passive... J'ai des réserves... voyons... voyons... Je n'ai utilisé que la partie non violente de mes réserves. Il y a un moment où je dois dire « oh »...

– Oh ! répondit Cowart. Si vous dites « oh ! », je vais devoir utiliser les éperons...

Ted fit ensuite une erreur tactique. Il se mit à dresser la liste de ses droits qui avaient été violés en agitant son doigt en direction du juge Cowart. Cowart le prit très mal.

– N'agitez pas ainsi votre doigt devant moi, jeune homme...

Bundy l'inclina alors vers la table de la défense.

– C'est mieux, fit Cowart. Vous pouvez l'agiter sous le nez de M. Haggard...

– Il le mérite probablement plus que vous. Depuis trois semaines que je suis ici, je n'ai été conduit que trois fois à la bibliothèque de droit.

– C'est ça, et en trois occasions, pas moins, vous vous êtes contenté de vous asseoir et de bavarder avec le sergent Kratz. Vous n'avez jamais fait le moindre usage de cette bibliothèque.

– Ce n'est pas vrai. Cette bibliothèque est une blague ! Mais on y est quand même plus tranquille pour y lire que dans le parloir. La manière dont je suis traité ici est injustifiée ! Je subis une fouille intégrale à chaque fois que j'ai vu mes avocats ; c'est insensé ! J'en ai assez !

Cowart prit alors le ton habituellement utilisé pour réprimander un enfant gâté :

– Cette Cour va poursuivre selon l'ordre préétabli en se passant de vos interruptions volontaires. Il n'en sera plus question. Je veux que vous en discutiez avec vos conseillers.

368

Connaissez vos droits, mais sachez aussi que cette Cour est capable d'autant de fermeté qu'elle montre actuellement de tolérance. Je souhaite simplement que vous restiez avec nous. Sinon, vous nous manquerez.

Bundy acheva la discussion par une remarque empreinte d'un humour acerbe :

– Et tous ces gens ne paieront plus pour venir me voir.

Nita Neary avait de nouveau témoigné – devant jury cette fois – et avait désigné Ted Bundy comme l'homme qu'elle avait vu quitter la résidence Khi Omega juste après que les meurtres eurent été commis. L'accusation allait maintenant tirer sa dernière cartouche, la plus puissante de toutes : le témoignage du Dr Richard Souviron, l'expert médico-légal en odontologie.

Bel homme, soigné de sa personne, Souviron avait un certain sens de la dramaturgie et parut prendre plaisir à sa prestation devant les jurés. Il tenait une baguette à la main et s'en servait pour désigner les dents une par une sur un agrandissement photographique de la bouche de Ted Bundy. Ce cliché avait été pris plus d'un an avant, à la suite du mandat délivré contre Ted dans la prison du comté de Leon pour le conduire chez un dentiste.

Le jury paraissait fasciné. Les témoignages relatifs aux tests sérologiques pratiqués sur les taches de sperme et à la micro-analyse des cheveux l'avaient quelque peu égaré, mais il suivit cette démonstration-là avec beaucoup d'attention.

Le prélèvement de chair effectué sur la fesse de Lisa Levy avait été détruit lors d'analyses comparatives à la suite d'une mauvaise préservation. Seule une photographie à l'échelle des traces de morsures restait. Cela suffirait-il ?

Souviron expliqua que les dents de chaque individu présentaient des particularités qui leur étaient propres : alignement, irrégularités, éclats, taille, tranchant... et que toutes ces caractéristiques réunies les rendaient uniques en leur genre. De l'avis de Souviron, les dents de Ted Bundy étaient particulièrement remarquables.

D'un geste théâtral, il accrocha l'agrandissement des fesses de Lisa Levy portant les marques violacées de dents sur le tableau de démonstration disposé à cet effet devant le jury, puis il plaça par-dessus une feuille de celluloïd transparente sur laquelle avait été reproduite à l'échelle une photo des dents de l'accusé.

– Elles s'adaptent parfaitement !

Souviron continua en expliquant la « double morsure » :

– La personne a mordu une fois, puis s'est tournée de côté et a mordu une seconde fois. Les dents supérieures sont restées à peu près dans la même position, mais les dents inférieures – qui ont mordu plus fort – ont laissé deux arcs de cercle.

Souviron ajouta que la seconde morsure avait facilité l'examen comparatif en fournissant un support d'analyse supplémentaire.

– Docteur, demanda alors Simpson, en vous basant sur votre analyse et sur la comparaison avec ces traces de morsures en particulier, pouvez-vous nous dire, avec un degré raisonnable de certitude, si les dents représentées sur cette photographie, c'est-à-dire celles de Theodore Robert Bundy, et les moulages dentaires présentés comme pièces à conviction numéros quatre-vingt-cinq et quatre-vingt-six par le ministère public sont ou non à l'origine des traces de morsures que vous nous présentez ?

– Oui.

– Et quelle est votre opinion ?

– Elles sont à l'origine des traces.

C'était la première fois – la toute première fois – depuis 1974, qu'une preuve matérielle liait indissociablement Ted Bundy à une victime... Le public explosa.

La défense, bien sûr, chercha à démontrer que l'odontologie médico-légale était encore une science balbutiante, non encore universellement acceptée, et que la certitude qu'elle apportait pouvait de ce fait être mise en cause. Ed Harvey se chargea du contre-interrogatoire pour la défense :

– L'analyse de traces de morsures est moitié science, moitié art, n'est-ce pas ?

– On peut dire cela.

– Et ses résultats dépendent en grande partie de l'expérience et de la formation de la personne y procédant ?

– Oui.

– Et vos conclusions sont en réalité une question d'opinion, je me trompe ?

– Pas du tout.

– Existe-t-il un moyen de vérifier, à partir d'une denture donnée et d'une région charnelle donnée, cuisse ou mollet, si les dents en question laisseront à chaque fois la même trace de morsure ?

Souviron se permit de sourire.

– Tout à fait. J'ai moi-même procédé à l'expérience. J'ai fait des moulages et me suis rendu à la morgue où j'ai appliqué ces moulages sur la région fessière de plusieurs individus différents et les ai photographiés. Les marques peuvent effectivement être répétées en série et elles restent identiques.

Harvey feignit l'incrédulité.

– Vous avez dit « cadavres » ? Ai-je bien entendu ?

– Je n'ai pas pu trouver de volontaire vivant.

Harvey chercha un défaut dans la cuirasse du raisonnement, mais ne put rien trouver. Souviron poussa son explication encore plus loin et les jurés se penchèrent en avant, attentifs à ce qu'il allait dire.

– Les chances pour tomber sur une denture tout à fait identique à celle de M. Bundy, avec la même amplitude d'arc, la même usure des incisives, le même alignement irrégulier, le même positionnement relatif des cuspides, la même brèche dans l'incisive latérale, etc., sont les mêmes que de retrouver une aiguille dans une botte de foin. Tout cela combiné aux trois marques relevées sur les incisives supérieures, et les chances contre relèvent du calcul astronomique.

L'accusation appela ensuite le Dr Lowell J. Levine, expert-conseil en odontostomatologie auprès de l'Institut médico-légal de New York, dont le témoignage devait confirmer et renforcer celui apporté par le Dr Souviron. Levine déclara qu'à son avis Lisa Levy – ou la personne à qui appartenaient les chairs reproduites sur les photographies qu'il avait étudiées – avait été « passive » au moment de la morsure.

– Il n'y a que très peu de traces de mouvements ou d'ondu-

371

lations-contractions, comme c'est généralement le cas quand les dents transpercent la peau et que les tissus réagissent. Ça ressemble presque à une morsure d'animal qui refuse de lâcher sa proie. Ces marques ont été faites lentement et la personne était inerte.

Mike Minerva, apparemment rentré en grâce auprès de Ted Bundy, se chargea du contre-interrogatoire.

– Lorsque vous parlez d'un « degré raisonnable de certitude », vous voulez parler d'une sorte de probabilité, n'est-ce pas ?

– D'un très haut degré de probabilité, oui.

Minerva essaya, en vain, de faire passer cette « nouvelle science » pour « imprécise » et « peu fiable ». Le Dr Levine ne se laissa pas manœuvrer et affirma :

– ... à mon avis, il est matériellement impossible de retrouver ailleurs un ensemble identique de caractéristiques dentaires concomitantes.

– Diriez-vous que l'odontologie est une science relativement nouvelle, reconnue seulement depuis peu en médecine légale ?

– Non, je ne dirais pas ça. Historiquement, on peut remonter jusqu'au XVIIIe siècle. Un témoignage s'appuyant sur ce procédé d'identification a été reçu par un tribunal du Massachusetts à la fin du XIXe siècle, et la législation témoigne de ce genre d'affaires depuis vingt-cinq ans. Qu'y a-t-il de nouveau là-dedans ?

L'accusation terminait son exposé des faits en beauté. Ted regarda le moulage de ses dents et la photographie de la morsure sur la fesse de Lisa.

À quoi pouvait-il bien penser à cet instant ?

43

L'insistance de Ted à soumettre Ray Crew à un contre-interrogatoire, l'officier qui avait pénétré le premier dans les chambres de la résidence Khi Omega dans la nuit du 14 au 15 janvier, avait été une erreur. Robert Haggard en profita pour rendre son tablier. L'accusation ne permettrait désormais plus à Ted de faire subir de contre-interrogatoires à d'autres témoins.

À partir du 20 juillet, la parole fut à la défense. Ted commença par dénigrer ses avocats – les mêmes dont il m'avait chanté les louanges au téléphone. Il accusa Mike Minerva de l'avoir laissé tomber sans crier gare – alors qu'il l'avait lui-même remercié !

– Je n'ai pas eu non plus mon mot à dire dans le choix de Bob Haggard pour me représenter ici, à Miami. En bref, on ne m'a pas demandé une seule fois mon avis sur ceux qui devaient me représenter. Je pense qu'il est aussi important de noter qu'il existe entre moi et mes avocats certains problèmes de communication qui ont diminué l'impact de mon équipe de défenseurs, défenseurs que je n'ai pas choisis et avec qui je suis en désaccord.

Ted se plaignit encore : ses avocats ne l'écoutaient pas, ils ne voulaient pas le laisser prendre de décisions et s'opposaient à ce qu'il soumette à un contre-interrogatoire des témoins en présence des jurés.

Cowart en fut sidéré :

– Je n'ai jamais vu ni entendu parler, dans toute ma carrière, d'un inculpé qui ait bénéficié de l'aide d'autant de

373

conseillers d'une telle qualité. Pas moins de cinq avocats vous représentent ici ! C'est du jamais-vu ! Cette Cour s'est attachée, avec beaucoup de soin, à ce que vous soyez consulté avant que chaque témoin ne prête serment et les minutes de ce procès feront état de centaines de « un moment s'il vous plaît » où vos avocats sont allés s'entretenir avec vous. En vingt-sept ans de carrière, je n'ai jamais rien vu de semblable !

Mais Ted restait inflexible. Il voulait, de nouveau, assurer seul sa défense. Cowart déclara qu'il ne s'y opposerait pas, mais le prévint qu'un avocat qui se représentait lui-même avait un idiot pour client, ce à quoi Ted répondit :

– J'ai toujours envisagé cet axiome comme signifiant que celui qui répare sa propre voiture a un idiot pour mécanicien. Tout dépend de la somme de travail que l'on est prêt à investir.

On peut penser que Ted voulait s'assurer que les minutes du procès montrent bien qu'il n'avait pas eu l'avocat de son choix. Le nom de Millard Farmer ne fut à aucun moment mentionné, mais le sous-entendu était très clair.

Une fois de plus, Ted reprit la direction des opérations, ses avocats se contentant du rôle de « conseillers ». La défense ne présenterait pas d'alibis et sa tactique consisterait à essayer de nier les arguments présentés par l'accusation.

Le Dr Duane DeVore, professeur de chirurgie bucco-dentaire à l'université du Maryland, déclara sous serment que les traces de morsures n'étaient pas uniques – bien que les dents le soient.

DeVore produisit quatre moulages de dentures appartenant à quatre jeunes gens du Maryland qui auraient pu laisser les mêmes traces dans les chairs de la victime. Mais il dut reconnaître, quand Larry Simpson le lui demanda, que les dents de Ted Bundy avaient aussi pu laisser ces marques.

Michael J. Grubb, expert en sérologie à l'Institut médico-légal d'Oakland, déclara – une fois encore au terme d'un long discours pétri de termes scientifiques et techniques – que le sperme trouvé sur les draps de Cheryl Thomas n'avait pu être émis par Ted Bundy.

Essayant de sauver la vie de son client, Ed Harvey réclama alors une autre évaluation des aptitudes de Ted :

– Il y va de la vie de cet homme. Personne ne devrait

l'obliger à accepter les services d'avocats commis d'office et en lesquels il n'a aucune confiance. Sa conduite est révélatrice des effets débilitants de ses troubles psychiques, elle reflète un manque total de discernement et une inaptitude complète à communiquer avec ses propres avocats.

Danny McKeever s'y opposa, affirmant qu'il trouvait l'accusé « parfois retors et difficile à cerner... mais compétent ».

Ted sourit. Tout, plutôt que d'être considéré comme incapable.

Le juge Cowart aussi trouvait Ted Bundy juridiquement capable et la défense parvint à un compromis : Ed Harvey et Lynn Thompson resteraient, Peggy Good se chargeant du plaidoyer final. Bundy déclarerait un peu plus tard :

– Je me sens vraiment, vraiment bien...

Je n'avais pas eu l'occasion de voir Ted seul à seul depuis mon arrivée à Miami, et je ne pouvais donc pas juger de sa capacité juridique. La question était de savoir si cet ébranlement délibéré qu'il faisait subir à son équipe de défenseurs était une manœuvre calculée de sa part pour attirer davantage l'attention sur lui. Ou alors il fallait admettre qu'il avait perdu toute rationalité et qu'il se trouvait sous l'emprise d'une sorte d'égocentrisme qui occultait ses réflexes de survie. Je ne pouvais observer son comportement ailleurs que dans la salle d'audience et il me paraissait s'enfoncer tout droit dans l'autodestruction.

Ted continuait de dénigrer ses avocats. Bien sûr, ils manquaient un peu de pratique et d'expérience, mais il fallait reconnaître que Simpson et McKeever, pour l'accusation, ne s'étaient pas non plus montrés particulièrement brillants. D'un bout à l'autre, le procès Bundy était placé sous le signe de la médiocrité ; seul le juge Cowart avait su se montrer à la hauteur de sa responsabilité. En tout cas, si Ted avait voulu marcher main dans la main avec ses avocats au lieu de leur mettre des bâtons dans les roues, il aurait peut-être pu bénéficier d'une défense plus efficace. En fait, et malgré quelques flottements dans leur tactique, ils auraient peut-être pu le sauver... s'il les avait laissés faire !

Il me semblait pourtant que quelque chose allait arriver que personne ne pouvait plus empêcher. Nul n'avait plus le moindre pouvoir sur le verdict qui allait tomber. La vérité avait probablement été perdue quelque part en chemin. Malgré tous les efforts que nous fournissons pour affronter l'impensable, nous finissons toujours par nous tourner vers ce qui nous semble familier et connu. Nous manquions de recul et le procès occultait la réalité de la souffrance des victimes. On ne savait pas davantage que l'accusé était lui-même victime de troubles de la personnalité. Il connaissait les règles, il était même très versé en droit, mais il ne semblait pas avoir conscience de ce qui se jouait. Et se croyait indestructible. Mais ce qui allait arriver était vital pour le bien de la société. Je ne pouvais pas dire le contraire.

Je tournai les yeux vers le jury et, là, d'un coup, je réalisai. Seigneur, ils allaient tuer Ted...

44

Ted avait soigneusement étudié les agrandissements de ses dents. Il avait tout aussi impassiblement écouté le Dr Souviron affirmer sous serment qu'il ne faisait pas l'ombre d'un doute que c'était Ted Bundy – et lui seul – qui avait mordu la fesse de Lisa Levy. Et il avait réalisé à quel point cette affirmation lui était préjudiciable.

Hors la présence du jury, Bundy fit venir son enquêteur, Joe Aloi, à la barre. Ted chercha, à travers le témoignage de ce dernier, à placer le Dr Souviron en porte à faux : selon Ted, l'une de ses incisives, qui était ébréchée, aurait été intacte à l'époque des assassinats de Tallahassee.

Aloi identifia quelques photographies, qui lui avaient été envoyées par Chuck Dowd, le rédacteur en chef du *Tacoma News Tribune*. Ces clichés constituaient une séquence chronologique depuis la première arrestation de Ted dans l'Utah. Ted lui demanda :

– Dans quel but avez-vous fait agrandir certains détails des photographies ?

– J'avais été informé par M. Gene Miller, du *Miami Herald*, d'une conférence donnée par le Dr Souviron, au cours de laquelle il avait fait mention d'un détail très précis qui m'intéressait particulièrement.

– Et de quel détail précis s'agit-il ?

– C'est en rapport avec l'une des deux dents du milieu – je ne connais pas leur nom – qui avait une ébréchure. J'étais très curieux de savoir à quelle époque la cassure s'était produite et s'il était possible de rassembler une documentation photographique datée mettant ce détail en évidence.

Ted lui demanda ce que les agrandissements avaient révélé. La Cour retint l'objection faite à ce moment par l'accusation. Le juge Cowart prêta alors main-forte à Ted :

– Vous pourriez lui demander s'il a atteint le but recherché... Essayez de formuler ainsi votre question et vous verrez si j'objecte.

– La Cour a toujours raison.

– Non, le contredit Cowart, pas toujours.

– Êtes-vous parvenu à vos fins ?

– Non.

– Et pourquoi cela ?

– Pour certaines raisons juridiques, et peut-être d'autres raisons que j'ignore. Les médias ne se sont pas montrés très coopératifs.

Aloi expliqua que plusieurs journaux, détenteurs de photographies sur lesquelles Ted Bundy souriait largement, avaient refusé de lui confier leurs négatifs. Il n'avait donc obtenu aucun cliché de Ted antérieur à son arrestation de Pensacola qui eût prouvé avec certitude que son incisive était encore intacte à cette époque.

Ted changea de place et de rôle et devint témoin, interrogé par Peggy Good. Il déclara sous serment que sa dent s'était cassée au milieu du mois de mars 1978 – soit deux mois après les crimes de Tallahassee.

– Je m'en souviens encore. Je dînais dans ma cellule et j'ai mordu quelque chose de très dur, comme un petit caillou ; je l'ai recraché et c'était un éclat de dent qui venait de se détacher de l'une de mes incisives centrales.

Danny McKeever se leva pour lui faire subir un contre-interrogatoire :

– Avez-vous la moindre idée de ce que contiennent les dossiers médico-dentaires de l'Utah ?

– Je n'y ai jamais eu accès.

– Cela vous surprendrait-il si je vous disais que votre dent était déjà ébréchée lors de la constitution du dossier vous concernant ?

– Oui, beaucoup.

Alors, pour la première fois, Ted appela à la barre son amie Carole Ann Boone. Elle répondit à ses questions relatives aux visites qu'elle lui avait rendues à la prison du comté de Garfield fin 1977. Pour autant qu'elle s'en souvenait, il n'avait pas la moindre ébréchure aux dents de devant à cette époque.

Ted réclama à grands cris un ajournement du procès. Il demanda que les journaux soient sommés de délivrer leurs négatifs à la justice.

— Je pense que vous comprenez bien où je veux en venir. Je ne me suis cassé cette dent qu'en mars 1978, soit deux mois après les crimes de la résidence Khi Omega. Or, les spécialistes en odontologie affirment que ces deux lignes abrasées ne peuvent avoir été laissées que par une dent ébréchée entre les deux incisives. Alors, quelque chose cloche sérieusement dans les observations faites par les experts de l'État. Nous soutenons, Votre Honneur, que l'accusation s'est escrimée, par tous les moyens possibles, à faire correspondre mes dents aux traces de morsures.

Ce fut un plaidoyer en vain. Cowart déclara qu'aucun complément d'enquête ne serait ordonné et qu'aucune assignation en justice ne serait délivrée. Comme Ted s'apprêtait à relancer le débat, le juge entonna :

— Monsieur Bundy, vous pouvez faire des pieds et des mains, grimper aux rideaux, faire ce que vous voudrez, la Cour a rendu sa décision et ne reviendra pas dessus.

Ted marmonna à mi-voix.

— Vous ne m'impressionnez pas, monsieur... répliqua le juge.

— Le sentiment est réciproque, Votre Honneur.

— J'en suis bien certain.

Il revint à Larry Simpson de prononcer le réquisitoire. Il parla pendant quarante minutes, de cette voix basse et douce qui lui était caractéristique :

— Il y a, en Floride, deux manières de commettre un assassinat. Ou alors l'acte est perpétré par une personne qui a réfléchi à ce qu'elle allait faire avant de sortir et qui met son projet à exécution. C'est exactement ce qui s'est passé dans l'affaire qui nous occupe : le meurtre brutal et prémédité de deux jeunes filles endormies dans leur lit. Ou alors l'assassinat est lié à une effraction. L'accusation a prouvé qu'il y avait eu aussi effraction dans l'affaire présente.

« J'ai posé à Nita Neary – à la barre des témoins – la question suivante : « Nita, vous souvenez-vous de l'homme que vous avez vu à la porte de la résidence Khi Omega le matin du 15 janvier 1978 ? » Ses paroles exactes ont été : « Oui, je m'en souviens » Je lui ai demandé : « Nita, cet homme est-il présent dans la salle d'audience aujourd'hui ? » Elle m'a dit : « Oui, il est là. » Et elle l'a désigné du doigt. Cela est et constitue en soi une preuve de la culpabilité de l'accusé et suffit pour appeler une condamnation dans cette affaire.

« Au *Sherrod's*, Mary Ann Piccano a aussi vu cet homme. Il lui a fait si peur qu'elle ne peut même pas se souvenir de son apparence. Il s'est approché d'elle et lui a proposé de danser : Quels sont les mots que Mary Ann Piccano a employés avant de suivre cet homme sur la piste ? Elle a dit à son amie : "Je crois que je suis sur le point de danser avec un ancien taulard..." Mesdames et messieurs, cet homme se trouvait à deux pas de la résidence Khi Omega dans la nuit des meurtres... et il avait l'air louche !

Simpson continua d'énumérer les preuves indirectes, rappela les déclarations de Rusty Gage et de Henry Palumbo, pensionnaires au Chêne, qui avaient vu Chris devant la porte de la maison peu après les agressions :

– Ils vous ont déclaré que l'accusé leur avait alors dit qu'il pensait qu'il s'agissait là d'un travail de professionnel – un travail de professionnel ! – exécuté par quelqu'un qui n'en était plus à son coup d'essai et était probablement loin à l'heure qu'il était.

« Mesdames et messieurs, cet homme a reconnu au matin de ces meurtres qu'il s'agissait d'un travail de professionnel, qu'aucun indice n'avait été laissé sur place. Il pensait s'en tirer impunément.

Simpson souligna les liens avec la plaque minéralogique volée sur la fourgonnette de Randy Ragan, le vol de la coccinelle VW, la fuite de Pensacola, la chambre du Chêne vidée et nettoyée de toute trace d'occupation :

— Il avait empaqueté toutes ses affaires et mettait les bouts. Voilà les faits. Ça commençait à sentir le brûlé, alors il s'en allait.

Simpson mentionna l'arrestation de Ted Bundy par l'agent David Lee, à Pensacola :

— Theodore Robert Bundy lui a dit : « Vous auriez dû me tuer. Si je prends la fuite, vous me tuerez ? » Pourquoi a-t-il dit des choses pareilles à l'agent Lee ? Nous avons là un homme qui a commis et réalisé les meurtres les plus horribles et les plus brutaux qu'on ait jamais vus à Tallahassee. Voilà pourquoi. Il ne peut plus se supporter et il demande à l'agent Lee de le tuer là, sur-le-champ.

Simpson avait passé en revue le témoin oculaire et les preuves indirectes. Il se préparait maintenant à finir en beauté, d'abord avec le témoignage de Patricia Lasko, liant les deux cheveux trouvés dans le collant-masque découvert au pied du lit de Cheryl Thomas à leur propriétaire : Ted Bundy ; ensuite avec le témoignage du Dr Souviron qui constituerait le clou de son réquisitoire :

— Et quelles ont été ses conclusions ? Il a dit, avec un degré raisonnable de certitude, que Theodore Robert Bundy avait laissé ces traces de morsures sur le corps de Lisa Levy. Qu'a-t-il répondu quand on lui a demandé s'il était possible qu'une autre personne ait pu laisser ces traces ? Que les chances étaient les mêmes que de retrouver une aiguille dans une botte de foin !

« À la même question, le Dr Levine a répondu que cela était matériellement impossible !

« De son côté, le Dr DeVore, l'expert appelé par la défense, a dû reconnaître que ces marques avaient pu être laissées par l'accusé lui-même ! Mesdames et messieurs, quand la défense appelle un témoin qui admet que son client a pu commettre le crime, c'est qu'elle a de gros problèmes. C'était une tentative désespérée, qui aurait pu marcher – mais ça n'a pas marché.

Théoriquement, les réquisitoires sont empreints d'un souffle qui tient tout l'auditoire en haleine. C'est ainsi que sont présentées les choses au cinéma et à la télévision. Ce ne fut manifestement pas le cas lors du procès de Ted Bundy à Miami.

Seuls le juge et l'accusé semblaient remplir parfaitement leur rôle. Si incroyable que cela paraisse, deux jurés somnolaient sur leur siège alors même que la vie de Ted Bundy était en jeu.

Ce fut au tour de Peggy Good de se lever et de présenter son plaidoyer. Elle était le dernier obstacle dressé entre Ted Bundy et la chaise électrique et elle n'avait pas beaucoup d'éléments à sa disposition : pas d'alibi ni de témoin surprise. Elle ne pouvait qu'essayer de saper le dossier instruit par l'accusation, grignoter la conscience des jurés. Il lui fallait s'opposer à quarante-neuf témoins à charge et nier cent pièces à conviction versées au dossier. Elle eut donc recours à la notion de « doute raisonnable » :

– La défense ne nie aucunement qu'une terrible tragédie s'est déroulée à Tallahassee le 15 janvier. Mais je vous le demande, n'ajoutez pas à cette tragédie en condamnant celui qui n'est pas coupable. Les éléments de preuves apportés par l'accusation sont insuffisants pour dire avec certitude que M. Bundy, et nul autre que lui, a commis ces crimes. Quelle tragédie ce serait si un homme devait se voir ôter la vie simplement parce que douze personnes ont pensé qu'il était probablement coupable – mais n'en étaient pas sûres. Vous devez être certains que vous n'allez pas vous réveiller au milieu de la nuit en vous demandant si vous avez bien pris la bonne décision et si vous n'avez pas condamné un innocent...

« Il existe deux manières d'instruire une enquête. Dans la première, la police se rend sur les lieux du crime, cherche des indices, suit des pistes jusqu'à leur conclusion logique et trouve un suspect. Dans la seconde, elle peut commencer par trouver un suspect, fixer son dévolu sur lui, et faire en sorte que les indices trouvés coïncident avec le suspect en question et seulement avec lui.

Good dressa une liste des éléments apportés qu'elle jugeait insatisfaisants. Elle s'indigna contre le versement au dossier de cette masse de draps ensanglantés, les photographies trop crues, l'absence de traces papillaires concordantes et la manipulation des preuves.

Elle trouva le témoignage de Nita Neary inacceptable :

382

– Elle n'arrive pas à croire que l'homme qui a commis ces crimes puisse encore être en liberté.

Puis elle essaya, non sans maladresse, de fournir une explication raisonnable à la fuite de Ted Bundy de Tallahassee :

– Il y a des tas de raisons pour lesquelles on peut souhaiter ne pas avoir affaire aux flics. L'une d'elles est que l'on peut avoir peur d'être victime d'un faux témoignage. Il est clair que M. Bundy a quitté la ville parce qu'il n'avait plus d'argent. Il fuyait l'échéance de son loyer.

Peggy Good se trouvait dans la situation du petit garçon qui met son doigt sur le trou d'une barque prenant l'eau de toute part. Elle dénonça les témoignages de Souviron et Levine. D'après elle, les enquêteurs avaient commencé par mettre la main sur Ted Bundy puis avaient comparé ses dents avec les traces de morsures, plutôt que de commencer par rechercher la personne qui avait laissé ces marques.

Simpson reprit la parole pour présenter une argumentation réfutatoire :

– Mesdames et messieurs, l'homme qui a commis ces crimes était malin. Cet homme a prémédité ces meurtres. Il savait ce qu'il allait faire avant de passer à l'acte ; il y avait réfléchi et s'y était préparé. Si vous avez le moindre doute à ce propos, considérez simplement ce collant-masque : il a été confectionné par celui qui a perpétré ces crimes. Quelqu'un, mesdames et messieurs, a pris le temps de fabriquer cette arme, de concevoir cet instrument qui pouvait servir à deux usages : dissimuler une identité... ou étrangler.

« Celui qui prend le temps de faire cela ne va pas laisser d'empreintes digitales sur le lieu du crime. Et on en n'a relevé aucune dans la chambre numéro douze du Chêne ; la pièce avait été nettoyée de fond en comble !

« Mesdames et messieurs, cet homme est un professionnel, comme il l'a dit lui-même à Rusty Gage, au Chêne, en janvier 1978. Il est de ces hommes assez habiles pour passer du rôle d'inculpé à celui d'avocat et avancer jusqu'à la barre pour soumettre à un contre-interrogatoire les témoins à charge. Tout cela parce qu'il se croit assez astucieux pour se tirer impunément de n'importe quelle situation, exactement comme il l'a déclaré à Rusty Gage.

Ted n'avait rien dit. Il était resté assis derrière la table de la défense, souvent plongé dans la contemplation de ses mains, des mains de petite taille, qui n'avaient pas l'air particulièrement puissantes...

Le jury se retira pour délibérer le 23 juillet à 14 h 57. Une heure plus tard, Ted fut reconduit à sa cellule. Toute vie semblait s'être échappée de la salle d'audience ; elle n'était plus, pour l'instant qu'une scène vide privée d'acteurs.

Le huitième étage, par contre, était une véritable ruche à l'activité bourdonnante. Toutes les personnes impliquées de près ou de loin dans l'affaire – à l'exception des victimes et des témoins – étaient présentes. On prenait des paris. Acquittement ou condamnation ? Les chances étaient de cinquante-cinquante. La nuit promettait d'être longue...

Louise Bundy se trouvait à Miami, attendant le verdict, tout comme Carole Ann Boone. La sentence serait fixée ultérieurement, mais il ne faisait aucun doute que si Ted était déclaré coupable, il serait aussi condamné à mort. Spenkelink n'avait tué qu'un ancien détenu ; l'affaire en cours impliquait la mort de plusieurs jeunes femmes.

Entre-temps, Ted, accorda à un journaliste un entretien téléphonique :

– Diriez-vous que vous vous êtes tout simplement trouvé au mauvais endroit au mauvais moment ? demanda le reporter.

– Il s'agit plutôt du fait d'avoir été Ted Bundy n'importe où, n'importe quand... Ça a commencé dans l'Utah et, un concours de circonstances semblant en entraîner un autre... Une fois que les gens ont commencé à penser dans un certain sens... Les policiers veulent à tout prix résoudre les affaires criminelles et je me demande parfois s'ils réfléchissent vraiment à ce qu'ils font ; ils choisissent volontiers les options qui leur conviennent le mieux. Et je suis l'option idéale.

À 15 h 50, les jurés réclamèrent du papier et des crayons. Le juge Cowart regagna la salle d'audience à 18 h 31. Le jury avait une question à poser ; une seule. Il voulait savoir si les cheveux avaient été trouvés à l'intérieur du collant-masque. Ils sont tombés du masque, leur fut-il répondu.

Les jurés interrompirent leurs délibérations pour manger quelques sandwiches. À 21 h 20, ils avaient arrêté leur réponse. Ils pénétrèrent un par un dans la salle du tribunal. Le chef du jury, Rudolph Treml, jeta un coup d'œil en direction de Ted, puis tendit silencieusement sept feuilles de papier au juge Cowart qui les transmit au greffier.

Shirley Lewis lut à haute voix : coupable selon les faits reprochés... coupable selon les faits reprochés... coupable... coupable... coupable... coupable... coupable.

Ted ne trahit aucune émotion, se contentant de hausser légèrement les sourcils et de masser distraitement son menton de la main droite. La lecture du verdict achevée, il poussa un soupir. Sa mère pleurait.

Il avait fallu au jury moins de sept heures de délibérations pour décider de son sort. Tous ces gens dévots allant régulièrement à l'église, ces gentilles petites femmes d'âge mûr, ces personnes qui ne lisaient jamais un journal, ces jurés que Ted Bundy avait lui-même sélectionnés... Il ressort qu'ils étaient impatients de débattre de sa culpabilité, presque autant que de le juger effectivement coupable.

Je ne tenais pas à rester pour entendre les débats préalables à l'énoncé de la sentence. Quoi qu'il puisse arriver, au fond de moi, je savais déjà qu'ils allaient le tuer... et Ted l'avait toujours su.

La voix du peuple s'était fait entendre : Ted était coupable.

45

La Floride était le pire endroit où Ted pouvait venir se réfugier après son évasion. Personne n'y avait apprécié ses frasques – ni la police ni les magistrats, et encore moins le public. En Floride, on tuait les tueurs, et le plus rapidement possible. Ted était délibérément venu se jeter dans la gueule du loup. Pourquoi ?

La seconde partie du procès, qui devait déterminer la sentence au vu des charges établies, débuta le samedi 28 juillet à 10 heures du matin.

Non sans une certaine ironie, bien qu'elle ait réclamé la peine de mort, l'accusation avait déclaré qu'elle ne « surchargerait » pas l'accusé : il était inutile de noyer le jury sous un historique des faits reprochés à l'homme qui venait d'être condamné. Il y avait tant de choses, pourtant, que les jurés de Miami ignoraient. Ils ne savaient rien de toutes ces jeunes femmes mortes ou portées disparues dans l'État de Washington ; rien des trois filles assassinées dans l'Utah ; rien des cinq filles mortes ou portées disparues dans le Colorado ; rien de cette cassette enregistrée où Ted parlait de ses fantasmes. Comment auraient-ils pu savoir que, pour des tas de gens, l'homme qui se trouvait là, devant eux, était l'un des tueurs les plus prolifiques de l'Amérique du Nord ?

On pouvait dire que l'accusation avait, en effet, évité de surcharger le condamné. Pourtant, l'ombre de la chaise électrique planait sur le tribunal : Ted s'y attendait, ses avocats s'y attendaient, et le public la réclamait.

La minuscule Eleanor Louise Cowell Bundy, morte d'an-

386

goisse, vint plaider pour la vie de son fils, parlant de cet enfant qu'elle avait porté dans la honte et chéri plus que tout autre, de cet enfant qu'elle avait voulu conserver auprès d'elle, de ce jeune homme dont elle avait été si fière. Il devait être la justification de toute sa vie, il devait être parfait.

Pitoyable figure dressée à la barre des témoins, elle fit tout ce qui était en son pouvoir de mère pour sauver son petit. Cowart se montra doux avec elle :

— Doucement, madame, asseyez-vous. On ne voudrait pas vous perdre, alors calmez-vous.

Elle raconta toute la vie de Ted aux jurés, son enfance, ses quatre enfants demi-frères et demi-sœurs, sa scolarité, ses boulots d'étudiant, ses études, ses activités politiques, son travail au sein de la CCPCD et son engagement dans la campagne du gouverneur Evans.

— Vous est-il venu à l'esprit que Ted risquait d'être exécuté ? lui demanda tranquillement Peggy Good.

— Oui, je l'ai envisagé. Je ne pouvais pas faire autrement – étant donné l'existence de la peine de mort dans cet État. Je considère cette peine comme l'un des actes les plus primitifs et les plus barbares qu'un être humain puisse infliger à un autre. Je l'ai toujours pensé. Mon éducation chrétienne me dit que, quelle qu'en soit la circonstance, ôter la vie à son semblable est une faute, et je ne crois pas que l'État de Floride soit au-dessus des lois divines. Ted peut être utile, de bien des manières, et à bien des gens, vivant. Nous le prendre, ce serait comme nous ôter une partie de nous-mêmes et la jeter au rebut.

— Et si Ted devait être enfermé, condamné à la réclusion à perpétuité ?

— Oh, dit alors sa mère. Dans ce cas... oui... bien sûr.

Pour la première fois depuis le début de ce long procès, Ted pleura.

Il ne fait guère de doute que les jurés compatirent à la douleur de la mère de Ted, mais ils ne se laisseraient pas influencer quant à leur opinion. Larry Simpson, dans les dernières phrases de son réquisitoire en faveur de la peine capitale, se chargea de dire à voix haute ce que chacun pensait tout bas :

— Si nous venons de passer ces cinq dernières semaines dans ce tribunal, c'est pour une raison précise. Et cette raison est que Theodore Robert Bundy a cru pouvoir agir tout seul comme avocat, juge et jury, et décider de la vie de Lisa Levy et de Margaret Bowman. Telle est l'affaire que nous avons jugée. Toutes ces personnes peuvent venir se présenter devant vous et implorer sa grâce. Comme les choses auraient pu être différentes si les mères de Lisa Levy et de Margaret Bowman avaient été là, cette nuit du 15 janvier, pour implorer la grâce de leurs filles !

Peggy Good plaida ensuite. Pour elle, tuer Ted revenait à reconnaître qu'il était incurable. L'argumentation qu'elle présenta pour soutenir sa thèse était particulièrement spécieuse :

– ... Les victimes dormaient ; elles n'ont donc pas souffert. Elles n'ont même pas su ce qui leur arrivait. Ces crimes n'ont rien d'atroce ni d'abominable en ce sens que les victimes n'ont pas eu conscience de l'imminence de leur mort, qu'elles n'ont pas souffert, et qu'ils ne recèlent aucun élément de torture – du moins s'agissant des victimes décédées.

Personne, évidemment, ne saurait jamais si et à quel point Lisa ou Margaret avaient souffert...

Le jury délibéra durant une heure et quarante minutes, puis se présenta avec le verdict attendu : la peine capitale. Le juge Cowart, qui avait déjà envoyé trois meurtriers sur la chaise électrique, avait le pouvoir de casser cette décision – s'il avait choisi de le faire.

Les jurés déclareraient plus tard qu'à un moment donné de leurs délibérations ils s'étaient trouvés divisés et bloqués à six voix pour et six voix contre, impasse dont ils étaient sortis après « dix minutes de prière et de méditation ».

En définitive, l'attitude froide et distante de Ted pendant le déroulement du procès lui avait coûté la vie. En se levant pour soumettre Ray Crew à un contre-interrogatoire, il s'était mis à dos plusieurs jurés. L'un d'eux déclara plus tard que cela avait ressemblé à « une parodie du système ».

Le 31 juillet, Ted eut toute latitude pour s'exprimer librement devant la Cour, non pas pour demander grâce mais pour faire ce qu'il aimait le plus : jouer à l'avocat.

– Je ne demande pas grâce, car il serait plutôt absurde de demander grâce pour un crime que je n'ai pas commis. Ceci est en quelque sorte mon plaidoyer *pro domo*. Nous avons assisté jusqu'ici aux premières batailles d'une longue guerre et je suis loin d'avoir baissé les bras. Si j'avais eu la possibilité de développer de manière satisfaisante les éléments de preuves relatifs à mon innocence, si j'avais pu être correctement représenté, je suis sûr que j'aurais été acquitté et, dans l'éventualité d'un nouveau procès, je le serais certainement.

« Assister à ce procès n'a pas été facile pour un certain nombre de raisons. La principale étant, au tout début des débats, la présentation par l'accusation des événements survenus à la résidence Khi Omega : tout ce sang, ces photos, ces draps ensanglantés. Il n'était pas facile non plus de constater que l'accusation faisait tout ce qu'elle pouvait pour m'accabler. Et puis il y avait la présence des familles de toutes ces jeunes femmes. Je ne les connais pas, mais je ne pense pas être hypocrite en disant, Dieu m'en soit témoin, que je compatis à leurs souffrances du mieux que je le peux. Jamais une chose pareille n'est arrivée à des gens proches de moi.

« Mais je le dis devant tout le monde : je ne suis en rien responsable de ce qui est arrivé à la résidence Khi Omega, ni rue Dunwoody. Et j'avertis la Cour que je n'accepte pas le verdict rendu par le jury, car celui-ci a commis une erreur de jugement en me désignant coupable de tous ces crimes.

« En conséquence, je ne puis non plus accepter la sentence prononcée. Je suis parfaitement conscient que la Cour devra la faire légalement appliquer, mais cette sentence ne me concerne pas, moi ! Elle a été prononcée contre quelqu'un d'autre qui ne se trouve pas ici aujourd'hui. Au nom de quoi devrais-je être, moi, torturé, et endurer les souffrances consécutives à cet acte ?...

Ted se lança ensuite dans une diatribe contre la presse, puis il dramatisa ses paroles comme il l'avait toujours fait dans ses combats juridiques :

– Le fardeau retombe désormais sur les épaules de cette Cour. Et je ne l'envie pas. Ce tribunal est désormais semblable à une hydre : il n'a pas fait preuve de plus de clémence que le maniaque de Khi Omega. On lui a demandé d'aborder cette affaire en tant qu'homme et en tant que juge. Et l'on vous a aussi demandé de rendre un jugement avec la sagesse d'un dieu. Toute cette histoire ressemble à une invraisemblable tragédie grecque. Elle a dû être écrite dans le passé et ne peut être qu'une de ces antiques pièces de théâtre qui dépeignent les trois visages de l'homme.

Jamais encore Cowart n'avait eu en face de lui un accusé si cultivé, si bien éduqué, si plein d'un humour ironique et désabusé. Il était bien conscient du drame de cette vie gâchée. Pourtant, il irait jusqu'au bout de son devoir :

— La Cour a rendu son jugement et ordonné que vous soyez mis à mort par électrocution ; un courant électrique circulera à travers votre corps jusqu'à ce que mort s'ensuive.

Il était évident, à cet instant précis, que Cowart aurait souhaité que les choses soient différentes. Il regarda Ted et lui dit doucement :

— Prenez soin de vous, jeune homme.

— Merci.

— Je vous dis cela en toute sincérité : prenez soin de vous. C'est une tragédie pour cette Cour d'assister à un tel gâchis. Vous êtes un jeune homme brillant. Vous auriez pu faire un bon avocat et j'aurais eu du plaisir à vous voir exercer dans ce tribunal, devant moi – mais vous avez choisi un autre chemin, mon vieux. Prenez soin de vous. Et je n'éprouve aucune animosité envers vous, je veux que vous le sachiez.

— Merci.

— Prenez soin de vous.

— Merci.

J'assistai à cette scène – non pas depuis la tribune de presse du prétoire, mais chez moi, devant mon poste de télévision, à Seattle. Un frisson glacial me parcourut devant l'incongruité de la situation et des propos du juge. Cowart venait juste de condamner Ted à mort ; comment diable pouvait-il « prendre soin de lui » ?

46

Les procès de Ted Bundy tenaient de la représentation théâ-
trale sur Broadway. Mais la vedette était fatiguée et avait perdu
une grande partie de son enthousiasme premier. L'ouverture
du procès pour le meurtre de Kimberly Leach intrigua le
public : « Combien de fois peut-on tuer un homme ? » se
demandait-on avec incrédulité. Ted Bundy ayant déjà été
condamné à mort deux fois, on ne voyait pas la nécessité d'une
troisième condamnation. L'État, en fait, assurait ses arrières :
le jugement rendu lors du procès de la tuerie de la résidence
Khi Omega aurait pu être révisé en appel. L'accusation dis-
poserait alors d'une troisième condamnation à mort. Juridiquement, c'était très sensé.

Le procès dans l'affaire Leach débuta le 7 janvier 1980 à
Orlando, dans le comté d'Orange, en Floride. Le juge Wallace
Jopling avait déclaré qu'il ne pourrait pas réunir un jury impartial dans toute la région de Lake City. Il y avait une seule
rescapée des précédents avocats de Ted : Lynn Thompson.
Elle fut rejointe par Julius Victor Africano Jr. Deux hommes
représentaient la partie civile : Jerry Blair, du bureau du *state
attorney* – celui-là même qui avait déclaré que si Ted voulait
un procès, il l'aurait – et Bob Deckle, un bon vieil avocat bien
de chez nous, avec une chique de tabac perpétuellement calée
au creux de la joue.

Il y avait eu un malaise évident parmi les journalistes qui
avaient couvert le procès de Miami : bien peu voulurent couvrir le suivant. Tony Polk, du *Rocky Mountain News*, restait
chez lui. Louise et Johnnie Bundy ne s'y rendirent pas non

plus. Seule Carole Ann Boone suivit. Pour ma part, je n'y allai pas. Je savais comment les choses allaient se passer. Je le regarderais à la télévision.

Ted avait perdu toute sa prestance et pris du poids. Son apparence maigre et racée avait disparu en même temps, semblait-il, que son équilibre psychologique. Il s'emportait facilement et paraissait sur le point de voler en éclats.

Les jurés portés sur les listes de session semblaient prêts à dire n'importe quoi pour être sélectionnés. Le juge Jopling décréta que même les jurés potentiels qui considéraient Ted comme coupable pourraient être choisis s'ils s'affirmaient capables de faire abstraction de leur opinion personnelle et de rester objectifs. Un changement de circonscription n'aurait rien changé à l'affaire.

— Cet homme représente une cause célèbre ici et il en serait de même dans n'importe quel trou perdu de Floride, déclara Blair.

Ted quitta deux fois la salle pour manifester sa désapprobation dans le choix du jury :

— Je m'en vais. Il est hors de question que je prenne part à ce cirque. Je ne participerai pas à ce Waterloo, vous m'entendez !

Il se dirigea vers la porte et l'huissier lui barra le passage. Ted posa le carton contenant ses dossiers, puis retira sa veste. Pour la première fois, une caméra saisissait une image de Ted ayant perdu toute maîtrise de soi. Tel un renard encerclé par une meute de chiens de chasse, il recula, le dos au mur. C'était peut-être ce même visage déformé par la rage que ses victimes avaient vu... J'éprouvai un choc. Il semblait sur le point de s'attaquer aux cinq gardiens qui l'entouraient. Il se tenait là, haletant, piégé. Un instant passa... puis deux... Ted et ses tortionnaires étaient comme figés.

Le juge Jopling lui ordonna de regagner son siège par deux fois et Ted finit par obéir, lentement, vidé, vaincu, les yeux baissés.

— C'est peine perdue, chuchota-t-il à Africano. Le jury est contre nous. Inutile de jouer le jeu.

Il avait peut-être bien raison.

Soixante-cinq témoins à charge défilèrent. Africano et Thompson jetèrent toutes leurs forces dans la bataille.

Le 6 février, une rumeur étonnante se répandit dans l'audience : Carole Ann Boone avait effectué une demande de certificat de mariage ! Le juge Jopling autorisa à son tour une analyse prénuptiale du sang de Ted.

Carole Ann reconnut qu'elle s'attendait à ce que Ted soit condamné, mais n'en était pas moins décidée à l'épouser.

Il fallut au jury sept heures et demie de délibérations pour rendre son verdict de culpabilité. Deux ans, jour pour jour, s'étaient écoulés depuis la disparition de la petite Kimberly Leach. Nous étions le 9 février 1980. Carole Ann vint plaider à la barre pour la vie de Ted.

Mais avant tout, il semblait qu'elle avait une mission à accomplir : elle voulait devenir Mme Ted Bundy. Étant donné les circonstances, elle avait effectué de méticuleuses recherches sur la législation en vigueur sur le mariage en Floride. Elle savait qu'une déclaration publique dans une audience de tribunal en présence de magistrats rendrait la « cérémonie » légalement valable. Un notaire en possession d'un certificat de mariage rédigé aux noms de Carole Ann Boone et de Theodore Robert Bundy était assis dans la salle quand Ted se leva pour interroger sa fiancée.

Le couple se sourit mutuellement, comme s'ils avaient été seuls dans la salle, et Ted posa ses premières questions :

– Où êtes-vous domiciliée ?

– À Seattle, dans l'État de Washington.

– Pourriez-vous expliquer aux personnes présentes dans quelles circonstances vous avez fait ma connaissance ?... Depuis combien de temps vous me connaissez et quels sont nos rapports ?

Carole continuait de sourire béatement tout en répondant à ses questions.

– Pourriez-vous dire au jury si vous avez jamais observé la moindre tendance violente ou destructrice en moi ?

– Je n'ai jamais rien vu chez Ted qui puisse indiquer la moindre tendance hétéro-agressive et je me suis trouvée avec lui dans à peu près toutes sortes de situations. Il a été accueilli au sein de ma famille. Je n'ai jamais remarqué aucune tendance destructrice, aucune marque d'hostilité. C'est un homme doux, chaleureux et patient.

Elle se tourna vers le jury et dit avec ferveur :

– Ted constitue une grande partie de ma vie. Il est fondamental pour moi.

– Voulez-vous m'épouser ? demanda alors Ted à Carole.

– Oui ! répondit-elle avec un large sourire.

– Je te prends alors, ici et présentement, pour femme.

Ted sourit encore plus largement. Tout était fini avant même que l'accusation ait eu le temps de s'en apercevoir. Carole Ann et celui qu'elle appelait son lapin étaient désormais mari et femme.

Le deuxième anniversaire de la mort de Kimberly Leach était à présent aussi le jour anniversaire du mariage de Ted Bundy.

À la fin des débats, le jury se retira encore pendant quarante-cinq minutes pour délibérer sur la question de la peine de mort. Il rendit son verdict à 15 h 20 le 9 février.

Le 12 février, le juge Jopling entérina la sentence et condamna – pour la troisième fois – Ted à mourir sur la chaise électrique dans la prison de Raiford.

Ted ferait appel, bien sûr, et les procédures prendraient des années, mais l'histoire de Ted Bundy était terminée. Il quittait les feux de la rampe, ces projecteurs qui semblaient indispensables à sa survie, et je savais qu'il continuerait de sombrer dans les griffes de cette folie compulsive qui l'habitait.

Cent fois – mille fois – on m'a demandé quelle était mon opinion profonde sur la culpabilité ou l'innocence de Ted. Tenter de répondre à cette question peut paraître un peu présomptueux de ma part ; je ne suis, en effet, ni psychiatre ni criminologue. Cependant, j'ai été en relation avec Ted pendant près de dix ans, je l'ai connu dans les bons et les mauvais moments, j'ai effectué des recherches sur les crimes dont il était suspecté, et je comprends aujourd'hui que je les connais probablement mieux que quiconque. Aussi est-ce avec le plus profond regret que je suis parvenue à la conclusion qu'il était incurable.

Il m'est extrêmement pénible de savoir qu'il était – sans le moindre doute possible – coupable des crimes odieux qui lui sont attribués. Quand je l'ai connu en 1971, Ted a été pour moi un ami, ouvert, patient, à l'écoute de mes problèmes. Je n'ai pas la moindre idée de ce que je représentais pour lui. Peut-être ne faisais-je que lui rendre ce qu'il me donnait... Je voyais en Ted un être parfait et peut-être avait-il besoin de ce regard sur lui-même. J'ai bien essayé de l'aider dans les moments difficiles, mais je n'ai jamais vraiment pu le soulager de ses souffrances parce qu'il était incapable d'exposer ses faiblesses et ses angoisses au grand jour.

Le Ted Bundy que tout le monde connaissait était beau et cultivait son corps ; c'était un étudiant brillant, intelligent, beau parleur et persuasif ; il était sportif, avait des goûts raffinés, aimait la cuisine française, Mozart et les films étrangers ; il savait montrer de la tendresse et faire preuve de romantisme. Mais, en réalité, Ted aimait beaucoup plus les choses que les gens. Il était capable de sentir de la vie dans une bicyclette abandonnée et d'éprouver de la compassion pour des objets inanimés – bien plus que pour ses semblables.

Extérieurement, Ted Bundy incarnait la réussite et l'accomplissement de soi ; intérieurement, tout n'était que cendres. Car Ted était entré dans la vie avec un terrible handicap : il n'avait aucune conscience.

Les personnes dépourvues de conscience font depuis longtemps l'objet d'études de la part des psychologues et des psychiatres. Les appellations désignant ce type d'individu ont évolué au cours des années, mais le concept est resté le même : on a d'abord employé le terme de « personnalité psychopathique », puis celui de « sociopathe » et enfin, aujourd'hui, celui de « personnalité antisociale ».

Vivre dans notre société en pensant et en agissant à l'encontre des autres doit être un handicap terrifiant. Il est pratiquement impossible de préciser à quel moment de la vie naissent les mécanismes psychopathologiques risquant d'évoluer vers la psychopathie, bien que la plupart des spécialistes s'accordent sur un blocage de l'évolution psychoaffective dans la tendre enfance – généralement vers l'âge de trois ans. L'introversion émotionnelle découle généralement d'un besoin d'amour non satisfait, de privations et d'humiliations.

Le psychopathe est incapable de conceptualiser le plaisir. Il sait parfaitement ce qu'il veut et, n'étant pas sujet à la culpabilité, il cherche l'assouvissement de ses désirs dans une gratification immédiate. Mais il reste incapable de combler le vide qu'il ressent au fond de lui. Il est toujours affamé et reste insatiable.

L'individu doté d'une personnalité antisociale est un malade mental, mais pas dans le sens classique ni dans le sens légal du terme. Le psychopathe complexe est toujours très intelligent et a depuis longtemps intégré les réponses adéquates à fournir à ceux dont il désire obtenir quelque chose. Il est subtil, calculateur, astucieux et dangereux. Et il est perdu.

La grande majorité des amis de Ted était constituée par des femmes. Celles-ci ont toujours été un réconfort pour Ted – et une malédiction. Parce qu'il pouvait les manipuler, les intégrer à ce monde rigoureux qu'il s'était construit, elles étaient importantes pour lui. Il les faisait danser telles des marionnettes au bout d'un fil et, quand l'une d'elles ne réagissait pas dans le sens qu'il attendait, il était à la fois outré et désorienté. Les hommes, d'un autre côté, devaient probablement représenter une menace.

Ted n'a jamais vraiment su qui il était censé être. Il avait été écarté de son véritable père ; puis éloigné de son grand-père Cowell qu'il aimait et respectait tant. Il ne pouvait ni ne voulait prendre Johnnie Culpepper Bundy comme modèle.

Ses sentiments à l'égard de sa mère étaient vraisemblablement placés sous le signe de l'ambivalence. Elle lui avait menti sur sa naissance. Elle l'avait spolié de son véritable père, même en considérant rationnellement qu'elle n'avait pas eu le choix. Mais une moitié de Ted avait disparu au cours du processus et il passerait le restant de sa vie à essayer de combler ce vide.

Tous les hommes vers qui Ted s'était senti attiré avaient été des hommes de pouvoir, matériellement, intellectuellement ou par l'affirmation de leur virilité. Pareil en cela à un petit garçon qui cherche à se faire remarquer, Ted a joué un jeu pervers avec la police. Bien qu'il ait souvent qualifié les représentants de l'ordre de « stupides », il éprouvait le besoin de savoir qu'il avait une certaine importance à leurs yeux – fût-elle négative. Quand il ne pouvait leur plaire, il cherchait à leur déplaire pour attirer leur attention. Je trouve intéressant de noter que, lorsqu'il a confessé son évasion et ses vols de cartes de crédit aux policiers de Pensacola, sa voix enregistrée sur la cassette était triomphante et empreinte de fierté, comme s'il s'agissait d'un cadeau qu'il déposait à leurs pieds. Ces inspecteurs étaient des hommes capables d'apprécier son astuce à sa juste valeur...

Avec les femmes, les choses étaient plus faciles. Mais elles détenaient aussi le pouvoir de blesser et d'humilier.

Stephanie Brooks a été la première à le blesser. Quand elle l'a laissé tomber après qu'ils eurent passé un an ensemble, Ted était honteux et humilié et sa fureur était hors de proportion. Il lui fallut des années pour accomplir presque l'impossible : reconquérir Stephanie Brooks, faire qu'elle voie en lui un mari potentiel... à seule fin de l'humilier exactement comme elle avait procédé elle-même !

Mais cela n'était pas assez. Cette vengeance ne lui apporta aucun soulagement. Ce grand vide au fond de son être était toujours présent et ce dut être pour lui une prise de conscience terrifiante. D'une manière ou d'une autre, il lui faudrait encore punir Stephanie.

Significativement, trois jours après qu'il eut rendu à Stephanie ce qu'elle lui avait fait, Joni Lenz était battue et symboliquement violée avec un barreau arraché aux montants du lit dans lequel elle dormait.

Aussi, la réponse à la question que l'on m'a si souvent posée est-elle : oui. Oui, je crois que Ted Bundy a agressé Joni Lenz, tout comme je suis forcée de croire qu'il fut coupable des autres crimes dont il a été accusé.

Toutes les victimes étaient des répliques de Stephanie, aucune n'a été choisie au hasard. La douleur que Stephanie avait portée à l'ego de Ted était insupportable. Et aucun des crimes qu'il commettait ne soulageait son sentiment de vide.

Il lui fallait tuer Stephanie, encore et encore, espérant que chaque crime lui apporterait ce répit tant recherché. Mais rien n'y faisait.

Ted était incapable de maîtriser ses impulsions. Ses victimes étaient si jolies, si soigneusement choisies que Ted avait, tant qu'elles étaient encore en vie, l'impression d'éprouver des sentiments pour elles. Puis elles mouraient, devenaient des choses inertes, sanglantes et hideuses. Pourquoi fallait-il qu'il en soit ainsi ? Il les détestait pour cela, parce qu'elles l'abandonnaient et le laissaient de nouveau seul – tout seul. Subissant le contre-coup de ses fantasmes, il ne parvenait pas à comprendre vraiment qu'il était lui-même à l'origine de leur destruction.

Ce ne fut qu'après ces premiers meurtres que Ted réalisa quelle pouvait être sa propre valeur médiatique. Il se prit au jeu de la chasse, laquelle s'intégra au rituel ; il y puisa bientôt encore plus de satisfaction que dans les meurtres eux-mêmes. Son pouvoir sur les filles assassinées était trop éphémère, mais celui qu'il avait sur les enquêteurs de la police était infini. Il pouvait prendre encore plus de risques, raffiner ses déguisements à l'extrême – et continuer à passer inaperçu. C'était l'extase suprême. Il pouvait réaliser impunément ce dont aucun autre homme n'était capable. Cette célébrité anonyme devint pour lui aussi vitale que l'air que l'on respire.

Quand Ted fut finalement arrêté dans l'Utah en 1975, il fut scandalisé. Son indignation était réelle. Sa personnalité anti-sociale l'empêchait d'éprouver la moindre culpabilité. Il n'avait fait que prendre ce qu'il voulait, ce dont il avait besoin pour se sentir entier. Il était incapable de comprendre que l'on ne puisse pas satisfaire ses propres désirs aux dépens d'autrui.

Au fil des années, Ted se plaignit de ses conditions d'incar-cération, des juges, des avocats, de la police et de la presse ; il ne se doutait pas que cette attitude trahissait une autre facette de sa personnalité. Sa méthode de raisonnement était sim-pliste : ce que Ted voulait, Ted devait l'obtenir, et c'était là l'angle mort de sa grande intelligence. Quand il pleurait, il ne pleurait que sur lui-même, mais ses larmes étaient sincères. Il était désespéré, apeuré, irascible et croyait cependant être tout à fait dans son bon droit. Les mécanismes nécessaires à la compréhension des besoins et des droits d'autrui ne faisaient pas partie de son processus de réflexion.

Ted s'était souvent vanté que ni les psychologues ni les psychiatres n'avaient pu trouver la moindre trace de déviance en lui : il avait masqué ses réponses, ce qui était en soi un signal d'alarme dénonçant une personnalité antisociale.

Neuf ans plus tard

Ted s'était vanté d'avoir commis des assassinats dans six États. Si c'était vrai, quel pouvait être ce sixième État ? Et avait-il vraiment tué dans six États – assassiné cent trente-six victimes... ou plus ?... Ou tout cela n'avait-il été qu'un jeu qu'il avait joué avec les enquêteurs à Pensacola ? La finesse de ses joutes verbales avec la police avait toujours été proche de la subtilité des grands jeux de rôles ; Ted avait pris un plaisir immense à se montrer plus malin qu'eux.

Retracer le parcours de Ted à travers le pays à la fin des années 60 et au début des années 70 est pratiquement impossible. En 1969, il rendit visite à des parents éloignés, dans l'Arkansas, et suivit quelques cours à l'université de Temple, à Philadelphie. Cette même année, une jolie jeune femme aux cheveux sombres fut poignardée à mort entre les rayonnages de la bibliothèque de l'université.

Deux ans plus tard, le 19 juillet 1971, Rita Curran fut retrouvée morte dans son appartement de Burlington, dans le Vermont, par des amis avec qui elle partageait le logement. Son corps gisait par terre, dénudé. Elle avait été étranglée à mains nues, sauvagement frappée sur le côté gauche de la tête et violée. Sa culotte déchirée se trouvait encore sous elle. Son sac à main, intact, gisait à proximité.

La police de Burlington reconstitua les gestes du tueur, repéra le chemin par lequel il avait pris la fuite, et découvrit une petite tache de sang non loin de la porte de derrière. Peut-être avait-il filé par la cuisine et traversé la remise alors même que les amis de Rita entraient par-devant... Un interrogatoire systématique de tous les voisins n'apporta aucun renseignement complémentaire : personne n'avait entendu crier ni perçu de bruit de lutte.

Environ dix mille homicides ont été commis en Amérique cette année-là. Quelques détails, cependant, attirèrent plus tard l'attention d'un agent du FBI à la retraite : l'étonnante ressemblance entre Rita Curran et Stephanie Brooks, les similitudes dans la méthode du criminel (strangulation et coups à la tête)... et la proximité géographique entre l'hôtel où travaillait Rita Curran et une institution à l'origine d'un grave traumatisme affectif chez Ted Bundy : la clinique pour filles mères de Burlington. C'est ici qu'Eleanor Louise Cowell avait donné naissance à Theodore Robert Cowell. Les deux bâtiments étaient à deux pas l'un de l'autre.

J'avais toujours cru que c'était au cours de l'été 1969 que Ted s'était rendu à Burlington, alors qu'il voyageait dans l'Est. Pourtant, c'était à l'automne 1971 qu'il m'avait avoué avoir « découvert qui il était réellement ». Il n'existe cependant aucune preuve venant confirmer ou infirmer l'hypothèse selon laquelle Ted aurait pu se trouver à Burlington en juillet 1971...

Il existe un grand nombre de similitudes entre le meurtre de Rita Curran et ceux qui furent commis plus tard et imputés à Ted. Combien de victimes a-t-il réellement laissées derrière lui ? Le saurons-nous jamais ?

En 1980, en mettant la dernière main à ce livre, j'avais naïvement conclu en laissant entendre que l'histoire de Ted Bundy était enfin terminée. Elle était en fait encore loin de l'être. J'avais grandement sous-estimé ses capacités de récupération physique et mentale et la faculté qu'il avait de mobiliser son énergie et son potentiel intellectuel contre le système judiciaire.

Ted passa les années qui suivirent penché sur ses manuels de droit, dans sa cellule du quartier des condamnés à mort, et interjeta appel en révision sur appel en révision. Épaulé par un nouvel avocat, Robert Augustus Harper Jr., Ted prit l'offensive. Un premier combat courut sur près de deux ans, d'octobre 1982 à juin 1984, date à laquelle la Cour suprême de Floride rejeta ses demandes de pourvoi dans les affaires Khi Omega et Cheryl Thomas. Ted savait désormais que ces procès ne seraient pas révisés. Il fit ensuite appel dans l'affaire Kimberly Leach – appel rejeté par cette même Cour suprême le 9 mai 1985.

Brusquement, le 5 février 1986, alors qu'il semblait que Ted Bundy n'en finirait pas d'enchaîner procédure juridique sur procédure juridique, le gouverneur de la Floride, Bob Graham, signa son ordre d'exécution. La date fixée était le 4 mars. Il ne lui restait plus qu'un mois à vivre...

Personne n'était encore jamais passé sur la chaise électrique en Floride à la signature du premier ordre d'exécution. Dans ce domaine, Ted ne voulait pas établir un nouveau record... À Lake City, où Kimberly Leach avait été enlevée, des milliers de citoyens signèrent une pétition réclamant l'exécution de Ted Bundy.

Dans la prison de Raiford, le bruit courut que Ted Bundy serait probablement exécuté à l'automne prochain. On savait qu'une semaine avant la date portée sur l'ordre d'exécution les lumières faibliraient dans tout le pénitencier alors qu'on essaierait la chaise électrique.

Et au petit matin du jour fatal – quelle qu'en soit la date – Ted entamerait sa très longue marche vers « Old Sparky ». Puis son visage disparaîtrait derrière un masque de caoutchouc noir qu'on lui enfilerait sur la tête. Pour l'empêcher de voir venir la mort ? Plus vraisemblablement, pour éviter aux témoins de voir sa figure quand son corps tressauterait sous l'effet du courant électrique à haute tension qui le traverserait...

Sans m'attendre à recevoir une réponse, j'avais écrit à Ted un peu plus tôt dans l'année, en lui envoyant un petit mandat postal et des timbres, afin de tenter de lui expliquer ce que je savais bien être inexplicable. Je voulais lui dire qu'il ne mourrait pas dans une solitude complète, que je pensais à lui. J'avais essayé d'exprimer tout cela en tâchant de ne pas écrire les mots qui paraissaient évidents : *Maintenant que tu es sur le point de mourir...* Ted allait se retrouver sur la chaise électrique dans un avenir imminent – du moins était-ce probable

– et lui envoyer un peu d'argent pour s'acheter des cigarettes m'avait semblé être un geste humain.

Ted répondit à ma lettre. Il y répondit le 5 mars – le lendemain du jour où il aurait dû être exécuté. La vie lui était désormais comptée en fines tranches de temps.

Il me remerciait d'abord pour les timbres, puis me remettait à ma place et me giflait verbalement tout en voulant conserver l'air d'être au-dessus de cela :

> *En ce qui me concerne, je ne vois pas l'intérêt d'exhumer de vieux souvenirs à la recherche d'informations qui auraient pu passer entre nous, à propos de ton livre, de tes innombrables conférences publiques sur les meurtres en série. Tout ça, c'est du passé. J'ai d'autres chats à fouetter.*
>
> *En toute franchise, Ann, je dois te dire qu'à en juger par tes déclarations sur les meurtres en série que j'ai pu lire ou entendre, tu as sérieusement besoin de reconsidérer tes théories et tes conclusions. Pour je ne sais quelles raisons, tu sembles avoir adopté sur le sujet un certain nombre de points de vue simplifiés et généralisés à l'excès et scientifiquement inacceptables. La conséquence évidente est qu'en répandant de telles opinions – si bonnes tes intentions premières soient-elles –, tu ne réussiras qu'à induire les gens en erreur quant à la véritable nature du problème, et les empêcheras par là de s'y attaquer efficacement.*

Ted concluait sa lettre en disant qu'il n'avait rien contre moi personnellement ni contre le fait de continuer de correspondre avec moi, mais qu'il refusait de contribuer plus longtemps au *moindre ouvrage sur Ted Bundy.*

Son style était devenu lourd et gauche. Bouclé sous les verrous, paralysé, il était devenu désespérément important pour lui, pour le respect de son amour-propre, qu'il soit le meilleur dans un domaine. La seule chose qu'il connaissait parfaitement était le meurtre en série, et j'avais marché sur ses plates-bandes. Ted se prenait pour LE grand expert en la matière et m'accusait d'être mal informée et d'avoir des vues simplistes.

Les termes mêmes de « meurtres en série » et de « tueur en série » étaient alors relativement nouveaux et semblaient avoir été forgés pour décrire le cas de Ted Bundy. Depuis son incarcération, quelques dizaines d'autres hommes avaient prélevé d'horribles tributs en vies humaines, mais Ted Bundy demeurait l'archétype le plus célèbre du tueur en série.

J'étais toute prête à recevoir ses critiques – surtout si cela pouvait signifier que Ted allait enfin s'ouvrir au monde extérieur. Après tout, il pouvait bien être effectivement le plus grand expert de tous les temps en la matière ! Je n'aurais été que trop heureuse de l'écouter. Je lui écrivis en conséquence le 13 mars 1986 une lettre dans laquelle je dressai une liste des traits caractéristiques que semblaient, à mon sens, partager tous les tueurs en série. Je lui faisais aussi remarquer qu'il n'était pas possible de les cataloguer suivant une typologie rigoureuse et immuable. Je lui demandai de me signaler les zones dans lesquelles mon raisonnement et mes conclusions lui paraissaient erronés. Je lui écrivis que les tueurs en série :

a) étaient exclusivement des hommes ;

b) étaient plus généralement de race blanche, que noire, et très rarement des Indiens ou des Orientaux ;

c) étaient intelligents, charmeurs et dotés d'un fort charisme ;

d) étaient physiquement séduisants ;

e) se servaient de leurs mains comme armes, pour frapper, étouffer, étrangler ou poignarder, et n'utilisaient presque jamais d'armes à feu (sauf David Berkowitz et Randy Woodfield) ;

f) ne tenaient pas en place et voyageaient sans cesse, soit dans la ville où ils habitaient, soit dans leur région ;

g) étaient des hommes habités par la colère, qui tuaient pour émousser cette colère bouillant en eux, et qui n'agressaient sexuellement leurs victimes que dans le but de les avilir ;

h) étaient des hommes pour qui tuer est une drogue dont ils ne pouvaient plus se passer ;

i) étaient des hommes fascinés par le travail de la police ; qui traînaient autour des commissariats ou bien occupaient des fonctions d'officier de réserve ou d'agent contractuel ;

j) étaient des hommes qui poursuivaient un type particulier de victimes ;

k) étaient des hommes qui employaient la ruse pour attirer leur victime loin de toute aide éventuelle ;

l) étaient des hommes qui avaient souffert d'une forme quelconque de traumatisme infantile avant l'âge de cinq ans.

Je pensais que les tueurs en série avaient été des enfants particulièrement brillants et sensibles qui avaient été traumatisés, abandonnés, humiliés ou rejetés à une époque où leur conscience de soi était en plein développement.

J'étais aussi curieuse que d'autres experts en la matière d'entendre ce que Ted aurait à dire sur le sujet. J'attendis une réponse à ma lettre. En vain. Soit je l'avais définitivement dressé contre moi, soit il était trop occupé à autre chose pour me répondre...

Il était occupé. Alors même qu'un porte-parole de l'État de Floride déclarait que « Ted jouait un jeu dangereux... » et que « ... même un certain nombre d'opposants à la peine de mort n'avaient pas le sommeil troublé par son cas », Ted accordait sereinement un entretien au *New York Times*. Il se considérait, comme toujours, au-dessus du débat.

Si les gens me prennent pour un monstre, c'est un dilemme qui les regarde et avec lequel ils devront pactiser tout seuls.

Je ne me sens pas concerné parce qu'ils ne me connaissent pas. S'ils me connaissaient réellement, ils verraient bien que je ne suis pas un monstre. Condamner quelqu'un, le déshumaniser comme je l'ai été, est pour les gens une manière très courante et très facile d'évacuer une crainte et une menace qui leur sont incompréhensibles.

C'est le vieux cliché de l'autruche. Quand les gens ont recours à des clichés pour traiter quelqu'un de monstre irrécupérable, de dément, pour dire qu'il a une espèce de défaut en lui, ils ne font que se cacher la tête dans le sable pour ne pas voir leur ignorance...

Comme tant d'autres tueurs en série, Ted avait besoin d'être considéré comme un être normal. Il ne voulait pas que l'on

405

pense à lui comme à un être pervers. Et, comme tant d'autres sociopathes que j'avais entendus, Ted s'exprimait à l'aide des clichés mêmes dont il se moquait. Le lieu commun linguistique semble donner au sociopathe une maîtrise du langage, lui fournir une ancre flottante à partir de laquelle il peut communiquer, parler le langage des gens normaux.

Entre-temps, Polly J. Nelson (d'un cabinet d'avocats de Washington qui avait annoncé le 25 février qu'il représenterait gratuitement Ted) interjeta un appel en révision du procès de l'affaire Khi Omega devant la Cour suprême des États-Unis. Elle se fondait sur le fait que Nita Neary, le témoin oculaire, avait été hypnotisée pour l'aider à mieux se souvenir. La Cour rejeta la demande en pourvoi le 5 mai 1986 et un porte-parole du gouverneur de la Floride déclara qu'un nouvel ordre d'exécution allait probablement être signé incessamment. L'annonce publique du rejet fut réglée avec la perfection de professionnels du spectacle. La nouvelle fut diffusée par flash spécial pendant une pause aménagée au milieu d'un épisode d'un mini-feuilleton télévisé consacré à Ted.

Tandis que Polly Nelson luttait pour garder juridiquement pied et contestait la décision de rejet de la Cour suprême, le gouverneur Bob Graham fixait une nouvelle date d'exécution : le 2 juillet 1986, à 7 heures du matin.

Mais Polly Nelson et James E. Coleman, un jeune et brillant avocat noir, commencèrent alors à creuser la notion d'incapacité juridique, laissant entendre que Ted n'avait peut-être pas eu toutes les aptitudes requises à subir un procès. Nelson avoua qu'elle était prête « à tout essayer » pour sauver Ted. Même à plaider l'état de démence. Coleman pensait que Ted avait été son pire ennemi. En voulant à tout prix diriger sa propre défense, il s'était engagé lui-même sur le chemin conduisant tout droit à la peine capitale.

M. Bundy a été représenté en tout par quatorze avocats. Il s'est aussi représenté lui-même. Nous pensons... qu'il n'a pas eu droit à une représentation légale efficace. Coleman dixit.

Mais de là à convaincre la Cour que Ted était fou... et encore fallait-il que Ted accepte de coopérer...

Toutes les machinations de ses avocats aboutirent, une fois de plus, à un nouveau sursis d'exécution. Une commission de trois juges allait évaluer la recevabilité de la demande de pourvoi en cassation. Une procédure qui pourrait prendre des mois, voire des années...

Ted m'écrivit le 4 août en réponse à ma lettre du mois de mars. Son écriture était plus erratique que jamais ; les mots se chevauchaient, d'autres étaient raturés. Après m'avoir remerciée pour les timbres et l'argent, il reprenait son discours sur l'ineptie de mes réflexions sur les tueurs en série :

Tu ne disposes tout simplement pas d'une base de données suffisante pour juger de la question. La seule chose que je puisse faire pour toi est de te renvoyer à l'ouvrage de Robert Ressler, Ann Burgess et John Douglas : Meurtres sexuels : aspects et mobiles. *Il s'agit du développement d'un rapport publié en 1985 dans le bulletin du FBI et, pour général qu'il soit, ce n'en est pas moins – et de loin – la meilleure étude effectuée à ce jour dans le domaine. Et Dieu sait si j'en ai lu ! Ce n'est qu'un début, mais un début prometteur.*

Autrefois « salauds surestimés », les gens du FBI recevaient aujourd'hui pratiquement son approbation. Je connaissais par ailleurs le livre en question. C'était effectivement une excellente étude. Ted me demandait aussi de ne rien faire imprimer de ce qu'il m'écrivait. J'avais, de toute façon, décidé de mon côté de ne pas bouger tant qu'il serait encore en vie et livrerait ses batailles juridiques. Il était évident qu'il ne me faisait pas confiance. Il répétait à plusieurs reprises dans sa lettre qu'il n'accordait plus sa confiance à qui que ce soit. Puis il divaguait sur des pages et des pages à propos d'un homme qui avait répété publiquement certaines choses qu'il lui avait soi-disant confessées. Ted niait avec véhémence ses propos. Trahi par le comportement marginal d'un autre, Ted était scandalisé.

Je répondis à sa lettre et en reçus une autre, un mois plus

tard, qui devait être la toute dernière que Ted m'écrirait. Le ton était plus amical que celui des deux précédentes. L'essentiel de sa prose tournait autour du mystère des meurtres de Green River, dans la région de Seattle, commis sept années après son arrestation à Salt Lake City. Plus d'une quarantaine (et peut-être le double...) de jeunes prostituées mineures avaient été assassinées. Ted avait ses théories sur cette affaire.

Ted avait écrit en 1984 à Bob Keppel pour lui offrir ses services en tant qu'expert-conseil dans l'affaire des meurtres de Green River. Bob Keppel venait alors de publier un ouvrage remarquable dans un domaine qui intéressait Ted au plus haut point : *Meurtres sériels, implications futures dans les techniques d'investigation policière.* Plus tard, Bob Keppel m'avoua qu'il avait accepté les conseils de Ted dans l'affaire Green River parce que cela donnait à la police de l'État de Washington la possibilité d'entamer le dialogue avec lui. De fil en aiguille, ils auraient pu remonter des crimes de Green River à ceux dont on soupçonnait Ted dans l'État. Les deux hommes s'étaient rencontrés pour la première fois en novembre 1984, au pénitencier de Raiford, et je les soupçonnais d'être restés en contact jusqu'en 1986. Keppel, l'inspecteur cérébral, et Bundy, le tueur intellectuel, avaient entamé le dialogue. Ted avait reconnu en lui un homme de valeur et lui faisait part de ses théories. Et si Keppel devait obtenir une confession – ou plusieurs – de Ted Bundy, ce serait au terme d'un long jeu de patience.

Tandis que Bob Keppel tissait patiemment sa toile autour de Ted Bundy, les rouages de la machine judiciaire tournaient inexorablement. Keppel savait qu'il devait laisser à Ted Bundy l'initiative du dialogue, qu'il ne devait pas le presser, et surtout ne pas avoir l'air d'attendre des informations de lui. Se pouvait-il que Keppel finisse par amener Ted à un stade où ce dernier lui parlerait franchement des disparitions survenues dans le Nord-Ouest ?

Le gouverneur Graham signa le troisième ordre d'exécution de Ted – cette fois-ci en application de la sentence prononcée à l'issue du procès Kimberly Leach – le 21 octobre 1986. La date fixée était le 18 novembre. Mais, le 23 octobre, le jury de trois juges saisi pour examiner la demande en pourvoi du procès Khi Omega déclara qu'il y avait eu vice de procédure lors du rejet d'appel en juillet précédent. Ted aurait donc droit à une autre audience devant un tribunal fédéral dans l'affaire Khi Omega.

Tout cela tournait au manège : quand Ted avait réussi à obtenir ses sursis d'exécution dans l'affaire Khi Omega, certains experts juridiques avaient estimé qu'il ne pouvait plus de ce fait être exécuté pour le meurtre de Kimberly Leach. Et inversement, s'il obtenait un sursis d'exécution dans l'affaire Leach, cela remettait en question sa condamnation à mort pour les assassinats de la résidence Khi Omega.

Il était bien capable de poursuivre ce mouvement de balancier judiciaire jusqu'à ce qu'il ait une grande barbe blanche !

Quelques heures seulement avant son exécution prévue en novembre 1986, Ted obtint son sursis. Seize hommes avaient déjà été exécutés depuis 1979. Ses avocats interjetèrent encore plusieurs demandes de pourvoi en cassation. Toutes ces procédures coûtaient extrêmement cher à l'État de Floride et l'addition se chiffrait maintenant en millions de dollars. Ted était le seul prisonnier de tout l'État à éveiller un tel sentiment de colère et de frustration chez les citoyens de la Floride. À leurs yeux, il n'était plus un être humain, il était devenu une cause.

L'hostilité de l'opinion publique augmentait. À la même époque, six semaines avant le jour prévu pour l'exécution de son mari, Carole Ann Boone avait discrètement quitté la ville. Officiellement, elle se rendait au chevet d'un parent malade. Sans doute était-il à la dernière extrémité... En tout cas elle ne remit jamais les pieds en Floride.

Aux premiers jours d'août 1987, on apprit une triste nouvelle : le juge Edward Douglas Cowart avait succombé à une crise cardiaque à l'âge de soixante-deux ans, exactement huit ans après avoir condamné Ted Bundy à mort.

De son côté, Ted était toujours bien vivant et une nouvelle bataille juridique se préparait. James Coleman et Polly Nelson avaient laissé entendre qu'ils envisageaient d'attaquer le verdict rendu dans l'affaire Kimberly Leach sous l'angle de l'incapacité juridique de l'inculpé. De leur point de vue, l'argumentation paraissait valable : ils avançaient que Ted n'avait pas eu un procès équitable car il n'était pas alors dans son état normal. De son côté, le bureau de l'attorney général de Floride pensait le contraire et préparait des conclusions en ce sens.

La question de la responsabilité (ou de la capacité) juridique d'un inculpé est toujours extrêmement difficile à trancher. Même un psychiatre ne peut affamer avec certitude ce qui se passe dans l'esprit d'un criminel au moment de son procès. Si Ted était « rétroactivement » déclaré juridiquement irresponsable, les jugements rendus dans les affaires Leach et – peut-être – Khi Omega pourraient être révisés. Si ses avocats étaient assez adroits, Ted pourrait se retrouver transféré au pénitencier de Point-of-the-Mountain pour purger seulement la peine correspondant au rapt de Carol DaRonch ! Les tribulations de Ted Bundy au sein des différentes instances de la justice américaine prenaient des dimensions légendaires.

Les audiences pour juger de la capacité pénale de Ted Bundy s'ouvrirent durant la troisième semaine d'octobre, à Orlando, devant le juge fédéral G. Kendall Sharp. Ted y assistait, mais il n'était pas autorisé à témoigner.

En décembre 1987, une nouvelle voix se fit entendre : celle de Dorothy Otnow Lewis, professeur à l'Institut médical universitaire de New York. Lewis, appelée par la défense, déclara sous serment qu'elle avait parlé pendant sept heures avec Ted, et lu des « caisses entières » de documents juridiques et médicaux se rapportant à son passé. Elle ajouta s'être entretenue avec la plupart des personnes qui l'avaient connu et elle était parvenue à la conclusion que Ted souffrait d'une psychose maniaco-dépressive. C'était la première fois qu'un tel diagnostic était posé. Il fut immédiatement contesté par le Dr Charles Mutter, expert-psychiatre auprès de l'Institut médico-légal.

Que le Dr Lewis ait ou non correctement diagnostiqué les troubles psychiques de Ted était secondaire. Parallèlement, elle apporta un témoignage que je trouvai fascinant. Ted m'avait autrefois parlé de son grand-père Cowell de Philadelphie. Il s'agissait de l'homme que Ted avait pris pour son père pendant les quatre premières années de son enfance. À

410

l'époque, Ted et Louise vivaient avec les parents de cette dernière : Sam et Eleanor.

Le grand-père que Ted m'avait décrit était une sorte de grand-père Noël ; il était alors évident que Ted l'avait adoré – c'est ainsi qu'il me l'avait dépeint dans ses souvenirs. Ted m'avait aussi avoué que lorsque Louise l'avait amené à Tacoma, il avait été arraché à son grand-père Sam, qui lui avait terriblement manqué. Ted avait aussi déclaré au Dr Lewis que son grand-père était « merveilleux, bon et plein d'amour » et qu'il n'en avait « que d'excellents souvenirs ».

Or, le grand-père Sam que décrivit le Dr Lewis au tribunal était très différent. À la suite d'entretiens avec divers membres de la famille, il apparut que c'était un être maniaque, au caractère changeant. Paysagiste talentueux et acharné au travail, Sam Cowell terrorisait, paraît-il, tout son entourage par ses brusques sautes d'humeur. Toute sa famille s'égaillait à la recherche d'un abri lorsqu'il rentrait à la maison. Il hurlait, fulminait et tempêtait à tout va. Ses propres frères le craignaient et murmuraient que quelqu'un aurait dû l'abattre. Sa sœur Virginia le croyait fou. Sam Cowell passait pour bigot et sectaire parmi les bigots ; il détestait les Noirs, les Italiens, les catholiques et les juifs. Et Cowell se montrait sadique avec les animaux. Il attrapait tous les chats qui passaient à sa portée et les projetait au loin en les attrapant par la queue. Il battait aussi les chiens de la famille à coups de pied, les faisant hurler de douleur.

Diacre dans sa paroisse, Sam Cowell avait la réputation d'abriter une collection d'ouvrages pornographiques dans sa serre. Selon certaines personnes proches de la famille, Ted et un de ses cousins s'y faufilaient subrepticement pour feuilleter ces revues bon marché. Mais comme Ted n'avait que trois ou quatre ans à l'époque, cela n'est peut-être que le fruit de leur imagination.

Le Dr Lewis dressa le tableau de la grand-mère de Ted, Eleanor. C'était celui d'une épouse timide et obéissante qui allait de temps en temps à l'hôpital se faire traiter par électrochocs pour soigner une dépression chronique. À la fin, dévorée par l'agoraphobie, elle ne quittait plus sa maison et restait enfermée entre ses quatre murs.

411

Tel était donc l'environnement familial de Ted pendant ses premières années d'enfance – les années au cours desquelles se développe la conscience d'un petit être. Je m'étais souvent demandé s'il n'y avait pas des découvertes à faire dans l'enfance de Ted ; quelque chose d'autre que sa conception et sa naissance illégitimes : un traumatisme trouvant son origine là-bas, à Philadelphie. Le témoignage du Dr Lewis avait finalement révélé tout un pan caché de son histoire.

Quand Louise Bundy avait découvert qu'elle était enceinte, elle avait dû être terrifiée. À l'évidence, sa famille n'était pas prête à accueillir un petit bâtard en son sein. Elle fut mise au ban de son école. On peut tout à fait imaginer la réaction de son père. Sa mère dut s'effondrer en larmes et se terrer encore plus profondément en elle-même. Louise prit le chemin de Burlington – seule – et donna naissance à un beau bébé.

Puis elle revint chez elle sans l'enfant. Pendant trois mois, Ted attendit à la clinique le retour de sa mère, qui se demandait ce qu'elle devait faire. Pouvait-elle le ramener avec elle à Philadelphie ? Devait-elle le faire adopter ? Tous les soins, la tendresse, l'attention dont un bébé a besoin furent refusés à Ted pendant ces trois mois.

Je ne crois pas que l'on puisse jeter le blâme sur Louise Cowell Bundy ; il est évident qu'elle a fait de son mieux.

Ted a survécu – mais je crois que sa conscience est morte à cette époque, victime de sa fuite devant la terreur. Une partie de lui s'était refermée avant qu'il ait atteint l'âge de cinq ans.

La perturbation de l'équilibre psycho-affectif de Ted transparaît d'une manière extrêmement parlante dans cet incident relaté par le Dr Lewis au tribunal en décembre 1987. Ted était alors âgé de trois ans. Sa tante Julia en avait quinze. Elle s'était brusquement réveillée un jour pour s'apercevoir que quelqu'un avait disposé des couteaux tout autour d'elle pendant qu'elle sommeillait. Elle n'était pas blessée, mais la vue de ces lames de métal argenté la bouleversa.

Julia reconnut les couteaux, qui provenaient du tiroir de la cuisine, puis en levant les yeux, elle aperçut son neveu âgé de trois ans. L'adorable, le mignon petit Ted Bundy, debout au pied du lit, lui souriait.

Trente-huit ans plus tard, assis dans le prétoire du juge

Sharp, Ted écoutait avec sérénité le Dr Lewis raconter cette enfance épouvantable qui avait été la sienne. Il était très décontracté et bavardait affablement avec ses avocats.

L'accusation présenta ensuite un enregistrement vidéo du plaidoyer prononcé par Ted en février 1980 devant la Cour. C'était après que le jury l'eut reconnu coupable du rapt et du meurtre de Kimberly Leach. Ted avait l'air de tout, sauf d'un fou.

Ted sourit faiblement en regardant l'image vidéo. Il avait souvent accablé les médias, leur reprochant d'avoir fait de lui un « symbole », mais il avait prouvé plus tôt dans la journée qu'il aimait toujours autant les caméras. Alors que les surveillants de la prison l'emmenaient de sa cellule au fourgon cellulaire qui devait le conduire au tribunal d'Orlando, Ted avait repéré les caméras de télévision qui le guettaient et, avec un sourire, il était monté dans le fourgon en effectuant une galipette arrière.

Le juge Kendall Sharp rendit son jugement le 17 décembre 1987. Cheveux blancs et mâchoire volontaire, Sharp était un homme vif, impatient et ferme. Il était convaincu que Ted avait été « tout à fait capable » lors du procès Leach.

– Je pense que M. Bundy a été l'un des accusés les plus intelligents, les plus clairs et les plus cohérents qu'il m'ait été donné de voir.

Il ajouta que Bundy était « un individu très sûr de lui, qui était parfaitement au fait des procédures en vigueur... À chaque fois que M. Bundy entrait dans un débat juridique, il le faisait avec logique, cohérence et pertinence ».

Sharp ajouta encore que ce qu'il venait de dire prenait tout son sens lorsqu'on écoutait le plaidoyer contre la peine de mort que Ted avait prononcé au dernier jour de son procès, le 12 février 1980.

Trente jours plus tard, le jugement rendu par le juge Sharp était confirmé par la Cour suprême des États-Unis.

Épilogue

En décembre 1988, je reçus un appel de Gene Miller, du *Miami Herald*. Nous étions sporadiquement restés en contact au cours des dix dernières années, depuis notre rencontre lors du premier procès de Ted en Floride.

— Ted va y passer, me dit-il.

— ... Quoi ?

— Le bruit court qu'il va être exécuté au printemps prochain.

— J'ai déjà entendu ça auparavant.

— Es ont l'air plutôt sûrs d'eux, cette fois.

Les avocats de Ted avaient interjeté leur appel devant la Cour suprême des États-Unis. C'était leur dernière chance. S'il était rejeté – comme il l'avait déjà été par les cours d'Orlando, de Tallahassee et d'Atlanta – le gouverneur Bob Martinez aurait les mains libres pour signer un autre ordre d'exécution. Le quatrième.

La Cour suprême rejeta la demande en pourvoi le 17 janvier 1989 et Martinez signa immédiatement l'ordre d'exécution.

Celui-ci était applicable pendant sept jours à dater du lundi 23 janvier à 7 heures du matin, heure locale. Les préparatifs s'organisèrent pour que l'exécution puisse avoir lieu le mardi 24.

Le vent froid qui soufflait me parut alors devenir glacial. Mon téléphone n'arrêtait plus de sonner. Des appels en provenance de stations de radio et de télévision de tout le pays : Fort Lauderdale, Albany, Calgary, Denver... Comment tout ce monde pouvait-il savoir que cette fois serait la bonne ?

C'était le quatrième ordre d'exécution. Peut-être cela voulait-il tout dire... La justice venait de graisser ses rouages et ceux-ci s'étaient mis à tourner de plus en plus vite.

Bob Keppel attendait un signal. Il avait déjà rendu visite deux fois à Ted Bundy au pénitencier fédéral de Floride. Maintenant il voulait l'ultime confession. Tout comme les enquêteurs de Salt Lake City, ceux du comté de Pitkin, Colorado, et tous ces parents rongés par l'ignorance du destin ultime de leurs filles.

Ted était resté dans la partie jusqu'au bout. Il avait joué et à présent la chance l'avait quitté. Mais je savais aussi qu'il ne tirerait pas sa révérence sans donner un dernier feu d'artifice ; il ferait sûrement quelques révélations.

Le lendemain du jour où Martinez avait signé l'ordre, le bruit courut que Ted pourrait dire ce qu'il savait sur les affaires de meurtre encore non résolues. Étant donné la tournure des événements, il semblait que Ted n'aurait rien à y perdre et beaucoup à gagner. Un sursis, par exemple. Et par ailleurs, Ted se retrouverait de nouveau sous le feu des projecteurs – s'il parlait... À force de répéter à qui voulait l'entendre qu'il en savait plus long que quiconque en matière de meurtre en série, c'était peut-être sa dernière chance avant de tirer l'échelle.

Le gouverneur Martinez ne parut pas impressionné. Par son porte-parole, il fit dire que Ted pouvait avouer tout ce qu'il voulait, il ne gagnerait pas une minute de sursis pour autant :

– Il dispose de six jours pour le faire à dater de maintenant, déclara John Peck, chef du service de relations publiques de Martinez.

Ted Bundy se trouvait à nouveau propulsé en première page des journaux. Cette fois, la rumeur ne s'était pas trompée. Ses avocats paraissaient confiants dans la possibilité d'obtenir un nouveau sursis – pour lui donner le temps de signer des aveux. Ted Bundy était en marche vers la chaise électrique, et après quatorze années passées à nier ses crimes, prêt à s'en ouvrir à la police.

Bob Keppel s'envola pour la Floride le 20 janvier. Cet entretien avec Bundy était le scoop dont rêvaient tous les journalistes. Terrés dans les motels des environs de la prison, les reporters de Seattle cherchaient à deviner dans lequel Keppel allait descendre. Ils m'appelèrent pour me le demander. Je n'en avais pas la moindre idée.

Personne ne sut où Keppel était descendu en Floride – pas même sa femme. En fait, il passa sa première nuit dans un Motel 6, près de l'aéroport de Jacksonville, avant de rejoindre Bill Hagmaier, agent spécial du Département d'études comportementales du FBI.

Bill Hagmaier avait aussi fait connaissance avec Ted Bundy. Ted en était venu à approuver – en partie seulement – l'approche de la question du meurtre en série adoptée par le Département d'études comportementales du FBI. Ces agents spéciaux étaient le genre d'hommes que Ted appréciait. Hagmaier avait été chargé d'organiser le recueil des aveux de dernière minute. Il avait une influence apaisante sur Ted. C'était l'homme idéal pour conseiller les détectives qui allaient arriver, pressés d'obtenir des réponses à leurs questions avant qu'il ne soit trop tard.

Keppel devait avoir un premier entretien avec Ted vendredi de 11 heures à 14 h 30. Deux des nouveaux conseillers juridiques de Ted, Diana Weiner et Jack Tanner, lui donnèrent quelques directives préalables. Cela le mena jusqu'à 11 h 30. Puis il y eut un autre visiteur, ce qui fit qu'il était presque midi quand Keppel se retrouva enfin face à Ted.

Diana Weiner était présente durant l'entretien, ce qui empêcha Keppel d'effectuer une visite « de contact ». Il n'eut droit qu'à une visite « hors contact », c'est-à-dire un entretien où les deux interlocuteurs sont séparés par une vitre transparente. Un magnétophone avait été placé du côté de Ted. Weiner prêta une oreille très attentive aux propos qui furent échangés. Les parloirs des prisons sont généralement peints en vert-jaune ou couleur moutarde, teintes qui n'amélioraient pas la pâleur du visage de Ted. Sa peau n'avait pas vu le soleil depuis des années. Mais il sourit à Keppel et l'accueillit avec assurance. Il accordait à Keppel sa confiance car il ne lui avait jamais menti.

– Le premier jour de notre entretien, il était tout disposé à parler, se souvient Keppel. Il ne m'était pas venu à l'esprit ce jour-là – vendredi – qu'il n'avait pas l'intention de passer aux aveux le jour même. Il voulait préparer le terrain. Il avait pris des notes avec lui pour les trois jours suivants. Il a commencé comme ça et puis, à mi-chemin, il a changé d'avis. Il a réalisé que s'il ne se mettait pas rapidement à table, je n'allais pas beaucoup apprécier sa conversation. Parce que je ne disposais en tout que de trois heures avec lui.

Keppel s'attendait à ce que ses visites précédentes leur épargnent à tous deux « le baratin habituel ». Il comptait « entrer au plus vite dans le vif du sujet ». Mais il se rendit vite compte qu'il y avait un jeu avec des règles et qu'il allait devoir s'y plier :

– Tout avait été orchestré d'avance. On pourrait faire certaines choses, mais pas tout.

Keppel comprit qu'il allait devoir « trouver rapidement un moyen d'amener Ted à ne parler que d'un seul meurtre, en lui faisant admettre tous les autres ».

Les conditions idéales pour conduire un interrogatoire étaient très loin d'être réunies. Pour obtenir un témoignage solide et fiable sur un seul meurtre, n'importe quel détective voudrait disposer d'au moins quatre heures. Keppel voulait des informations sur huit meurtres au moins – et ne disposait que de quatre-vingt-dix minutes. Et le sable continuait de couler dans le sablier tandis que Ted cherchait toujours à orienter la discussion à son avantage. Mais il ne restait plus assez de temps à consacrer à son ego...

– La meilleure façon de procéder était de lui poser des questions sur les emplacements géographiques. C'est ainsi que j'ai appris qu'il avait laissé cinq cadavres sur le mont Taylor, et non quatre comme nous l'avions cru.

Ted informa Keppel que le cinquième corps était celui de Donna Manson, la fille qui avait disparu du campus de l'institut Evergreen, à Olympia, le 12 mars 1974.

– Il a aussi déclaré qu'il y en avait trois – et non pas deux – là où on a retrouvé Ott et Naslund.

Les enquêteurs avaient compté un fémur et une vertèbre en trop près de cette route pleine d'ornières, à trois kilomètres du parc du lac Sammamish ; mais ils n'avaient pas pu découvrir à qui ils avaient appartenu. Ted finit par avouer qu'ils avaient trouvé là tout ce qui restait de Georgeann Hawkins.

La technique adoptée par Keppel fonctionna à merveille. Il mentionnait les sites où avaient été retrouvés les corps et, quand Ted voulait bien en parler, l'entretien progressait sans heurts. Ted fournissait à Keppel des informations solides et vérifiables. Keppel surveillait la bande magnétique du coin de l'œil et la vit arriver à son terme. Ils se trouvaient au beau milieu d'une conversation d'une importance capitale, mais il dut freiner Ted dans son élan pour lui demander de retourner la cassette. Toutes ces informations qu'il avait recherchées pendant des années et qu'il obtenait enfin valaient de l'or pour Keppel. Les détails étaient hideux et Ted s'étranglait, toussait, déglutissait, s'interrompait, soupirait profondément. Mais la vérité se dévoilait enfin – après tout ce temps.

Le tour le plus imprévu que prit leur conversation fut celui du nombre des victimes. Les chiffres ne correspondaient pas. Keppel finit par lui demander :

– Qui sont ces autres ? Y a-t-il quelqu'un d'autre, là-bas, dont nous n'avons pas eu connaissance ?

La réponse de Ted vint, rapide :

– Oh ! oui. Trois autres.

Mais l'heure avait sonné. Keppel ne savait pas s'il aurait un jour l'occasion de reparler avec Ted. Il savait que les enquêteurs de l'Utah et du Colorado avaient aussi des questions à lui poser. Le temps qui lui avait été imparti était maintenant écoulé.

Pourtant Keppel se vit offrir une seconde chance le dimanche soir, entre les créneaux aménagés pour les détectives Dennis Couch, de Salt Lake City, et Mike Fisher, du Colorado, et l'entretien avec le Dr Dobson.

Ted était au bord de l'épuisement. Il n'avait pas dormi depuis plusieurs nuits. Son visage barbouillé de larmes était de plus en plus pâle. Il était maigre, presque frêle, et portait deux chemises sur le dos, comme s'il cherchait à se protéger de l'haleine froide de la mort. Son charisme de jeune politicien d'antan avait totalement disparu ; il avait l'air vieux et usé.

Ted avait passé des heures avec Bill Hagmaier durant la première nuit des interrogatoires-marathons. Hagmaier l'avait aidé à extraire de sa mémoire les informations dont les enquêteurs allaient avoir besoin. Il avait aussi parlé à Dobson, puis à ses avocats et s'était enfin préparé à s'entretenir avec les policiers.

Quand on lui demanda s'il pensait que Ted allait pouvoir savourer ses derniers jours de vie sans prendre de repos, Keppel répondit en secouant la tête :

— Non, je pense qu'il a vraiment cru qu'en jouant correctement ses cartes il pourrait vivre un peu plus longtemps. Il a voulu sauver sa peau. Il ne voulait pas mourir. Il s'attendait à ce que ses efforts soient pris en considération.

C'était on ne peut plus vrai. Les avocats de Ted avaient demandé un sursis de trois ans. Trois ans et Ted dirait tout.

Keppel s'était rendu compte que, tout au long de ses entretiens, Ted gardait l'oreille tendue à l'écoute du téléphone. Du vendredi au lundi, des messages de Polly Nelson et de Jim Coleman tombèrent du matin au soir. Ils jouaient leur va-tout. La Cour suprême étudiait la possibilité d'une demande exceptionnelle qui permette de garder Ted en vie jusqu'à ce qu'un nouvel appel soit formé. Il restait une dernière chance.

— Les téléphones sonnaient, se souvient Keppel, et ils réveillaient Ted. Quoi qu'il fût en train de faire, il entendait le téléphone sonner. C'est tout ce qui occupait son esprit.

Ted savait que le gouverneur Martinez faisait la sourde oreille. Quelles que soient les propositions de Weiner et Tanner, Martinez disait non. Diana Weiner avait demandé à Keppel d'intercéder auprès du gouverneur, mais Keppel avait refusé. La seule autre voie d'intercession possible était de demander aux familles des victimes d'envoyer par télécopie des lettres au gouverneur de Floride pour lui demander la grâce de Ted !

Là, Keppel avait usé de son influence. Grâce à lui, Linda Baker, qui représentait l'une des victimes, avait pu entrer en contact avec les parents des autres victimes. Elle leur avait demandé s'ils étaient d'accord pour repousser l'exécution de Ted de manière à ce qu'ils sachent quel sort avaient subi leurs filles et, dans certains cas, qu'ils apprennent où se trouvaient les restes de leurs enfants.

À l'exception d'une seule personne, toutes les familles refusèrent d'intercéder en faveur de Ted Bundy.

— C'est malheureux, déclara Keppel, le moment était vraiment mal choisi. Ted nous disait où il avait enterré ses victimes, mais on ne pouvait rien vérifier parce que les zones du Colorado et de l'Utah qu'il nous indiquait étaient enfouies sous deux mètres de neige. Même dans l'État de Washington nous avions trente centimètres de neige.

Bob Keppel disposa de quarante-cinq minutes d'entretien avec Ted le dimanche 22 janvier au soir. Il obtint quelques détails supplémentaires. Mais, dès qu'il tenta de croiser verbalement le fer, il se rendit compte qu'il ne restait plus la moindre trace de pugnacité chez Ted. Bundy le dévisagea avec effort, incapable de soutenir son attention : il tombait de sommeil. Il se secoua et dit :

– Je sais bien ce que vous essayez de faire, mais ça ne marchera pas. Je suis trop fatigué.

Le téléphone sonna et Ted fut de nouveau tout ouïe, l'attention en éveil. La nouvelle était mauvaise. La Cour suprême avait rejeté sa demande.

– Ça l'a totalement vidé de son énergie, raconta Keppel, qui n'a plus obtenu ensuite de réponses à ses questions.

Quand Keppel s'adressa aux journalistes, la tension accumulée au cours des jours passés se lisait sur son visage. Alors que c'était un homme au caractère trempé, on voyait bien qu'il avait reçu un choc. Plonger dans les ténèbres de l'esprit d'un homme qui était un « tueur né » l'avait terrassé :

– Il m'a décrit le lieu du crime à Issaquah, là où il avait abandonné les corps de Janice Ott, de Denise Naslund et de Georgeann Hawkins, et c'était comme s'il s'y trouvait encore. Comme s'il voyait tout. Il était tellement content d'avoir passé autant de temps là-bas. Il est tout simplement entièrement habité par l'idée de meurtre, en permanence...

Keppel fut aussi choqué d'entendre Ted Bundy demander grâce pour sa vie, de le voir verser des larmes sur son propre sort. Ted qui avait su, pendant si longtemps, conserver une maîtrise complète de lui-même.

Keppel répondit à certaines questions des journalistes et promit de répondre à d'autres un peu plus tard. Il déclara qu'il y avait cependant certaines choses qu'il avait apprises et dont il ne parlerait jamais.

La nouvelle parut dans les dernières éditions, en anglais et en espagnol : Ted Bundy avait avoué. Il ferait, selon toute probabilité, d'autres aveux.

Bob Keppel se rendit ensuite à Jacksonville, où il monta à bord d'un avion qui le ramènerait chez lui, à Seattle. Il avait fait le maximum et était aussi satisfait du résultat obtenu qu'on pouvait l'être. Lundi soir, il dormirait dans son propre lit. Il était loin de se douter qu'il serait réveillé à 4 heures du matin, heure à laquelle avait été fixée l'exécution de Ted.

Le Dr Lewis revint du Connecticut pour de nouveaux entretiens avec Ted. À l'issue de ces examens, elle pouvait encore décréter son incapacité pénale. Le gouverneur aurait alors nommé une commission de trois psychiatres pour expertiser Ted. Il s'agissait d'une expertise psychiatrique, conduite simultanément par les trois médecins. Et si deux des trois psychiatres s'étaient accordés sur un diagnostic d'incapacité, un sursis aurait été accordé.

En cette vingt-cinquième heure, Ted se doutait bien qu'il n'obtiendrait plus aucun sursis d'exécution. Il devait même le savoir depuis plusieurs jours. Et pourtant, il avait avoué, encore et encore, à en perdre haleine. Il avait enfin fourni toutes sortes de détails qui le liaient irrévocablement à tous ces meurtres. Il raconta à Bob Keppel qu'il avait abandonné la bicyclette jaune de Janice Ott dans une pépinière de Seattle peu après avoir assassiné sa propriétaire en juillet 1974. Personne n'avait jamais déclaré l'avoir trouvée. Keppel supposait « qu'un gamin avait dû la ramasser et se sauver avec ».

Bien que Ted ait toujours été soupçonné d'être à l'origine de la disparition de Donna Manson à Olympia, les enquêteurs n'avaient jamais pu en avoir la certitude. C'était maintenant chose faite : Ted déclara que le cinquième corps qu'il avait abandonné sur le mont Taylor était celui de Donna. Dès que la neige aurait fondu, les recherches reprendraient une fois de plus dans la région.

Mais qui étaient ces trois victimes dont Ted refusait résolument de donner les noms ?

Ted nia avoir tué Ann Marie Burr, la petite fille de Tacoma. Mais ses arguments étaient plutôt faibles. Il prétendait n'avoir pas pu la tuer parce qu'il était « trop jeune, à l'époque » et qu'il vivait « beaucoup trop loin de chez elle ».

En fait, Ted était âgé de quinze ans lorsque Ann Marie disparut. Il était assez grand et il n'habitait qu'à quelques rues de chez elle. Ann Marie prenait des leçons de piano juste à côté de chez l'oncle de Ted. Celui-ci aurait donc fort bien pu la rencontrer.

Dans ses aveux tardifs, Ted répugna à parler des enfants qu'il avait assassinés, ou fournit de pâles excuses.

Je crois qu'il a tué Ann Marie. Je crois qu'elle a aussi été, très probablement, sa première victime.

Je pense aussi qu'il a tué Katherine Merry Devine, bien qu'il ait refusé de l'admettre. Ted mentionna à Bob Keppel avoir embarqué une auto-stoppeuse près d'Olympia en 1973. Il avoua l'avoir assassinée, avant d'abandonner son corps dans les bois quelque part sur la côte, entre Olympia et Aberdeen. Keppel lui montra une carte, mais il se révéla incapable de situer l'emplacement. Le corps de Kathy Devine avait été découvert près d'Olympia. Il est possible qu'une personne l'ait d'abord prise en stop dans le quartier de l'université et l'ait conduite à quatre-vingt-dix kilomètres au sud de la route nationale. Il est tout aussi possible que Ted soit le conducteur qui l'a prise à son bord près de Tumwater.

Et qu'il soit l'homme qui l'a tuée en décembre 1973.

Je crois que sa troisième victime a été Lonnie Trumbull, l'hôtesse qui a été attaquée dans son lit en 1966.

Ted n'a rien voulu dire.

La liste des victimes de Ted est longue et tragique. Il avoua à Bob Keppel avoir assassiné Lynda Ann Healy, Donna Gail Manson, Susan Elaine Rancourt, Brenda Carol Ball, Roberta Kathleen Parks, Janice Ann Ott et Denise Marie Naslund.

Il leva aussi le voile sur l'énigmatique disparition de Georgeann Hawkins, survenue en juin 1974 à l'université de l'État de Washington, qui avait complètement déconcerté les policiers. Cent fois, depuis, j'avais retourné la situation dans ma tête et il s'avéra que les choses ne s'étaient pas passées d'une manière tellement différente de celle que j'avais imaginée.

Georgeann avait crié *Adios !* en riant à son ami penché par la fenêtre du bâtiment Bêta du côté nord de l'allée, puis elle s'était dirigée vers la Buick jaune rutilante garée un peu plus loin... et avait rencontré Ted Bundy.

L'enregistrement de ses aveux est difficilement audible : on perçoit un *chtoc-chtoc-chtoc* régulier dû à un mauvais fonctionnement du magnétophone. La voix de Ted est fatiguée et tendue, âpre. C'est une voix que je connais. Elle est difficile à entendre et ce qu'elle dit est dur à admettre aussi. Jamais je n'ai entendu une voix dire des choses aussi affreuses :

– ... vers minuit ce jour-là (le 10 juin 1974), je me trouvais... ahhhh, dans une allée, derrière, comme... – je me trompe peut-être de rue, là – derrière les sororités et les fraternités... ça devait être la 45e – 46e... 47e ?... Derrière les résidences, de l'autre côté de la rue, il y avait une église congréganiste, je crois... Je remontais l'allée... ahhh, avec une serviette et des béquilles. Cette jeune femme est venue à ma rencontre – elle était apparue au coin de la rue. Elle s'est arrêtée un instant, puis elle a continué à marcher vers moi. Je l'ai rencontrée à peu près à mi-chemin et je lui ai demandé de m'aider à porter ma serviette. Elle l'a fait. On a remonté l'allée, traversé la rue, tourné à droite sur le trottoir, juste devant la fraternité qui se trouvait au coin, je crois...

« Puis on a tourné à gauche, après le carrefour – en allant au nord sur la 47e, il y avait un parc de stationnement qu'ils construisaient sur l'emplacement d'immeubles incendiés. Il était plongé dans les ténèbres et, ahhh... ma voiture était garée là.

Ted pousse un profond soupir :

– Unhhhhhhsss... En fait, ce qui s'est passé, c'est que... quand on est arrivés à la voiture, je l'ai assommée avec la pince à levier...

– Où l'aviez-vous laissée ?

– Près de la voiture.

– À l'extérieur ?

– Dehors, oui – à l'arrière... de la voiture.

– Pouvait-elle la voir ?

– Non. Et j'avais aussi des menottes, avec le levier. Je lui ai passé les menottes et je l'ai mise sur le siège du conduct... euuhh, je veux dire du passager, et j'ai filé.

– Était-elle encore en vie à ce moment-là ?

– Oui. Elle était assez... elle avait perdu connaissance, mais elle était bien vivante.

Les soupirs de Ted que l'on entend sur cet enregistrement sont ceux d'un homme en proie à de violentes et douloureuses émotions. Il grogne, il a des hoquets, il prend de profondes inspirations... Et le *chtoc-chtoc-chtoc* de la cassette bat la mesure avec la régularité d'un métronome.

Ted descendit la 50ᵉ Nord-Est.

– La rue était orientée est-ouest. J'ai tourné à gauche sur la... nationale. Là, j'ai pris au sud, puis quitté la route en empruntant un vieux pont flottant... Elle est revenue à elle à ce moment-là et... en fait, je n'entre pas vraiment dans les détails, parce que... c'est juste qu'ils sont... enfin, bon, j'ai traversé le pont de l'île Mercer, puis dépassé Issaquah, franchi une colline, et pris une petite route conduisant dans un endroit herbeux...

À ce point de la confession de Ted, Keppel vérifia ses propos en lui parlant d'une rampe de sécurité au milieu de la route qui aurait dû l'empêcher de traverser les deux voies. Ted soutint qu'il n'y avait aucune rampe à cet endroit en 1974. Il avait raison.

– On pouvait encore faire demi-tour à cette époque, même si la double ligne jaune interdisait la manœuvre. J'ai été dingue de faire ça – tiens, parlons de folie... –, s'il y avait eu une patrouille de la sécurité routière, elle m'aurait probablement arrêté. (Ted rit.) Enfin, toujours est-il qu'il n'y avait aucune rambarde de séparation au milieu de la chaussée... Il suffisait d'enfreindre le code de la route et de tourner à gauche en traversant les voies pour aller sur cette petite route parallèle à la nationale 90...

« ... Je lui ai enlevé les menottes et... Je l'ai sortie de la fourgonnette et je lui ai enlevé les menottes. Je l'ai sortie de la voiture.

– Une fourgonnette ?

– Non, c'était une Volkswagen.

– Vous avez dit une fourgonnette.

– Eh bien, je suis désolé si je... ahhh, c'était une Volkswagen... de toute façon, voilà la partie la plus difficile à raconter... je ne sais pas... On était un peu dans l'irréel,

425

jusqu'ici, maintenant, on entre dans le... Eh bien, on aborde la question. Je vais en parler, mais... c'est juste que, j'espère que vous comprenez... ce n'est pas facile d'en parler et, après tout ce temps, ohhh uhhhhsss...

Ted soupire si profondément que cela provoque un sifflement dans l'enregistrement. Il semble essayer de repousser cette idée et il grogne ce faisant.

– Ce qui rend les choses difficiles, c'est qu'elle était parfaitement consciente, à ce moment-là, et elle parlait de tas de choses... C'est marrant – c'est pas marrant, c'est curieux – les choses que les gens peuvent dire dans de telles circonstances. Et elle pensait – elle a dit que c'était à ça qu'elle pensait – à son examen d'espagnol du lendemain et qu'elle croyait que je l'avais enlevée pour l'aider à préparer son examen. Bizarre, les choses qu'elles disent. Enfin... pour aller au plus court, je l'ai assommée une deuxième fois. Puis je l'ai étranglée et je l'ai traînée à une dizaine de mètres de là, dans un petit bosquet d'arbres qui se trouvait là.

– Avec quoi l'avez-vous étranglée ? demande Bob Keppel d'une voix douce, dépourvue d'émotion.

– Avec une corde... euh, un vieux bout de corde que j'avais trouvé là.

– ... Et que s'est-il passé ensuite ?

– ... J'ai démarré la voiture. C'était l'aube. Le soleil se levait. Et tout a recommencé. Ça a recommencé, comme... quand j'étais juste complètement – complètement choqué, simplement – et ce matin-là en particulier... une fois de plus – ça recommençait à chaque... – totalement choqué... terrifié – horrifié. J'ai repris la route en jetant par la fenêtre tout ce qui me tombait sous la main : la serviette, les béquilles, la corde, les vêtements. Tout par la fenêtre, comme ça. J'étais... j'étais complètement paniqué – c'était l'horreur totale. C'est à ce moment que j'ai dû... uhhhhnn... réaliser ce qui venait réellement de se passer. C'est comme quand on sort enfin d'une fièvre ou de quelque chose comme ça... J'ai roulé en direction du nord-ouest sur la nationale 90 en balançant des vêtements par la fenêtre – des chaussures – en roulant...

Keppel l'interrompit pour lui demander si Georgeann s'était déshabillée.

426

– Quoi ? fit Ted sur un ton irrité.

Keppel répéta sa question. Ted la balaya :

– Eh bien, après que nous sommes sortis de la voiture
– enfin, je passe sur quelques détails, ici – il faudra y revenir
une autre fois, mais je ne me sens pas... –, c'est trop dur d'en
parler là, comme ça, tout de suite...

Ted revint par la suite sur quelques-uns des détails sur lesquels il était « passé ». Keppel se demanda pourquoi personne
n'avait jamais trouvé les objets que Ted avait jetés sur la route
pendant sa crise de panique. La réponse vint, évidente : dès
qu'il eut retrouvé son calme, Ted était revenu sur ses pas et
avait tout ramassé.

Les aveux venaient par à-coups, entrecoupés de longues
plages de silence. Ils étaient horrifiants. Ted Bundy avait bien
été, ainsi qu'il l'avait déclaré des années auparavant à Pensacola et à Tallahassee, « un voyeur et un vampire », un homme
entièrement dévoré par ses fantasmes. Sa perversion était
hideuse et odieuse ; les troubles de son esprit malade aussi
profondément enracinés en lui que chez tous les tueurs dont
j'ai été amenée à parler dans ma carrière.

Et toutes ces aberrations devaient déjà exister en lui quand
je passais mes nuits de dimanche et de mardi seule avec ce
jeune homme de vingt-quatre ans aux yeux clairs. Rien que
cette pensée me donne le frisson.

Mais les crimes commis dans l'État de Washington ne furent
pas les seuls que Ted Bundy avoua.

Il reconnut avoir tué Julie Cunningham à Vail, dans le Colorado, en mars 1975. Peut-être Julie pleurait-elle, tout en allant
rejoindre son amie qui la réconforterait... Ted la rencontra dans
la rue enneigée et lui demanda de l'aider à porter ses chaussures de ski. Arrivés à la voiture, il l'assomma avec un pied-
de-biche et chargea son corps inanimé dans l'auto. Tout
comme Georgeann, Julie revint à elle – et il la frappa derechef.
Il abandonna son cadavre dans un premier temps, mais revint
plus tard pour l'enterrer.

Oui, il en avait enterré certaines, abandonné d'autres dans
les bois, jeté d'autres encore dans des rivières. Il y en avait
eu tellement ! Et il y en avait probablement eu encore plus

427

qu'on ne le saurait jamais. Bob Keppel pense que Ted a tué au moins une centaine de femmes, et je suis de son avis.

Ted Bundy, élu le garçon le plus « timide » de sa classe au lycée de Tacoma, a commencé à tuer, je pense, en 1961, lors de la disparition de la petite Ann Marie Burr. Il a évolué en liberté, tout en menant une vie très compartimentée, jusqu'en octobre 1975. Après son évasion en décembre 1977, il a été libre pendant six semaines et demie, qui se sont révélées particulièrement meurtrières. Nous savons qu'il a agressé sept femmes pendant ce laps de temps, tuant trois d'entre elles. De combien d'autres n'avons-nous pas entendu parler ?

Quand il eut terminé ses aveux, la liste terrifiante de ses victimes remplissait toute une page de journal – de haut en bas. Ted Bundy avoua avoir tué :

Dans le Colorado :
Caryn Campbell, 24 ans.
Julie Cunningham, 26 ans.
Denise Oliverson, 24 ans.
Melanie Cooley, 18 ans.
Shelly K. Robertson, 24 ans.

Dans l'Utah :
Melissa Smith, 17 ans.
Laura Aime, 17 ans.
Nancy Baird, 23 ans (disparue le 4 juillet 1975 d'une station-service de Layton, où elle travaillait).
Nancy Wilcox, 16 ans (aperçue pour la dernière fois le 3 octobre 1974 à bord d'une coccinelle Volkswagen de couleur pâle).
Debby Kent, 17 ans.
Sue Curtis, 15 ans (disparue le 28 juin 1975 alors qu'elle assistait à une conférence).
Debbie Smith, 17 ans (disparue en février 1976 ; son corps fut retrouvé le 1er avril 1976 dans l'aéroport international de Salt Lake).

Dans l'Oregon :
Roberta Kathleen Parks, 20 ans.
Bien que les enquêteurs de l'Oregon ne purent interroger

Ted en Floride, ils le soupçonnent d'être à l'origine de la disparition de deux autres femmes au moins dans l'État : Rita Lorraine Jolly, 17 ans (disparue de West Linn en juin 1973).

Vicki Lynn Hollar, 24 ans (disparue d'Eugene en août 1973).

En Floride :

Margaret Bowman, 21 ans.

Lisa Levy, 20 ans.

Kimberly Leach, 12 ans.

L'État de l'Idaho n'avait aucune raison d'envoyer des enquêteurs à la prison de Raiford. Bob Keppel appela Russ Reneau, du bureau de l'attorney général, et lui suggéra que ce pourrait être une bonne idée d'envoyer quelqu'un en Floride. Jim Jones, l'attorney général, dépêcha trois enquêteurs à Starke. Russ Reneau était très loin de se douter de ce qu'ils allaient apprendre.

Selon les rapports, Ted reconnut s'être arrêté près de Boise durant le week-end au cours duquel il avait déménagé pour Salt Lake City. Là, le 2 septembre 1974, il avait pris à son bord une fille qui faisait du stop. Il lui avait défoncé le crâne et avait jeté son corps dans une rivière – la Snake, pensait-il. Les autorités de l'Idaho ne trouvèrent aucun rapport mentionnant une personne disparue correspondant à la description donnée par Ted.

L'aveu suivant, par contre, correspondait trop bien à une affaire restée inexpliquée pour n'être qu'une simple coïncidence. Et l'histoire qui ressortit se révéla être une étude en matière de cruauté délibérée. Ted déclara, paraît-il, à Reneau, qu'il avait fait une excursion dans l'Idaho dans le seul et unique but de trouver quelqu'un à assassiner. Il prit au préalable ses précautions et s'assura qu'il n'aurait pas d'essence à acheter de façon à ne laisser aucune trace de son passage dans l'État. Il décida qu'il n'irait pas plus loin que Pocatello et y ferait demi-tour. L'aller-retour Pocatello-Salt Lake City représente un trajet de trois cent soixante et onze kilomètres, largement dans le rayon d'action d'une Volkswagen.

La région était assez touristique et beaucoup de gens de

passage s'y arrêtaient. Ted prit la nationale 15 à la recherche d'une proie, d'une femme quelconque et inconnue à tuer. C'était le 6 mai 1975.

À l'heure du déjeuner, il repéra une fille sur le terrain de récréation d'un lycée. Il l'enleva, l'assassina, puis se débarrassa de son cadavre en le jetant dans une rivière. Encore la Snake, mais il n'en était toujours pas très sûr.

Lynette Culver, treize ans, habitait Pocatello et sa disparition avait été signalée le 6 mai 1975. Son corps ne fut jamais retrouvé.

Son forfait accompli, Ted était rentré à Salt Lake City. L'aller-retour ne lui avait pris que quatre heures de route.

Sans les corps des filles disparues, l'État d'Idaho ne pourrait jamais avoir la certitude que Ted leur avait dit la vérité. Mais, dans le cas de Lynette au moins, il semblait que certaines réponses avaient été apportées aux questions posées. Quant à l'autre jeune fille, qui a sûrement dû exister, sa disparition n'a jamais été signalée. Quelqu'un, quelque part, se souvient peut-être d'une jeune fille qui ne réapparut jamais...

Combien encore ? Parce qu'il en a tué tant, Ted n'a pas fait qu'ôter leur vie à ces femmes, il les a aussi privées de leur spécificité. C'est trop facile de les réduire à une liste de noms. Raconter toute l'histoire de chaque victime est une chose impossible à faire en un seul ouvrage. Toutes ces jeunes femmes jolies, intelligentes et aimées sont devenues par la force des choses les « victimes de Bundy » ; toutes ont sombré dans l'ombre...

... Pas Ted.

Entre le premier coup de fil de Gene Miller en décembre 1988 et la veille de l'électrocution de Ted, le temps s'était accéléré. Je passai toute la journée du lundi 23 janvier à sauter d'un plateau de télévision à l'autre pour répondre aux questions des présentateurs. Tous paraissaient absolument convaincus que l'exécution allait avoir lieu. Je garde une espèce de souvenir extra-temporel de ces moments, comme s'ils s'étaient déroulés dans un monde parallèle. Un nouveau président venait d'entrer à la Maison-Blanche, le temps se réchauffait enfin à Seattle après un hiver glacial, et Ted allait mourir.

Pour de bon, cette fois.

Si l'on m'en avait laissé le choix, j'aurais préféré rester chez moi, entourée de ma famille, dans un cadre chaleureux. J'avais besoin d'un environnement rassurant.

Pour le meilleur et pour le pire, Ted avait fait partie de ma vie pendant dix-huit années. Il avait, en fait, radicalement changé mon destin. J'écrivais maintenant des livres au lieu d'écrire des articles pour des magazines. Ce livre même – dont il se trouva en fin de compte être le sujet – a tout déclenché. J'ai maintenant assez de revenus pour vivre à l'aise, sans avoir à m'inquiéter des factures à venir.

J'avais travaillé pour que l'on arrête des individus comme Ted Bundy et j'avais travaillé avec des victimes qui avaient survécu à des hommes dans son genre. Quatre-vingt-quinze pour cent de ma conscience haïssaient Ted et ce qu'il représentait. Mais une toute petite partie de moi ne cessait de penser : « Oh ! Seigneur ! Il va entrer dans cette pièce et s'asseoir sur la chaise électrique et un courant électrique va circuler dans tout son corps en laissant des marques de brûlures sur ses tempes et ses bras et ses jambes ! »

J'étais assise bien tranquillement dans l'avion qui m'emmenait à San Francisco et cette pensée ne me quittait pas. Je regardais les nuages au-dehors et le paysage au-dessous de moi et je regrettais de ne pas être restée à la maison.

Je devais passer en duplex dans l'émission de Larry King sur CNN. Une limousine vint me prendre à l'aéroport et me déposa devant un gratte-ciel. À l'intérieur, je m'assis sous la chaleur des projecteurs du plateau de télévision et essayai de parler à l'objectif de la caméra comme s'il s'agissait du présentateur en personne. Tous ceux qui avaient connu ou rencontré Ted Bundy passaient ce soir-là dans un programme de télévision aux États-Unis. Ce jour en particulier, nous avions une certaine valeur médiatique qui aurait disparu d'ici un jour ou deux.

Quelque part dans le sud-est du pays, Karen Chandler, alors mariée et jeune mère, faisait au même présentateur que moi le récit de cette nuit de janvier 1978. Elle avait l'air parfaitement normale. Cela me réchauffait le cœur de savoir qu'une poignée de ces filles avait survécu à Ted et pouvait mener une existence heureuse. Karen ne dit rien du fait qu'elle continuait à verser trois cents dollars par mois au dentiste qui tentait de réparer ce que Ted lui avait fait avec une bûche de chêne.

Quant à la camarade de chambre de Karen, Kathy Kleiner, il ne semblait pas y avoir de chirurgie miracle susceptible d'apaiser les douleurs qu'elle éprouvait dans la mâchoire.

Dans le petit studio de télévision de San Francisco, je surveillais les signaux que me faisaient les cameramen en écoutant la voix douce de Karen Chandler. Jack Levin, un professeur de Boston, prit la parole pour donner son opinion sur les tueurs en série. Je me sentais un peu nauséeuse. Mes pensées revenaient continuellement à l'exécution de Ted et aux brûlures qu'allait causer l'électricité. Dans le même temps, je me disais : Ted n'a absolument rien à offrir à ce monde et le monde n'a certainement plus rien à lui donner. Son heure est venue.

L'air était bon et frais dans la vieille ville de San Francisco. Le chauffeur de la limousine me déposa devant le meilleur hôtel de la ville, où toute une équipe de journalistes m'attendait. J'allais passer les quarante heures suivantes avec eux : Tom Jarriel, Bernie Cohen, le producteur de l'émission, et Bob Read. Nous allions parler de Ted.

J'avais plus que jamais le sentiment d'évoluer dans un monde parallèle, et je sentis mon attention se disperser. J'eus conscience d'une horloge égrenant les secondes à l'intérieur de moi, rythmant la marche inexorable vers cette petite pièce du pénitencier fédéral de Floride – la pièce où trônait cette chaise en bois de chêne dégrossi, munie de sangles de cuir et d'électrodes, la pièce où les sièges des témoins étaient noir et blanc, vernis, avec le dossier sculpté en formé de tulipe – des chaises qui paraissaient frivoles en ce lieu.

Les journalistes m'offrirent un dîner gastronomique. J'avais la bouche trop sèche pour en jouir. Tom, Bernie et Bob se montrèrent très gentils, et amusants. Pour eux, cette histoire n'était qu'intéressante, elle n'impliquait aucun investissement émotionnel de leur part.

Ted allait mourir demain, le 24 janvier, et rien ni personne ne pourrait l'empêcher – ne devrait l'empêcher. Je fis mon possible pour me concentrer sur la conversation qui allait bon train. Je ne devais rien à Ted, Ted le monstre. Le monstre-tueur-violeur. Il m'avait menti et il avait détruit plus de vies et de manière plus horrible que tous les meurtriers dont j'avais pu parler jusqu'ici.

En Floride, Ted vivait plutôt sereinement ses dernières heures. Il avait annulé sa conférence de presse. Carole Ann Boone ne vint pas le voir.

Louise Bundy avait toujours été éprise de son « petit garçon chéri » et avait toujours cru en lui. La souffrance qu'elle exprima devant les révélations qu'il avait faites aux policiers était incommensurable. Les médias l'avaient traquée jusqu'à ce qu'elle leur claque la porte au nez.

Ted avait appelé sa mère dans la nuit du 23. Il lui avait répété, encore et encore, qu'il n'avait rien fait de mal.

« Il n'arrêtait pas de me dire combien il était désolé, qu'il y avait "une autre partie de lui-même que les gens ne connaissaient pas". »

Puis il s'était empressé de rassurer sa mère en lui disant que « le Ted Bundy que tu as toujours connu existe aussi ».

Dans une maison pleine d'amis, Louise pressait l'écouteur contre son oreille pour tenir les autres voix environnantes à l'écart, pour entendre pour la dernière fois la voix de son fils.

« Tu resteras toujours mon enfant chéri, lui dit-elle d'une voix douce. Nous voudrions simplement que tu saches à quel point nous t'aimons et t'aimerons toujours. »

Dans la prison de Raiford, la longue nuit s'écoula beaucoup trop vite. Ted passa quatre de ses dernières heures à prier avec Fred Lawrence, un pasteur de Gainsville, et avec les Tanner. Assommé par une dose massive de tranquillisants, Ted se soumit aux derniers préparatifs. Il n'eut pas de dernier repas. Il n'avait pas faim. On lui rasa les poignets, la jambe droite et la tête pour faciliter l'adhérence des électrodes qui allaient libérer une charge maximale de deux mille volts en trois impulsions, jusqu'à ce qu'il soit mort. On lui donna un pantalon et une chemise bleu clair propres.

À San Francisco, pas question pour nous de dormir. Dans l'hôtel, les techniciens installaient les caméras, réglaient les éclairages. Quand il serait 7 heures du matin à Starke, en Floride, il ne serait que 4 heures à San Francisco. Pas même l'aurore.

Vers 2 h 30, je montai prendre quelques minutes de repos. L'équipe de cameramen me réveilla à 3 heures. Ils étaient prêts à commencer. Avec Tom Jarriel, je m'installai dans des sièges recouverts de soie devant un récepteur de télévision découvrant une vue panoramique de la prison centrale de Floride. Puis le cadrage se rétrécit et la caméra fit le point sur la foule venue célébrer l'exécution de Ted Bundy. Les gens chantaient et buvaient de la bière. Trois cents personnes étaient costumées et portaient des banderoles clamant : *Brûlez Bundy !* et *Faites-le frire !* Des parents avaient amené leurs enfants pour participer à l'heureux événement. Il régnait là-bas une atmosphère de fête qui m'épouvanta. Un vent de folie soufflait. Ils n'étaient pas plus humains que Ted.

Les caméras étaient braquées sur nous. Tom Jarriel me posait des questions pendant que je regardais l'écran. Le désir d'être chez moi me reprit. Le bâtiment vert qui abritait l'antichambre de la mort était à peine visible dans les premiers rayons du soleil levant.

À 4 heures, tous nos regards étaient rivés sur le petit écran. Il était à présent trop tard pour une grâce ; cela allait vraiment arriver. Je crus que j'allais vomir. Je n'avais pas eu le ventre aussi noué depuis dix ans. J'éprouvais exactement les mêmes sensations que lorsque j'avais réalisé à Miami que Ted était coupable.

Les caméras firent un gros plan sur mes yeux et Tom me posa une question. Je secouai la tête, incapable de parler.

Je vis les lumières à l'extérieur de la prison faiblir pendant ce qui me parut un long moment, puis elles retrouvèrent leur éclat normal. Des murmures et des huées montèrent de la foule restée dans l'expectative.

La porte de la chambre de la mort s'était ouverte à 7 heures précises. Le directeur de la prison, Tom Barton, avait été le premier à entrer. Derrière lui, Ted, menottes aux poignets, escorté par deux surveillants. Ils l'avaient rapidement attaché sur la chaise électrique.

Ted avait, paraît-il, le regard vide – peut-être à cause du manque de sommeil, ou des doses massives de sédatifs qui lui avaient été injectées. Ou petit-être parce qu'il avait perdu tout espoir... Il regarda les douze témoins qui étaient assis sur les chaises noir et blanc de l'autre côté de la cloison de plexiglas. Les reconnut-il tous ? Probablement pas. Il y en avait certains qu'il ne connaissait pas, d'autres qu'il n'avait pas vus depuis des années. L'inspecteur Don Patchen, de Tallahassee, était là, ainsi que Bob Deckle et Jerry Blair. Ken Robinson, qui avait découvert les restes de Kimberly Leach, était là aussi.

Le regard éteint de Ted se posa sur Jim Coleman et le révérend Lawrence, puis il hocha la tête.

– Jim... Fred... dit-il, j'aimerais que vous transmettiez mes amitiés à ma famille et à mes amis.

Barton avait encore un coup de fil à passer. Il utilisa le téléphone placé à l'intérieur de la chambre de la mort pour appeler le gouverneur Martinez. Son expression était indéchiffrable quand il hocha la tête à l'intention du bourreau encapuchonné.

Personne ne savait qui se trouvait sous la cagoule mais l'un des témoins aperçut de grands cils recourbés au-dessus de ses yeux. S'agissait-il d'une femme ?

À San Francisco, j'avais les yeux rivés sur l'écran de télévision. À l'extérieur de la prison, les lumières faiblirent une seconde fois, puis une troisième.

Puis une silhouette floue émergea du bâtiment vert et agita un mouchoir blanc en faisant d'amples mouvements.

C'était le signal. Ted était mort.

Il était 7 h 16.

Un corbillard blanc apparut à l'arrière de la prison. La foule poussa des hurlements et siffla joyeusement tandis que le véhicule prenait de la vitesse. Les officiels craignirent un instant qu'elle ne l'immobilise pour le renverser.

L'homme qui avait marché vers la chaise électrique de sa

435

propre volonté avait été parfaitement maître de lui. Ted était mort comme j'avais toujours pensé qu'il le ferait : sans laisser voir aux autres qu'il avait peur.

Je rentrai à Seattle et, sans prendre une seule minute de repos, passai les douze heures suivantes à répondre à des questions pour la radio et la télévision. Partout où je me rendis, je vis l'enregistrement vidéo de l'entretien entre Ted et le Dr James Dobson. Ted, le visage d'un jaune cireux, les traits creusés et fatigués confiait en toute sincérité à Dobson que ses crimes pouvaient être imputés à la pornographie et à l'alcool.

Cette cassette vidéo abordait deux problèmes qui se trouvaient à cette époque au cœur du débat national. Le Dr Dobson croyait que le sexe et l'alcool jouaient le rôle catalyseur chez les tueurs en série et il avait sous la main son premier tueur de cette sorte à venir valider sa théorie. Ted voulait laisser derrière lui le souvenir de sa grande sagesse tout en culpabilisant la société. Il était coupable, bien entendu, mais nous l'étions encore plus puisque nous avions autorisé la pornographie ! Nous passions devant les kiosques à journaux sans exiger que cette littérature dégoûtante soit retirée de la vente et interdite !

Apparemment guidé par Dobson, Ted aborda le sujet de sa prétendue sujétion à la pornographie, de ses perversions, à l'origine desquelles se trouvait une littérature pétrie de violence pure et de sexe étalé. Ted était très éloquent – et convaincant – dans le rôle de l'homme vidé et repentant sur le point de mourir. J'aurais bien voulu croire à l'altruisme de ses motivations, mais je ne parvenais pas à voir autre chose dans cette cassette vidéo qu'une ultime tentative de manipulation de notre esprit par Ted Bundy. Une fois de plus, Ted rejetait la responsabilité de ses crimes sur la société.

Je ne crois pas que ce soit la pornographie qui ait incité Ted à assassiner trente-six, ou cent, ou trois cents femmes. Je crois que, s'il y a eu asservissement, c'est à la sensation de puissance que lui apportaient ses crimes.

La vérité toute nue, c'est que Ted était un menteur. Il a

menti pratiquement tout au long de sa vie, et je pense, jusqu'au bout.

L'entretien vidéo diffusé de Ted Bundy avec James Dobson eut cependant un impact que je trouve pour ma part extrêmement dérangeant. Au cours des semaines qui suivirent son exécution, je reçus d'innombrables lettres et coups de téléphone de jeunes femmes sensibles et intelligentes qui avaient été terriblement déprimées par sa mort. Certaines avaient correspondu avec lui et croyaient être tombées amoureuses. Quelques-unes me dirent même avoir fait une dépression nerveuse. Même mort, Ted continuait à faire du mal aux femmes. Toutes ont payé leurs vingt-neuf dollars quatre-vingt-quinze pour recevoir la cassette vidéo de l'entretien et la visionnent sans arrêt. Elles voient de la compassion et de la tristesse dans ses yeux. Pour s'en sortir, il leur faudra réaliser qu'elles ont été bernées par le roi du leurre en personne. Elles pleurent sur une ombre qui n'a jamais existé.

Je reçus d'autres appels : encore des femmes qui avaient été trop terrifiées pour m'appeler du vivant de Ted et qui croyaient toutes lui avoir échappé de justesse alors qu'il était en pleine activité dans les années 70. Certaines font manifestement erreur, mais d'autres témoignages ne peuvent pas être écartés à la légère. Si peu de ses victimes lui ont survécu que ces anecdotes peuvent nous en dire un peu plus sur Ted Bundy.

Brenda Ball disparut de la *Taverne de la Flamme* le dernier week-end de mai 1974. Une semaine à peu près avant sa disparition, une jeune femme du nom de Vikky passait la soirée dans un autre bar un peu plus loin dans la rue : *Brubeck's Topless Bar*. Vingt-cinq ans, petite, avec de longs cheveux châtains séparés par une raie au sommet de la tête, Vikky était venue en voiture et quitta les lieux avant minuit.

Son auto refusa de démarrer et elle se fit raccompagner chez elle par des amis. À 4 heures du matin, juste avant le lever du soleil, elle revint sur le parking de la taverne pour essayer de remettre sa voiture en route.

– Je tentais de faire démarrer le moteur – sans résultat – quand j'ai vu cet homme assez beau surgir de derrière la taverne. Je ne sais pas ce qu'il faisait là à cette heure de la nuit et il ne m'est pas venu à l'esprit qu'il avait pu trafiquer le moteur de ma voiture.

« Il a essayé de la faire démarrer à son tour, puis il m'a dit que j'avais besoin de câbles pour recharger la batterie. Il n'en avait pas, mais m'a dit qu'il connaissait quelqu'un qui pourrait me dépanner.

« Avant que j'aie eu le temps de refuser, on était en route dans sa voiture. On roulait vers le nord – vers Issaquah. Je me disais qu'il savait où il allait, mais j'étais quand même inquiète à cause de ma petite fille qui était toute seule à la maison. Elle n'avait que cinq ans. Tout d'un coup, le type m'a dit : "Faites-moi plaisir", je l'ai regardé, et il a sorti un cran d'arrêt et me l'a mis sur la gorge.

« Je me suis mise à pleurer et il a dit : "Enlevez le haut" et j'ai dit "Je l'enlève", puis il a dit : "Le bas, maintenant", et puis il m'a fait enlever mes sous-vêtements aussi.

« J'étais assise là, entièrement nue, et j'ai essayé de lui parler, d'user d'un peu de psychologie. Je lui dis qu'il était plutôt beau garçon et qu'il n'avait pas besoin de faire ça pour avoir une femme. Il m'a répondu : "Ce n'est pas ce que je cherche – j'ai envie d'un peu de variété."

« J'ai voulu attraper le couteau et ça l'a mis en colère. Il a crié : "Ne faites jamais ça !"

« Finalement, je lui ai dit : "Ma petite fille de cinq ans est toute seule à la maison ; elle va se réveiller et il n'y aura personne pour lui répondre."

« Il a brusquement changé d'attitude. Comme ça. Il a arrêté la voiture dans une rue bordée de grands arbres et m'a dit : "C'est ici – c'est là que vous descendez." J'ai fermé les yeux, persuadée qu'il allait me poignarder et j'ai dit : "Pas sans mes vêtements." Il les a jetés par la fenêtre, mais il a gardé mon sac et mes chaussures.

« Des gens qui habitaient là m'ont laissée entrer et ont appelé la police. Ils ont découvert que quelqu'un avait enlevé la tête du Delco du moteur de ma voiture. Ils n'ont jamais retrouvé la trace du type.

« Mais, environ un an plus tard, alors que je regardais la télévision avec des amis, j'ai vu un homme à l'écran et j'ai crié : "Hé ! Regardez ! C'est lui ! C'est le type qui a failli me tuer !" Ils m'ont donné son nom : c'était Ted Bundy.

Ted Bundy a fini par entrer dans le folklore criminel nord-américain. Les années à venir verront surgir histoires, récits, souvenirs, rapports et essais sur lui. Le vrai reste encore à démêler du faux, mais il faut espérer que les criminologues et les psychiatres tireront quelques leçons de toute cette horreur.

Ted voulait attirer l'attention sur lui et, en un sens, il a réussi. Il a quitté cette terre haï par la majorité des gens. Quand le public apprit que ses cendres devaient être dispersées au-dessus des monts des Cascades, dans l'État de Washington, ce fut un tollé. Le projet a été abandonné et nul ne sait où reposent ses restes.

Cela n'a plus aucune importance. Tout est fini.

Les deux aspects de sa personnalité ont été détruits le 24 janvier 1989.

Je me souviens encore que, lors de la première arrestation de Ted dans l'Utah en 1975, mon éditeur de New York n'imaginait même pas qu'on puisse écrire et publier un jour un livre sur Ted Bundy :

– Personne n'a jamais entendu parler de Ted Bundy, m'avait-il dit. Ce n'est qu'une petite histoire locale – le nom ne dira rien à personne.

Tragiquement, il avait tort.

Au bout du chemin, que la paix soit avec toi, Ted.

Et avec toutes les innocentes que tu as tuées.

Ann Rule

Impression réalisée sur CAMERON par

BRODARD & TAUPIN

GROUPE CPI

La Flèche

pour le compte des Éditions Michel Lafon
en avril 2002

Imprimé en France
Dépôt légal : avril 2002
N° d'impression : 12710
ISBN : 2-84098-807-0
LAF 349